ACT 9

Corpo e Paisagem Românticos

ALTERIDADES, CRUZAMENTOS, TRANSFERÊNCIAS

Direcção: (ACT) Centro de Estudos Comparatistas
Coordenação: Helena Carvalhão Buescu / João Ferreira Duarte

Livros publicados:

1 - *ACT 1 – Sublime. Tradução*
Org. Helena Carvalhão Buescu e João Ferreira Duarte

2 - *ACT 2 – Entre Artes e Culturas*
Org. Helena Carvalhão Buescu e João Ferreira Duarte

3 - *ACT 3 – Narrativas da Modernidade: a construção do outro*
Org. Helena Carvalhão Buescu e João Ferreira Duarte

4 - *ACT 4 – Harmonias*
Org. Kelly Benoudis Basilio

5 - *ACT 5 – Utopia e Melancolia*
Org. Lourdes Câncio Martins

6 - *ACT 6 – Literatura e Viagens Pós-Coloniais*
Org. Helena Carvalhão Buescu e Manuela Ribeiro Sanches

7 - *ACT 7 – Representações do Real na Modernidade*
Org. Helena Carvalhão Buescu e João Ferreira Duarte

8 - *ACT 8 – Autobiografia. Auto-representação*
Org. Paula Morão

9 - *ACT 9 – Corpo e Paisagem Românticos*
Org. Helena C. Buescu, João F. Duarte e Fátima F. da Silva

Edições Colibri
Faculdade de Letras de Lisboa
Alameda da Universidade
1600-214 Lisboa

Telef./Fax: 21 796 40 38
www.edi-colibri.pt
colibri@edi-colibri.pt

ACT 9

Corpo e Paisagem Românticos

Organização:

Helena Carvalhão Buescu
João Ferreira Duarte
Fátima Fernandes da Silva

Edições Colibri

Centro de Estudos Comparatistas

Catalogação na Publicação – Biblioteca Nacional

Colóquio Corpo e Paisagem Românticos.
Lisboa, 2003

Corpo e Paisagem Românticos : [actas / do
Colóquio Corpo...] ; org. Helena Carvalhão Buescu,
João Ferreira Duarte, Fátima Fernandes da Silva.
(ACT : alteridades, cruzamentos, transferências ; 9)
ISBN 972-772-460-4

I – Buescu, Helena Carvalhão, 1956-
II – Duarte, João Ferreira, 1947-
III – Silva, Fátima Fernandes da, 1967-

CDU 82.02 Romantismo
82 A/Z.09
061.3

ACT 9
Corpo e Paisagem Românticos

Organização: Helena Carvalhão Buescu
João Ferreira Duarte
Fátima Fernandes da Silva

Edição: Ed. Colibri / C. Est. Comparatistas

Capa: Ricardo Moita

Execução Gráfica: Colibri – Artes Gráficas, Lda.

Depósito Legal nº: 206 409/04

Tiragem: 500 exemplares

Lisboa, Abril de 2004

Preâmbulo dos Coordenadores

Central ao trabalho comparatista no nosso tempo é sem dúvida o encontro com o Outro, a investigação dos contactos culturais, a pesquisa sobre migrações discursivas e as reconfigurações disciplinares e epistemológicas que advêm da irrevogável diluição de fronteiras que caracteriza o regime actual das Ciências Humanas. É por isso que o Centro de Estudos Comparatistas da Faculdade de Letras da Universidade de Lisboa, em colaboração com a editora Colibri, propõe aqui uma série de publicações dedicada à exploração de "Alteridades, Cruzamentos, Transferências", ou – uma vez que também as línguas se submetem cada vez mais à lógica da travessia e da pluralidade – "Alterities, Crossings, Transfers", "Altérités, Croisements, Transfers", e que se caracteriza essencialmente pela disseminação de assuntos, pelo nomadismo tópico.

O acrónimo ACT denuncia de imediato outra dimensão, agora pragmática, desta empresa: é que cada volume constitui a transcrição de uma "performance", isto é, de um conjunto de textos comunicados oralmente a um público e com ele interactivamente discutidos. Ao decidir encenar regularmente estes ACTs e transferi-los da palavra oral para a escrita, pretendem os Coordenadores antes do mais ampliar o âmbito da discussão por via da reapropriação intelectual que ao livro sempre subjaz; pretendem, em suma, contribuir para o continuado debate que a ciência é e, em particular no que diz respeito aos Estudos Comparatistas, para a possibilidade de conversão do ACT em acto de re-conhecimento.

Helena Carvalhão Buescu
João Ferreira Duarte

O Colóquio Internacional correspondente a esta publicação teve o apoio de:

Associação Portuguesa de Literatura Comparada
Biblioteca Nacional
Boa Memória – Produções Multimédia
Bulhosa Livreiros
Câmara Municipal de Cascais
Câmara Municipal de Lisboa
Caminho Divulgação
Central de Cervejas
Faculdade de Letras da Universidade de Lisboa (Conselho Directivo)
Fundação Calouste Gulbenkian
Fundação Luso-Americana para o Desenvolvimento
Fundação para a Ciência e a Tecnologia /
Ministério da Ciência e do Ensino Superior
Horto do Campo Grande
Instituto de Estudos Italianos da Universidade de Coimbra
Livraria Almedina
Livraria Britânica
Livraria Bucholz
Livraria Escolar Editora
Museu de Arte Popular
Programa em Literatura Comparada
da Faculdade de Letras da Universidade de Lisboa
Rádio Paris-Lisboa
Rádio Televisão Portuguesa
Relógio d'Água Editores
Teatro Nacional D. Maria II
Turismo de Lisboa

Colóquio Internacional
ACT 9
Corpo e Paisagem Românticos
Romantic Body and Landscape
11 e 12 de Março de 2003
Remo Ceserani - Univ. Bologna
João Almeida Flor - Univ. Lisboa
Hans-Ulrich Gumbrecht - Univ. Stanford
Svend-Erik Larsen - Univ. Aarhus
Monika Schmitz-Emans - Univ. Bochum
Michael Wood - Univ. Princeton
Centro de Estudos Comparatistas
Faculdade de Letras da Universidade de Lisboa
www.fl.ul.pt/centros_invst/comparat
Cascais
LUSO
divulgação

Índice

Act 9 – Corpo e Paisagem Românticos

Índice

Act 9 – Corpo e Paisagem Românticos

Sessões Plenárias

Body and Soul in Romantic Love

Remo Ceserani
Università di Bologna

One often hears people speaking of the eternal, unchanging nature of love. Yet historically, love has been conceived and practised in very different ways, and there have been many radical changes, resulting from mutations in social life and ideology. According to many cultural historians, one of the greatest changes in the conception of love, as in many other fields of social and individual experience, took place at the end of the eighteenth century, with Romanticism and the beginning of modernity. This assertion must, however, be qualified, for the distinction is perhaps not as clear cut as all that.

During the eighteenth century, especially in countries like France and England (but also in Italy and other parts of Europe), love – passionate love, together with other types such as *l'amour plaisir* or *l'amour libertine*, homoerotic or platonic love, conjugal love among others – was explored in all its possible varieties, in response to a strong drive to experiment and acquire a new knowledge of human nature. As far as *l'amour plaisir* or *l'amour libertine* is concerned, it is probably enough to mention Giacomo Casanova or the Marquis de Sade, although we should not forget that some of those practices were quite widespread, at least in the higher strata of society. We should also mention that the practice of erotic love was often intended as a form of refinement of feeling, a way of controlling or simply observing one's emotions, often by describing them in one's journal, in the exchange of letters, in the chronicles of high society published by the newspapers or represented in the new and widely-read genre of the novel. We should also mention the practice of love as parlour game, as autobiographical discovery of oneself, as exploration of the most secret zones of human experience. If we compare the multiple practices of love in the eighteenth century with that typical of the nineteenth century, we find that gradually a newer, stronger and more homogeneous model was conquering the scene, driven by a propelling force that gradually transformed it into a hegemonic model. The new model, which came to be called romantic love, appeared in the bourgeois societies resulting from the industrial revolution and the political and philosophical revolutions of the last decades of the eighteenth century, and spread first in intellectual circles then increasingly among the other social strata. Romantic love elaborated in an original way the model of *amour passion* (an expression, as you might know, which was first coined by Stendhal) and presented itself as a dominant force without any alternative, as a sentiment characterized by totality and exclusivity, by definition eternal (even though in practice it might have often failed to last more than a week), a union of two souls and two bodies who meet and suddenly realize that are made one for the other and are destined to the extraordinary experience of passionate love.

But let me correct this too rigid distinction that I have just made. One thing must be said: for the creation and diffusion of the new romantic conception of passionate love, beside the radical changes that modernity brought about in the material conditions of life, in the general situation of culture and the imaginary, an important role was certainly played by the extensive and fine experimentation that was carried out, in the fields of erotic experience, emotion and feeling during the preceding century. The German social scientist Niklas Luhmann, in an important book dedicated to the historical reconstruction of the cultural model of passionate love in the eighteenth century particularly[1], has attempted to reconstruct the successive historical phases of what he calls the symbolic "code of communication" of passionate love (from *l'amour courtois* to *l'amour precieux* to *l'amour plaisir* or *amour libertine* to Romantic love) and also the historic differentiation, in the modern age, among the geographic and cultural zones of France, England and Germany.

Some readers might be surprised by Luhmann's use of tools from communication theory, which are by definition rather "cool", for the analysis of such a hot matter as that of sentimental passion and sexual drive. In any case, Luhmann's book, with its careful and unbiased analysis, can function as a useful antidote to the classical study by

---

1 Niklas Luhmann, *Liebe als Passion: Zur Codierung von Intimität* (Frankfurt a. M: Suhrkamp, 1982). Engl. transl.: *Love as Passion. The Codification of Intimacy* (Oxford: Polity Press, 1986).

Denis De Rougemont[2], which is violently and passionately dedicated to a severe denunciation of all the risks inherent in *amour passion* in general and in romantic love in particular. Luhmann, in fact, tends to consider love not as passion, but rather as "a code of communication, according to the rules of which one can express, form and simulate feelings, deny them, impute them to others, and be prepared to face up to all the consequences which enacting such a communication may bring with it"[3].

Luhmann's book makes some fundamental distinctions (dominant in all the cultural models that I have mentioned) such as between love as pleasure (*plaisir*) and love as sentiment (*amour*), or, less strongly yet very important, the distinctions between love and marriage, feelings and reason, emotion and frivolity, processes of idealization and processes of paradoxicalization. Luhmann's research also substantiates the historiographic hypothesis that a great change took place between the eighteenth and nineteenth centuries in the conception and behaviour of love.

There are two aspects of the phenomenology of love, widely explored in the eighteenth century, which deserve to be stressed here, because they seem to anticipate some of the motives of the Romantic revolution: one is the new attention paid to the human body, its mechanisms and functions, especially in the sphere of sexuality and reproduction; the other one is the new prominence of women and femininity. Both these developments were propelled by the remarkable advancement that took place at the time in medical and anatomical knowledge: the female body, up to then considered only as an imperfect copy of the male one, was finally studied and known in its specificity, thus giving birth to a new speciality within medical science, namely gynaecology[4].

Let me provide a few examples, taken from texts that have an explicit sexual content. These are not texts to be confined in the "Enfer" of the Bibliothèque Nationale in Paris; they belong to the normal epistolary intercourse of the eighteenth century between two persons of different sexes. They show, I believe, how deeply the new culture of love and eroticism had penetrated the discursive practices between the two sexes, overtaking all kinds of embarrassment and reticence. We are not, in this case, in Paris, but in Italy and in a pro-

---

2 Denis de Rougemont, *L'Amour et l'occident* (Paris: Plon, 1939). Engl. transl.: *Love in the Western World* (New York: Pantheon, 1956).

3 Niklas Luhmann, *op. cit.*, p. 20.

4 Thomas Laqueur, *Making Sex: Body and Gender from the Greeks to Freud* (Cambridge, MA: Harvard University Press, 1990).

vincial town, Verona – although this was not far from Venice where an audacious and frank attitude toward sexuality and extramarital love had a long established tradition. The first protagonist is a man of letters much given to *l'amour libertine*, Aurelio Bertola, an abbot from Rimini, who has gone down in literary history as one of the first Italian writers to have a wide knowledge of the German natural and cultural landscape. The other is a woman who was well accepted in the literary salons in Verona and who herself kept a well-known salon: Elisabetta (Bettina) Contarini, wife of Count Giacomo Mosconi.

Phrases of great passion, excitement of the senses, admiration for the aesthetic quality of the lover's writings and for his or her fine *sensiblerie*, exchanges of impressions after reading novels by Richardson and Fielding, declarations of eternal love in a language that anticipates the Romantics while also containing open allusions (typical of the libertine conception of love) to not only the erotic pleasures experienced by the two lovers together, but also to solitary pleasure, with explicit descriptions of masturbatory practices, both solitary and reciprocal:

> Oh I cannot anymore escape from you in my dreams: so great was the rapture that I felt while I was fondled in your arms! Oh great delights! Oh the sweetness of my life! I woke up under the assault of the sweetest and most ardent convulsions… produced by the wishes that you express in your verses. I should tell you that for you my hand became rather daring, and brought about the relief that had been interrupted in my sleep! I did not however cry *oh what a paradise* but I got up before nine full of energy. [Letter of October 1784]

> What a divine soul you have, my dear B[ertola]! What a style in writing! What an enchantment radiates from your letters! What a solace, what a nectar flows in my blood, and relieves me in such a way that all my ills disappear, and I feel as if I were reborn and ready to love you even more, provided that it were possible, and with greater excitement! You should not think, though, that you can avoid the punishment you have deserved, oh no, I wish that it be so strong that it will put you in that *state* in which so many times, when you were close to me, a single clench from my hand would make you say: look at me, oh my B[ettina], look how I feel when I am with you. Remember that I want you to write me whether my punishment has been effective. You should know then, my dear, that reading about your delicious fingers, in that very moment such a fire ran through my veins, such a sweet tremor took hold of my whole body, of your B[ettina], that without the help of my own fingers, but with a strong and incredibly pleasurable convulsion, while calling you with the fondest names, and pressing to my breast your divine letter, I plunged in such a celestial beatitude, that never never, since when you were here, I experienced

> such a one. Such a shower, my B., such a shower! Oh, I wish you could be there with me in that felicitous moment! Such a Paradise! No match to the grapes of your Marquise! I do not know if you remember a very special day: I still see you as in that day… I was holding you in my arms, while you with your gentle hand were showing me your sacrifice… and I saw with some regret the divine liquor shed on the ground, today, you know, I went to visit that room, the trace is still there: with great excitement I bent down to kiss and to collect on my tongue, would it be possible, a small particle of that ambrosia of which I have been for so many days deprived! Oh my God, to what an extent a passionate love can induce a tender lover into doing! [Undated letter but from November 1784]

> Do you know that soon it will be one year since the first beginnings of our love? Oh how I take pleasure in remembering those first felicitous moments! that first stolen kiss… the second one that I returned on that divine mouth!... the sweetest throbs of your heart… the shivers of your entire person… oh my God! I see, I feel, I recall every single thing! It is true that at the time our souls were tied only by the most tender friendship, but it was then that we discovered the first seeds of a mutual conformity of inclinations, thoughts and sentiments, and even flaws of character, all the elements that went to form a suave chain which will keep us tied until we shall have a breath of life. That idea is for me the dearest and most soothing! I will always belong to my B. and he will always be mine! amidst all the revolutions the human society will encounter, our union will remain forever constant – at least this is what my heart is looking forward to, and does not your heart speak the same language? oh yes, my B., you can not think differently in this matter. I give up writing in order to plunge myself in those consoling thoughts. [Letter of April 7 1785]

Not very different, though formulated from a masculine point of view, are the expressions contained in the letters addressed by Ugo Foscolo to the protagonist of another passionate love story, Countess Antonietta Fagnani Arese, between 1801 and 1803, this time with Milan as backdrop (which might serve to confirm Stendhal's well known opinion on the freedom that he believed characterized the behaviour in matters of love of the women of the aristocracy and high bourgeoisie in the salons of the capital of Lombardy and lodges of La Scala). Also in these letters the typical feelings of *amour libertine* and *amour romantique* (taken to extremes) go hand in hand; here experience and literature nourish each other, and go as far as to inspire the translation into Italian of Goethe's *Werther*, recently published in Germany at the time (Fagnani Arese was rare among Milanese intellectuals and particularly women for her direct knowledge of the German language). Here also we encounter explicit mentions of sexual matters (Foscolo talks freely of his penis, whom he affectionately calls "my little brother": "il mio fratellino"), and here too we find explicit mentions of masturbation and of the seminal fluid, which, with a curious mixture of libertine eroticism and romantic sentimentality, is linked to another liquid secretion of the human body: tears.

> I must describe to you, in true confession, some antics of my little brother, whom you should scold a little: he wants too much: and I do not have the energy that is necessary to satisfy his prodigality. Since the last time that you saw him I caressed him and battered him, and he has cried four times, I do not know if out of pleasure or rage. God knows what he will induce me to do until you give him some well--deserved lesson.[5]

It might perhaps be necessary to recall that "tears" (*Träne*), together with "heart" and "soul" are some of the most frequent words in *Werther* (for example: "In vain I stretch out my arms to her when morning comes and I gradually waken from deep dreams (...). Ah, still half asleep I reach for her, cheered to think she is there – and a flood of tears pours from my sorely beset heart, and I weep inconsolably over my somber future"[6]). In Goethe's text, the old theory of bodily humours, of Hippocrates and ancient medicine, undergoes a profound transformation, influenced by the German pietistic tradition[7]. The conditions of nature determine the condition of mind and modulate vital energy; love as passion invades soul and heart and finds expression through enthusiasm, discouragement, tears. Even the act of writing is presented as an effusion of humours (outflow of ink) to the point that young Werther, subjected to the sorrows of love, converts his artistic passion for drawing into writing, and pours out his feelings in his letters, as well as reading Ossian, torturing himself in a way similar to that of the ancient hermits, who tortured themselves with the cilicium. Instead of the cilice, he tortures himself with nature:

> And if melancholy [*Wehmut*, in other instances *Laune*] is not allowed to prevail, and Lotte does not permit me the miserable solace of weeping on her hand for relief, I have to leave, and go out – and then I wander far and wide in the fields, and take pleasure in climbing a

[5] Ugo Foscolo, *Lacrime d'amore: Lettere a Antonietta Fagnani Arese*, a cura di G. Pacchiano (Milano: Serra e Riva, 1981), pp. 245-246.

[6] Wolfgang Goethe, *Die Leiden des jungen Werthers* (1802), edited by E. Beutler (Stuttgart: Reclam, 2001). Engl. transl.: *The Sorrows of Young Werther* (London: Penguin Books, 1989), pp. 66-67.

[7] Wolf Lepenies, *Melancholie und Gesellschaft* (Frankfurt a. M.: Suhrkamp, 1969). Engl. transl.: *Melancholy and Society* (Cambridge, MA: Harvard University Press, 1992).

precipitous mountain, and beating a path through thick forest, hurt by the briers, torn by the thorns! Then I feel somewhat better! Somewhat![8]

* * *

But what, then, are the specific elements of the new cultural model introduced by romantic love? First: it is characterized by a strong element of self-programming – I am tempted to say of self-assertion, using the term *Selbstbehaptung* used by the German philosopher Hans Blumenberg[9], which could be applied to the life of the couple. Blumenberg introduces this term to characterize the new way of thinking and behaving of modern man, strongly concentrated on himself and his own individuality. The model, born out of the experiences of the new bourgeois entrepreneurial society, found its literary expression in the new narrative genre of the *Bildungsroman*. Modern man draws up a "program" to which he tries to conform in his life and on the basis of which he formulates hypotheses of action, ways in which he wants to shape the reality that surrounds him and develop all his potential.

As regards this, I would like to consider a story issuing from one the European centres of Romanticism that actively participated in shaping the new model of love, the Coppet circle of Madame de Stäel (from where also came *Corinne* by Madame de Stäel herself and various other texts). I am referring to *Adolphe* (1810) by Benjamin Constant. The novel starts out, not surprisingly, with a gesture of self--assertion, fully embodying one of the features that Luhmann considers specific of *l'amour passion*: the attitude of the lover even before embarking in the search for love of a sort of generic disposition and self-awareness that is apparent before even finding his or her partner. Adolphe, after having heard in confidence the story of a friend, decides to abandon the examples of cynical and libertine love that are the norm of conduct for his father (thus crossing a threshold which appears at the same time to be a line of separation between two different generations, but also between two centuries, two worlds, two cultural models), and embarks on a new experience which should offer him the same enthusiastic joys experienced by his friend:

---

8 Wolfgang Goethe, *op. cit.*, pp. 68-69.

9 Hans Blumenberg, *Die Legitimität der Neuzeit* (1966), second enlarged edition (Frankfurt a. M.: Suhrkamp, 1974). Engl. transl.: *The Legitimacy of the Modern Age* (Cambridge, MA: MIT Press, 1983).

> Although my father adhered strictly to outward convention, he often indulged in cynically free remarks about love affaires; he thought of them as diversions which, while not actually permissible, were at least excusable, and considered marriage alone in a serious light (...) it seemed to him that all women, as long as it was not a question of marrying them, could without any inconvenience be taken. (...)
> Tormented by an indefinable longing, I said to myself, I want to be loved, and I looked around; I could see no one who inspired me with love, no one who seemed to me capable of experiencing love; I examined my heart and my tastes; I was not conscious of any predilection. I was in this state of inner turmoil when I made the acquaintance... (...)
> Presented to my sight at a time when my heart needed love, my vanity success, Ellénore appeared a conquest worthy of me.[10]

Adolphe contains an analysis, unrelentingly conducted from within the human soul, of the ambiguities and duplicities of the male conscience and of the difficulties of communication within the couple. The text is short but intense, and rendered complex by the different perspectives used: there is that of the protagonist, who has left his story narrated in a notebook, an editor who has got hold of it by chance, and a witness who, with a letter to the editor, authenticates the core of the story and completes it to the end. In the end the editor intervenes once more and sums up the narration with a final comment. The plurality of perspectives goes even further and touches the very position of the protagonist, Adolphe, who describes and observes his own actions (in this resides perhaps the novelty of this text): "Almost always, in order to live at peace with ourselves, we disguise our failings and weaknesses, presenting them as expedients and schemes; this satisfies that part of us which, as it were, acts as spectator of the other"[11]. The passion of love prevails over Adolphe and destroys him, beyond all his calculations, outbursts of sincerity, dissimulations and procrastinations. Even more dramatically and ruinously it destroys Ellénore, in inverse proportion to the length of her resistance to Adolphe's assaults, the hardships of her preceding experiences, the necessity for her and her family equilibrium, her network of affections, and the acceptance and the solidarity of the others. The profoundly contradictory and tragic nature of the model of romantic love is analysed and unveiled in a story which explores the most stirring and tormenting aspects of romantic love and what survives in it of the preceding models of love.

---

[10] Benjamin Constant, *Adolphe* (1810), edited by A. Adam (Paris: Garnier-Flammarion, 1965). Engl. transl.: *Adolphe* (Oxford: Oxford University Press, 2001), pp. 12-15.

[11] *Ibidem*, p. 16.

It should be added that the element of self-programming, though less explicit than in *Adolphe*, and veiled by expressions like "temperament" and "destiny", was already present in the archetype behind *Adolphe*, Goethe's *Werther*. When young Werther arrives in the fatal village, upon completion of his studies, having "a sensitive heart" (*ein fühlendes Herz*), he finds in the solitude and the friendly countryside "a wonderful serenity" (*eine wunderbare Heiterkeit*) which fills his soul "like the image of a loved one". The woman appears in the text in the first pages only as an image, an innocent hint of something that can fill the initial solitude. When after a few days Werther encounters for the first time Lotte ("Mamsell Lottchen" in the words of a servant), the image that he has before him is much more dangerous: she presents herself as a gracious little mother, full of tenderness and wisdom, who has taken the place of her lost mother in the domestic scene and now takes care of her small brothers and sisters by distributing among them the afternoon snack. The rest of the story is already anticipated by the words of Lotte's "insignificant" cousin who has organized the encounter:

> "You will be getting to know a beautiful young woman," my companion informed me as we drove through the vast wooded park to the hunting lodge. "Be on your guard", put in the aunt, "and take care not to fall in love!" – "Why?" I asked. – "She is already promised to a very worthy man," she replied, "who has gone away to put his affairs in order following the death of his father, and to see about a decent position." This information left me pretty much indifferent.[12]

Romantic love, paradoxically, aims at the self-assertion not of a singular individual, but of two, of a couple, in which both subjects must be strong and well constructed, different from each other and perfectly conscious of their differences and yet destined to complete one another: two bodies and two souls, two individualities each of which is enclosed in his or her world (the masculine or feminine one), both aspiring to a total and eternal fusion, to the fulfilment of each one through individuality and world of the other. Moreover, as we have already seen in *Werther*, romantic love acts in a way that is very different from the preceding models of love (from the *amour libertine*, for example, which rigidly separated the spheres of marriage and erotic passion): it pursues the very ambitious and often disastrous project of including the new form of communication between the two sexes within the social and economic institution of marriage. The two subjects choose each other on the basis of a profound and mysterious

---

[12] Wolfgang Goethe, *op. cit.*, p. 37.

affinity: "that is my twin soul, destined to me, whom I found at last", so they say to each other. Romantic love is a domineering and overwhelming force that will not compromise: different in this aspect from all other models of love, it aims at marriage and wishes to thrive within that institution (giving birth to the so-called "marriage for love"). Hence the inevitable conflicts with the economic structures, of the social classes, and so on.

Nineteenth-century literature becomes the place of celebration, ideal projection and often dramatic experimentation of romantic love in all its aspects, the lyrical sublimations as well as tragic complications or comic or grotesque developments. The literature of the period re-reads and reformulates on the basis of the new model the stories of the past, created according to different cultural models: the stories of Tristam and Iseult, Abelard and Héloïse, Paolo and Francesca da Rimini, Romeo and Juliet, with an incredible number of novelistic, theatrical, and musical adaptations.

The project is that of building a new and indissoluble unity and it is more than natural that it enters into conflict not only with social structures and conventions (the family), but also with the temporal dimension of history (individual events, changes of feelings, careers, etc.). The beginning, the act of falling in love[13] seems to have no temporal weight: it is the bolt of lightning, the chance encounter, which enacts a long prepared destiny. The conclusion seems to dissolve into eternity.

Adolphe, in his merciless auto-analysis, also reflects on the relationship that the passion of love entertains with time:

> All other affections have need of a past; love, as it were, casts a spell, creating a past in which it enfolds us. It gives us, one might say, the consciousness of having lived for years with a being who until recently was almost a stranger. Love is only a radiant moment, and yet it seems to take over the whole of time. A few days ago it did not exist; soon it will exist no longer; but, as long as it does exist, it spreads its light over the period that came before, as well as over that which will follow after.[14]

This thought by Adolphe corroborates a comment made by Luhmann on *amour passion*: its process, he says, is "self-referential in time (...) and the beginning, just like the end, had its own particular characteristics"[15]. There is the difference, of course, that by its very

---

[13] Simona Micali, *L'Innamoramento* (Roma-Bari: Laterza, 2001).

[14] Benjamin Constant, *op. cit.*, p. 43.

[15] Niklas Luhmann, *op. cit.*, p. 72.

nature (regardless of the fact that the actual practice can at any moment belie such a grandiose program) romantic love has no end; it projects itself outside any temporal dimension and is, by definition, eternal. (It can, of course, last no more than a week and give way to a new love; every time, however, it presents itself as an absolute and eternal commitment.)

Another of Luhmann's observations is confirmed by Adolphe's story. Speaking of romantic love, the German sociologist says that, with its arrival, the difference between sincere and in-sincere love collapsed: "love itself became a main reason for the collapse of its codification"[16]. Adolphe, when he enters into the self-destructive phase of the relationship that binds him to Ellénore, analyses the complex internal strategies of delusion and self-delusion in these terms:

> I concentrated all the resources of my mind on generating an artificial lightness of heart that would conceal my deep sadness. This effort had an unlooked-for effect on me. We are such changeable creatures that we eventually come to experience the feelings that we counterfeit. Those sorrows that I was concealing, I partly forgot. My constant jokes dispelled my own melancholy; and the assurances of affection that I kept giving Ellénore filled my heart with a sweet emotion that was almost like love.[17]

One of the most original and interesting aspects of romantic love is the new form of communication between lovers and the fundamental role played by narrative discourse. This aspect is given special attention in another interesting book, *The Transformation of Intimacy*, by the British sociologist Anthony Giddens[18]. He reasons at length on the essential function that the practice of narration has had on the new intimacy that Romantic love produced in the life of the couple. What, in effect, happens when two people fall romantically in love? What do they do? They cut off their space from that of the rest of society, they withdraw into a secluded corner, far from any other social intercourse, or take a trip together, and tell each other their experiences and life-stories. In many of the texts that represent romantic love there are examples of this strong narrative tendency: each of the two protagonists projects himself or herself in a story and engages in intertwining each one's story with the story of the other. Many metaphoric images are born out of this new situation: two doves that kiss, two drops of

[16] *Ibidem*, p. 142.

[17] Benjamin Constant, *op. cit.*, p. 43.

[18] Anthony Giddens, *The Transformation of Intimacy: Sexuality, Love and Eroticism in Modern Societies* (Cambridge: Polity Press, 1992).

water falling in the same instant, two young people that meet at a fountain, two souls carried away by the same music, etc. etc. Often the two lovers, imitating Werther and Lotte, share their experiences as readers of novels. Adolphe and Ellénore do just this: they take a walk together, read the English poets together[19]. Foscolo and Antonietta go as far as planning a joint translation of *Werther*, she contributing her knowledge of the language, he his rhetorical and stylistic abilities.

But romantic love is not always represented in its initial enthusiastic, almost ecstatic, moments. These moments are, in fact, quite rare, as rare as the moments in which passionate and triumphant love results in a stable and lasting happiness. Perhaps the best example is offered by Leo Tolstoy's *Domestic Happiness*[20], which offered an enthusiastic representation of romantic love within the institution of marriage, a perspective the author himself later countered with a series of much more pessimistic, in some cases totally destructive, portrayals, as in the dark analysis of the *Kreutzer Sonata*[21].

More frequent is the almost inevitable relationship that romantic love seems to entertain with death. The twin souls that form the couple in love very often find external obstacles to the fulfilment of their project, and sometimes also internal obstacles (difficulty in communication, differences in the intensity and orientation of their attachment). I believe however that the greatest obstacle comes from another source: after the experiences of *l'amour libertine* and other kinds of love in the eighteenth century, the feminine body was no longer a simple instrument of pleasure, but became itself a subject of pleasure. With the arrival of modernity and the diffusion of the model of romantic love, the woman has become a "strong" subject, capable of self-affirmation equal to that of man. The stakes were higher. There were real chances that, instead of accepting a submissive or collaborative role in the satisfaction of man's desire or the construction of domestic happiness, the woman could take the upper hand and become even threatening. The loving woman could transform herself from angel into vampire, the twin soul into a femme fatale.

At that point death becomes the only possible means for transforming the relationship into a true eternal bond. The story of Romeo and Juliet becomes paradigmatical, in the same way that the story of Tristan and Isault becomes exemplary, especially in Wagner's version,

---

19 Benjamin Constant, *op. cit.*, p. 16.

20 Leo Tolstoy, *Semejnoe sčast'e* (1859). Engl. transl.: *Family Happiness: a romance*, in *Kreutzer Sonata and other stories* (Oxford: Oxford University Press, 1997).

21 Leo Tolstoy, *Krejcerova sonata* (1891). Engl. transl.: *Kreuzer Sonata*, ibid.

where music, challenged by the silence of death, intervenes to give shape and expression to the ideal unification of the two souls and bodies. (That is not to mention all the cases in which the great project of romantic love is compelled to compromise with the meanness and mediocrity of bourgeois life, often reducing the triangular drama resulting from the relationship between love and adultery to the measure of a *pochade*.)

Let's go back, for a moment, to the letters exchanged by Foscolo and Antonietta. We should bear in mind that for Foscolo those letters are not only a normal means of communication between two lovers engaged in a passionate relationship, but are also experiments in writing which he hoards carefully and will later use for composing his narrative works, especially the *Letters of Jacopo Ortis* (1802-1816). Foscolo's letters to Antonietta abound with all the themes that are typical both of *amour libertine* and of romantic love, as well as with their typical forms of communication (the exchange of messages, the bodies with all their pleasures and weaknesses, the soul that pours out in the written pages, the eyes that express an entire world, the confessions, the tears). Largely developed in these letters is also the theme of the strong bond, in any romantic passion, between soul and body, and between love and death. A gloomy decoration, a veneration for graves and graveyards, a deathly fetishism are poured out profusely:

> Oh! and now I feel that I love you, that I must love you eternally (…). O my Antonietta! I have tears in my eyes: and they flow so sweet so sweet that a kiss from you would scarcely be as sweet, and you send me a hundred. (…) Oh I wish I could make your beauty and youth eternal! – How has it happened that we started loving each other? I do not know; I consider this adventure a gift from heaven.[22]

> There are moments and situations that compel me to follow my friend to the grave. If it happened that you, being so ill and yet so dear to my heart, so necessary, Antonietta, to this unfortunate young man..., would pass away in my arms... what other refuge would be left for me other than your grave? I would unite my corpse with yours to avoid surviving in tears, surrounded by the perfidy and the foolishness of mankind.[23]

> To the two of us, oh my Antonietta, only a few years of life are left; we feel too much; the soul devours our bodies, while to most of the other mortals it is the body that buries the soul. On the other hand

[22] Ugo Foscolo, *op. cit.*, p. 31.

[23] *Ibidem*, pp. 55-56. I should remind you that Antonietta in this occasion had simply a very common cold.

> your unfortunate health, that makes you dearer to me, does not grant many happy hours to you. As to me, the many misadventures, and sad experiences, and men's perfidy, and the melancholy that dominates all my faculties, they advice me that the time of pleasure is almost at the end. I don't care: we love each other, loyally and ardently, is not that sufficient? Can I tell you what is my only desire?... when your sighs are instilled in my mouth, and I am enclosed in your embrace... and your tears blend with my tears... and ... yes; I invoke death! the fear of losing you prompts in me the desire that life in that sacred moment would go out insensibly and one grave would conserve us united forever.[24]

> I must tell you once more that those two locks of your hair seem to me really black, and totally devoid of the pathetic hue that is typical of your mane. In any case I kissed and re-kissed them, and this night they slept with me... Oh I owe you so many sweet memories! When death or destiny will have separated us, as so often men's perfidy has tried to do, I will carry these sacred and precious memories in all my peregrinations: they will console my ill-fated days and I will ask that they be buried with me.[25]

The great project of romantic love had and still has, clearly, very dangerous internal failures that can destroy it. The conclusion of the story of Ugo and Antonietta is significant. It is already significant that very few of her letters have survived, in spite of several references to them in his letters. While Foscolo clearly kept his own, in order to make use of them in his literary activity, Antonietta did not pay much attention to hers. Yet one of the two letters that have survived is rather surprising and shows that she had a very strong personality. In mailing to Foscolo her translation of Werther, after which the love affair as well as the project of a literary cooperation came to an end, she settles the matter with a surprising coarse expression. The romantic passion has vanished, and the story of Werther and Lotte has nothing more to suggest. Worldly conventions prevail, accompanied by a touch of resentment and vendetta.

> Here is the testimony of my kindness: you wanted the translation of Werther and here it is, executed with the best exactitude that I could manage. It was useful to me, for it gave me the satisfaction of obliging you, and it will possibly be useful for you in case of motion of the bowels – heaven keep you away from such an experience.

---

[24] *Ibidem*, p. 74. We know, of course, that Antonietta survived for more than twenty years Foscolo, who in his turn died in England at the age of fifty.

[25] *Ibidem*, p. 233.

> Farewell Ugo, please remember Marco, Ghittina, Bolognini, Guaria and your Antonietta.[26]

Also the final chapters of *Adolphe* have as subject the destruction of love, and describe the silences, deceptions, recriminations, complaints and recantations of the two lovers. These bitter pages seem to confirm Luhmann's analysis of incommunicability as the probable and often inevitable outcome of *amour passion*. This sombre conclusion may appear particularly strange and paradoxical for romantic love, which, as we have seen, was born as a form of instinctive and eternal communication.

* * *

I wish, at this point, to pay some attention to some contemporary texts. It is probably necessary to recall that, despite the experimentation that characterises people's behaviour and the many changes that have taken place in the cultural models dominating our societies, the ideal of romantic love has remained, at least in the form of a strong nostalgic drive. This is especially true in the period of post-modernity, which has witnessed fundamental changes in the conception of the body, subjectivity, communication and the very way in which cultural models operate in a society dominated by the media. The model of romantic love has shown an extraordinary capacity for resistance: it has become more complicated and has extended its sphere of influence, spreading through all social classes and sexual orientations. It has probably also become somewhat lighter, having surely taken into account the enormous progress of modern medicine and the new conditions and conceptions of the human body (so often fragmented and fetishised, etc.). And yet it has maintained its presence among us, if in no other way in the form of nostalgic aspiration.

My first text is the imaginary biography of an English young man of the beginning of the nineteenth century, whose emotional, intellectual and artistic experiences we come to know through his dramatic sentimental adventures, his travels and encounters with some of the most important figures of his time. The author is the German writer Wolfgang Hildesheimer (1916-1991), who was born in Hamburg and lived in England, Israel, Italy and Switzerland. He is probably known to many as the author of a controversial biography of Mozart[27], a self-

---

[26] *Ibidem*, p. 324.

[27] Wolfgang Hildesheimer, *Mozart* (Frankfurt a. M.: Suhrkamp, 1977). Engl. transl.: *Mozart* (New York: Farrar, Straus & Giroux, 1982).

-critical enterprise, based on an awareness of the impenetrability of many human characters and of many events of their life, in which he avoids the imaginary reconstructions and narrative affectations of the usual literary biographies. The book to which I want to attract your attention is titled *Marbot. A Biography*[28] and belongs to the now fashionable genre of imaginary biographies. I do not believe, though, that Hildesheimer has written this book in homage to fashion. I believe that there are deeper and more serious motives for this composition, with a clear and subtle relationship with the biography of Mozart – not only as regards the almost anagrammatic reference of the title, but also on account of a series of structural and thematic analogies. Such are for instance the episodes detailing the recovery through extra-red x-rays of the original writings of letters and documents, hidden behind the censorial intervention of their first custodians (the wife Costanze and the biographer Georg Nicolaus Nissen in the case of Mozart; the mother lady Catherine and the preceptor, the Jesuit father Gerardus von Rossum in the imaginary case of Marbot). Such is the preference for encounters with important personages of the time. It is probable, for instance, that the idea of bringing Andrew Marbot to meet a surprising row of personages, such as Turner, De Quincey, Wordsworth, Blake, Goethe, Byron, Shelley, Delacroix, Leopardi, Corot, Berlioz, etc., has its origin in some fascinating pages of the *Mozart*: Goethe who speaks of *Il Don Giovanni* or *Der Zauberflöte*, Goethe's meals compared with those of Mozart, the romantic encounter in Florence in the Spring of 1770 between the fourteen year old Mozart and the prodigious English violinist Thomas Linley:

> Two half-grown prodigies, powerfully drawn to each other, both "destined to an early death": to posterity such a coincidental configuration is strikingly poetic. From Gainsborough's portrait of Linley and his older sister Elisabeth (who later married the playwright Richard B. Sheridan), we see that the siblings shared an aristocratic, almost ethereal beauty.[29]

Hildesheimer must have gained the urge to write *Marbot* from the frustrations, but also intelligent reflections, that inspired his writings and expanded re-writings of Mozart's biography (three successive editions):

> We cannot measure Mozart's greatness, but we can surely observe how it affects others; their staggeringly numerous interpretations pro-

---

[28] Wolfgang Hildesheimer, *Marbot: eine Biographie* (Frankfurt a. M.: Suhrkamp, 1981). Engl. transl.: *Marbot: a Biography* (New York: Brazilier, 1983).

[29] Wolfgang Hildesheimer, *Mozart*, p. 30.

> vide clear example of an unending failure: the unsuccessful attempt to communicate the extraordinary power of one man's work, to explain its inimitable individuality, to fathom its secret.
> This failure, then, is the common element in all attempts to resurrect the figure of Mozart, my own included. (...)
> Our task, then, is to blot out existing ideas, but not to mediate between Mozart and the reader. On the contrary, the intention of this study is to make the distance between both sides even greater, not only the gulf between our epochs (which renders speculative all understanding of figures of the late *ancien régime*), but also the unbridgeable distance between Mozart's inner life and our inadequate conception of its nature and dimensions. No biographer has managed to show the elusiveness of this phenomenon convincingly. All have relied on an image originating in biographical familiarity and inherited habit. They pass over bizarre elements, leave out what seems to them unessential, explain away what is embarrassing. Thus, they stretch the image in every direction, upward and (especially) downward, smooth it out and arrange it until it corresponds to a vague Apollonian ideal and idol, which, of course, keeps tumbling off its pedestal.[30]

Having tried so hard to exercise his imagination, Hildesheimer must have thought that he might as well invent an imaginary character to whom he could attribute the physical and psychic traits that he most liked. Mozart had frustrated him so many times: so perfectly alive and identifiable in his music, he seemed unreachable, almost devoid of moments of self-awareness and self-expression, in his letters and behaviour (in the documents concerning Mozart "illuminating verbal confessions are practically nonexistent", we have only the music). It was better, then, to invent the life of an imaginary character unconnected with music but rather with art, like the young Englishman Marbot. Taking into account the problems of love, it was better to shift his life a bit further forward in time, beyond the turn of the century. Mozart had expressed in his music some fundamental human themes, such as vitality, pleasure, desire, despair and death, but he had never touched the theme of romantic passion and the romantic fusion of two lovers. As Hildesheimer showed, in his own life he remained extraneous to the cultural elaboration of romantic love.

Free to invent an imaginary situation, though within precise historical conditions and with characters of whom we know much more about than we do of Mozart, Hildesheimer has tried (this is probably the primary aim of his book) to create a love situation that brings to extreme consequences the ideal of romantic love and reveals its most secret implications: those expressed probably only in music,

---

30 *Ibidem*, pp. 3-12.

as in Wagner's *Tristan and Isolde*. In the life of Marbot, he has created the blinding destructive experience of incestuous love for the mother, letting surface in an unbridled fashion "uncanny" situations that were to be explored later in the century by psycho-analysis.

In one of the pages of this work, which seems ready to be made into an aria for a strong dramatic soprano (say, Callas), Hildesheimer quotes a fictitious letter from the mother, Lady Catherine, to her son who is now definitely estranged from her:

> A terrible and hopeless struggle is taking place within me, and whatever the outcome I must lose. Sometimes the feeling of loss predominates and I am all emptiness, I am desolate as the snow-clad statue of Ceres in the park, which you showed me on that winter morning, do you remember? "Demeter dejected", you said. Then once again I experience this all-pervading fulfilment, enwrapped in a warm wave of remembrance so overwhelming that I seem to swoon away, that I begin to tremble, and suddenly I am all expectancy as if you were coming to me. [Here Hildesheimer imagines that in the original text of *as if you were coming to me*, before the preposition *to* two letters had been cancelled and presumes that originally the preposition were a more ambiguous one: *into*, *onto* or *unto*]. Sometimes I think that it is only my love that keeps me alive, like the wind that does not exist when it does not blow. [Please note the accuracy and elegance of the imitation: the theme of the wind is among the most typical and characterising ones in Romantic poetry and music]. I think that such words were never written by a mother to her son before, and in truth I do not know what it is that seduces me into such immodesty. Perhaps it is the Devil, whom we have conjured up and who in his triumph over me, suggests these word to me. I know I should be filled with deep repentance, yet it refuses to manifest itself, its way is barred by the feeling that I should be very poor if what has happened to us had not happened.[31]

Hildesheimer, by attributing to Romanticism the unusual content of incestuous love, offers a unique interpretation of it, and reads it as a deep impulse to a radical rupture of the taboos upon which the primary structure of any social organization is founded:

> His [that is: Marbot's] view was that a convention already breached in secret might now make it possible to violate the social taboo in the very end, to ignore the prohibition, to break completely with the society which supported it and to live far away from it together with his mother and beloved: an idea not only psychotic but hyper-romantic. No doubt if the deed had been detected, if the relationship had been

[31] Wolfgang Hildesheimer, *Marbot: A Biography*, pp. 127-128.

> revealed in all its outward shamefulness, then even on her side nothing would have stood in the way of such a step. Lost to the memory of the world, especially her world, they could have abandoned themselves to "sin", but only as souls ultimately depraved and eternally damned.[32]

To art is assigned the fundamental function of mediation, which makes possible such a crossing of all boundaries and the fulfilment of the most absolute and intimately contradictory impulses. This is an element which seems to play a very important role in the formation of the model of romantic love – both in the shape of sublime art involving the highest and most selective moments, and in the shape of *Kitsch*, when it will become trivialized by mass society, all the way down to *Love Story*.

Marbot is worth a careful reading: it is the story not only of a radical and destructive transgression of all sacred taboos, which brings about the early death of the protagonist and the long expiation of his mother, but also of the formation of an experienced and exquisite connoisseur of art. Literature, art, music, even the aesthetic contemplation of a landscape are presented as typical romantic attitudes, as moments of knowledge, that succeed in penetrating the most hidden mysteries of life. A great painting by Tintoretto, *Origin of the Milky Way* – now at the National Gallery but at the time of the imaginary Marbot owned by the counts of Darnley (in the book identified with the counts of Claverton, maternal grandparents of Marbot) – the scene of the colloquy between Hamlet and his mother in Shakespeare, the sublime landscapes of the *grand tour* of the young English aristocrat (the Splügen Pass, for instance), as well as those of the Po valley, Tuscany and Umbria become for Marbot occasions for knowledge, helping him to create a daring theory of art, and also of life.

Literature and literary anecdotes supply a good amount of reusable material and supporting elements: from Shakespeare to Goethe, to some episodes in Byron's life (with special attention to the incestuous love for his sister) to some even more disturbing episodes in Edgar Allan Poe's life, so full of ambiguities and so overcharged with meanings. It is no chance that the imaginary sojourn of Marbot in Pisa and his encounters there with some of the English expatriates in the circle of Shelley, Byron and Mrs. Guiccioli, inspire some of the most enjoyable pages of the book.

Today's reader will realize with some surprise how people belonging to a certain social class would all know each other and how

---

[32] *Ibidem*, p. 119.

their encounters (and love affairs) were so frequent. In Hildesheimer's book, for instance, Ottilie von Goethe falls in love with Marbot, after having been the beloved of Felix Mendelssohn: she has an affair with him and meets him in the Hotel Elephant in Weimar; Anna Maria Baiardi, his lover during his stay in Urbino, apparently has received her education in the convent of Santa Chiara in Faenza, where Teresa Guiccioli, Byron's lover, had been educated; Teresa herself becomes the lover of the French poet Lamartine, and we receive news of Marbot from Herman Grimm, a visitor of Urbino in 1861 with his wife Gisela, who had been the daughter of Achim and Bettina von Arnim; etc., etc.

The book has a strong aesthetic and decadent atmosphere that reminds us of writers such as Jakob Burckhardt, Bernard Berenson, Vernon Lee, or Iris Origo. It is as if the great impulses of romanticism and some of its central ideas (love, art), weakened by repetition, had become precious remnants, affectations, mannerisms.

But I would like to direct your attention to another text: the novel by Milan Kundera *The Unbearable Lightness of Being*[33]. The structure of this novel is very complex and tries to evoke and combine epistemological and cultural models that are very different and even contradictory. There is a story of education, a *Bildungsroman*, that of Tomáš, which intertwines with the objective narration of the experiences of two couples Tereza-Tomáš and Sabina-Franz. These stories are contained in a frame-story, a *conte philosophique*, which is alluded to in the title and is conveyed by the meta-narrative in the reflective voice of the narrator-witness to the events, who seems to have a capacity for comparing situations, catching details and allusions. It is he who can penetrate beyond the dimension of time and memory to transform the novel into an essay, reaching back to the tradition of some great French philosophical essays, from Montaigne onward. Perhaps we can represent the structure of the novel with a geometric diagram: a square, with the four protagonists at each one of the angles, each connected to one of the others by the sides and also by diagonals. The square should be inscribed in a circle, with at the centre the historical experience of Prague and all around, in larger concentric circles, the historical experience of Europe and America. The circle should be inscribed in its turn in a triangle, representing the philosophy of the narrator, its vertices being the forces of time in all their momentaneity and eternity, and the forces of weight and lightness. Or alternatively, if we wanted to keep closer to the thematic and formal

[33] Milan Kundera, *Nesnesitelná lehkost byti* (1984). Engl. transl.: *The Unbearable Lightness of Being* (New York: Harper Collins, 1999).

organisation of the book, we could describe that structure in musical terms: the insertion, for instance, in the well-balanced structure of a Haydn or Mozart Quartet, of a heavy, disrupting, very expressive, almost obsessive musical motif, like the double *Muss es sein? Es muss sein*, of the last movement of the last of Beethoven's quartets, which has the function in the novel to express the choice, on Tomáš' part, of the romantic love for Tereza, in the form of a heavy and tragic dominant force and in opposition to the other types of relationship, the erotic, libertine form of love, that has had and will continue to have a large, but more superficial part, in his life.

There is no doubt, I believe, that one of the fundamental interpretative keys of the novel is the double and opposed presence of eroticism and *amour passion*, libertine and romantic love. It is clear that to love is assigned a truly philosophical and cognitive task, the search of the profoundest meanings of life and history. The distinction between body and soul, animality and spirituality, which seems to accompany Tereza in her life as a sinful heritage, seeks a purifying and exciting redemption in the absolute impetus of romantic love:

> A long time ago, man would hear with awe the regular sound of the pounds that came from his chest and did not imagine what they were. He could not easily identify himself with such an extraneous and unknown thing as a body. This was a cage and within it there was something that looked out, listened to, was frightened, started reflecting, was wondering: this something, this thing that was left after the disappearance of the body, was the soul.
> Today, obviously, the body is not any more an unknown: we know what it is that beats in the chest: the heart (...)
> The duality of body and soul has been wrapped up in a scientific terminology and we can make fun of it as of an out-of-fashion prejudice. But it is enough that we madly fall in love and hear the rumble of our bowels and immediately the unity of body and soul, that lyrical illusion of the age of science, suddenly vanishes (...)
> [Tereza] continually tried to look at herself through her own body. This is the reason for her staying so often in front of a mirror. And being afraid of being surprised by her mother, her way of looking at herself bore the stamp of a secret vice.
> What brought her to the mirror was not vanity but the awe of seeing her own I (...).
> She looked and looked for a long time and sometimes was irritated to recognize on her face the traits of her mother. Then she looked with great obstinacy, seeking to cancel, by the force of her will, the physiognomy of her mother, so that only what she was was left. When she succeeded, felt a moment of rapture: the soul was rising to the surface

of the body, as when a crew bursts out from the belly of a ship, fills up the upper desk, raises the hands to the sky and sings.[34]

Side by side with romantic love, *l'amour libertine* is also systematically present in the novel and finds in Tomáš a stubborn supporter of the clear separation between *amour passion* and erotic friendship or *amour libertine*. This attitude of Tomáš prompts from the narrator a commentary, which formulates the interesting theory that the behaviour of the typical figure of the womaniser is inspired by two types of obsessions: a "lyrical" obsession, which, all things considered, probably inspires also the behaviour of the archetypical figure of Don Juan, up to the Mozart version of it, and an "epic" obsession, which seems to be typical of Tomáš, who goes after a multitude of women in order not to satisfy his sexual appetite but to take possession of the world; in the words of Kundera: "to open with bistouries the supine body of the world".

I have the impression that in Kundera's novel there is also the subtle presence of a third model of love, which can possibly be called post-modern. It consists in a revision from within, ironic and very light, detached and theatrical, of the romantic model of love. Perhaps it is the only solution that is left to us in today's society, where the commodification of body and feelings, the reduction of physical beauty to a number of banal stereotypes are rampant: unable to invent a new cultural model of love we can only revisit the old dominant model, with some nostalgia and a great deal of ironic detachment.

* * *

Let me briefly introduce into my discourse further elements of historical relativity (and another text). You should be ready to visit a typical Japanese garden and open at random the pages of a book called *Ise Monogatari*, an elegant and poetic collection put together in the 9th century by a courtly poet, called Narihira Ariwara[35]. The model of love construed by Niklas Luhmann as form of communication, which, during this exploration of the various models of love and especially his interpretation of the texts of romantic love, occasionally appears somewhat limited and insufficient, seems to function perfectly in the case of *Ise Monogatari*. Luhmann's pages on *l'amour precieux* in

---

[34] *Ibidem*, pp. 40-41.

[35] Narihira Ariwara, *Ise Monogatari* (9th century). Engl. Transl. in *A Study of the Ise-Monogatari*, with the text and an annotated translation by Frits Vos (s'Gravenhange: Mouton, 1957).

sixteenth century France come easily to mind when we read the *Ise Monogatari*. We all know that Japanese culture is in many ways profoundly different from ours and we should beware of all apparent analogies and insist on the specificity of all cultural systems: the language, the traditional poetic "form", the idea that poetry itself, in Japanese culture, has peculiarities that can hardly be compared with those of western culture. Yet when we read certain definitions of love ("What in the world/ is called love/ is the desire to see somebody"), or certain comments on the symbolic language of the objects, or on the complicated and refined ritual of communication between lovers (the screen, the letter, the courtship, the sublimation of passion, the function of physical beauty, the social prohibitions, the extreme reduction of love to silence) we have the impression that around the Japanese royal palace there did indeed flourish a true and refined "court of love", where codes of love were elaborated, almost as if they were waiting for the systematic classifications of Nìklas Luhmann. That court makes us think continuously of the atmosphere of eighteenth--century Europe, of the precious eroticism of so many sensitive lovers and of some libertine lovers of the time. The great model of romantic love is not far away, but it is still to come.

Thomas De Quincey e a Fantasmagoria romântica

João Almeida Flor
Universidade de Lisboa

Para Helena Buescu
e João Ferreira Duarte,
colegas, vizinhos e amigos

Segundo o *Dicionário da Língua Portuguesa Contemporânea* da Academia das Ciências, o termo "Fantasmagoria" designa, em sentido próprio, um espectáculo que consiste em fazer ver, na escuridão, fantasmas ou imagens luminosas, por meio de ilusões de óptica. Depois, em sentido figurado e por extensão semântica, aplica-se também para denotar o que é apenas produto da imaginação e constitui, por isso, um conjunto de aparências ilusórias.

O recurso a esta explicitação liminar justifica-se, não só pela necessidade de ter presente a complexidade terminológico-conceptual dessa palavra-chave na leitura crítica de Thomas De Quincey, mas também porque, de algum modo, a progressão notada desde o nível literal e concreto da palavra até ao metafórico e abstracto tem um efeito estruturante e corresponde a dois planos distintos, embora convergentes, no presente trabalho.

Assim, aceitando que, numa época, existe uma solidariedade notória entre a cultura material e científica produzida e as representações simbólicas da realidade, esteticamente mediadas, procuraremos realçar como a evolução da Física moderna e contemporânea, mormente no capítulo da Óptica aplicada, condicionou, de modo fulcral, o discurso literário da imaginação romântica, reflectido na prosa autobiográfico-ensaística de Thomas De Quincey (1785-1859), em especial *Confessions of an English Opium-eater* (1822). Trata-se de obra destinada a conhecer acolhimento público e crítico que cedo ultrapassou fronteiras e constituiu, a médio e a longo prazo, um dos filões e referentes mais produtivos das gerações simbolistas e modernistas. Indicaremos, a propósito, o modo como as relações económicas internacionais com o Oriente contextualizam a generalização do consumo de fármacos psicotrópicos opiáceos na Europa oitocentista e procuraremos surpreender os respectivos efeitos psíquicos e mentais, descritos na literatura contemporânea, em termos da hiperactividade da imaginação po(i)ética que está na base do espectáculo interior da Fantasmagoria romântica. Em articulação com esta, prestaremos atenção especial à configuração do espaço e do tempo, categorias fluidas onde se cruzam percepções visuais e auditivas que permitem a interacção das artes plásticas, da literatura e da música.

Em síntese, procuraremos apresentar um exemplo de prática de leitura global e multidisciplinar, em horizonte comparatista, o que permitirá consciencializar, tanto a singularidade irrepetível da obra literária como as sequências estruturadas que a contextualizam e projectam.

Adaptando uma formulação de Jean Baudrillard, podemos considerar que, com o colapso do Antigo Regime e o advento da modernidade, se instaura uma desestabilização sócio-semiótica pela qual os signos e códigos culturais deixam de se apresentar imutáveis e enraizados nos vários patamares de que se compunha a hierarquia social. Antes, a inexistência de mobilidade entre os planos, a continuidade da sua posição relativa e a sacralização do uso dos signos determinava a interdição do seu uso discriminado, reduzia o seu alcance semântico até à univocidade e reproduzia as relações de poder que elas denotavam. Todavia, em processo acelerado, desde os alvores da Idade Contemporânea, as metamorfoses sociais, políticas e jurídicas da Revolução de 1789, as mutações científico-tecnológicas da Revolução Industrial e, ao mesmo tempo, as alterações no paradigma filosófico, estético e cultural, conotadas com a Revolução Romântica questionam globalmente o privilégio aristocrático-feudal de limitar a quantidade e delimitar a qualidade dos signos. A partir desse momento, certos grupos sociais novos, ou, pelo menos, investidos de nova autoridade celebram o acesso ao poder regulador, em matéria de semiose, opondo-se ao exclusivismo e ao monopólio aristocrático, em nome de uma lógica de replicação e proliferação de signos que, hoje, nos parece análoga à da produção fabril em série. Encontrava-se, então, aberto o caminho da pluralidade, da polivalência e da plurivocidade, sistemas semióticos de múltiplas disponibilidades virtuais, susceptíveis de realização histórica multiforme, no quadro do liberalismo oitocentista e das suas manifestações estéticas e culturais.

Ao mesmo tempo, a filosofia kantiana do idealismo romântico opera a revolução coperniciana que reorganiza e reposiciona o sujeito, ao considerar que a representação das coisas corresponde à aparência transmitida e condicionada pelo olhar. Por outras palavras, a representação depende de um ponto de vista, encontra-se radicalmente subjectivada e pressupõe, não só um observador biológico que vai ser exaustivamente descrito pelas ciências empíricas oitocentistas, mas, também, um observador que, no campo psicológico e epistemológico, se revela co-autor da sua própria experiência sensorial.

Centrado no observador-enquanto-sujeito, este modelo científico conduz, por exemplo, ao estudo da produção e propagação da luz, matéria por excelência da Óptica clássica, mas atende também à importância fulcral das condicionantes anátomo-fisiológicas do aparelho visual humano ou, se preferirmos, reconhece que a percepção existe também em função do corpo e da consciência do observador. Urge, então, traçar o mapa do corpo e proceder ao inventário exaustivo e à descrição pormenorizada de todos os órgãos, tarefas de que se encarregam as disciplinas de Anatomia e Fisiologia, decompondo a visão holística e filosófica da mente humana numa série de planos observáveis, quantificáveis e previsíveis.

Por outras palavras, o século romântico predefine um conjunto de modos de olhar que, em si mesmos, são pontos de confluência entre um discurso científico, filosófico e estético e uma prática que desaloja a imobilidade da representação. Em seu lugar, mitificam-se os valores decorrentes da mobilidade, da intermutabilidade e da subjectividade das imagens que primeiro se emancipam em relação ao objecto e, no limite, adquirem um estatuto de não-referencialidade e abstracção. Em certo sentido, o olhar liberta-se das leis de perspectiva linear, próprias da pintura renascentista, e da relação fixa entre o interior e o exterior, para instituir um espaço fenomenológico, um encontro situado entre sujeito e objecto que pertence ao instante, ao fulgor transitório do tempo e responde à inescapável vocação da morte. Por sua vez, a vinculação da imagem à especificidade da circunstância histórica atinge repercussões significativas.

Por um lado, o conceito de percepção sensorial denota, não um acto puro e isolado, mas um fluxo de conteúdos em permanente fusão com os que o precederam e são evocados pela memória, numa dinâmica complexa e interactiva. Por outro lado, a consciência romântica confronta-se com o mundo dos instrumentos e gabinetes ópticos oitocentistas que, do laboratório dos físicos (*camera lucida, camera obscura*, etc.) transitam amiúde para os espectáculos da praça pública, em pavilhões de diversão de feiras e mercados – o diorama, o caleidoscópio, o estereoscópio, o estroboscópio e, mais tarde, a lanterna mágica e o próprio animatógrafo.

A anotação destes factos ajuda a entender o sentido da designação "Fantasmagoria", enquanto dispositivo óptico inventado e produzido na transição para o século XIX e através do qual se encena e monta um espectáculo visual, constituído por uma série de imagens projectadas por um sistema de lentes e espelhos, sem que a tal representação correspondam outros referentes que não sejam ilusórios e virtuais. Fantasmagoria evoca a ilusão alucinatória quase perfeita da sequência de aparições retroprojectadas, enquanto permanece oculta a lanterna mágica que, em última análise, lhes dá origem. Por extensão, Fantasmagoria revela-se termo apto para designar metaforicamente o fluxo visionário de imagens e anamorfoses que assomam ao limiar da consciência do sujeito romântico, quando se encontra imerso em natural sonho e devaneio ou quando tal estado é induzido ou catalisado pelos efeitos psicotrópicos do consumo de substâncias opiáceas. Bastará relembrar justamente palavras de Thomas De Quincey, pioneiro do discurso fantasmagórico na literatura contemporânea:

> (...) at night, when I lay awake in bed, vast processions passed along in mournful pomp; friezes of never-ending stories, that to my feelings were as sad and solemn as if they were stories drawn from times before Oedipus or Priam – before Tyre (...) a theatre seemed suddenly opened and lighted up within my brain, which presented nightly spectacles of more than earthly splendour.[1]

Convirá ter presente que, na terminologia farmacológica, dá-se o nome de ópio a uma substância resinosa obtida a partir da planta que Lineu classificou como *papaver somniferum* em 1753, embora já fosse conhecida desde a Antiguidade Oriental e Clássica e tivesse sido reintroduzida na Europa, durante o século XVI.[2] Consumido das mais diversas formas, nomeadamente diluído em tintura de álcool, numa fórmula designada por láudano, o ópio circulava facilmente pelas grandes vias comerciais do mundo moderno e constituía parte significativa das exportações britânicas para a China, até ao primeiro quartel do século

---

1 Thomas De Quincey, *Confessions of an English Opium Eater*, ed. Hayter (Harmondsworth, 1986), p. 103.

2 Cf. Garcia de Orta, *Colóquio dos simples e drogas*, vol. II (Lisboa, 1891-92), p. 171: "Faz os homens que a comem andar dormindo e dizem que o tomam para não sentir o trabalho". Cf. ainda carta do naturalista Tomé Pires ao Rei D. Manuel I em 27 de Janeiro de 1516: "Os homees custumados a comello andam sonoremtos, desvairados, os olhos vermelhos, nom andam em seu semtidos. Custumase porque os provoca a luxuria. He de pranta de dormideiras. He boa mercadoria gasta se em grande camtidade e vall muito".

XVIII. Proibida a droga pelo Imperador, a partir de 1729, a cena internacional conheceria, por um lado, o monopólio da comercialização concedido à East India Company (1793), por outro, o estabelecimento de complexas redes de contrabando, mercado negro e economia paralela e, finalmente, as hostilidades do conflito anglo-chinês, conhecido como Guerras do Ópio (1839-1858), com triunfo britânico, reflectido na gradual liberalização do mercado.

De tudo isto, importa reter que *Confessions* de Thomas De Quincey (texto vindo a lume num periódico em 1821, publicado em livro em 1822 e, finalmente, reeditado, com alterações substanciais em 1856) aborda um tópico de candente actualidade no contexto do relacionamento externo (diplomático, económico e militar) da Inglaterra romântica e vitoriana, em cuja prática discursiva e simbólico-cultural o ópio se encontrava assimilado.

Como se calcula, enquanto objecto de veneração e demonização, o ópio propaga-se a múltiplos grupos sociais e encontra-se reflectido na documentação iconográfica da época que, com muita frequência, associa a toxicodependência à população carenciada dos bairros degradados, nas metrópoles industriais, antros de vício onde se acolhem os deserdados e vítimas da marginalização social. O ambiente do submundo urbano, tipificado por Mayhew, Binny e Booth e ficcionalizado por Elizabeth Gaskell e Charles Dickens torna-se, na sua recôndita alteridade, motivo de repulsa e fascínio, na medida em que constitui um enclave, social e topograficamente delimitado.

Tudo isto contribui para explicar que, no imaginário oitocentista, o ópio mantenha um estatuto alternativo e periférico. Por um lado, ele significa uma ameaça à estruturação psíquica do indivíduo, já que permite dar livre curso à acção do inconsciente e desalojar a ordem das regularidades e certezas, das verdades e convicções onde se alicerça a experiência da subjectividade e da própria identidade. Ao substituí-los, a toxicodependência vem desencadear e evidenciar no indivíduo resíduos de bestialidade que subsistiam, embora contidos, policiados e reprimidos temporariamente, por intervenção da racionalidade educativa e cultural. Por outro lado, a opiomania é verberada pela opinião pública da Inglaterra romântica e vitoriana, por atentar contra os fundamentos da organização social que pressupunha uma separação clara e duradoura de papéis, funções e categorias entre grupos, classes, géneros, etnias, sexualidades, convicções religiosas, etc. Com efeito, e em contrapartida, o ópio instaurava uma desestruturação social de amplo sentido e longo alcance, uma vez que tudo parecia nivelar, por indistinção ou por sublime indiferença. Mais do que uma manifestação de embotamento, de apatia ou inércia, ela constituía, sobretudo, uma espécie de estado de nirvana onde tudo se cruza, transgride e aglutina, como num regresso ao caos criador primordial, modo de ser indiferenciado, promíscuo e totalizante.

E, se é certo que uma larga faixa de consumidores provém da pequena burguesia (proprietários rurais, altos funcionários, figuras do clero e sobretudo escritores e artistas), também é igualmente verdadeira a difusão e trivialização do consumo entre o proletariado da incipiente Revolução Industrial. Segundo um testemunho recolhido em Thorpe, em 1809, em dias de mercado aviavam-se cerca de cinco litros de láudano, todo ele consumido por operários e, em Manchester, vários empresários do sector têxtil observam que os assalariados se mostravam ávidos consumidores de ópio, de tal modo que, em dia de pagamento da féria, os boticários se precaviam com abastecimento reforçado, para corresponder ao aumento exponencial da procura.

Num momento histórico ainda isento de interdições formais ao consumo, e por preço bem inferior ao das bebidas alcoólicas, o ópio vendia-se em farmácias, sem prescrição médica nem limites de quantidade. Na ausência de conotações de ilicitude, os opiómanos inveterados dos inícios do século XIX, entre eles Coleridge e o próprio Thomas De Quincey, não tinham que vencer quaisquer obstáculos na aquisição do produto – para além das inibições causadas pela consciência moral ou provenientes de pressões familiares – como se sentiriam culturalmente motivados pela auréola de prestígio concedido pela literatura de viagens que, na senda de Marco Polo, Purchas e Mandeville tematizava os hábitos e costumes da Turquia, da Índia e da China. Nas palavras de De Quincey:

> Under the connecting feeling of tropical heat and vertical sunlights, I brought together all creatures, birds, beasts, reptiles, all trees and plants, usages and appearances, that are found in all tropical regions, and assembled them together in China or Indostan. (...) I ran into pagodas: and was fixed, for centuries, at the summit, or in secret rooms; I was the idol; I was the priest; I was worshipped; I was sacrificed.[3]

Igualmente, desde a tradução de *As Mil e Uma Noites* por Antoine Galland (1704), a ficção narrativa inglesa acolheu e veiculou a moda orientalizante, detectável em *Rasselas* (1759) de Samuel Johnson e em *Vathek* (1786) de William Beckford, com reverberações num conjunto de obras menores, entre as quais, *Almoran and Hamet* (1761) de John Hawkesworth, *History of Nourjahad* (1767) de Frances Sheridan, *History of Charoba* (1785) de Clara Reeve e *Murad the Unlucky*

[3] De Quincey, *op. cit.*, p. 109.

(1804) de Maria Edgeworth. A este elenco bibliográfico devem ainda acrescentar-se fontes e modelos franceses de (pseudo) orientalismo, entre os quais *Bibliothèque Orientale* (1697) de Barthelemy Herbelot de Molainville, *Lettres Persanes* (1721) de Montesquieu e *Zadig* (1749) de Voltaire.

Preparado assim o terreno, não admira que se tivesse generalizado o acesso ao ópio por parte também da classe média-alta, sobretudo pelas propriedades terapêuticas da substância e seus alcalóides. Sob a forma de elixir, tintura, xarope, pílulas e emplastros, o consumo do ópio, quase sempre em auto medicação, demonstrava eficácia analgésica e anti-espasmódica e, sob vigilância clínica, chegava a ser usado como uma espécie de panaceia universal, no tratamento sintomático de uma lista infindável de afecções agudas e crónicas, entre elas, bronquite, cólicas, diabetes, diarreia, epilepsia, gonorreia, hemorroidal, pneumonia, reumatismo, sarampo e tuberculose. Daqui se concluirá a generalização do consumo do ópio em todas as categorias sociais, em todas as faixas etárias e em conexão com todos os tipos de actividade profissional, embora nuns casos de forma intermitente e noutros de modo contínuo.

Além disso, a dar crédito à poesia, à ficção narrativa, à memorialística, ao ensaísmo e ao epistolário da Europa contemporânea, será possível enunciar uma vasta enumeração de opiómanos que inclui Baudelaire, Byron, Coleridge, Dostoievski, Goethe, Keats, Nerval, Novalis, Pessanha, Rimbaud, Scott, Shelley, Tolstoi, Verlaine, Wordsworth. Tomado globalmente, o acervo documental produzido pelo conjunto destes autores literários constitui um repositório de experiências, situadas no território-limite da consciência, quando, sob o efeito mais ou menos duradouro da droga estupefaciente, todas as funções psíquicas e faculdades mentais se encontram condicionadas.

A comprovar o alcance de tais alterações, recorde-se como as narrativas aludem a um quadro de experiência eufórica com eliminação dos conflitos interiores, substituídos por tranquilidade complacente, apaziguamento emocional, auto-estima e sensação de impunidade invulneráveis, numa espécie de ataraxia, sem justificação objectiva. Em complemento, refere-se notória acuidade mental, com aumento do nível da atenção, intensificação da actividade intelectual, estimulação da associação de ideias, pela qual as abstracções se consubstanciam em imagens quase indistintas, porque sujeitas a um processo de fusão e metamorfose que se afigura consumar todos os impulsos do desejo. Igualmente se detectam não só o efeito hipermnésico do ópio, com retenção e evocação rigorosa de cenas da infância ou arquivadas na memória de longo prazo, como também a sua transferência entre sentidos, por sinestesia, ou a sua formação alucinatória, na ausência do próprio objecto. Estas situações, no seu conjunto, impossibilitam que o sujeito se situe e defina em função das coordenadas do espaço e do tempo, com frequência dilatadas em proporções cósmicas.

Parecem, desta forma, claros não só os motivos que levam a adoptar o conceito de Fantasmagoria para nomear o cortejo ininterrupto de imagens que afloram à consciência, sob o efeito do ópio, mas também a densidade, riqueza e heterogeneidade da matéria-prima utilizada. O processo da sua depuração e transmutação poética compreende diversas fases e operações, durante as quais as imagens se multiplicam e replicam, se fragmentam nas suas componentes mínimas, se (re)integram e distribuem de acordo com padrões complexos, disputam entre si o espaço, através de dinâmicas de justaposição, sobreposição e intersecção, se decompõem e recompõem num sistema caleidoscópico que compatibiliza a máxima variação e a máxima invariância.

Com efeito, o conceito de Fantasmagoria constitui o ponto de convergência entre três áreas de saber. Primeiro, a ciência óptica que trata dos fenómenos de transformação da luz em imagem perceptível; segundo, o modelo psicofisiológico que se aplica ao estudo das substâncias psicotrópicas e dos seus efeitos eufóricos, inebriantes e hipnóticos; e, terceiro, o paradigma histórico-literário-comparatista que procura, sinteticamente, integrar o discurso científico e cultural numa teoria da imaginação, solidária com a estética do idealismo liberal, romântico e oitocentista.

No caso de De Quincey, trata-se, efectivamente, de imaginação romântica, enquanto capacidade de projectar e reproduzir criativamente, no espaço interior, as figuras-objecto de desejo, sem as limitações e os obstáculos impostos pela vida quotidiana, nem os constrangimentos das percepções situadas no espaço e no tempo. Produzido na aparente arbitrariedade do sonho, tal espectáculo feérico permite entrever o jogo das forças mais poderosas que se cruzam nos abismos insondáveis do inconsciente e se deixam decifrar e exprimir, apenas por imagens, metáforas e símbolos. Ao contrário do empirismo setecentista que reduzia o sujeito a mero receptáculo e reprodutor dos estímulos do mundo, mediados pelos sentidos, a teoria da imaginação romântica reivindica a capacidade, cognitiva e co-criadora, de apreender e reproduzir a realidade através de uma interpretação subjectivante. Quer se dirija, pois, ao exterior ou à cena interior dos fantasmas da mente, todo o olhar constitui um investimento de mais-valias de sentido e uma revelação de ordem hermenêutica sobre a identidade e as condições de legibilidade das coisas. Daí que, no advento da época contemporânea, os estudos de anatomia e fisiologia permitissem comprovar que o sentido da visão não se limitava a transmitir ao cérebro as imagens da realidade exterior mas constituía um dispositivo de codificação e descodificação de informações, com interpretação variável, de harmonia com a natureza dos sinais percebidos e sobretudo com a própria configuração e o modo de funcionamento do modelo óptico orgânico.

Sob a influência de opiáceos, a imaginação de De Quincey desenvolve uma actividade produtora situada no limiar ténue que separa a vigília do sonho e a que se pode chamar devaneio (*rêverie*). Este consubstancia a síntese dos estímulos sensoriais com a sedimentação cultural que o sujeito adquiriu por vivência, hereditariedade, educação, aptidão intelectual ou experiência onírica, num processo de selecção, distorção e homogeneização de dados díspares, de modo a criar visões e anamorfoses, comparáveis com as imagens produzidas por espelhos côncavos e convexos. Ora de modo voluntário e quase comandado pelo sujeito, ora de forma reflexa e automática, o devaneio romântico de De Quincey descreve uma espécie de percurso espiral em torno de motivos condutores determinados. É todo um traçado de circunvoluções e arabescos densamente elaborados e com intervenção intermitente e episódica de excursos, fragmentos e desenvolvimentos parentéticos, num enunciado que se vai caracterizando por digressão e sinuosidade.

Além disso, a despeito de uma obra literária fragmentada e de qualidade desigual, cabe a Thomas De Quincey o mérito de, com Coleridge e Carlyle, ter contribuído para difundir em Inglaterra a literatura e a filosofia alemãs e de haver consolidado, nos seus ensaios, o estatuto canónico de Shakespeare, Milton e Wordsworth. Numa época dominada pela epopeia do Eu, tal como Wordsworth a realiza em *The Prelude*, a prosa ensaística e memorialística de De Quincey remete quase sempre para o substrato autobiográfico que, todavia, não chegou a elaborar em obra completa. Na realidade, as necessidades de subsistência obrigaram-no a publicar secções avulsas, à medida que as compunha, várias notas e rascunhos foram destruídos por incêndio, outros extraviaram-se irremediavelmente e, como se isto não bastasse, porventura a atonia e a abulia de opiómano inveterado terão impedido De Quincey de concatenar os materiais autobiográficos, de que possuímos, essencialmente, as famosas *Confessions,* em articulação com *Suspiria de Profundis.*

Como é regra, no discurso autobiográfico, o texto de *Confessions* revela-se meticulosamente elaborado, selectivo nos episódios encenados e esteticamente organizado. Também com propósitos de autognose, ele pretende captar estados de alma pretéritos, descrevendo emoções recordadas em tranquilidade e um conjunto de sensações evanescentes que, por via de regra, se furtam à análise.

Confessions configura uma espécie de monumento à subjectividade egotista, relato memorialístico ficcionalizado das experiências de um visionário opiómano cujas páginas cativam também pela alternância de tom, ora concentrado em quadros rápidos, intensamente retratados, ora em desenvolvimentos mais distensos, temperados até por notas de humor.

Texto fulcral da prosa romântica, a obra tematiza a espontaneidade das emoções e a desmesura do seu excesso e introduz na literatura o estudo sistemático dos sonhos, preparado pelo relato preliminar de situações e factos correlativos, e completado com a análise da lenta elaboração a que os materiais ficam sujeitos no subconsciente. Deste modo, a atenção extrovertida aos eventos de uma vida encontra-se contrabalançada pela tendência introspectiva que incide sobre o domínio da subjectividade, reflectida em vários planos e instâncias. Com tudo isto, a posição de De Quincey permanece em equilíbrio, na medida em que não instaura um discurso apologético das suas próprias transgressões nem uma atitude hipócrita que lançasse o anátema sobre comportamentos desviantes, enquanto aparentava solidariedade e comiseração.

Do ponto de vista estrutural, a obra distribui-se por duas secções articuladas entre si – "Preliminary Confessions", relato de adolescência e juventude, e uma segunda parte, sobre as experiências de opiómano que divide em "Pleasures" e "Pains". Consideradas globalmente, estas secções constituem um políptico que representa a queda no consumo do ópio como o factor de transição entre a inocência e a experiência disfórica da farmacodependência, da ameaça de morte iminente e do síndrome da privação, induzidos pela redução voluntária e progressiva da quantidade ingerida, o que, só na aparência, se pode considerar uma cura definitiva. É curioso verificar como o autor tece os maiores encómios ao ópio e assume perante si próprio todo o ónus da transgressão, culpa e expiação, uma vez que se sente incapaz de resistir a um imperativo superior à sua vontade. Por isso, apesar da conclusão visivelmente optimista da edição original, *Confessions* indicia o relato de um cativeiro, autêntico motivo condutor da escrita e seu principal campo de repertório semântico, com ocorrências frequentes de termos como "Links", "Chains", "Captivity", "Bondage" e "Enthralment". A isto se acrescenta a sensação de profundo isolamento, pois, a princípio, a agressividade do mundo parece mitigada pela vulnerabilidade do protagonista mas, a longo prazo, os opiáceos tornam-

-se factores de alienação, proporcionando, em troca, ilusórias compensações para a solidão radical do egocentrismo exacerbado.

Por sensibilidade, De Quincey demonstrava marcada atenção pelo que se lhe revelava inacessível, característica patente não só no misticismo religioso como na ligação apaixonada à memória de duas figuras femininas que marcaram inconsolável mágoa, a ponto de, com frequência, coincidirem numa mesma imagem ausente. Eram Elizabeth, irmã falecida na infância, e Ann, prostituta adolescente nas ruas de Londres, companheira de infortúnio, misteriosamente desaparecida. Ambos os episódios biográficos obsidiam a escrita de De Quincey e situam-se na génese da sua nostalgia romântica onde o *desiderium* se revela intenso e esbate a fronteira entre a vida e o sonho, além de agudizar a necessidade de descobrir, sob o caos aparente das coisas, um princípio unificador que confira sentido teleológico a todas as manifestações do sofrimento e da morte.

De resto, a tentativa de pensar a inteligibilidade do mundo em *Confessions* torna esta obra também precursora do tratamento da experiência urbana nas gerações simbolista e modernista. Das páginas de De Quincey, a cidade de Londres emerge, primeiro, como cenário labiríntico e, depois, como metáfora ou alegoria do próprio destino, dimensão de obscura grandeza ou poder numinoso, benevolente e maléfico, que rege a vida dos habitantes e os subjuga à sua lei.

A originalidade de De Quincey provém do facto de, em tempo pré-freudiano, considerar que a interpretação de sonhos e devaneios constitui uma das chaves de inteligibilidade da vida. Deste modo, *Confessions* procede a uma análise de dois planos distintos, embora complementares. Por um lado, a tentativa de descortinar os nexos, porventura ténues, existentes entre os factos da experiência individual, arquivados no palimpsesto da memória, e as ficções do mundo onírico que se constituem em Fantasmagoria. Por outro lado, o propósito de entender as associações de imagens e ideias entre si, expressas através dos fenómenos de metaforização e simbolização que transpõem as sequências do espectáculo interior, sem perder de vista a polissemia de que os sonhos se revestem. Como nota o crítico F. Moreaux, coube a De Quincey a função de descobrir que os sonhos são um teatro onde o sujeito é, simultaneamente, a cena, os actores, o drama, a crítica e o público.

Nesta tentativa de aproximação multidisciplinar à Fantasmagoria romântica em De Quincey, importa igualmente introduzir uma referência à figura de Giovanni Baptista Piranesi (1720-1778), arqueólogo, arquitecto e água-fortista italiano cuja obra pictórica, especialmente *Carceri d'Invenzione* (1745, 1760) terá constituído suporte de inspiração directa para o discurso ecfrástico das primeiras gerações românticas em Inglaterra. Em Piranesi, existe sobretudo uma ampliação tal de proporções que apropriadamente se dirá que a infinita finitude talvez seja o paradoxo que melhor designa a imensidão evocada pelo espaço delimitado das estampas. Envoltas em marcados contrastes de tom, as superfícies, as formas e os volumes aparecem com grande definição e agrupados em conjuntos estruturais múltiplos que se expandem em todas as direcções, por justaposição de arcadas, balaustradas, lances de escadaria, naves, galerias e abóbadas inconclusas em todos os planos e cotas. Desenham-se a robustez e a monumentalidade das vastas cantarias e o material perecível da madeira dos travejamentos, a insinuação de rostos grotescos nas gárgulas e no aparelhamento da pedra, a imensidão do espaço e a sua contracção em ambiente de claustrofobia. Além do mais, celebra-se o espaço fechado, sem aberturas nem circulação, como entranhas de fortaleza gigantesca onde pendem grades, correntes, poleias, roldanas e grilhetas. Por seu turno, os corredores levam a nenhum lado, isto é, aqui a uma parede sem vãos, ali a um balcão inacessível, mais adiante a um púlpito isolado por grades ou a uma torre sem ponte levadiça – tudo defendido pela agressividade ameaçadora de pontas de lança ou de rodas com instrumentos de tortura.

Não causará admiração o êxito que rodeou a divulgação da obra de Piranesi em Inglaterra onde a publicação, em 1757, do ensaio de Edmund Burke *Enquiry into the Sublime and the Beautiful* introduzira a estética da obscuridade, da privação, da vastidão e da magnitude. Por ela se estabeleciam conexões entre a emoção do medo paralisante e a noção de infinito e grandiosidade de dimensões que tornavam a figura humana mais solitária e minúscula.

Já o iniciador da moda do romance gótico e, por extensão, da literatura negra ou de terror, Horace Walpole, havia recomendado Piranesi, na obra *Anecdotes of Painting in England* (1771), como se pode ler:

> The sublime dream of Piranesi, who seemed to have conceived visions of Rome beyond what is boasted even in the meridian of its splendour. Savage as Salvatore Rosa – fierce as Michelangelo, and exuberant as Rubens, his imagined scenes that would startle geometry and exhaust the Indies to realize. He piles palaces on bridges, and temples on palace, and scales Heaven with mountains of edifices. Yet what taste is his boldness! What labour and thought both in his rashness and details.[4]

[4] *Apud* Robert Woof, *Thomas De Quincey: An English Opium-Eater* (London, 1986).

Também um dos mais requintados cultores da moda orientalista na Inglaterra tardo-setecentista e autor da fabulosa história do califa *Vathek* que foi William Beckford incorporava na obra *Dreams, Waking Thoughts and Incidents* (1783) uma alusão a Piranesi que transcrevemos:

> Horrors and dismal prospects haunted my fancy upon my return. I could not dine in peace, so strongly was my imagination affected; but snatching my pencil, I drew chasms and subterranean hollows, the domain of fear and torture, with chains, racks, wheels and dreadful engines in the style of Piranesi.

Quarenta anos depois, é precisamente em *Confessions* que podemos encontrar uma alusão circunstanciada a *Carceri d'Invenzione*. Por um lado, é significativo que De Quincey evoque obliquamente o magistério sobre si exercido pelo poeta Coleridge, precursor do modo como a sensibilidade romântica em "Kubla Khan" se articula com os sonhos do ópio. Além disso, convirá sublinhar que, apesar de depender alegadamente do testemunho indirecto de Coleridge, longo tempo arquivado na memória, a descrição verbal do ambiente das águas fortes de Piranesi revela-se extremamente rigorosa na evocação de *Carceri*. Finalmente, apesar de o autor ser singularmente apelidado de "gótico", o que contradiz, em termos periodológicos, as formas classicizantes efectivamente representadas, encontramo-nos também próximos de modelos arquitectónicos medievais.

> Many years ago, when I was looking over Piranesi's *Antiquities of Rome*, Mr. Coleridge, who was standing by, described to me a set of plates by that artist, called his *Dreams,* and which record the scenery of his own visions during the delirium of a fever. Some of them (I describe only from memory of Mr, Coleridge's account) represented vast Gothic halls: on the floor of which stood all sorts of engines and machinery, wheels, pulleys, levers, catapults &c. &c expressive of enormous power put forth and resistance overcome. Creeping along the sides of the walls you perceived a staircase; and upon it, groping his way upwards, was Piranesi himself: follow the stairs a little further, and you perceive it, come to a sudden abrupt termination, without any balustrade, and allowing no step onwards to him who had reached the extremity, except into the depths below. Whatever is to become of poor Piranesi, you suppose, at least, that his labours must in some way terminate here. But raise your eyes and behold a second flight of stairs still higher (...) Again elevate your eye, and a still more aerial flight of stairs is beheld: and again is poor Piranesi busy on his aspiring labours: and so on, until the unfinished stairs and Piranesi

both are lost in the upper gloom of the hall. – With the same power of endless growth and self-reproduction proceed I dreams.[5]

Para além do mais, importa salientar que De Quincey socorre-se da imaginação plástica de Piranesi para descrever uma espécie de correlato objectivo da Fantasmagoria romântica a que se vê conduzido por sonhos e devaneios, associados ao consumo do ópio. Ou seja, o autor não dispensa a mediação estética, pictórica ou verbal, para comunicar percepções sensoriais que desencadeiam intensas emoções. Por isso, em *Confessions*, as visões não constituem elementos decorativos nem imagens alegóricas de outra realidade transcendente mas, pelo contrário, sintetizam o resultado de um processo criador análogo ao da imaginação poética romântica, em funcionamento no espaço interior.

Através do mecanismo da associação de ideias, em actividade mais ou menos latente, torna-se possível e acelerada a transição do humano ao monstruoso, da dor física ao sofrimento moral, dos pensamentos às imagens visuais e destas às visões hipnagógicas. Deste modo, o cortejo fantasmagórico revela-se incapaz de proporcionar qualquer forma de evasão e, pelo contrário, traz ao sujeito o prolongamento da sua angústia e um motivo adicional de sofrimento. Na consciência do sujeito – quer se chame Coleridge, De Quincey, Poe ou Nerval – comparecem edifícios imponentes, torres majestosas, metrópoles descomunais, paisagem envolta em rumores confusos e tropel de gente em movimento, como pano de fundo plástico-sonoro contra o qual se recortam rostos humanos cuja omnipresença é uma forma de tirania.

Em *Confessions,* a multidão de rostos, encontrados por De Quincey em deambulações nocturnas por Londres, desfila, depois, fantasmagórica nos sonhos do láudano. Nas águas-fortes de Piranesi, a forma das rochas e até os veios de mármore desenham feições que participam no espectáculo, pelo qual todas as identidades se desestabilizam e permutam. Nestas imagens em devir há um pobre malaio transubstanciado em espírito tutelar, ondas transformadas em mansão, arbustos tornados cena infantil, um cocheiro transmutado em réptil ou os pés dos móveis mudados em garras – e tudo isto se opera através de um processo de inoculação recíproca de naturezas liminarmente incompatíveis mas conjugadas pela imaginação simbólica e metaforizante. Assim, antes dos surrealistas, e em *Confessions,* De Quincey recusou ignorar ou reprimir o irracional e exprimiu, sem constrangimento, a vertente reveladora de uma realidade superior, a lógica do ilógico, a realidade do irreal e o sentido do contra-senso.

---

[5] De Quincey, *op. cit.*, pp. 105 s.

Note-se ainda que, tal como o espaço, o tempo é questão igualmente problematizada em *Confessions*. Desde logo, porque a sua ampliação desmesurada o aproxima da transtemporalidade, não tanto como estado de êxtase místico mas, antes, da duração ininterrupta de uma experiência que abarca gerações, idades, milénios. Além disso, o tempo comparece na experiência do momento evanescente que, ao ser captado, já pertence ao pretérito, o que leva a valorizar a importância de *durée*, do tempo psicológico interior que ficará, depois, subjacente à técnica narrativa da corrente de consciência no Modernismo europeu.

Nestes termos, mais significativo ainda do que a equivalência visual do pensamento será a sua transposição para estruturas e padrões musicais. As visões configuram especial relevo sonoro, tanto de natureza vocal como instrumental, com música majestosa que prenuncia o drama e se transforma em seu acompanhamento, ressoando nas lembranças da vida passada e incidindo no tempo angustiado dos pesadelos do ópio. Nas palavras de De Quincey:

> (...) a chorus of elaborate harmony displayed before me, as in a piece of arras work, the whole of my past life – not as if recalled by an act of memory, but as if present and incarnated in the music (...)[6]

Será imperioso encerrar, aqui, estas reflexões e importa aludir apenas ao modo como o texto se liga também ao fenómeno da tradução intersemiótica, transferência entre códigos estéticos, como o dispositivo que viabiliza a expressão da experiência opiómana pela imaginação romântica de *Confessions,* na convergência do discurso científico-filosófico com os da literatura, das artes plásticas e da música. Com efeito, até a recepção criativa de Thomas De Quincey na cultura europeia contemporânea comporta, por exemplo, a obra traduzida, comentada e reelaborada por Alfred de Musset em *L'Anglais Mangeur d'Opium* (1828), por Charles Baudelaire em *Les Paradis Artificiels* (1860), musicada por Hector Berlioz em *Symphonie Fantastique* (1830) e, em Portugal, pelo poema sinfónico *Paraísos Artificiais* (1910-13), de Luís de Freitas Branco, no limiar das grandes mutações discursivas que marcaram a transição para a modernidade.

Por tudo isto, talvez seja possível considerar *Confessions* de De Quincey um texto particularmente produtivo quando se pretende ilustrar o modo como o estudo da especificidade da obra literária deverá ser iluminado e potenciado, pela exploração transcultural e intersemiótica do seu quadro de referências históricas e estéticas.

---

[6] De Quincey, *op. cit.*, p. 79.

Act 9 – Corpo e Paisagem Românticos

Referências Bibliográficas (não citadas)

M.H. Abrahms, *The Milk of Paradise* (New York, 1962).

J. Crary, *Techniques of the Observer* (London, 2001).

L. Ficacci, *Giovanni Battista Piranesi* (Köln, 2002).

A. Hayter, *Opium and the Romantic Imagination* (London, 1971).

B. Hodgson, *In the Arms of Morpheus* (New York, 2001).

G. Lindop, *The Opium-Eater: A Life of Thomas De Quincey* (London, 1991).

M. Milner, *La Fantasmagorie* (Paris, 1982).

______, *L'Imaginaire des drogues* (Paris, 2000).

Flaubert's Landscapes

Hans Ulrich Gumbrecht
Stanford University

At best, this short essay will be a partial answer to a very specific question. The question is what we want to identify as the typical components of that form of experiencing nature that we call "romantic" – and whether such a "romantic" vision of nature was concomitant with some historically specific implications in the way of viewing the human body. Part of why this question promises to be interesting is because finding an answer would enable us to discuss, among other things, whether our contemporary view of nature still relies on a legacy of romantic presuppositions.

Now, my strategy of coming up with an answer to this specific question will be very partial because I shall concentrate, in the first place, on the texts of just one literary author, i.e. on the work of Gustave Flaubert – Gustave Flaubert who, secondly, has never been subsumed under the historiographical chapter heading of "Romanticism" (but has his undisputed status as one of the great representatives of 19th century "literary Realism"). In addition – as if to make things artificially complicated – I will start my argument by relating early 19th century literary perspectives on landscape and on the human body to some historically specific structures within contemporary epistemology, i.e. to the most typical procedures of 19th century knowledge production and knowledge distribution. For only within this context will it become plausible why I associate Flaubert's texts with the concept of "Romanticism".

I will start, then, by describing how 19th century literary Realism – and how, within this context, Gustave Flaubert's way of writing – were in a historically specific relationship to contemporary epistemology. This will enable us, as a second step, to formulate a tentative thesis about how Flaubert's "realistic" views of landscape and of the human body can also be seen as a "romantic" attitude. The third and main part of my essay will present a detailed analysis of some landscape descriptions in Flaubert's four novels and in his *Tentation de Saint Antoine*, leading to a small typology of pertinent textual procedures. This typology will finally be the basis for the development of a second and more complex description of what we may understand as a specifically romantic perspective on literary landscape and on literary evocations of the human body.

1.

We should never speak of "literary realism" (nor of any other type of "realism") outside a historically specific frame of reference. For, quite inevitably, every existing form of human expression has to be "realistic" inasmuch as it cannot escape those particular epistemological structures through which each cultural context shapes its own reality. Seen from this angle, the 12th century Christian epic was as "realistic" as the 19th century novel or as the Renaissance sonnet. If we continue to have the impression, even today, that a certain type of 19th century novel is especially close to our own conception of reality, such an effect is due to a very specific historical configuration, a configuration that still produces an impression of affinity between our present epistemological environment and some genres of 19th century literature, a configuration finally that may well cease to produce the same effect for readers of future ages. More specifically: the type of writing that we call "19th century Realism" emerged from a range of reactions with which literary authors responded to a profound epistemological crisis that had occurred in the first quarter of their century – and that we have not yet completely left behind ourselves. I am referring here to the very crisis that Michel Foucault so famously described as "*crise de la représentation*" – and that we may also call, with a concept invented by Niklas Luhmann which Luhmann himself never cared to historicize, the "crisis of (the emergence of) the second order observer". Seen from a historical angle, the emergence of the second order observer during the first decades of the 19th century turned into a problematization of the figure of the first order observer with whose institutionalization Western intellectual Modernity has started four or five centuries earlier. As a first order observer, man had thought of himself, since the age of the Renaissance, as eccentric vis-à-vis the world of objects – whereas, during the middle ages, he had conceived of himself as being part of the world as a divine creation. Secondly, the first order observer thought of himself as a purely spiritual (since the 17th century: as a purely "Cartesian") entity whose task it was to produce knowledge by interpreting the world of objects from a position of distance. Interpretation was thought to be the movement of finding a meaning "beyond" or "beneath" the purely material surface of things. In this configuration of self-reference, then, knowledge production appeared to be an exclusively human achievement – which marked a contrast in comparison to the reliance of medieval culture on divine revelation. Finally, the results of infinite acts of interpretation were supposed to accumulate in (ever more complex) "world pictures" that would become the basis for all future-oriented planning and acting in human societies.

For reasons about which we can only speculate on a level of abstraction that is too high for any historical illustration, this figure of the early modern world observer turned obsessively self-reflexive from the first decades of the 19th century on. The second order observer is thus a first order observer condemned to observe himself in the very act of observation. This self-reflexive turn had two major consequences. A second order observer could not fail to discover, in the first place, that the knowledge (i.e. the elements of world--representation) that he was producing depended, necessarily, on his perspective of observation, that is on his previously accumulated knowledge and on the specific position from which he was observing. This meant that, for each object of reference, there were as many possible representations as there were potential points of view. It was then easy to understand that, ultimately, the number of possible representations for each object of reference had to be infinite – which consequence would undermine, from the side of representation, the assumption of a coherent and stable object of reference. The second consequence coming from the emergence of the second order observer was the insight that there was no truly disembodied observer and that, therefore, the observer's world appropriation, inevitably, had to be a mixed operation between experience (world appropriation through concepts) and perception (world-appropriation through the senses). What remained unclear, however, was how experience and perception should ever become mutually compatible.

We all know that 19th century philosophy and science found an exuberantly successful solution to the first of these two problems, i.e. the problem of multiple representation. We may characterize this solution as the substitution of a mirror-like principle of representation through a narration-based principle of representation. If, until the end of the 18th century, phenomena had been described by one--dimensional definitions or images (think of the entries and of the *planches* in d'Alembert's and Diderot's *Encyclopédie*), 19th century

Philosophy of History and contemporary Evolutionism switched to narrative discourses as devices of identification. What gave this switch the status of a solution must have been the capacity of those narrative discourses to absorb the existing multiple representations of individual objects of reference, which had been the first problem produced by the second order observer. The second problem stemming from the emergence of the second order observer, however, the problem regarding the compatibility between experience and perception, never found a convincing solution – which of course made it only more visible in its historical context, not the least due to endless attempts at finding a satisfying response.[1]

Far beyond the confines of academic philosophy, the crisis of the second order observer was broadly experienced as a loss of primary trust in "Reality" as a "ground" for cognition and for existence at large, within 19th century western societies. This is why all those forms of literature and of art that reacted to the epistemological challenge became easily associated with a corresponding function of reassurance – and this is also the reason that makes if historically legitimate to use the name of literary "Realism" for all those 19th century narratives that tried to react to the different problems produced by the second order observer[2]. Of course there were many different discursive modalities referring to the epistemological challenge. They ranged – just to focus on the example of French literature – from Balzac's complex attempts at keeping alive the belief in a kind of cosmological world – and knowledge – order[3], via Stendhal's struggles with the principle of world-representation and his growing frustration about it[4], to Gustave Flaubert's apparent refusal to mediate between different, intrinsically incoherent and even

---

1 For a detailed account of the "second observer crisis", see chapter (II) of my forthcoming book *Production of Presence. What Meaning Cannot Convey* (Stanford, 2004).

2 There is reason to insist that the phrase "19th century Realism" ("Realism" with capital "R" indeed!) has the status of a name because it refers to an individual phenomenon. In contrast, I think literary history and art history should refrain from using the word "realism" as a typological concept.

3 See Hans Ulrich Gumbrecht, Juergen E. Mueller: "Sinnbildung als Sicherung der Lebenswelt – ein Beitrag zur funktionsgeschichtlichen Situierung der realistischen Literatur am Beispiel von Balzacs Erzaehlung 'La bourse'", H.U.G., Karlheinz Stierle, Rainer Warning (eds.), *Honoré de Balzac* (Muenchen: Standard Pléiade Edition, 1980), pp. 339-389.

4 See Hans Ulrich Gumbrecht, "Stendhals nervoeser Ernst", Karl Heinz Bohrer (ed.), *Sprachen der Ironie / Sprachen des Ernstes* (Frankfurt/Main: Suhrkamp, 2000), pp. 206-232.

contradicting perspectives of world experience. What characterizes Flaubert's texts within 19th century literary Realism are indeed the radical absence of an auctorial narrator, the blunt juxtaposition of narrative perspectives and of elements of knowledge that do not converge or complement each other and, altogether, the apparent calm – or should one go so far to say: the contemptousness? – with which he appeared to handle the explosion of multiple representations.

2.

Now, is it possible to cast into a single (and certainly complex) concept what we normally appreciate (without the need of reflecting too much about it) as a "romantic" view of landscape, and how could such a concept – if we manage to find one at all – relate to the historical emergence of the second order observer? Perhaps we may simply say that a romantic view of landscape *already* includes all the consequences that we attribute, at least today, to the emergence of the second order observer – but that it does *not yet* presuppose the experience of these consequences as a problem, in any epistemological or even a practical sense. In other words: a romantic view of landscape would certainly have allowed for different observers to have different "pictures" of the same mountains and of the same rivers, and it would also have assumed that these "pictures" were constituted by concepts as much as by the bodily senses – without this pluralization of individual "pictures" or this interference of concepts with sensual perceptions raising any concerns.

On the contrary, Romanticism tended to celebrate as an enrichment what 19th century epistemology would later identify as a challenge – if not as a scandal. The aspect in particular that the human body would become, once again, a dimension of resonance for – and thereby part of – man's physical environment seems to have fostered, in the beginning, a new feeling of "romantic" familiarity and closeness vis-à-vis the world. There are multiple examples that can illustrate our formula of the romantic view of landscape and of the body as a second order observer view – before an awareness of its intrinsic epistemological problems began to prevail. No other European author of the early 19th century was as fond as Friedrich Schlegel of observing himself in the world-observing act of writing and of pushing such second order observation to ever higher levels of potentially endless self-reflexivity and self-complexification. Although self-observation also was the central precondition and at the same time the most operative motif for the philosophy of German Idealism, we associate the intense enthusiasm with which Schlegel explored this new dimension of thought as the distinctively romantic flavor of his intellectual style. Or think of the landscape paintings by Caspar David Friedrich. Many of them show a human figure in the foreground – and these figures appear, quite unambiguously, as observers of the thematized landscape. But the perspectives that we can reconstruct, on the one hand, as the perspective of the painter and, on the other hand, the perspectives of the represented observers do not enter yet into any tension or of conflict. On the contrary, Friedrich seems to simply welcome such increased complexity in the spatial dimension of his paintings, without yet finding any new problems of world construction in them.

The boldest – and certainly also the most frequently noted – move in this early stage of the historical transition towards the second order observer was a new relation to the material world that French poets would refer to with the concept of "*correspondance*". It pointed to the impression that there was a possibility for the individual to "read" a landscape as if it were the "expression" of the feelings that were prevailing in his or in her soul at a given moment. This new relationship between the landscape and the soul would not only imply the possibility, for the landscape, to be described in concepts similar to those that had traditionally captured the states of the human psyche (only from now on, a landscape could be seen as "melancholic" or as "serene"); it also enabled the landscape to shape specific moments of the individual soul, in the sense that the impression of a landscape could produce, for example, states of "solemnity" or of "jubilation" in the soul. For this new plasticity in the interplay between the human psyche and the spatial environment of the human body, the German language invented the concept of "*Landschafts-Stimmung*". It might be best translated as "landscape resonance" (after all, "*Stimmung*" primarily refers to an impression of sound), "landscape resonance" in the double meaning of the landscape resonating with the individual psyche and the individual psyche being adaptable to the impressions of different types of landscape. Finally, romantic aesthetics transformed into the promise of synaesthesia the new awareness of a double-leveledness between concepts and the bodily senses (and of the plurality of the different bodily senses) in the appropriation of the physical environment. Far yet from obsessively insisting on the incompatibility between a world appropriation through concepts and a world appropriation through the senses, romantic poetry was still confident that those different modes in the relation between the psyche and the physical world could be brought together in synaesthesia as an overarching feeling of sensual complementarity and harmony.

3.

If we now turn to some of Gustave Flaubert's landscape descriptions, with the goal of giving more conceptual depth and complexity to our first hypothesis about the literary constitution of romantic landscape, it is necessary to emphasize, once again, that there was probably no other European author in the third quarter of the 19th century who was less "romantic" in his writing than Flaubert. It is no overstatement to say that what gives their specific energy to Flaubert's great novels was indeed an attitude of irony vis-à-vis some of the central motifs that made up the romantic style of experience. This attitude of irony – in the sense of a distance within repetition – enabled Flaubert to inhabit the romantic style of experience and, by inhabiting it, to reproduce its discourses in the mode of parody. Only an author who was perfectly familiar with the ecstatic expectations towards individual love evoked by so many romantic novels could draw the devastating picture of their potentially life-destroying impact which is in the center of Flaubert's master novel *Madame Bovary*. Only an intellectual who had lost all illusions about aesthetic education as an existential apprenticeship was able to achieve the ultimate flatness in the description of a "romantic" character which, more than any other feature, characterizes Frédéric Moreau, the hero of *Éducation sentimentale*. In *Salambô*, finally, Flaubert seems to have pushed the discursive modes of irony and parody so far that it became impossible for his readers to distinguish whether his descriptions were the ultimate condemnation of – or the symptom of a secret enthusiasm for – a boundless opulence in the evocation of "purple" (as he himself called them) historical environments. If we trust the "entries" of his *Dictionnaire des idées reçues*, Flaubert's notebook for the most common commonplaces that were dear to the contemporary French middle class (a manuscript also that had preceded *Bouvard et Pécuchet* as project for a book on the vulgarity of knowing), if we trust the pertinent "entries" of his *Dictionnaire*, then we certainly gain the impression that Flaubert, throughout his career as an author, was as intellectually distant as possible from the conceptual and emotional repertoire of Romanticism.

And yet, even the most devastating critique – especially if it is articulated in the modes of irony and parody – can never completely escape a potential for ambiguity in view of its object. This is particularly true for the ways in which Flaubert refers to the romantic rediscovery of the human body as a mode of appropriation but also as a part of the physical world. No description of physical detail beats the grotesque horror of the pages dedicated to the clubfoot operation that occupies – with astonishing arithmetic preciseness – the center of *Madame Bovary*. No other scene goes further in the merciless description of the decadence of a formerly glorious body than the sentences that let the reader imagine the heroine's poisoned corpse at the end of the same novel. Likewise, I know of no other more distant and more miserable literary presence of an infant's body than that of Rosanette's and Frédéric's child in *Éducation sentimentale*. For far from all philosophical concepts this child's body illustrates the 19th century vision of a being that is not ready for the struggle of life. In *Salambô*, the corpses of the mercenaries that remain on the battlefield mark the furthest possible distance from the humanitarian ideals and feelings of compassion, whereas some of the scenes in *Bouvard et Pécuchet*, belong to the most ridiculous body images that literature has ever produced.

As I mentioned before, there is no detached narrator's "voice" to coordinate all these discourses that Flaubert inhabits and juxtaposes. Wherever he uses some of the stylistic effects that we consider to be "typically romantic," we cannot pinpoint those other devices through which, at the same time, he takes distance from the romantic tone. And yet the impression of such a distance is irrefutably there – thanks probably to the presence, in the same novels, of those descriptions which, instead of being "romantically" sympathetic or expressive, emphasize what is aggressively ugly and grotesque. This may also be the reason why the reader finds the full range of romantic forms in Flaubert's landscape descriptions and enjoys, at the same time, the privilege of a distance that helps him understand how an anti-romantic author can so perfectly write in the different romantic discourses.

The most famous textual instance where the immediacy of a discursive reproduction and the ungraspable effect of distance come together in the picture of a landscape is of course Emma Bovary's daydream of what a honeymoon should be like. It has been endlessly quoted to illustrate the morphology of Flaubert's most famous form--invention, the *discours indirect libre*:

> Elle songeait quelquefois que c'étaient là pourtant les plus beaux jours de sa vie, la lune de miel, comme on disait. Pour en goûter la douceur, il eût fallu, sans doute, s'en aller vers ces pays à noms sonores où les lendemains de mariage ont de plus suaves paresses! Dans des chaises de poste, sous de stores de soie bleue, on monte au pas des routes escarpées, écoutant la chanson du postillon, qui se répète dans la montagne avec les clochettes des chèvres et le bruit sourd de la cascade. Quand le soleil se couche, on respire au bord des golfes le parfum des citronniers; puis, le soir, sur la terrasse des villas, seuls et les doigts confondus, on regarde les étoiles en faisant des projets. Il

lui semblait que certains lieux sur la terre devaient produire du bonheur, comme une plante particulière au sol et qui pousse mal toute autre part.[5]

An adequate understanding of this paragraph – and we know that such an understanding was not easily available for the first generation of Flaubert's readers – will realize that its words evoke the imagination of a woman addicted to a certain type of romantic novel, but that they do so under the effect of a distancing irony. A similar combination may be at place in the scene of Emma's first excursion on horseback with Rodolphe, the man who will become her lover after the catastrophic failure of Charles Bovary's clubfoot operation. This passage begins with the portraits of a male and of a female figure that I believe are meant to correspond to Emma's and Rodolphe's idealized (and converging) self-images:

> Dès qu'il sentit la terre, le cheval d'Emma prit le galop. Rodolphe galopait à côté d'elle. Par moments ils échangeaient une parole. La figure un peu baissée, la main haute et le bras droit déployé, elle s'abandonnait à la cadence du mouvement qui la berçait sur la selle. Au bas de la côte, Rodolphe lâcha les rênes: ils partirent ensemble d'un seul bond; puis, en haut, tout à coup, les chevaux s'arrêtèrent et son grand voile bleu retomba.[6]

But the ideal convergence between the self images of the two future lovers and the rhythm of their joint movement does not extend into the following landscape description. This becomes clear in its very first sentence because it does not establish, as the reader might have expected, a synaesthetic link between the emerging love affair and the *topos* of spring as the season of love – but paints the countryside in the hazy colors of autumn. Instead of turning Emma's physical environment into an expression of her soul, it becomes a complex symbol for the abyss between her dreams and her everyday world. The rhythm of the prose almost abruptly changes from a complex fluidity to *staccato*:

> On était aux premiers jours d'octobre. Il y avait du brouillard sur la campagne. Des vapeurs s'allongeaient à l'horizon, contre le contour des collines; et d'autres, se déchirant, montaient, se perdaient. Quelquefois, dans un écartement des nuées, sous un rayon de soleil, on apercevait au loin les toits d'Yonville, avec les jardins au bord de l'eau, les cours, les murs et le clocher de l'église. Emma fermait à

---

5 Gustave Flaubert, *Madame Bovary*, présentation par Bernard Ajac (Paris: Garnier Flammarion, 1986), p. 100.

6 *Ibidem*, p. 225.

demi les paupières pour reconnaître sa maison, et jamais ce pauvre village où elle vivait ne lui avait semblé si petit.

In the central chapter of *Éducation sentimentale*, the chapter about the days that Frédéric Moreau and his lover Rosanette spend at Fontainebleau, while the Revolution of 1848 is about to explode in Paris, Flaubert seems to have pushed to an extreme some of the ironic techniques of writing that he had already played out in *Madame Bovary*. If we feel that Emma Bovary manages to believe in the effects of her self-deception until the final breakdown occurs, the lovers of *Éducation*, in contrast, no longer manage to compensate for the lack of spontaneous feelings in the same fashion, i.e. by projecting into their environment what they believe romantic love should be. Emma's luxurious daydream of the ideal honeymoon landscape has now contracted into a conventional formula that does not even convince the couple who so desires to conjure up a romantic world: "On leur servit un poulet avec les quatre membres étendus, une matelote d'anguilles dans un compotier en terre de pipe, du vin râpeux, du pain trop dur, des couteaux ébréchés. Tout cela augmentait le plaisir, l'illusion. Ils se croyaient presque au milieu d'un voyage, en Italie, dans leur lune de miel."[7] As Rosanette has never acquired any historical knowledge, there is nothing she could possibly associate with the castle of Fontainebleau – except for the embarrassing awareness that she should be able to transform its scenery into historical imagination. All she remembers during a tour of the historical buildings is that she should remember something:

> Son mutisme prouvait clairement que [Rosanette] ne savait rien, ne comprenait pas, si bien que par complaisance il lui dit:
> "Tu t'ennuies peut-être?"
> "Non, non, au contraire!"
> Et, le menton levé, tout en promenant à l'entour un regard des plus vagues, Rosanette lâcha ce mot:
> "Ça rappelle des souvenirs!"[8]

As the protagonists are lacking the images and the knowledge that could transform the empty form of memory into a romantic interplay of *correspondances*, the description of landscape, as an obligatory part in any 19th century love story, is turning into a space that will be filled up with different conventional discourses. In the paragraph that describes the tour of the castle, for example, Flaubert stages a stylistic

7 Gustave Flaubert, *Éducation sentimentale*, présentation par Stéphanie Dord--Crouslé (Paris: Garnier Flammarion, 2002), p. 437.

8 *Ibidem*, p. 431.

transition from an impression of scientific objectivity (produced through a vocabulary that is inaccessible to a non-specialist reader) to a tone that transforms trees and plants into the shapes of mythological beings. Above all the reader never gains the impression that these different modes of description could have originated in the minds of Frédéric or Rosanette:

> La diversité des arbres faisait un spectacle changeant. Les hêtres, à l'écorce blanche et lisse, entremêlaient leurs couronnes; des frênes courbaient mollement leurs glauques ramures; dans les cépées de charmes, des houx pareils à du bronze se hérissaient; puis venait une file de minces bouleaux, inclinés dans des attitudes élégiaques; et les pins, symétriques comme des tuyaux d'orgue, en se balançant continuellement, semblaient chanter. Il y avait des chênes rugueux, énormes, qui se convulsaient, s'étirant du sol, s'étreignaient les uns les autres, et, fermes sur leurs troncs, pareils à des torses, se lançaient avec leurs bras nus des appels de désespoir, des menaces furibondes, comme un groupe de Titans immobilisés dans leur colère.[9]

It must be the reader's unfulfilled romantic expectation that makes him so keenly aware, in these scenes, of what a romantic *correspondance* between the landscape and the protagonists' states of mind should have been. Given, however, the emptiness of the protagonists' imagination, it rather occurs that the landscape will overwhelm their feelings – while it remains unthinkable that they will ever decipher the same landscape as an expression of their souls. As soon as he feels "the seriousness of the forest," Frédéric begins to hear Rosanette's voice as if it were one of the birds' voices, and he sees her body as a part of the landscape. Quite literally, Rosanette begins to disappear in the textual evocation of multiple objects:

> Le sérieux de la forêt les gagnait; et ils avaient des heures de silence où, se laissant aller au bercement des ressorts, ils demeuraient comme engourdis dans une ivresse tranquille. Les bras sous la taille, il l'écoutait parler pendant que les oiseaux gazouillaient, observait presque du même coup d'oeil les raisins noirs de sa capote et les baies des genévriers, les draperies de son voile, les volutes des nuages; et quand il se penchait vers elle, la fraîcheur de sa peau se mêlait au grand parfum des bois.[10]

Salambô, Flaubert's historical novel, makes me suspect that he was only willing to allow an interplay of *correspondance* between his protagonists' feelings and the landscape around them when romantic

---

[9] Gustave Flaubert, *op. cit.*, p. 435.

[10] *Ibidem*, pp. 436f.

poetology would not have suggested the reader to expect such a relationship. As soon as the army of seditious mercenaries finally obeys the order of Carthage to move to a place at a safe distance from the city, the landscape turns into a projection of their state of physical depravation. Bodily needs permeate the perception of the environment. This is why each potential place of arrival disappears as soon as it comes closer, transforming itself into yet another distant horizon:

> La route s'allongeait sans jamais en finir. A l'extrémité d'une plaine, toujours on arrivait sur un plateau de forme ronde; puis on redescendait dans une vallée, et les montagnes qui semblaient boucher l'horizon, à mesure que l'on approchait d'elles, se déplaçaient comme en glissant. De temps à autre, une rivière apparaissait dans la verdure des tamarix, pour se perdre au tournant des collines.[11]

Several chapters later, while Carthage, under the guidance of Hamilcar, has regained the political initiative and controls once again the military situation, the mercenaries' perception of the landscape is no longer exclusively determined by their physical depravation. What they now see is conditioned by the fear of an enemy who they know will challenge them but whom they are unable to spot. Once again, the landscape turns into a mirror of their feelings:

> Les Barbares campés à Utique, et les quinze mille autour du pont, furent surpris de voir au loin la terre onduler. Le vent qui soufflait très fort chassait des tourbillons de sable; ils se levaient comme arrachés du sol, montaient par grands lambeaux de couleur blonde, puis se déchiraient et recommençaient toujours, en cachant aux Mercenaires l'armée punique. A cause des cornes dressées au bord des casques, les uns croyaient apercevoir un troupeau de boeufs; d'autres, trompés par l'agitation des manteaux, prétendaient distinguer des ailes, et ceux qui avaient beaucoup voyagé, haussant les épaules, expliquaient tout par les illusions du mirage. Cependant quelque chose d'énorme continuait à s'avancer.[12]

It fits the possible logic according to which only the least educated protagonists will be allowed to engage in a relation of *correspondance* with the landscape around them, if Bouvard and Pécuchet, the most aggressively mediocre and intellectually ambitious among all of Flaubert's characters, are those who have no perception whatsoever of their physical environment. The only world that they inhabit is the stale world of knowledge, accessible alone through books and

[11] Gustave Flaubert, *Salambô*, présentation par Gisèle Ségiger (Paris: Garnier Flammarion, 2001) p. 85.

[12] *Ibidem*, p. 217.

encyclopedias. Bouvard and Péchuchet never pay any attention to the impressions produced by their senses. The one description of a "landscape" that we find in Flaubert's final (and unfinished) novel happens to be the summary of a series of prehistoric scenarios from Cuvier's *Discours sur les révolutions du globe*, published in 1821. Flaubert's text highlights how ridiculously familiar the protagonists think they are with the most advanced paleontological knowledge of their time. It is this feeling of familiarity which makes Bouvard and Pécuchet remark, in passing, that one of the scientific images painted by Cuvier must be a prehistoric view of Monmartre – which implies that Monmartre, for Flaubert's heroes, is a rather an image produced by a book than a potential object of immediate experience:

> Après ces lectures [sc.: de Cuvier], ils se figurèrent les choses suivantes.
> D'abord une immense nappe d'eau, d'où émergeaient des promontoires, tachetés par des lichens; et pas un être vivant, pas un cri. C'était un monde silencieux, immobile et nu. – Puis de longues plantes se balançaient dans un brouillard qui ressemblaient la vapeur d'une étuve. Un soleil tout rouge surchauffait l'atmosphère humide. Alors des volcans éclatèrent, les roches ignées jaillissaient des montagnes; et la pâte des porphyres et des basaltes qui coulait, se figea. – Troisième tableau: dans des mers peu profondes, des îles de madrépores ont surgi [...]. Enfin, sur les grands continents, des grands mammifères parurent, les membres difformes comme des pièces de bois mal équarries, le cuir plus épais que des plaques de bronze, ou bien velus, lippus avec des crinières, et des défenses contournées. Des troupeaux de mammouths broutaient les plaines où fut depuis l'Atlantique; le paléothérium, moitié cheval moitié tapir, bouleversait de son groin les fourmilières de Monmartre, et le cervus giganteus tremblait sous des châtaigniers, à la voix de l'ours des cavernes qui faisaient japper dans sa tanière, le chien de Beaugency trois fois haut comme un loup.
> Toutes ces époques avaient été séparées les unes des autres par des cataclysmes dont le dernier est notre déluge.[13]

The definite articles with which they refer to prehistoric animals ("*le* chien de Beaugency") and the possessive pronoun that blurs the epistemological difference between Natural History and the Old Testament ("*notre* déluge") make it clear that this bookish world is indeed the world in which Bouvard et Pécuchet are living. If their environment, however, sets them apart from the dimension of

[13] Gustave Flaubert, *Bouvard et Pécuchet*, présentation par Stéphanie Dord-Crouslé (Paris: Garnier Flammarion, 1999) pp. 131f.

immediate bodily perceptions, it also makes them helplessly vulnerable – and excitable – for any perception that ever reaches their mind through the senses. This is why the fifty-four year old Pécuchet experiences a moment of sexual arousal as "something completely new" when he happens to watch the servant woman Mélie pump water:

> Mélie, dans la cour, tirait de l'eau. La pompe en bois avait un long levier. Pour le faire descendre, elle courbait les reins – et on voyait alors ses bas bleus jusqu'à la hauteur de son mollet. Puis, d'un geste rapide, elle levait son bras droit, tandis qu'elle tournait un peu la tète. Et Pécuchet en la regardant, sentait quelque chose de tout nouveau, un charme, un plaisir infini.[14]

La Tentation de Saint Antoine finally, the one text by Gustave Flaubert which, between the discursive traditions of hagiography, philosophical treatise, and allegorical hallucination, defies all historical or systematic concepts of genre, begins with yet another landscape description that is detached from all physical reality and from all immediate perception. But in this case the distance from actual perception frees the text to become a dense expression of the hermit protagonist's complex character. There is quite literally not a single word in this opening paragraph that the reader could not decipher as referring to some specific feature in the personality of Saint Anthony:

> C'est dans la Thébaïde, au haut d'une montagne, sur une plate-forme arrondie à demi-lune, et qu'enferment de grosses pierres.
> La cabane de l'Ermite occupe le fond. (...)
> La vue est bornée à droite et à gauche par l'enceinte des roches. Mais du côté du désert, comme des plages qui se succéderaient, d'immenses ondulations parallèles d'un blond cendré s'étirent les unes derrière les autres, en montant toujours; – puis au delà des sables, tout au loin, la chaîne libyque forme un mur couleur de craie, estompé légèrement par des vapeurs violettes. En face, le soleil s'abaisse. Le ciel, dans le nord, est d'une teinte gris-perle, tandis qu'au zénith des nuages de pourpre, disposés comme les flocons d'une crinière gigantesque, s'allongent sur la voûte bleue. Ces rais de flammes se rembrunissent, les parties d'azur prennent un pâleur nacrée; les buissons, les cailloux, la terre, tout maintenant paraît dur comme du bronze; et dans l'espace flotte une poudre d'or tellement menue qu'elle se confond avec la vibration de la lumière.[15]

---

[14] Gustave Flaubert, *Bouvard et Pécuchet*, p. 243.

[15] Gustave Flaubert, *La Tentation de Saint Antoine*, édition établie par Jacques Suffel (Paris: Garnier Flammarion, 1967) p. 31f.

4.

Returning to the initial question about the historically specific relationship between the body as a medium of world perception and the literary constitution of landscape in the literature of Romanticism, our analysis of some passages from Flaubert's novels allows us to make a very elementary – and yet astonishing – distinction. There are, on the one hand and astonishingly indeed, landscape descriptions that Flaubert stages as having emerged independently from any actual perception of the physical world. This is true, in the style of the most traditional allegorical discourse, for the opening scene of *La Tentation de Saint Antoine*; for the science-inspired imagination of prehistoric landscapes in *Bouvard et Pécuchet*; for the picture that Emma Bovary wants to cultivate of herself as well as of the ideal landscapes of love. Wherever, on the other hand, perception is meant to play a role in the ways that Flaubert's protagonists see the world, the relationship between the world and the protagonists' psyche is not one of harmony and of *correspondance*. Rather, the protagonists' openness towards their physical environment tends to produces situations of interference between the protagonists' intentions and those waves of unexpected excitement that invade their psyche. Once the quietness of the forest overcomes Frédéric Moreau, his lover begins to vanish for him; inadvertently watching a female body derails Pécuchet so decisively from a lifestyle exclusively dedicated to the cultivation of knowledge that he will need long sessions of "hydrotherapy" (consisting of many buckets of ice-cold water) to regain his composure; letting finally their desires and their fears interfere with the perception of a desertic landscape weakens the determination of the mercenaries in *Salambô*.

But how is it possible that these non-romantic descriptions provide us with such a complex understanding of the romantic relationship between body and landscape? The answer is that none of the non--romantic descriptions could function without the contrasting background of romantic poetics. Emma Bovary's daydreams would not have had their shocking and sobering effect, if no reader had ever believed that a "*correspondance*" between the individual soul and the surrounding landscape was possible; the scene of Pécuchet's first erection would not be so hilarious, if we did not assume that our bodies, normally, constantly and inevitably react to their physical environment. As Flaubert, different from most other authors of 19th century Realism, had no intention to defend the possibility – or at least the idea – of a harmonious relation between the world and the individual psyche, he was free to evoke the romantic motif of *correspondance* in all its precariousness or, seen from a more blatant perspective, in all its philosophical and psychological impossibility. This is a less optimistic but also a much more complex view than a reader could ever gain from romantic literature itself.

Flaubert helps us understand that romantic landscape descriptions, on the one side, already presuppose – as their tacit epistemological frame condition – the two key consequences coming from the emergence of the second order observer, i.e. the pluralization of representation and the two-leveledness of world appropriation. On the other side, however – and different from all realistic authors, in particular different from Flaubert – romantic literature had not yet identified these two innovations as potential philosophical and even potential practical problems. Most romantic authors rather indulged both in individualizing the "interaction" between their protagonists and the literary landscape and in imagining complex dimensions of harmony between physical perception and conceptual experience. At least from an intellectual point of view, such dreams must have been so remote for Gustave Flaubert that he could describe and analyze them with astonishment and irony, rather than with feelings of approval, protest or regret.

Landscape, Identity and War[1]

Svend-Erik Larsen
Aarhus University

Introduction

It is as trivial as it sounds: war takes place in a landscape called a battlefield, and the aim of war is to exercise control over a landscape designated a territory. The conclusion goes without saying: in the real world war and landscape are *necessarily* linked to each other like Siamese twins. On a symbolic level, literature may interpret this relationship and also make it *essential*, a relation in the very nature of war.

On the positive side of this necessary-essential relationship we all remember quasi-mythological descriptions of the edenic lands promised after the war or those, equally edenic, that preceded the war,

---

1 The title of this paper was submitted about 1,5 years before the conference "Romantic Body and Landscape" took place in Lisbon mid-March 2003, well after 9/11 and the attack on Afghanistan and the sudden disappearance of Afghanistan from the media and the subsequent international neglect of the obligation and promises to rebuild the country politically, economically and materially. The paper was thought out in detail and written in France in February 2003 when the war in Iraq was looming. Today when I am beginning to rewrite it for publication is March 30th 2003 and the actual war is 10 days old. How it will end, and if ending will be the right term for the aftermath of military activities, nobody knows at present. The role of the landscape for the understanding – and particularly the deplorable lack of cultural and historical understanding – of the war events, their background, unfolding and consequences has not changed. So I believe my argument retains its validity when this paper is published, gesturing towards literature as a privileged medium for the articulation of complex cultural phenomenon involving facts and imagination, history and analysis, subjectivity and experiences of reality. But I have grown more sad myself.

but both of them legimitizing war: John Fenimore Cooper and the war with the Indians in the USA still playing a role as the great West in its national ideology; the promised land of the Bible wept over under the trees of Babylon and still crucial to the orthodox vision of Israel; the Rome promised to Aeneas after his escape from dilapidated Troy in Virgil's *Aeneid.* And in contrast, on the negative side, who can possibly forget the representations of the devasted landscapes in *Im Westen nichts neues* (1929), *La Débâcle* (1892) or *Voyage au bout de la nuit* (1932) these being the disastrous result of the same intimate relationship, challenging the interpretations of the very necessity of war and thus its essential relation with landscapes.

But, positive or negative, when made both necessary and essential to war, its landscapes always contain an appeal to a collective identity, not only in literature, but in all publicly shared symbolic forms: the battlefields Wagram and Jena are converted into Place de Wagram and Place de Iéna, or in a more general manner Place des Victoires. At least in Paris. For Waterloo to play this role, we have to go to London.[2] Even as collective symbols, landscapes are still signs of war.

Trivial or not, such statements are, nevertheless, false. We only have to consider a phenomenon such as a world war to have second thoughts. What is a global landscape? And moreover: does an extra--terrestrial war have a landscape, or does it just generalize the very notion of space to an abstraction beyond any landscape? Furthermore: the so-called war against terrorism, does it have a landscape at all or some kind of space that can be defined and delimited: The streets of New York? a tourist resort in Bali? the corridors of the UN? the electronic networks of the crypted transfer of money? international court rooms? Afghanistan was ventured a year and half ago with mixed success, and right now Iraq is the scene for the next attempt with at least the effect of showing that if war has a landscape in the Middle-East there is no guarantee that it is identical with the landscape of peace after the war or before the war, let alone that it is the most necessary or essential landscape of the conflict in its true global sense. The less trivial consequence to be drawn from this is that if there is a landscape, it is never there in the first place as a given place, even less as a natural phenomenon. It has to be defined – its identity or identities, its locality or localities, its function or functions. There is

2 In the aftermath of WW I the French sociologist Maurice Halbwachs developed the conception of collective identity which was the result of social dialogue and negotiation and not a necessary corollary of the fact of a people being indigenous inhabitants of a landscape, although this experience is part of the dialogue. See Halbwachs 1935 and 1950.

neither a necessary nor an essential relation between war and landscape; it is accidental, arbitrary or occasional.

It is exactly this arbitrariness that gives literature, and other media, a role *as literature* and not as a descriptive or evaluative documentation. It is fictional or non-fictional narration, or more broadly speaking *la mise en discours* of war, that makes an event out of the war – with a place, a beginning and an ending that the war does not have in itself, and which we subsequently project on the real events. We *talk* about the first war in Chechnya or in the Golf, but we know that *actually* they have never ended. Just as Israel is still stuck in the seventh day of the 1973 six days war. And modern multimedia does more than talk, in a certain restricted sense it also creates reality, not the material landscapes and places but the focus that makes these real. On the contrary, wars without a face are the – numerous – wars that have no media visibility irrespective of the actual bloodshed, suppression and suffering: Iraq is in right now, Chechnya, Kosova and even Afghanistan and Africa are out, as Iraq was during the campaign in Afghanistan.

This arbitrariness also makes it possible to use the war as a metaphor, that is to locate certain activities similar to battles in arbitrarily chosen landscapes: the war against poverty, the war against economical crime, the war for public transport, etc. Most prominently, I think, we see the metaphor in Thomas Hobbes' presentation of human interaction as such as a state of war, "a ware, as is of every man, against every man" as he states in *Leviathan*[3]. Let me quote to show his finesse:

> For WARRE, consisteth not in Battell only, or in the act of fighting; but in a tract of time, wherein the Will to contend by Battell is sufficiently known: and therefore the notion of *Time*, is to be considered in the nature of Warre. (...) So the nature of War, consisteth not in actual fighting; but in the known disposition thereto, during all the time there is no assurance to the contrary. All other time is PEACE.[4]

This is absolutely modern: it is a definition of the Cold War, as well as of the situation that led up to the actual military intervention in Iraq and also the actual war. In all instances the control of time seems more important than the control of land. And it also contains the pessimistic claim that peace is only the left-over from war.

---

[3] Thomas Hobbes, *Leviathan* (London: Penguin, 1985 [1651]).

[4] *Ibidem*, 185f.

So, if literature is active in linking war and landscape it is never primarily in order to offer descriptions of lost or hoped for beauty and abundance or of destruction of natural surroundings. Instead literature investigates the possibilities, the modalities and the conditions of a relationship, or to put it briefly: literature *constitutes* a relation between war and landscape, not on the conditions of war or of the landscape, but on the conditions of literature as a means, an *organon* in the original Greek sense, of the cultural interpretation of human life. Literature offers a perspective on the relationship at the same time that it constructs a specific version of it.

One might be tempted to think that this constructionism is entirely modern – with globalization, colonization, post-colonization, urbanization reducing the importance of local landscapes, their boundaries and specific meanings. We may believe that formerly when people lived place-bound it was altogether different. But strange enough, this is not so. In European Antiquity the landscape played no essential role in literature dealing with war, which at the same time is a crucial element in most literature challenged only by the importance of love and more often than not inseparable from it.

How and why does literature construct this relation, or at least makes an important contribution to it? And how does this construction change through cultural history? And where does the Romantic landscape fit in? These are the questions I will address and attempt to answer along three different but also crossing lines of argument:

1) one line of argument follows the concepts of war;
2) another pursues the changing conceptions of nature that support different notions of landscape;
3) a third considers the notion of cultural identity evolving from the relation of war and landscape.

First line: War

In the fifth book of *The Republic* (4th century B.C.) Plato considers the nature of war. Prior to his philosophical reflexions historical and strategic considerations ranging from the detailed and digressive Herodotus via the generalizing Thucydides on the Peloponesian war to the matter-of-factness of Plato's contemporary Xenophon offered him abundant material. For Plato landscape has nothing to do with the nature of war. He distinguishes between two types of war: the *polemos* between the Hellenes and the barbarians; and the *stasis*, that is the civil war or the rebellion between the Hellenes themselves.[5] Hence, cultural identity is the true origin of war. Therefore it also expresses its idea and hence defines its aim: peace. For the Hellenes, of course. A *pax hellenica.* The rules that govern battlefield behavior derive from cultural identity as the idea of war: in the *polemos* you can proceed with all the cruelty and destruction you may find appropriate against the barbarians and their property; in the *stasis*, however, you have to exercise restraint against your own cultural kind – no slavery, no destruction of property, but just a pecuniary fine may be imposed on the losers. Cultural identity defines the war, its behavior, and its goal.

In Carl von Clausewitz' monumental *Vom Kriege* (1832) the argumentation is also based on a reference to cultural identity although he phrases his argument differently. There is the level of *strategy,* he states, which is the organization of the particular events of the war to make a totality out of them that subserves the overall political goal of the war. The nature of war belongs to the strategic dimension: War is a political instrument among others as we are witnessing these days. There is also the level of *tactics*, which is the unfolding of war in battles, skirmishes, combats etc., the *campaign* as the actual slaughter is euphemistically called. It is only on this level that the landscape enters as a necessary geophysical phenomenon of an entirely practical nature – for attack, for defense, for logistics, for escape etc. But as an entity in its own right, let alone an essential totality in a strategic perspective, there is no room for it; it plays no role in the identity or the nature of the war or of those involved.

Amazingly, this theory of war which is nowadays still studied came in the wake of the great wars of the romantic period when landscape was established as one of the cornerstones of nationalism, cultural identity and imagination which shaped the ideologies that legitimized a great deal of those wars. But like Plato, von Clausewitz relies on a conception of cultural identity without landscape. A good strategy and its transformation into a proper tactics is best carried out by "gebildede Völker"[6]. It is because of their "Bildung" that a "social community – an entire people"[7] (ib.: 107) is able not only to excel in the tactics of war, but to make a strategy, that is to set up a political

5 What is going on between the Barbarians is outside Plato's categories. They are brutes anyway. History has amply shown that lack of empathetic interest and insight in the culture and the way of thinking of a despised enemy may easily lead to defeat or at least to serious strategic surprises.

6 Carl von Clausewitz, *Vom Kriege* (Bonn: Dümmler, 1966 [1832]), p. 107.

7 *Ibidem*, p. 107.

goal for themselves. For Plato tactics is not a matter of theory as in modern warfare; on that level war to him is simply war. In his ideal city state war is a practice taken care of by the group of citizens called the guardians. They bring women and children with them to the battlefield to learn how war is done, the children being the future guardians.

Throughout most of our cultural history literature has been preoccupied with the question of, if not the quest for collective and individual identity, mostly pursuing this issue in dealing with war as the ultimate test of identity with love as an alternative possibility. But the landscape is *quantité negligeable* during war – it is present in stereotypical descriptions, maybe with a touch of mythology, like a sunrise, a sunset, a storm, a river, a mountain etc. An example is provided in book 7 of Virgil's *Aeneid* (ca. 20 AD):

> And now the sea was reddening with the rays of dawn, and from high heaven saffron-hued Aurora shone in roseate car, when the winds fell, and every breath sank suddenly, and the oar blades strive amid the sluggish calm of waters. Then lo! Aeneas, gazing forth from the flood, sees a mighty forest. Though it is midst the Tiber [etc.][8]

How is one to know that we are near the Tiber? And who should know that this description is immediately followed by the declaration that "I will tell of grim wars, will tell of battle array, and princes in their valour rushing upon death"[9] (ib.: II, 5). Such are the standards also in the Renaissance, for example in Torquato Tasso's *Gierusaleme liberata* (1581):

> The sun was rising in the east anew,
> Serene and lucent more than usual,
> When with the rays of the new morning came
> Beneath the flags each warrior in arms, (…)[10]

The landscape can also be understood as a functional aspect of the movement of the army if a description is necessary to underline the heroic nature of the warriors, maybe as an insurmountable obstacle, which is, nevertheless, surmounted. Winter is a season to keep weapons "idle"[11], but

---

[8] Virgil (Publius Virgilius Maro), *Aeneid*, 1-2 (London: Heinemann, 1960 [20 AD]).

[9] *Ibidem*, II, 5.

[10] Torquato Tasso, *Jerusalem Delivered* (Rutherford: Fairleigh Dickinson University Press, 1970 [1581]), p. 42.

[11] *Ibidem*, p. 36.

On summer days no thunder is so dear,
When hope of rain is promised to the earth,
As to hearts of that ferocious crowd
Was that war-calling music long and loud[12]

When they finally move the activity is entirely functional and could as well be dealing with the cleaning of the grounds for farming as for warfare:

And, first of all, [the Captain] bids all of his scouts
Proceed at once and make the passage clear:
They must fill gaps, and level what is rock,
And all obstructed passages unblock.[13]

In the Greek novel, which is based on the life of Alexander the Great, the *Alexander Romance*, the protagonist with his whole army crosses the landscape without it being specified; he is like a spirit from the *Arabian Nights*. The fatigue of his men, tactical difficulties arising from the terrain, the cumbersome reorganization of the troops after heavy losses do not exist. After a loss of thousands of men, he gathers a new army, advances over hundreds of miles and defeats the enemy, all accounted for in three lines and very much like the wishful thinking of today's hyper-technological warfare:

> After subduing Thessalonica, he made a campaign against the Scythians beyond. After three day's march, ambassadors came from Scythia offering their submission as his slaves, and asking him not to attack them. (...) When he returned to Macedonia, Alexander began preparations for the invasion of Asia. He built swift sailing ships, triremes and men-of-war in large numbers. He put all his troops on board with their wagons and equipment of all kinds. Then he took 50,000 talents of gold and set off for Thrace; there he conscripted 5,000 men and took away 500 talents of gold. All the cities welcomed him with garlands. (...) Then Alexander hastened with his army towards Egypt. When he reached Memphis, the Egyptians put him on the throne of Hephaestus as king of Egypt. (...) Alexander now led his army to Syria, where he raised a force of 2,000 armoured warriors and marched on Tyre. [etc.][14]

Only the exotic, fantastical or monstrous landscapes are worth mentioning. They exemplify the wonders of nature beyond the war, as is described in Alexander's letter to his teacher Aristotle that is

---

[12] *Ibidem*, p. 50.

[13] *Ibidem*, p. 51.

[14] Alexander, *The Greek Alexander Romance* (London: Penguin, 1991), pp. 58, 61, 68, 69.

included in some of the versions of the romance, or they bear witness to the lucky and audacious nature of Alexander's explorative and expansive character: "In [Pamphylia] a miracle occurred: Alexander had no ships, but part of the sea drew back so that his army could march past on foot."[15].

In *Anabasis*, as in Herodotus but less in Thucydides, there are many descriptions of landscapes, but they occupy far less space than the discourses of Xenophon and others. And those landscapes are only seen as means for the survival of the Hellenic army: a stock of provisions, or as an impediment for their progress on their return to Athens, a device to underline their thoughtful character and indefatigable prowess.

Whether the landscape is destroyed, left in its natural state or perceived as something with its own identity, such occurrences are never part of the representation of war as a quest for identity. They are more or less arbitrary and superfluous back drops of the scene. The author may make a statement on the landscape, but it is never discussed or analyzed in the light of the main concerns of the text. The reason, I think, is simple: landscape and cultural identity are not mutually interdependent. Such a relation is not established – although prepared earlier, of course – until the 19th century with the emergence of the national landscape, which coincided with von Clausewitz' writing but had not the slightest effect on his book. He still considers landscapes in the same way as Xenophon.

But the echo is heard in art and literature to the point that the whole evaluation of war as a cultural enterprise "für gebildete Völker", as was the norm from Plato to Clausewitz, changes. The destruction of landscape through war becomes the destruction of the natural and essential basis of cultural identity. Before that period the overall attitude toward war in literature was positive. There are a few exceptions such as Grimmelshausen's *Simplicissimus* (1668) set in the first European world war, writings by a a few Spanish monks in 16th century America, Goya's horrifying and only posthumously published etchings *Los desastres de la Guerra* from Europe ravaged by Napoleon's quest for a unilaterally defined peace brought about through war. From Antiquity until the 19th century war is the true confirmation of human identity. All over the place it is "Allons enfants ...", "Rule Britannia ...", and "Deutschland über alles ..." – even the Danes celebrate in their national anthem that they crushed the brains of the Swedes, "the helmet and the brain of the Goths". But

[15] *Ibidem*, p. 61.

from the 19th century onwards this martial attitude has been reversed or at least contested. Landscape as interpreted by literature plays an important role in this transformation of values.

Second line: Nature

We cannot discuss the different positions of landscape, inside or outside the context of war, without taking into account the changing conceptions of nature. For most pre-Renaissance people nature in its entirety was a cosmic totality governed by a divine teleology and filled with substances, that is entities with their own specific identity. Humans also constituted a substantial category, a class or sub-class of living organisms with a few distinctive features, first of all by the possession of *logos*. From the point of view of the substances nature was a structure of places – specific natural *topoi* or *loci* where things belong; each substance expresses or unfolds its identity most distinctively when it is at rest in its proper place. Nature does not allow for voids or non-places. This is the predominant theory of nature, Aristotle's as brought forward in his *Physics* (ca. 350 BC), mainly in book 4, with Gottfried Wilhelm Leibniz as its last fervent partisan in the late 17th and early 18th century, seeing the universe as a continuous whole of interrelated substances.

According to this conception rest is the natural position of all substances, whereas movement is an intermediary state between possible positions of rest. If I throw a stone 10.000 times up in the air, it inevitably falls to the ground, which is therefore its natural place, is one of the examples Aristotle provides in the *Nicomachean Ethics* (ca. 350 BC) for the intuitive truth of this insight[16]. If we want to study the identity of a thing, we have to observe it when it is at rest in its natural place. This theory also holds for cultural phenomena because they are made out of natural material through the natural capacities of humans. Hence such things, too, are substances with a proper place of their own, for example a city, a *polis,* as Aristotle explains in book 7 of his *Politics*.

More importantly, humans as substances also ought to have their proper place and stay there. But they cannot. As all living organisms humans are driven by an interior force to grow and change shape and place as part of their nature. And what is even worse: due to their inborn and natural intellectual powers, *logos*, they form their own

[16] Aristotle, *Ethica Nichomachea. The Works of Aristotle translated into English 9* (Oxford: Clarendon, 1915 [350 BC]), 1103b.

ideas about their goal and destiny in life and nourish promethean ambitions about changing them by their own will and are thusly in permanent but vain competition with the gods. In other words: in order to be truly human, humans have to also be always in movement, outside their proper place. Human life is tragic: *hamartia* and *hubris* cannot be avoided.

What has that to do with war and landscape? Quite a lot. War is man in movement, outside his place, at the same time both a necessary and fatal activity. To "die in the straw", that is in one's bed, and not in combat was terrible for a Viking. It blocked his way to Valhalla. But if this is so, war cannot have its proper place, and hence no landscape. In war there is no *domos*. The landscape of war is always the landscape of the others, the barbarians, the enemy or the monsters. War as a quest for identity has nowhere to place that identity, no landscape proper, only a tactical landscape that belongs to others, but which may be functional or dysfunctional from the point of view of the warriors. Therefore it can be destroyed without much ado: Alexander "took the city [Thebes] and razed it to the ground, preserving only Pindar's home. It is said that he compelled the Theban musician Ismenias to play his pipes while the city was being demolished"[17]. Or the landscape may be looked upon in awe as a foreign and perhaps supernatural landscape as in Herodotus' travel reports or later in Plini's reports from Africa and India or much later in the stories of the European discoverers.

But still there is the landscape from *before* the war, the *domos* of the warriors: Ithaca, Troy, Athens, etc. However this landscape is absent during the war and is only evoked by narrative or discursive means, as for example in the longwinded digressions, ekphrastic sequences and comparisons famous in Homer but an integral part of the entire epic tradition. They refer most often to concrete scenes and details from the daily life of the place left behind. This is the only landscape that confirms and supports the identity of people during war and it is constructed in that capacity by and only by the story, by literature. In *Anabasis* we meet the confrontation between the absent and present *domos* in the sixth book when the exhausted Hellenes finally arrive at Port Kalpes in Asia Minor near the Black Sea. Xenophon and his men clearly see that this site is a natural place for a city and thus a possible place to stay, a new *domos* within reach. It is near their proper home and without any people too hostile to the Hellenes (the Scythians kill a sailor now and then, that is all,

[17] Alexander, *op. cit.*, p. 60.

Xenophon notes off-handedly). There is a full description of Kalpes that conforms entirely to the later and ideal description in book 7 of Aristotle's *Politics*[18]. The men fear that they will have to settle down in this surrogate *domos* and not in their real home. But Xenophon moves on: Kalpes was just *like* their proper place, only a sign of the war and their expedition soon to be ended. As we know from Odysseus' troubled return such places may seduce the homeless warriors to find a place of rest and forget their real native soil.

There is also another landscape that plays a role in war. The natural surroundings are read as signs of divine will. Through dreams, oracles and prophecies signs of providence play an active part in the life and actions of the characters in all ancient literature. Alexander is the most godlike king, his supplicant Polykrates flatters him, and Alexander remarks, as many rulers have done after him and unfortunately still continue to do: "What you say is true: Providence has given us authority to rule, and one must yield to fortune"[19]. The landscape is part of this cosmic semiotic logic. In the *Aeneid* book 9 during Aeneas' numerous battles with the Rutulians and their leader Turnus, a storm rises after the usual intense debate between competing gods and Aeneas' ships are set afloat:

> And at once each ship rends her cable from the bank, and like dolphins they dip their beaks and dive to the water's depths; the as maiden forms – O wondrous portent! [monstrum] – they emerge in like number and bear out to sea.[20]

This is a sign to be interpreted. Turnus comes first and takes the incident to be a sign in his favor, a sign that the defeat of the Trojans is near and he attacks. Its is a sign that half the world – the sea – is taken away from them, and as the Rutulians hold the other half – the land – in their hands, Aeneas has no place to go or to be and he is finished. Bad luck. As many overzealous interpretations this interpretation proves to be mere wishful thinking. In the end Aeneas comes out victorious.

Like the stereotypical landscape the landscape as sign also continues to be part of war literature at least until the Renaissance, often with more or less loose references to the classical family of gods. In the second Canto of Luís de Camões' *Os Lusíadas* (1572) Vasco da Gama wakes up from a dream after Mercury has whispered a prophecy to him:

---

[18] Xenophon, *Anabase* 1-2. (Paris: Les Belles Lettres, 1964 [400 BC]), II, 103ff.

[19] *Ibidem*, p. 58.

[20] Virgil, *op. cit.*, II, p. 121.

> With this [the prophecy], Mercury wakened da Gama from his slumber. The Captain sat up with a start, and saw that the shadows of night were shot through with a strange unearthly light. Convinced now of the urgency of getting away from that iniquitous spot, he sent for the master, firm in his new resolve, and bade him spread sail to the wind without a moment's delay. "It is a command from God," he explained. "Heaven is on our side, and just sent me a special messenger, charged to watch over our footsteps. The breeze is blowing strong: lay the canvas."[21]

The landscape as system of signs always implies several possible interpretations. This is so because the interpreters are not gods (and the ancient gods themselves are volatile and inconsistent in their behavior, too). But the deficient interpretative capacities are also due to the fact that the warriors are not in their proper place and therefore cannot see the world as clearly as they can at home where they know the slightest signs, as it is shown in the many digressive references to the landscape they knew before the war. Although the fate defined by the gods is crystal clear, the path humans have to follow to get there is obscure. So, not only is home landscape absent during war, but the interpretability of the landscapes present is also disturbed.

Both aspects of landscapes – its familiarity and its interpretability – are not introduced by actual experience, but only by the story, the first aspect by the epic and human narrative, the second by the mythical and divine narrative, mixed with the epic narrative. The landscape of war itself does not exist as an entity in its own right.

This conception of nature, and the role of landscape that goes with it, dissolves little by little from the Renaissance onward following two different but parallel paths. One is opened by the new *aesthetics* of the Renaissance, the other by the new *science*. Modern science turned the old conception of nature as a structure of places upside down. Now, true knowledge of nature is made through experiments, that is on the hitherto unimaginable precondition that a thing is moved away from its proper place into a lab, that its proper form is annihilated because it is sliced up as in anatomical examinations, or that our observation of a thing is mediated by technologies, such as the telescope, which distort its natural dimensions. Under such conditions a landscape becomes basically a platform for the unfolding of individual human power and inventiveness, transformed, manipulated, and observed on human conditions. The landscape comes to be seen as a purely physical entity, valorized only by the use to which it is put in satisfying human needs and wishes. The basic constituents of the landscape are no

[21] Luís de Camões, *The Lusiads* (London: Penguin, 1973 [1572]), p. 68.

longer natural places or divine intentions and signs. The identity of humans is defined by their individual success when confronted with material nature that can be modified at will; even tampering with the boundaries of species is possible as in 18th century experiments with breeding. After the Renaissance, the landscape gradually comes to represent only material and not religious barriers. Hence it is movement and not repose that constitutes the identity of humans. From that perspective the destruction of the landscape impeding human movement and self-defined activity becomes a problem related to human identity. The first reflections in literature showing a negative attitude to war, seen through the destruction of landscapes, emerge in this period, partly in the mood of parody as for example in *Simplicissimus* (1668).

The aesthetic change in the Renaissance conception of nature and landscape shows a development similar to the scientific one. The invention of linear perspective both offers a practical tool to construct spaces and their visual representation and allows for a new interpretation of the place of humans in the world. It stresses the individual and thus changeable perception, and not the divine view, as the key to spatial experience and location. The appropriation of landscape through an individually controllable position from a distant and panoramic view point inside the landscape itself and not from God's bird's-eyed perspective, emphasizes that access on individual, human conditions becomes the new practical and interpretative norm for human identity.

The prominence given to individual perception, in principle infinitely variable, and intervention, infinitely expansive, makes war an ambiguous affair from the point of view of human identity. This ambiguity is expressed as an ambiguity in the relation between war and landscape or, in broader terms, war and nature. War is, on one hand, an unfolding of human power and heroism, but when most successful it is at the same time a destruction of the landscapes where this power has to unfold. It is in this marriage between science and aesthetics that the modern anti-heroic attitude to war was born. This ambiguity has been part of literature ever since and has become stronger and stronger producing a double perspective on landscape and identity. No wonder that the novel is the genre capable of telling and re-telling this story. *Don Quixote* (1603) is one of its first examples, told in the form of parody.

The landscape now becomes significant as a major reference to this ambiguity. If man acquires or manifests a collective and individual identity through war, he cannot have it through the landscape because he has to destroy it; and vice versa: if the landscape constitutes a basic relation of identity, then this identity cannot be confirmed in war because it is a self-defeating activity. This paradox becomes part and parcel of literature when identity and landscape become two sides of the same coin, as in Romanticism. The narrative of the landscape before or after the war no longer gives an unambiguous alibi for war as in the literature between Antiquity and the Renaissance.

Third line: Cultural Identity

1) The National Landscape:

As an introduction to my last line of argument, on cultural identity, you may read a description of the Danish national landscape, formulated by the Danish scientist H.C. Ørsted. He discovered electro-magnetism and turned his discoveries into mathematics and methodology. Although an international celebrity in the scientific avant-garde of his day, in 1836, almost simultaneously with the publication of von Clausewitz' *Vom Kriege* he nevertheless states in a paper called "Danskhed" [Danishness]:

> What is Danishness? Like any national character it includes, first of all, everything that defines the human being; but what makes this character a special Danish character is, naturally, the totality of the features that are more frequent in our people than in others. (...) The Danish land has a friendly nature, the enormous only reveals itself in sky and sea, and the horrifying is almost absent (...) Surrounded by this nature the people have lived and developed for centuries (...) I think nobody can easily deny that the Dane is good-humoured, easy--going, modest, disinclined to violence and wiles, rarely passionate. (...) If anybody asked me: what enables me to write as a genuine Dane? then I would almost give him the same answer as if he had asked me: what enables me to be a genuine Dane in the very essence of my being? I would simply tell him thoughtfully to follow his nature: when a Dane born and raised among Danes and having his life among Danes, follows this precept, he will automatically become genuinely Danish; only by artificiality will he deviate from true Danishness.[22]

First Ørsted draws upon Aristotelian scientific logic, moving from the most comprehensive category to the specific differentiation that gives essential identity to a thing by a cluster of distinctive features.

[22] Hans Christian Ørsted, "Danskhed", *Samlede og efterladte Skrifter*, 7 (København: A.F. Høst, 1852 [1836]), 50f, 53.

What is new here is that this identity, on an individual as well as on a collective level, is related to the landscape as a natural given with natural mental effects, echoing the age-old theories of climatic influence, but not primarily a cultural home, a *domos* in the Greek sense. Moreover, identity is also, and more importantly so, related to language, or rather a particular language that is one with the landscape. If the landscape and its cultivation are important, it is only secondary to the synthesis of the landscape and its expression through language because this expression is natural to the place.

The unity of nature and language constitutes the ideal of the national landscape of Romanticism, although only rarely put forward in such a clear-cut and explicit way. Luckily Denmark was not a superpower that could turn this logic into an evangelical mission to naturalize the world in Danish categories. In fact, after years of decline the old Danish Northern European empire crumbled during the Napoleonic wars and Ørsted's project as those of many others was an ideological project of restoring individual and collective identity, giving a cohesive meaning to the left-overs from former glory. In contrast to Antiquity, the landscape served as an essential medium for this project. Identity and landscape are completely amalgamated through language, and hence also through literature. Therefore boundaries set up by language and landscape occurs as natural boundaries. One has to be born and raised there in order to belong to von Clausewitz "gebildete Völker." Everything else is artificial. Although Ørsted is not explicit in his depreciation of foreigners – in his case the Germans – his argument is built on a xenophobic logic of a more serious kind than the similar Greek way of thinking about Hellenes and barbarians.

There is a revival here of the Greek notion of nature as a structure of places, but not as in Aristotle as a theory of nature, that is of all substances, comprising cultural phenomena, but as a theory of culture, only metaphorically using the outdated notion of nature as a structure of places. For the Greeks, barbarians, strangers we might say today, are people living elsewhere, strange people. But in Ørsted the most important point is that in doing so they are fundamentally of another nature. They are incurably alien. To destroy people's landscape and language is to destroy their natural identity. This is never an explicit issue in the old theories of war and identity. The national landscape has a double face, mirroring the ambiguity of war: on the one hand it is the peaceful home of those who by birth are entitled to live there; on the other hand it is a sign of the foreignness and artificiality of others and thus it legitimizes war. It is always a sign of both war and peace, while for the Greeks it was always a landscape of peace – in relation to war it had no significance.

The effect of this double perspective is that the national landscape is never the only relevant landscape in modern literature when it deals with identity in the tension between war and landscape. The national landscape in Ørsted's sense mostly occurs as a strategical, not a tactical agent, thus legitimizing war as a whole. We have at least three more landscapes parallel to or conflicting with the national landscape and bound to it:

2) The Guerilla Landscape

This landscape is the tactical counterpart to the national landscape as the strategic umbrella landscape of the modern landscape of collective identity. Guerilla warfare as a strike-and-disappear tactics was known for a long time, but as an independent category of warfare it was labeled as such during the Spanish resistance against Napoleon at the beginning of the 19th century. In colonial and post-colonial literatures it is abundantly represented in relation to local landscapes. The indigenous people are of course oppressed, imprisoned in camps, reservations or homelands, or unspecified territories. But they possess an intimate knowledge of the place, which gives them a freedom of movement in spite of the oppression. There is no doubt that the occupying forces have the power but they project their conceptions from another part of the world onto the local landscape and loose their sense of orientation and become victim to endless surprises they cannot foresee from ambushes, suicide bombers, systematized resistance movements going for the inevitable holes in the power structure, the lack of local knowledge of place and culture being the most important.

In John Michael Coetzee's *Waiting for the Barbarians* (1980) we are at the frontiers of a cruel empire, close to native or barbarian land. A group of soldiers is sent there to end an alleged uprising nobody else has heard about. They carry out their mission in an atrocious manner. Moreover, they penetrate into the landscape of the black natives for the final blow, marching off triumphantly in the expectation of a picnic-like campaign "bravely with [their] flags and trumpets and shining armour and prancing steeds to sweep the barbarians from the valley and teach them a lesson they and their children and grandchildren would never forget"[23]. But they are lured around by the natives, loose their orientation as in a desert and only

---

[23] John Michael Coetzee, *Waiting for the Barbarians* (London: Penguin, 1982 [1980]), p. 123.

some of them return, mad and terrified, deprived of identity and reduced to a purely biological state. The hardboiled colonel Joll suffers the same fate. The local administrator knows the difficulties in the local landscape, even for people like himself who are more familiar with it. He asks Joll where his troops are:

> "Gone. Scattered. All over the place. I don't know where they are. We had to find our own way. It was impossible to keep together." As his comrades disappear into the night he wrestles harder. "Let me go!" he sobs. He is no stronger than a child.
> "In a minute. How could it be that the barbarians did this to you?"
> "We froze in the mountains! We starved in the desert! Why did no one tell us it would be like that? We were not beaten – they led us out into the desert and then they vanished!"
> "Who led you?"
> "They – the barbarians. They lured us again and again, we could never catch them (...)"[24]

The landscape more than the war itself is the ultimate test of the boundaries and the solidity of identity – for the natives, for the observing administrator and for the invading troops.

3) The Perceived Landscape

Only after the Renaissance does the landscape occur as something that acquired part of its identity through individual perception. Its description can no longer be contained in the classical stereotypes of sunrise, sunset or storm. Before linear perspective became a predominant device of representation you painted what you knew, not what you saw. But now the description becomes individualized, and hence the individual identity, depending on the individual sense, is also part of the perception and its description. The same goes for literature. The novel developed the use of multiple narrators and points of view, where the individual approach is used at the same time as its credibility is questioned. When vision is disturbed and the possibility of an unquestioned panoramic view point is impeded, then one's possibility to obtain an identity in perceiving, describing or moving in the landscape is destroyed. Such destruction is produced by war and is represented – depicted and discussed – as troubled perception of landscape.

A case in point is Stephen Crane's *The Red Badge of Courage* (1895) a novel whose background is the American civil war. The battlefield is always seen through a mixture of natural mist and gun

---

[24] *Ibidem*, p. 147.

smoke, rendered in subjectivized impressionistic descriptions. The novel opens with a troubled perception:

> The cold passed reluctantly from the earth, and the retiring fogs revealed an army stretched out on the hills, resting. As the landscape changed from brown to green, the army awakened, and began to tremble with eagerness at the noise of rumors. It cast its eyes upon the roads, which were growing from long troughs of liquid mud to proper thoroughfares.[25]

The observing individuals are at the point of being hardly awake, and the landscape they watch and live in is veiled in a haze, slowly changing and with muddy contours. Words uttered are rumors. Any possibility of defining a position, to direct one's movements, to engage in a identity creating interaction and ultimately to find the camp to which one belongs, is disturbed.

> The sun spread disclosing rays, and, one by one, regiments burst into view like armed men just born of the earth. The youth [Henry] perceived that the time had come. (...) But he instantly saw that it would be impossible for him to escape from the regiment. It inclosed him. (...) He was in a moving box. As he perceived this fact it occurred to him that he had never wished to come to the war. He had not enlisted of his free will. He had been dragged by the merciless government. And now they were talking him out to be slaughtered. (...) The brigade was halted in the fringe of a grove. The men crouched among the trees and pointed their restless guns out at the fields. They tried to look beyond the smoke. Out of this haze they could see running men.[26]

Just running men, but from which side? The protagonist Henry Fleming happens to find himself in a foreign camp, but end up, on account of a misunderstanding, a hero. And more importantly, he is only responsible in relation to what he can perceive: the hazy landscape. The rest belongs to the government, which does not provide him with any sense of identity related to an overall purpose and strategy. Therefore the idea of deserting comes to him without any sense of guilt or cowardice, a feature which is unimaginable when it is war itself that constitute your identity, not the landscape of your perception and movement. The dissolution of landscape and of identity and of the sense of belonging go hand in hand, sharpened through the war context, but known in all impressionistic landscapes.

---

[25] Stephen Crane, *The Red Badge of Courage. Great Short Works of Stephen Crane* (New York: Harper and Row, 1965 [1895], 1-126), p. 3.

[26] *Ibidem*, pp. 22, 28.

The negative attitude to war as manifest antithesis to landscape as the basic constituent of identity or the as the main manifestation of nature, developed during the 19th century and continued afterwards as can be seen, for example, in the brief poem by Guillaume Apollinaire "Les feux du bivouac" from *Calligrammes* (1925) where an anonymous subject is helplessly squeezed by the naked forms of nature in the landscape and vain activity with no way out excepting through undetermined dreams and memories:

Les feux mouvants du bivouac
Éclairent des formes de rêve
Et le songe dans l'entrelacs
Des branches lentement s'élève
Voici les dédains du regret
Tout écorché comme une fraise
Le souvenir et le secret
Dont il ne reste que la braise[27]

(Apollinaire 1966: 114)

4) The Aesthetic Landscape

The perceived landscape underlines the arbitrariness of the relation between landscape, identity and war. This observation opens the way for entirely subjective constructions of landscapes which establish a particular subjectively-constituted identity mastered by the control of the media of expression, an aestheticized landscape giving a recognizable form to the otherwise dissolved landscape. I have already quoted Alexander the Great enjoying the destruction of Thebes accompanied by the pipes of Ismenias. The effect of such a construction is, however, most sharply felt when it acts as an embellishment or simply creates a self-protective distance from the actual bloodshed and destruction.

In the beginning of Louis-Ferdinand Céline's *Voyage au bout de la nuit* (1932) Ferdinand Balamu looks at some villages set on fire 10 miles away.

C'était la Meuse, avec ses collines, avec des vignes dessus, du raisin pas encore mûr et l'automne, et des villages en bois séchés par trois mois d'été, donc qui brûlaient facilement. On avait remarqué ça nous autres, une nuit qu'on savait plus du tout où aller. Un village brûlait toujours du côté du canon. On en approchait pas beaucoup, pas de trop, on le regardait seulement d'assez loin le village, en spectateurs pourrait-on dire, à dix, douze kilomètres par exemple. (…) On voyait

[27] Guillaume Apollinaire, *Calligrammes* (Paris: Gallimard, 1966 [1925]), p. 114.

> tout y passer dans les flames, les églises, les granges, les unes après les autres, les meules qui donnaient des flammes plus animées, plus hautes que le reste, et puis les poutres qui se redressaient tout droit dans la nuit avec des barbes de flammèches avant de chuter dans la lumière. Ça se remarque bien comment que ça brûle un village, même à vingt kilometers. C'était gai. Un petit hameau de rien du tout qu'on apercevait même pas pendant la journée, au fond d'une moche petite campagne, eh bien, on a pas idée la nuit, quand il brûle, de l'effet qu'il peut faire! On dirait Notre Dame![28]

Here we meet the same careless and casual cynicism as in Alexander. Things acquire an identity most distinctively when they are annihilated – a small borough becomes Notre Dame. This also goes for humans. They are rendered anonymous by enjoying the festive fire. They are there as "on", never "je" (a single "nous"); experiences are "ça". The inserted "pourrait-on dire" shows a slight uneasiness at being reduced to "spectateurs". The distance expresses the fear of war both through the landscape and by way of the human capacity to turn even the most scaring phenomenon into a manageable form through art or by perceiving horrors as artistic phenomena.

Thus, a modern landscape is always an ambiguous sign of both war and peace. There is no overarching theory, value system or literary form that can unite the landscapes of identity in a cohesive whole as in the Greek conceptions. This ambiguity has been a theme of art since the Renaissance, most clearly when dealt with in a preoccupation with war and reinforced by the introduction of the national landscape. We are left with a permanent uneasiness in the literary description of landscape[29].

And Later?

The last major literary text I know of which has nevertheless tried to make a synthesis of these landscapes, is Leo Tolstoy's *War and Peace* (1865-1869). Here the Russian landscape is the protagonist, like the city in Honoré de Balzac's works or in Dos Passos' early novels – both structural background, setting and anonymous agent behind events and characters. But whereas the city makes coincidence the logic of life, the Russian landscape contains a destiny. This insight

---

28 Louis-Ferdinand Céline, *Voyage au bout de la nuit* (Paris: Gallimard, 1989 [1932]), p. 29.

29 Susan Lorsch, *Where Nature Ends. Literary Response to the Designification of Landscape* (London/Toronto: Associated University Presses, 1993).

is not generally available to the many characters or if so, only seen in the reverse mirror. Therefore the narrator has to introduce a philosophy of history that explains the events that unfold in the enormous Russian space. This need to create a transpersonal level to structure the multifarious ongoings of the fictitious universe at the same time reveals that on the level of personal experience there are only fragmented landscapes, forceful agents, of course, but never synthezised. Ambiguity remains.

We meet the traditional Greek *domos* on the country-side estate Bogucharovo of Andrej's father, the old Bolkonski; we meet the epiphanic landscape as in the classical epic where gods appear in signs, as when Nicholas Rostov sees the tsar and imagines his own death in the Russian landscape as happiness and fulfillment around Olmütz. We meet the tactical geophysical landscape in the many reports from the battlefield, for instance from the combat at Schön Grabern, and also when the narrator explains General Kotuzovs overall plans; the guerilla landscape is the topic of a long digression by the narrator and is also manifest in expeditions among the French troops, for example when Pjotr Rostov is active in guerilla warfare after the siege of Moscow; and we meet the identity threatening mistiness of the surroundings in actual fighting around, for example, Schön Grabern or Austerlitz. The aesthetic constructions are mostly present in the memories of urban nobility when they recall life at their country estates, how it should be and will be in spite everything. But we also meet the power aesthetics when Pierre the day before the inevitable and terrible battle around Borodino we all must come. He views the beautiful and bountiful land, described in an almost unreal beauty both protecting us from the rapidly approaching disaster and challenging it. Together with the presence of the philosophizing narrator the longish descriptions of the huge national Russian landscape become more and more prominent and authoritative toward the end of the novel, explaining the spirit of armies from their genuine presence in a place.

In a sense Tolstoy's vast text is a final farewell to the classical landscape as a liveable place with its own values. It needs a comprehensive theory to make the landscape a natural place, war and love and narrative are not sufficient, let alone is immediate experience. In John Dos Passos' war novel *Three Soldiers* (1921) the soldiers are not fighting for a land, for a king or for god, but of their own free will for a principle. One of the three soldiers, Andrews, "must remember that you are a voluntary worker in the cause of democracy," a Y-man tells him[30]. War is being related to abstract principle and individual choice, just like any civil job, no common cause or place. To desert, like Andrews, becomes a discussion of the role of the free will, not of courage, cowardice or treason. When another of the three, Chrisfield, remembers a landscape it is his own private one from back home wrapped in private associations[31]. Therefore, to anchor the war in concrete life is no longer part of the war itself. The ideal of the surgical war without bloodstains is just around the corner, and with it the importance of the mass media that shapes the stories of the other effects stemming from our choice to serve democracy. War is part of a placeless mission embedded in malleable paradigms of interpretation. It can be shaped accordingly.

Instead of referring to the various war news reels from the so--called first Golf war, from Africa, from Afghanistan and from the ongoing war in Iraq, the second of the two novels of Vladimir Arsenijević both entitled *Cloaca Maxima* gives a striking example from the Balkans. In *Andjela. Cloaca Maxima II* (1998)[32] the wonderful transformation from war monger to civil citizen is made by the mass media:

> How we all were taken by surprise in April by Marija Pavlovic's behavior in the media when the siege of Sarajevo was a known fact. She was one of the public personalities who reacted emotionally against the war and in a way, perhaps without realizing exactly what she was doing, promoted herself strongly and efficiently into quite a new role – an anti-war activist after some years' absence from public life. In spite of the fact that she had placed lights in front of the Serbian parliament back during the siege of Bijelina, it was not until she uttered sincere and terrible words when the war spread to Sarajevo (she was born and raised there) that she really attracted the attention of the media, and when she a few days later organized a subscription that united several celebrities, and with naïve frankness claimed that the siege of Sarajevo should be lifted and that the fighting parties should lay down their arms, the action was followed closely by the media although it was totally ignored by the authorities, and for several days practically nobody could avoid encountering Marija Pavlovic.[33]

---

30 John Dos Passos, *Three Soldiers* (New York: Random House, 1932 [1921), p. 165.

31 *Ibidem*, p. 160.

32 The novel is not translated into English. I translate into English from the Danish translation.

33 Vladimir Arsenijević, *Andjela. Cloaca Maxima II* (Copenhagen: Rosinante, 1999 [1998]).

The new landscape of war, and of individual and cultural identity, is not the landscape where we live or where the fighting takes place, but the media where the amalgamation of war, landscape and identity is shaped. This is where the differences are created that define culture and identity, fiend and foe, and legitimize war wherever it takes place. If literature has a role to play when identities are shaped, it has to play it in relation to the discursively constructed identities arbitrarily anchored in global landscapes.

Bibliography and other primary sources (not quoted)

Ariosto, Ludovico (1975/1516-32). *Orlando furioso*. London: Penguin.

Aristotle (1921/350 BC). *Politika. The Works of Aristotle translated into English* 10. Oxford: Clarendon.

Aristotle (1970/350 BC). *The Physics*. London: Heinemann.

Blumenberg, Hans (1986). *Die Lesbarkeit der Welt.* Frankfurt a.M.: Suhrkamp.

Cervantes, Miguel de (1998/1605). *Den sindrige ridder Don Quixote de la Mancha*. Århus: Centrum.

Coetzee, John Michael (1988). *White Writing*. New Haven: Yale University Press.

Fechner, Renate (1986). *Natur als Landschaft. Zur Entstehung der ästhetischen Landschaft*. Frankfurt a.M.: Peter Lang.

Grimmelshausen, Hans Jakob von (1996/1668). *Der abendteurliche Simplicissimus Teutsch*. Ditzingen: Reclam.

Halbwachs, Maurice (1935/1925). *Les Cadres sociaux de la mémoire.* Paris: Alcan.

Halbwachs, Maurice (1950). *La Mémoire collective.* Paris: Presses Universitaires de la France.

Herodot (1979/440 BC). *Herodots historie*. København: Gyldendal.

Koschorke, Albrecht (1990). *Die Geschichte der Horizont. Grenze und Grenzüberschreitung in literarischen Landschaftsbildern.* Frankfurt a.M.: Suhrkamp.

Larsen, Svend-Erik (1999). The National Landscape – A Cultural European Invention. Mai Palmberg (ed.): *National Identity and Democracy in Africa*. Cape Town: Mayibuyi Center. 59-79.

Olwig, Kenneth (1996). Recovering the Substantive Nature of Landscape. *Annals of the Association of American Geographers* 86. 630-653.

Platon (1992/375 BC). *Staten. Skrifter* 5-6. København: Reitzel.

Platon (1992/375 BC). *Lovene. Skrifter* 9-10. København: Reitzel.

Remarque, Erich (1984/1929). *Im Westen nichts Neues*. Köln: Kiepenheuer & Wietsch.

Rimbaud, Arhur (1964). *Œuvres poétiques*. Paris: Garnier-Flammarion.

Shakespeare, William (1987/1606). *Macbeth*. London: Methuen.

Simmel, Georg (1968/1908). *Soziologie*. Berlin: Duncker und Humblot.

Sloterdijk, Peter (2000). *Die Verachtung der Massen. Versuch über Kulturkämpfe in der modernen Gesellschaft*. Frankfurt a.M.: Suhrkamp.

Tolstoi, Leo (1993/1865-69). *War and Peace*. London: Wordsworth.

Zola, Emile (2001/1892). *La Débâcle*. Paris: Gallimard.

William Turner and Literature: Trans-Medial Reflections of Romantic Landscape

Monika Schmitz-Emans
Ruhr – University Bochum

I. Reading Turner

In the past three or four decades, hardly any idea about literature was more intensely focussed by critical discussion than the concept of intertextuality: we all know and take into consideration that texts tell what they have to tell by referring to other texts, and that each literary work can be regarded as an intersection of lines that constitute "literature" as a multi-dimensional network. This concept of a network, however, can and should be extended, and I will try to illustrate with an example, how works of the fine arts can be "read" as a part of this network as well. They are not only in various ways related to single literary texts and vice versa, they also connect different works of literature to each other as soon as those texts refer to the same work of art or to the same artist in a way that asks for comparison and comparative interpretation. Often we can even discover or at least assume direct influences between several literary authors who reflect upon certain works of art and their creators – influences in respect to different aspects, concerning the level of content and topics as well as the level of structure. From the very beginning, the paintings of William Turner have been subjected to literary reception and reflection. He has been "read" intensely. (I will restrict my presentation to examples of prose texts and leave aside the extended field of poetry; actually there are numerous poems on Turner and his works.) To deal with the process of "reading pictures" is deliberately ambiguous: on the one hand, it points to the process of deciphering pictures that often stimulates literary writings and verbal "translations" of paintings; on the other hand, "reading pictures" calls attention to the fact that paintings are always created on the foundation of texts and discourses and thus can themselves be regarded as the results of reading processes. The works of William Turner are related to the history of literature in a double sense: first, various kinds of texts inscribed themselves into his paintings, and secondly, many literary authors have written about Turner and stressed his role in the history of human vision. Ruskin commented upon Turner as the first painter who interpreted landscape by taking into account the process of visual experience itself, and Oscar Wilde regarded Turner as a kind of inventor of Romantic landscape. My focus will be on the question of whether there is a self-reflexive dimension in the literary treatment of Turner, and to what extent Turner's paintings provide literary authors with a pretext for reflecting about literature and art as shaping the structures of experienced reality. A history of the literary reception of Turner and his works in this regard offers a guideline through literary modernity in different chapters.

Turner's art of painting is closely linked with the world of literature in different respects. The subjects and the titles of his paintings often refer to literary texts and subjects. Turner himself related several paintings to the world of literature by commenting on them in the form of quotations from literature, and thirdly he wrote several poems as long subtitles to selected paintings. According to Turner's critic Robert Wallace, there are extended verbal inscriptions on Turner's canvases: "As heavily as Turner loaded his canvas with pigments, so did he load these pigments with words.[1]" Turner's interest in poetry may have been particularly stimulated by his teacher Joshua Reynolds, who was convinced that a painter should be educated in letters[2]. Turner probably attended Reynolds' lectures when he became a student at the Royal Academy in 1789. Good painters, according to his own words, can not get along "without some aid from Poesy"[3]. Turner

---

1 Robert K. Wallace, *Melville & Turner. Spheres of Love and Fright* (Athens/London, 1992), p. 6.

2 "The titles he [Turner] gave some of his most ambitious paintings are among the most elaborate in the history of art. To many of his paintings he appended literary references as well. Some of these are to scientific sources such as Beale's 'Natural History of the Sperm Whale', cited for three of the four whaling oils. More often, Turner acknowledged a poetic spurce – either in the published works of celebrated poets (including Milton, Byron, James Thomson, and Samuel Rogers) or in his own unpublished manuscript 'Fallacies of Hope.'" (Wallace, p. 6) Turner's "poetic imagination" has also been commented on by John Gage, *J.W.M. Turner: 'A wonderful range of Mind'* (New Haven, 1987). See also: Eric Shanes, *Turner's Human Landscape* (London, 1990).

3 Cf. James A. W. Heffernan, *The Re-creation of Landscape. A Study of Wordsworth, Coleridge, Constable, and Turner* (Hanover and London, 1984), p. 30.

was obviously interested in the discussion about the relationship and the differences between poetry and painting. In 1812 he stressed, that "Painting and Poetry, flowing from the same fount mutually by vision (...) reflect, and heighten each other's beauties (...) like mirrors"[4].

II. Romanticism and Landscape

The words on Turner's canvases are above all an echo of the discourses of his age. James A.W. Heffernan in his monograph about Romantic landscape conceptions in poetry and painting has compared the works of Wordsworth and Coleridge to those of Constable and Turner. His argumentation does not suggest direct influences but comparable concepts and aesthetic ideas. In relation to the first, Heffernan's final chapter, entitled: "The question of influence", leads to the decisive conclusion, "that no significant influence flowed either way between the two major poets and painters of this study"[5]. Asking for comparable landscape concepts therefore does not mean suggesting dependencies in a restricted sense. As the very core of converging interests connecting the four major representatives of English Romanticism in poetry and painting, Heffernan delineates their "desire to recover and more especially to represent an original or Adamic relation to nature"[6]. The discussion of Turner's relationship with literature inevitably arouses reflections on the concept of "Romanticism". Romanticism, as we may resume, is characterised by its interest in the forces of imagination, in the natural spell of imagination, as Jean Paul has put it. Romantic Imagination creates the world in accordance with the imagining subject's disposition to experience; everything that is subject to experience therefore can be regarded as a reflection of the subject itself – of the "self" ("I") located in the very centre of literary writings. In one sense, the Romantic subject can thus be regarded –

4 Quoted by Wallace, p. 6.

5 Heffernan, *op. cit.*, p. 228.

6 *Ibidem*, p. 2. In the eighteenth century, as Heffernan points out, "landscape was not so much a natural object as a way of looking at natural objects, or just as often a way of representing them in pictures or words." (p. 3) – "Wordsworth and Coleridge did look at the places, of course, but by the end of the eighteenth century, the pervasive influence of the picturesque had made it difficult for any educated traveller even to see scenery without thinking of pictures, much less describe it without doing so. [...] Wordworth's desire to communicate an unmediated apprehension of nature is inevitably qualified by his dependence on the medium of language." (p. 15) "To escape literature within literature is of course impossible, though literature can pretend to offer an escape from itself." (p. 15)

and regards itself – as an almost divine creative force on which all reality is founded. Complementary to this increase in value, however, it is afflicted by solipsistic and even nihilistic ideas: the experienced world that is actually created by the subject itself seems nothing more than the unsubstantial product of contingencies – as unreliable, untrue, and as an only unstable basis for any kind of verbal or nonverbal communication with others. The idea of contingency emerges from Romantic discourse, an idea which usually is regarded as characteristic of modernity – a contingency that was called "ontological" by Maurice Merleau Ponty in order to distinguish it from the more conventional concept of singular ("ontic") contingencies. Thinking in terms of contingency implies the idea that the order of the experienced world itself is relative, unstable and subjected to transformations. Visually experienced realities appear to be just as relative and doubtful as all human notions and concepts, intellectual truths, ethical values and leading differences that organise the interpretation of the experienced world. As a contingent world and the contingent instruments of interpreting it are submitted to continuous changes, the experience of time and temporality dominates modern thinking – and the relativity of temporal orders additionally is reflected in the idea of acceleration. Modern experience seems to be subjected to an irreversible process of acceleration, in the course of which so-called realities are dissolved into impressions, fragments, particles of hypothetical objects. In the history of their literary interpretations, William Turner's paintings are several times connected with the complementary ideas of contingency and temporality. In the 19th century those who observe things become aware of the fact, that the act of seeing itself is subject to historical change. Experiencing the world visually is not just a "natural" and unchanging process, rather there is a history of vision. While the visual reality we are confronted with has to be regarded as dependent on our sense of sight, the visible world itself is subjected to historically changing processes. (It is not only the art of painting which brings about this consciousness, and it is not painting which causes the most profound revolutions – but technical media of representation such as photography and film. However, it is not by chance that the works of a painter are taken as the most prominent testimony of the process of "historization" itself. We are obviously dealing with "3rd order spectators".) Those who comment on or indirectly point to the historicity of vision can be roughly divided into two parties: one party which stresses the relative and illusionary character of all visually experienced realities and regards the history of the visible world as just a consequence of historically changing codes and principles of projection, none of which is grounded in an absolute reality; and another party which regards the historical development of the human vision as progressive: formerly unseen structures of nature seem to be revealed by artistic as well as by scientific and technical means. Both parties have claimed to follow Turner's instructions. To those who regard visual orders of the world as metamorphic and relative projections of Turner's canvases seem to visualize the idea that we do not experience absolute orders of time and space, but only a world that adapts to our senses – senses that are unreliable in respect to the claim to true knowledge, because they are not only physically restricted but also trained and seduced by contingent historical modes of experiencing the world. To those who trust in a progressive development of vision, Turner reveals new aspects of nature, especially of the elementary forces of nature, by painting how nature is experienced visually by the human eye. Turner's extraordinary way of painting does not only open a new chapter in this history of vision by showing visual objects in a new way and by representing a new way of seeing things – but by doing so, he represents the history of vision itself. In Turner's painted world, things do not have a definite and "true" shape. Their features emerge and disappear, they form certain constellations and dissolve again. Turner paints the dynamics of the visual world, the battle of conflicting forces. His most famous pictures show processes rather than objects, and trying to identify anything reminds us of the fact that every visual object emerges from groundlessness and is predestined to dissolve into nothing again. Thus, the groundlessness of all things and their orders may be regarded as Turner's leading topic, linking him closely to the nihilistic discourse of Romanticism. James Heffernan stresses the relationship between the thematically relevant works of Wordsworth and the "form dissolving world" of Turner. In 1816 the critic William Hazlitt already commented upon Turner's chaotic representations and quoted a bon-mot, according to which these pictures represent "nothing" – but always in a very "similar" way.

The experience of landscape is crucial here. Romantic landscape – whether object of poetry or painting – is arranged and shaped by the subject. It can not be regarded as an absolute reality, but, maybe more evidently than any other visually experienced object of the world, as a projection of the experiencing self (which is reduced to an "I" = "eye"). Landscape reflects individual or collective subjectivity, because its elements serve as a projection surface for subjective thoughts, emotions and imagination – whether it is an individual subject observing things or a collective one. As William Thackeray (who as an art critic called himself Titmarsh) has pointed out, Turner's landscapes often express a decidedly subjective way of looking at things.

> It is absurd, you will say (and with a great deal of reason), for Titmarsh, or any other Briton, to grow so politically enthusiastic about a four-foot canvas, representing a ship, a steamer, a river, and a sunset. But herein surely lies the power of the great artist. He makes you see and think of a great deal more than the objects before you; he knows how to soothe or intoxicate, to fire or to depress, by a few notes, or forms, or colours, of which we cannot trace the effect to the source, but only acknowledge the power. I recollect some years ago, at the theatre at Weimar, hearing Beethoven's "Battle of Vittoria", in which, amidst a storm of glorious music, the air of "God save the King" was introduced. The very instant it began, every Englishman in the house was bolt upright, and so stood reverently until the air was played out. Why so? From some such thrill of excitement as makes us glow and rejoice over Mr. Turner and his "Fighting Téméraire" which I am sure, when the art of translating colours into music or poetry shall be discovered, will be found to be a magnificent national ode or piece of music.[7]

III. John Ruskin: An apology of soapsuds and whitewash

Ruskin, the best connoisseur of Turner's works among his contemporaries, detected complex symbolic messages in his landscape representations. In 1839, Ruskin wrote a comment on *The Fighting Temeraire* (1838), just as Thackeray/Titmarsh, which emphasizes the subject's symbolic meanings: the idea of temporality and decay. Ruskin does not simply describe the painting but "reads" it and reconstructs the process represented[8]. A swimming ruin, the Temeraire resembles a living creature at the threshold of death. Ruskin's comments on Turner are often coloured by personal memories, and he recalls com-

---

7 William Makepeace Thackeray, "A Second Lecture on the Fine Arts, by Michel Angelo Titmarsh, Esquire." *Ballads and Miscellanies*, (Volume 13 in the "Biographical Edition" of Works.) (London: Smith Elder, 1899), pp. 272-84. Here: pp. 274/275. (cf. <http://65.107.211.206/painting/turner/paintings/temeraire.html>)

8 "We have stern keepers [strenge Wächter] to trust her glory to – the fire and the worm. Never more shall sunset lay golden robes on her, nor starlight tremble on the waves that part at her gliding. Perhaps, where the low gate opens to some cottage-garden, the tired traveller may ask, idly, why the moss grows so green on its rugged wood; and even the sailor's child may not answer, nor know, that the night-dew lies deep in the war-rents of the wood of the old Temeraire."

ments of the painter himself as well as voices of contemporary critics. *In this context the idea of a "new vision" already emerges.* Ruskin stresses that most of their contemporaries were incapable of seeing what Turner showed them – and he regards Turner as a teacher of a future art of seeing. Consequently, he argues for the subjectivity of Turner's observations. Not by coincidence, the spectators' ideal vantage point, according to Ruskin, is inside the painting itself – in a place, from which they do not watch things from a distance; instead they are involved in the chaotic processes as observing subjects. Thus, differences between subject and object are dissolved into a vortex of sensations, which is hardly bearable. Ruskin's comment on Turner's "Snowstorm" expresses this idea.

> SNOWSTORM. In the year 1842 this picture was thus described by Turner in the Academy catalogue: – / "Snowstorm. Steamboat off the harbour mouth making signals, and going by the lead. The author was in this storm the night the *Ariel* left Harwich." / It was characterized by some of the critics of the day as a mass of "soapsuds and whitewash." Turner was passing the evening at my father's house on the day this criticism came out: and after dinner, sitting in his arm-chair by the fire, I heard him muttering low to himself at intervals, "Soapsuds and whitewash!" again, and again, and again. At last I went to him, asking "why he minded what they said?" Then he burst out; – "Soapsuds and whitewash! What would they have? I wonder what they think the sea's like? I wish they'd been in it".[9]

And Ruskin reports Turner's own words that indicate his intention to suggest an intense experience to his recipients:

> I did not paint it to be understood, but I wished to show what such a scene was like; I got the sailors to lash me to the mast to observe it; I was lashed for four hours, and I did not expect to escape, but I felt bound to record it if I did. But no one had any business to like the picture.[10]

Hence, Turner observed himself as an observer here, and Ruskin, again, observes Turner. It is actually Ruskin's quotation of the famous "soapsuds and whitewash" metaphor that points to the introduction of a new art of seeing: the new experience of the world emerges from the dissolution of conventional orders and from seemingly disordered impressions which threaten to overwhelm the spectator. Chaotic impressions provoke the structuring forces of the vision – and the eye

---

9 John Ruskin, "The Turner Bequest / The Oil Pictures", E.T. Cook and Alexander Wedderburn (ed.), *The Works of John Ruskin*, Vol. XIII (London, 1904), p. 161f.

10 *Ibidem*, p. 162.

has to create structures where no preliminary structure is given. As Turner's paintings indicate the necessity of such creation, they refer to the nature of seeing. This leading idea is focussed by his observers from now on. Ruskin's important contribution to the history of art criticism consists in his comments about the significance of paintings and painting techniques for the history of vision. According to Ruskin, Turner is capable of representing nature by representing the process of seeing as such; the painter does not just give pictures of visual realities, he also delineates the process of constituting visual realities in the spectator's sense of sight. Turner, in Ruskin's opinion, paints the human vision itself, and he gives to the recipient an idea about the phenomenal world as an entity which must be understood as something that is "seen". Thus, in his comments on Turner, Ruskin stresses the fact, that in the process of observing a landscape there is a difference between close and distant sights. Seeing distant things clearly, makes one seeing the foreground less clearly, and vice versa. Turner's paintings seem to visualize this experience. And according to Ruskin, another quality of Turner's style of painting consists in the painter's ability to make formerly unseen things and structures visible. As subjects of Turner's art, heaven, earth, and water reveal their specific yet usually ignored qualities. That is the reason why Ruskin's interpretations of Turner's works include descriptions of natural forces and phenomena several times: He detected them as a consequence of Turner's style of painting[11].

---

[11] Cf.: John Ruskin, *The Complete Works*, E.T.Cook and Alexander Wedderburn (ed.) (Library Edition), vol. 6 (London/New York, 1904), p. 94f.: "Modern Painters", Volume IV, Chapter V.: Of Turnerian Mystery: "There is even a way in which the very definiteness of Turner's knowledge adds to the mystery of his pictures. In the course of the first volume I had several times occasion to insist on the singular importance of cast shadows, and the chances of their sometimes gaining supremacy in visibility over even the things that cast them. Now a cast shadow is a much more curious thing than we usually suppose. The strange shapes it gets into, – the manner in which it stumbles over everything that comes in its way, and frets itself into all manner of fantastic schism, making neither the shape of the thing that casts it, nor of that it is cast upon, but an extraordinary, stretched, flattened, fractured, ill-joined anatomy of its own, – cannot be imagined until one is actually engaged in shadow building. If any of this wayward umbrae are faithfully remembered and set down by the painter, they nearly always have an unaccountable look, quite different from anything, one would have invented or philosophically conjectured for a shadow; and it constantly happens, in Turner's distances, that such strange pieces of broken shade, accurately remembered, or accurately invented. As the case maybe, cause a condition of unintelligibility. Quaint and embarrassing almost in exact proportion to the amount of truth it contains."

IV. Herman Melville: The chaos, the frightening white colour, the threat of nothingness

The novelist Herman Melville reflects upon the strangeness of the world, upon the groundlessness of human existence and experience in a chaotic and un-ascertainable nature. *The White Whale, Moby Dick* (1851), represents the born of chaos forces of nature, which threaten man with the idea of dissolution into nothing. The world of sensory experience is regarded as an amorphous totality which can only temporarily be organised and structured by the vision, but is finally de--structured again and absorbed by the formless. There is a complex relationship between Turner's art of painting and Melville's literary work; Robert Wallace has dedicated a detailed study to it, discussing affinities rather than concrete and empirically verifiable influences. Melville seems to have been inspired by Turner whom he never met personally. His appropriation of "Turnerian" experience culminated in the conception of the white Whale, who – according to Wallace – is the very emblem of Melville's "aesthetic of the indistinct"[12]. If we regard Turner as a main representative of the idea that the perception of natural phenomena does not reveal reliable truth but depends on the subjective vision, we may assume that Melville adapted that idea for himself in deliberate alliance with Turner. The novel *Moby Dick*, originally entitled *The Whale*, reflects upon the frightening forces of nothingness. The human characters of the novel are confronted with a liquid world, born of chaos, with a dynamic and floating nature becoming amorphous, and they are all just as helpless as Ahab in his desperate struggle against the white whale. The Whale is Melville's most concise cipher for the dissolving forces of nothingness. Not by chance, Turner and Melville took a convergent interest in the elementary sphere of water. Turner's and Melville's reflections upon the colour (or rather the non-colour) White may – according to Wallace – serve as illustration of an especially important correspondence in their respective works. To Melville's narrator Ishmael, the White colour of the Whale means putting fright, uncertainty, and the incomprehensible

[12] Cf. Wallace, p. 1, Prologue: "Melville made Turner his own in the process of writing Moby Dick. He did so, because Turner's powerful aesthetic of the indistinct allowed Ishmael to articulate Melville's precise sense of the meaning of the whale." The phrase "Turner's powerful aesthetic of the indistinct" which is used here, is applied by Wallace unchanged and over and over again up to the verge of monotony. Cf. again p. 3 ("A major goal of this book is to establish the degree to which the imaginative unfolding that culminated in the creation of Moby-Dick drew upon a painterly self-education that culminated in the appropriation of Turner's powerful aesthetic of the indistinct."), p. 4, p. 5 ff.

into concrete form. Turner made use of white spots in his water-colour paintings with comparable effect. The painting *Stonehenge* for instance, shows a flash of lightning, which technically speaking consists of nothing but white colour and illustrates the destructive forces of light. In the third chapter of *Moby Dick* Ishmael describes an oil painting in advanced Turner style, hanging on the wall of a sailors' tavern, the "Spouter Inn". Entering this dark, smoky tavern with its vague atmosphere is depicted just like descending into the underworld, while the painting is placed in the centre of a whirling abyss of impressions. The subject of this imaginary work of art is closely linked to Turner's works, as the painter was famous for his sea pieces and especially created several representations of whaling boats. The ekphrastic passage in Melville's third chapter can be read as a significant mise-en-abyme model of the entire novel. Melville shapes in it the tension between the desire to distinguish shapes and the forces of formlessness. Ishmael's description tells us the development of a shape emerging from chaos, of ephemeral features created by the spectator's eye. We do not actually learn much about the painting, but about the process of seeing itself. Ishmael's first assumption is that "'some ambitious young artist (…) has endeavored to delineate chaos bewitched'." There are obvious parallels to experiences made and testified by Turner's admirers and critics: at first sight, the picture in the Spouter Inn seems to be beyond understanding, because nothing can be recognized on the canvas. The spectator feels as if he was absorbed by the chaos. Only after some observation shapes emerge from the indistinct surface:

> Entering that gable-ended Spouter-Inn, you found yourself in a wide, low, straggling entry with old-fashioned wainscots, reminding one of the bulwarks of some condemned old craft. On one side hung a very large oil-painting so thoroughly besmoked, and every way defaced, that in the unequal cross-lights by which you viewed it, it was only by diligent study and a series of systematic visits to it, and careful inquiry of the neighbors, that you could any way arrive at an understanding of its purpose. Such unaccountable masses of shades and shadows, that at first you almost thought some ambitious young artist, in the time of the New England hags, had endeavored to delineate chaos bewitched. But by dint of much and earnest contemplation, and oft repeated ponderings, and especially by throwing open the little window towards the back of the entry, you at last come to the conclusion that such an idea, however wild, might not be altogether unwarranted.[13]

[13] Herman Melville, *Moby Dick* (London, 1964), Chapter III, p. 36.

Ishmael does not describe a picture, but a process of perception. Only gradually, shapes seem to develop: the picture shows "a Cape Horner" in a hurricane. The readers of this passage, however, are confronted with an entirely different situation from that of Ishmael, because they do not even see the picture. The process of their perception of the picture is completely dependent on the verbal description. All they can do is try to "get hold of" the picture, just as Ishmael tries to get hold of the picture's subject and Ahab tries to get hold of the Whale. Whaling thus becomes the figurative model of human striving for the structuring of nature and for control. We succeed in imagining the picture as we read Ishmael's words. The diagnosis, however, is ambiguous: on the one hand, the force of imagination creates its object; on the other hand, we have to take into account that Ishmael writes about a non-existing picture. Thus, the readers' expectation to be able to "get the picture" is based – on nothing. It is probable that Melville took this into account as well. In this case Ishmael's description does not merely accidentally refer to an imaginary painting but to a concrete work of Turner.

> But what most puzzled and confounded you was a long, limber, portentous, black mass of something hovering in the centre of the picture over three blue, dim, perpendicular lines floating in a nameless yeast. A boggy, soggy, squitchy picture truly, enough to drive a nervous man distracted. Yet was there a sort of indefinite, half-attained, unimaginable sublimity about it that fairly froze you to it, till you involuntarily took an oath with yourself to find out what that marvellous painting meant. Ever and anon a bright, but, alas, deceptive idea would dart you through. – It's the Black Sea in a midnight gale. – It's the unnatural combat of the four primal elements. – It's a blasted heath. – It's a Hyperborean winter scene. – It's the breaking-up of the ice-bound stream of Time. But at last all these fancies yielded to that one portentous something in the picture's midst. That once found out, and all the rest were plain. But stop; does it not bear a faint resemblance to a gigantic fish? even the great Leviathan himself?[14]

We have learnt by now that objects are not simply "given" to the spectator, not even by a painter representing a landscape, but that they are supposed to be created by vision itself. In a certain sense, all visual experience can be regarded as a creation out of nothing.

> In fact, the artist's design seemed this: a final theory of my own, partly based upon the aggregated opinions of many aged persons with whom I conversed upon the subject. The picture represents a Cape-Horner in a great hurricane; the half-foundered ship weltering there

[14] Ibidem, *op. cit.*, p. 36.

> with its three dismantled masts alone visible; and an exasperated whale, purposing to spring clean over the craft, is in the enormous act of impaling himself upon the three mast-heads.[15]

V. Oscar Wilde: Making weather by the art of painting

In Oscar Wilde's dialogue *The Decay of Lying* (1889) one of the characters, Vivian, states that art creates nature, and that consequently nature is something artificial – a piece of art. This thesis is less paradoxical than it might appear at first sight: According to Vivian, art teaches man how to see – and, thus, how to give a structure to visual impressions. What we call nature is the product of this structuring process. In Wilde's dialogue, the Platonic criticism of aesthetic representations as illusionary copies of originals of nature is turned into its opposite: art is the original, "Nature" is the copy. Just as art constantly develops new forms and structures in the course of its history, so nature is subject to changing processes. According to Vivian, nature is involved in a permanent metamorphic process, because the techniques of its pictorial representation are changing.

> *Cyril:* Nature follows the landscape painter, then, and takes her effects from him?
> *Vivian:* Certainly. Where, if not from the Impressionists, do we get those wonderful brown fogs that come creeping down our streets, blurring the gas-lamps and changing the houses into monstrous shadows? To whom, if not to them and their master, do we owe the lovely silver mists that brood over our river, and turn to faint forms of fading grace curved bridge and swaying barge? The extraordinary change that has taken place in the climate of London during the last ten years is entirely due to a particular school of Art.[16]

In the course of time new schools of painting keep replacing the old ones in their role as teachers of perceiving and experiencing nature. New modes of seeing create new sensory realities. Vivian argues that – according to this thesis – even the climate of a region may change: what we regard as the climate of a region and relate to its landscape is just what painters have taught us to perceive.

> There may have been fogs for centuries in London, I dare say there were. But no one saw them, and so we do not know anything about

---

[15] *Ibidem*, pp. 36-37.

[16] Oscar Wilde, "The Decay of Lying", *Poems and Essays*, with an introduction by Kingsley Amis (London/Glasgow, 1956), p. 259.

> them. They did not exist till Art had invented them. Now, it must be admitted, fogs are carried to excess. They have become the mere mannerism of a clique, and the exaggerated realism of their method gives dull people bronchitis. Where the cultured catch an effect, the uncultured catch cold (...). Indeed there are moments, rare, it is true, but still to be observed from time to time, when Nature becomes absolutely modern. Of course she is not always to be relied upon. The fact is that she is in this unfortunate position. Art creates an incomparable and unique effect, and, having done so, passes on to other things. Nature, upon the other hand, forgetting that imitation can be made the sincerest form of insult, keeps on repeating this effect until we all become absolutely wearied of it.[17]

Not by chance, Turner's name is mentioned in the remarks on such production of reality by the art of painting. But Vivian does not regard Turner as an artist, from whom the perception of new phenomena can still be learned, but as an old-fashioned one, whose time is already over. However, very much to Vivian's displeasure, nature sometimes still shows an inclination to copy Turner and – more often than not – to copy "bad Turners".

> Nobody of any real culture, for instance, ever talks nowadays about the beauty of a sunset. Sunsets are quite old-fashioned. They belong to the time when T u r n e r was the last note in art. To admire them is a distinct sign of provincialism of temperament. Upon the other hand they go on. Yesterday evening Mrs. Arundel insisted on my going to the window and looking at the glorious sky, as she called it. Of course I had to look at it. (...) And what was it? It was simply a very second--rate Turner, a Turner of a bad period, with all the painter's worst faults exaggerated and over-emphasised. (...) Life (...) produces her false Renés and her sham Vautrins, just as Nature gives us, on one day a doubtful Cuyp, and on another a more than questionable Rousseau. (...) I wish the Channel, especially at Hastings, did not look quite so often like a Henry Moore, grey pearl with yellow lights, but then, when Art is more varied, Nature will, no doubt, be more varied also. That she imitates Art, I don't think even her worst enemy would deny now. It is the one thing that keeps her in touch with civilised man.[18]

In the manner of an easily bored aesthetic, Vivian declares art to be superior to nature, because nature reorganizes itself slowly, while the art of painting develops quickly and suggests new codes to the vision which organizes, and in doing so, creates "nature". Not only the beauty of nature is an artificial product, but the emotions and imagi-

---

[17] *Ibidem*, p. 259.

[18] *Ibidem*, pp. 259-260.

nations that arise on the occasion of so-called "natural" experiences are artificial too. Wilde obviously transforms an old Platonic argument against artificial representations into its reverse. And similarly clear is the affinity his arguments show toward Nietzsche's idea that life can only be justified aesthetically. Nature is different for each generation, depending on the fashionable painters and painting schools. Regarding the world of the senses we should not search for any truth but try to refine our practice of seeing. Vivian certainly anticipates a Constructivist way of modelling experience and reality. William Turner, although he is characterised as an old-fashioned teacher of perception, is nevertheless mentioned, because Wilde neither can deny nor does he want to deny the important role Turner has played in the process of becoming aware of the creative force of human vision.

VI. Michel Serres: Dynamic forces of nature in the mirror of pictorial representations

In the third volume of his collected studies – entitled *Hermès* I-V – the French philosopher and historian of science Michel Serres has dedicated one chapter to the art of painting as a mirror to scientific processes modelling the world. In three paragraphs he discusses the correspondences between the representation styles of three famous painters and the respective contemporary scientific concept of physical reality, as represented by the theories of three of the most important scientists of the day. Thus, Serres presents the following constellations of representatives of art and physical science: Vermeer and Descartes, La Tour and Pascal, Turner and Carnot. Each constellation is characterised by unique epistemological premises. Serres generally regards orders as contingent. Art and sciences create orders or, rather, they suggest models according to which the experienced world can be organised. Every structured zone is surrounded by disorder, every single structure by chaotic forces, every coherent object by contingencies – whether in terms of "time" or in terms of "space". Serres interprets Turner's paintings as the artistic equivalents of a revolution within the natural sciences, which afflicted life thoroughly: during Turner's lifetime, thermodynamics became the leading scientific paradigm. There is no clear borderline between arts and sciences for Serres. Arts as well as sciences shape the world, participate in collective discourses about the order of things and the orders of experience. According to Serres, Turner's pictures indicate a new understanding of the subject of perception as well as of its objects. Nature is no more an immobile and geometrically measurable space, but it must be regarded as a chaotic expanse ruled by thermodynamic forces. The physicist Nicolas Léonard Sadi Carnot regarded energy as the central principle of nature; the caloric theory replaced the mechanic paradigm – due to Carnot as well as to his colleague Fourier. Carnot's name stands for a change of paradigm in the physical sciences, and according to Serres, a reflection of this change can be seen in Turner's works. Art has been released from the postulate of "imitating" the shapes of things; it has since then dedicated itself to the representation of those creative forces which cause objects to emerge from the chaos. The painter himself goes beyond the surfaces and he teaches the spectator to realize the dynamic processes that can be regarded as our primary reality, to become aware of the contingencies and coincidences responsible for the transitory world of all phenomena. According to Serres, Turner's painting of the *Fighting Temeraire* can be regarded as the symbolic representation of the change of paradigm itself. Traditional mathematics and mechanics are substituted by thermodynamics. According to Serres, – in correspondence with contemporary caloric theory – geometry and logical causality prevail no longer in the world Turner has created, but instead coincidence rules over the world of physical appearances. The sailing ship, dependent on natural forces that are mechanically explainable is replaced and "towed" by a steam ship, the symbol of thermodynamics. Serres' commentary on Turner's painting is a piece of art in itself: he chooses a narrative form, uses suggestive phrases and metaphors, and tries to represent ideas by finding concrete forms for them. The wooden ship "Temeraire" that is towed away to be broken up stands for the old sciences that tried to measure nature geometrically and for a corresponding technical practice submitting to laws of nature. The steamship, however, represents the chaotic forces of the world delineated by the thermodynamic paradigm, a world that is ruled by the differences of scale between cold and heat, a stochastic reality whose emblem is the cloud. Turner, in Serres' opinion, paints the world of thermodynamic forces from a point of view in their very centre.

> Elle est morte, la marine en bois. Le Fighting Temeraire est remorqué à son dernier mouillage pour y être démoli. Contrairement à ce que l'histoire des gloires raconte, la vraie bataille n'a pas eu lieu à Trafalgar. Le vieux vaisseau de ligne n'est pas mort de sa victoire. Il est assassiné par son remorqueur. Voyez la proue, le bau et la tonture: la charpente et la géometrie; voyez les mats et les superstructures de ce fantôme gris: C'est l'entrepôt de Samuel Whitbread, c'est la collection primaire des objets de Lagrange, les formes, lignes, points, droites, angles, cercles, résaux, la méchanique actualisée du vent, des hommes et de l'eau. Le vainqueur qui le traîne au supplice, bas, est

privé de cette haute forme. Rouge, noir, il crache du feu. Derrière, les voiles du cortège funèbre, blanches, froides, sont des suaires. Le soleil se couche sur le coffre noir du dernier repos. Le nouveau feu est maître, de la mer et du vent, il défie le soleil. Et voici le vrai Trafalgar, la vraie bataille, le vrai affrontement: l'immense partage du ciel et de la mer en deux zones: l'une rouge, jaune, orangée, où gueulent les couleurs chaudes, ignées, brûlantes, l'autre, violette, bleue, verte, glauque, ou gèlent les valeurs froides et glacées. Le monde entier devient, dans sa matière propre, une machine à feu entre deux sources, celles de Carnot, la froide et la chaude. L'eau de la mer, au réservoir. Oui, Turner est entré dans la chaudière. Le tableau, 1838, est dans le remorqueur.[19]

In Serres' view, Turner paints entropic processes, and the observer of his pictures as well as the painter himself are not placed in a distance, but in the midst of those processes; they form a part of the events – as a "liquid" and metamorphic subject. Turner's sentence reported by Ruskin ("I wish they'd been in it"), is not quoted literally, but it may be regarded as the omnipresent hypotext of Serres' commentaries on Turner.

Serres, however, also quotes Turner in another respect: his literary style imitates the dynamic events represented by Turner; it seems "cloudy", metamorphic, sketching things rather than shaping them; it is characterised by repetitions and iterative structures.

Remonter lentement la chaîne des transformations matérielles. Bois, fer, martelage, fusion. Aller vers le lingot liquide, aller vers le four. Avant le solide géométrisé, avant la forme froide, était le liquide; avant le liquide, était le gaz, le nuage. De plus en plus chaud, de moins en moins limité par un bord[20]. – En remontant aux sources de la matière, le peintre a brisé le carcan de la recopie des beaux-arts l'un par l'autre. Plus de discours, plus de scènes, plus de sculptures à bords froids: l'objet, directement. Sans détours théoriques. Oui, nous entrons dans l'incandescence. Au hasard.[21]

[19] Michel Serres, *Hermès III – La traduction* (Paris, 1974), pp. 236-237.

[20] *Ibidem*, p. 239.

[21] *Ibidem*, p. 241.

VII. Wolfgang Hildesheimer: Marbot, Turner and the contingencies of subjectivity

In 1981, the novelist Wolfgang Hildesheimer published a fictitious biography about the Romantic art critic Sir Andrew Marbot. Though Marbot himself is a fictitious character and his biography has been invented by the novelist, there are historical persons in the novel, too, and William Turner is among them[22]. One of Hildesheimer's main topics, we may assume, is the contingency of all interpretations of the world. What we regard as real, depends on our way of experiencing things. Here, the forces of the unconscious participate efficiently in our subjective creation of reality, and they also dominate the complex processes of artificial creation. Artists create "realities" by interpretations in a more unique way than others do. Their process of creation is not controlled by reason, it is, thus, beyond rational evaluation. Additionally to the combination of historical and fictitious persons in the novel, there are different transgressions of the borderline between fact and fiction; the discourses of fictitious persons, for instance, refer to real paintings. This structure of the novel corresponds to the idea of shaping reality by creative imagination – an imagination which is beyond rational control. Marbot himself explicitly denies the difference between reality and imagination on the occasion of an argument with the Italian Romantic Leopardi. Leopardi, in opposition to Marbot, presupposes the possibility of a distinction between truth and deception – which, by the way, is a beautiful topic for the dialogue between a fictitious and a historical character.

> Unlike Leopardi, Marbot did not see the world as a snare and a delusion, and so he taxed Leopardi with confused thinking, also with some justice. For delusions and snares, Marbot would have said, presupposed an unsnared, undeluded state, which, positively speaking, set the standard of judgment, just as untruth would not be recognizable if one did not have truth as a touchstone.[23]

Marbot dedicates his critical interest to the creative forces of the unconscious. According to him, the work of art results from "the dictate of the unconscious impulses of its creator"[24]. His opinions about landscape painting correspond to a high degree to those who had been

---

[22] English translation by Patricia Crampton, published in London and Melbourne by Dent & Sons Ltd., 1983. The original *Marbot. Eine Biographie* was published in Frankfurt am Main in 1981.

[23] Hildesheimer, *op. cit.*, (1983), p. 212; orig.: p. 287.

[24] *Ibidem*, p. 7; orig.: p. 15.

expressed in the 19th century by Ruskin and Wilde as part of their critical reflections about Turner: landscape is created by the spectator's vision, and the force of new modes of perception may be of formative influence upon what we regard as "natural".

> Landscape arises in the soul of him in whom it releases emotion. He to whom it means nothing has no image of it. (…) ... But the true artist, who settles down in a landscape in order to capture it, first analyses the objects of which it is composed, including the sky above them, so that a picture forms within him which also includes the invisible, which he then reduces to its two dimensions with the subjectivity peculiar to him, that which makes him what he is.[25]

In the house of his grandfather, Marbot becomes personally acquainted with Turner, who shapes the young man's theoretical ideas about the artist and his creative forces. In his eyes Turner understands the language of nature and is able to translate it into his own language of painting. Thus, the truth of his work must be regarded as subjective but nevertheless grounded on nature itself. "The phenomena of nature speak to him in their own tongue, which he alone understands and reproduces untranslated, so that not many understand him"[26]. Following the Romantic aesthetics concerning landscape Marbot notes:

> The truth of a work of art is subjective, for it is the truth of the artist, not of his subject... The great artist is he who is capable of convincing us of his subjective truth in such a way that we begin to see the subject with his eyes, that it assumes a fresh structure of appearance for us, and thereby a metaphysical quality. But the artist who seeks only to depict the metaphysical semblance before capturing the subject in all the dimensions of its corporeality, is, however honest he may be, a bunglar and a dabbler.[27]

Marbot calls to mind Ruskin, especially because he defends Turner against his critics and opponents. He writes a critical essay dedicated to Turner's new way of experiencing and representing nature, claiming the artist's right to violate conventions, and at the same time stressing the artist's competence in teaching his contemporaries how to perceive the world. Again, Turner represents the idea of an artistic "creation" of Nature itself. Hildesheimer obviously refers to his literary predecessors Ruskin and Wilde.

---

[25] *Ibidem*, p. 17f; orig.: p. 30.

[26] *Ibidem*, p. 26; orig.: p. 41.

[27] *Ibidem*, p. 55; orig.: p. 80.

At the opening of the royal Academy exhibition he again met Turner, who that year was exhibiting his recently completed painting of *Dieppe Harbour*. This work aroused violent and in today's view almost incomprehensible arguments between the supporters of strict naturalism, led by William Etty, who accused the artist of a crime against nature, and the growing body of Turner's supporters. It was probably not so much this painting as Turner's art in general which fired Andrew's eloquence; it was as if his polemic talent had been waiting, and finally found its object here. The article in the *Literary Gazette*, his first, and one of the few in which he directly addressed the public, aroused considerable attention, not only as a defence of the painting and its painter, but above all because of its revolutionary views and the sharp tone in which he expressed them.

Mr Etty says: "If Turner abandons nature I must abandon him." This means that for the rest of his life, and may it be a long one, Mr Turner will have to bear the harsh lot of one abandoned by Mr Etty, for it is improbable that he will return to what Mr Etty and his friends call "nature"...The true artist ["artist" – this word is here stressed, in order to get straight that Marbot exclusively refers to the fine arts.][28] does not portray nature but his own image of her essence: not nature itself, but his own nature.

Nowadays this may sound like a commonplace, but at that time nothing of the kind had ever been said about painting. Marbot went still further. The terms "right" and "wrong" must be eradicated once for all from the vocabulary of art appreciation, for – and this applied to all the arts – they could be used at most to define the technique, never the object.

"Whatever succeeds is permissible. A thing succeeds if it strengthens our imagination and broadens our view of nature; it need not reproduce it, for the artist neither should nor can be a match for nature."

This article undoubtedly made him many enemies of whom we know nothing, but above all it made him friends, not only Turner himself but men from other, unexpected camps, in particular Delacroix. He and the young painter Richard Parkes Bonington, who lived in France, were staying in London and he got in touch with Marbot.[29]

If Marbot holds the conviction that each human being perceives reality in his or her own unique way and that strictly speaking there is no common, objectively recordable world, then solipsistic disputes and nihilistic tendencies are inevitable. Shortly before committing suicide, Marbot once more meets Turner travelling in Italy. In his notes about him he resumes his interpretations of Turner's art as an

---

[28] Narrator's annotation.

[29] Hildesheimer, *op. cit.*, p. 124f.; orig.: pp. 170-171.

expression of the changing understanding of reality, as a new modelling of the world.

> After Turner's visit Marbot entered in his notebooks:/ "Turner is on the way to dissolving the concrete objectivity of Nature into forms of manifestation. Gradually all firm outlines vanish, becoming atmosphere, air, mist, he is no longer painting creation, he is himself creating. Perhaps a time will come when people look at a sunset and say "Is that not almost as beautiful and as real as a Turner?"[30]

VIII. Quoting Turner: Marcel Proust, Hanns-Josef Ortheil, James Wilson

There is another hypotext which has most probably influenced Hildesheimer's portrait of Turner as well as the constellation of the artist and his admiring critic: in Marcel Proust's novel *A la recherche du temps perdu* we learn about the painter Elstir that he was capable of recreating nature in his landscape paintings. According to Proust's narrator, every artist confronts his public with his own view of the world, and as they can adapt this view and transform their own perceptions according to its suggestions, artists are world-creators in a literal sense. Proust's narrator especially stresses the consistency of artistic worlds. Reshaping the world in a homogenous style, the artist transforms the contingent and disordered materials of experience into integral structures.

> Par l'art seulement, nous pouvons sortir de nous, savoir ce que voit un autre de cet univers qui n'est pas le même que le nôtre et dont les paysages nous seraient restés aussi inconnus que ceux qu'il peut y avoir dans la lune. Grâce à l'art, au lieu de voir un seul monde, le nôtre, nous le voyons se multiplier (...).[31]
> (...) de même qu'il y avait un certain univers, perceptible pour nous, en ces parcelles dispersées çà et là, dans telles demeures, dans tels musées, et qui étaient l'univers d'Elstir, celui qu'il voyait, celui où il vivait, de même la musique de Vinteuil étendait, notes par notes, touches par touches, les colorations inconnues d'un univers inestimable, insoupçonné, fragmenté par les lacunes que laissaient entre elles les auditions de son œuvre (...).[32]

---

[30] *Ibidem*, p. 218; orig.: pp. 294-295.

[31] Marcel Proust, *A la recherche du temps perdu. Le temps retrouvé* [2] (Paris, 1949), vol. 15, pp. 43-44.

[32] Marcel Proust, *A la recherche du temps perdu. La Prisonnière* [2] (Paris, 1947), vol. 12. p. 66.

I might say: back to Turner, but we never really left him. Proust's character Elstir was shaped according to the personality and the works of James M. Whistler, but what we learn about Elstir corresponds to the reception of William Turner as well. In his concept of the human vision as producing reality, Hildesheimer, however, puts a specific accent on the fact that the unconscious may govern the visual sense. Not only is the subject of perception never confronted with a reliable objective world, it is not even master in its own house.

Two more recent novels may be regarded as new contributions to Turner's literary history that adapt ideas about Turner's landscape paintings and develop them by transposing them into new contexts. The German novelist Hanns-Josef Ortheil has published a fictitious biography, entitled *Das Licht der Lagune* (The Light of the Lagoon; München, 1999), in which he writes about a Venetian painter who is found in the 18th century, helpless and without memory of his former life – similar to the case of Kaspar Hauser[33]. The young man turns out to be an extraordinarily gifted though uneducated and uninstructed painter who, due to the intensity of his sense of sight and the sensitivity of his painting style, soon leaves the famous painters of his time far behind, for example Francesco Guardi whom he meets personally and who on his part envies the foundling. The descriptions of his imaginary paintings showing the lagoon and the foggy and dusty atmosphere of Venice are obviously inspired by Turner's Venetian water-colour paintings.

> Von Bild zu Bild lösten sich die Farben immer mehr von den Dingen und Menschen. Anfangs preßten sie sich noch auf Gebäude und Plätze, ballten sich zu Rechtecken und Kreisen zusammen, die entfernt erinnerten an einen Turm, eine Gondel, die Bühne eines Theaters, einen Altar, einige Fässer, was, vielleicht Fässer, ja Weinfässer vielleicht... – dann jedoch zerbrachen sie, und lauter Fremdes, Zerstörendes mischte sich ein, drei schwarze Stangen, was Stangen, eine klange Prozession schmaler Flecken in Weiß, ein durchs Bild fahrender Blitz, ein zerborstenes Gerümpel von, was, aber doch nicht: Kaminen, drohende, rote Feuerbälle, blaue Kutten, Mönchskutten, blau, ja, Geländer, nein, Brücken ohne Geländer, Ruinen, mit durch die hohlen Fenster glimmenden Lichtern, Festruinen, was für ein Unsinn, die wogenden Schemen in einem, nun sag schon: Theater, vielleicht Ränge und Logen eines Theaters, Schluß aus, Schluß... – das war nicht mehr zu ertragen, das war ein einziges Chaos, Farben

[33] Hanns-Josef Ortheil, *Im Licht der Lagune* (München 1999; 3rd. edition, München 2000).

> wie Seifenlauge und weiße Tünche, Malerfarben, ein wildes Lehrlingsgekleckse, Spritzer vor dem Hausanstrich, Probefarben...[34]
> Andrea malte, er malte nur noch Wasser und Himmel, die sich auf einer schmalen Linie berührten. Immer näher kam er an diese Linie heran, manchmal zitterte sie in den triumphierenden, weiten Tönen des Blaus, dann loderte sie auf wie eine Zündschnur, sie zog die Nachbarfarben an und verwandelte sie, er malte sie immer wieder.., und plötzlich begriff er, daß er nichts anderes malte als das weite Sehen, unbegrenzt, den weiten, unbegrenzten Horizont der Lagune.[35]

And just like Turner's contemporaries who were shocked by paintings that seemed to show "nothing" but shapeless orgiastic outbursts of colour, if not the almost complete absence of colour, the young man's contemporaries regard his later paintings as the creations of a madman. Even his patron, a Venetian nobleman who highly valued the precision of his portraits and still-lives, lacks all appreciation for what to his uneducated eyes are just distorted images of foggy impressions. The narrator explicitly compares the foundling's paintings, which seem scandalous to his contemporaries, to Turner's art. And Ortheil, the novelist, finishes his book with an explanation about his dependency on Ruskin:

> (...) Kennern kunstgeschichtlicher Zusammenhänge wird (...) aufgefallen sein, daß Andreas Beobachtungen viele jener Beobachtungen vorwegnehmen, die der junge John Ruskin wenig später an venezianischen Bildern und vor allem an den Bildern William Turners machte.[36]

James Wilson's novel *The Dark Clue* (London, 2001) is mainly a narration about Turner, although Turner is not the protagonist. It is the story of another, less gifted painter, who tries to investigate Turner's private life and personal history in order to write a biography about the late genius. The biographical project can not be carried out in its original structure for several reasons; the biographer and his sister are puzzled by what they find out about their idol, and they write letters and diary entries which replace the imaginary biography. The novel thus represents the story of a research failing and succeeding at the same time. Interspersed with the fictitious personal documents of the main characters, there are several descriptions of Turner's works and of the impressions they leave on their observer. Wilson adapts the leading literary concepts about Turner, extends them and rearranges

34 *Ibidem*, pp. 297-298.

35 *Ibidem*, p. 302.

36 *Ibidem*, p. 315.

them. Turner himself as a character is reflected as the very epitome of an opaque and mysterious reality. Just a few examples may illustrate the way Turner's paintings are quoted by the novel's text in ecphrastic form:

> [From the diary of Marian Halcombe, 16th August, 185-] All at once our eyes were assailed by the most brilliant radiance I have ever seen in paintings – and far more, I have to say, than I should have conceived possible. Reds, oranges and yellows, as hot and tumultuous as burning coals, erupted from the walls, making even the brightest objects about them – a woman's gaudy green dress, a huge picture of the Battle of Blenheim above the chimney-piece – appear suddenly drab and lifeless. They seemed, indeed, more intensely real than the press of people staring at them, or the building itself – as if it were trapped in Plato's cave, and the pictures, rather than merely flat pieces of canvas hanging *inside*, were in fact holes in the rock, through which we could glimpse the unimagined world beyond.[37]
> It was only after I had examined three or four of the pictures more closely that I recognized – with that sudden dawning that comes when you at last become conscious of some insistent sound, like a dog barking in the distance – that there was, indeed, a family relationship, suggested not by obvious similarities of style, but by certain recurrent quirks and oddities. What they mean, or whether they mean anything at all, I still do not know; but they have left me with the nagging idea that there are a kind of message in code, and that I need but the right key in order to decipher it.[38]

There is even an explicit link to Ruskin's report about the "soap-suds-and-white-wash" topos. An old man criticises Turner's painting in an analogous way:

> He returned to me, and, touching my elbow, moved me towards a picture over the fireplace. "There you are. There's a Turner for you."
> It was a large marine scene: a turbulent grey sea, churned up by the wind, with an embattled steamer struggling against the storm. Everything was extraordinarily imprecise, even by Turner's standards – the waves no more than a few thick, ridged swirls laid on a brilliant white ground – the ship a fuzzy black blur, of which the most clearly defined feature was the torrent of smoke streaming from its funnel. And yet the effect was somehow so vivid that you could feel the lurch of the deck under your feet, and the sting of the spray on your face, and smell the hot sour reek of coal-smoke, and hear the wheels thrashing and the engine throbbing in your ears. (...)

---

37 James Wilson, *The Dark Clue* (London, 2001), pp. 66-67.

38 *Ibidem*, p. 68.

"Mr Hartright's an artist, Dad," said Nisbet. He pointed towards the Turner. "Tell him what you think of that."
Mr. Bligh attempted a smile. "It's all froth and splutter," he said, like a child encouraged to repeat some amusing remark before visitors.
"And you'd as soon...?" prompted Nisbet.
"I'd as soon sit in the laundry, and watch the bubbles on the copper."[39]

IX. Conlusion

Throughout the 19th and 20th century Turner's paintings have gained an "intertextual" position; they are placed between texts, which do not only refer to the paintings, but are linked to each other by mediation of the paintings. Hildesheimer implicitly quotes Wilde, who quotes Ruskin, who quotes Turner; and there are other lines running from Ruskin to Melville, from Melville to Serres. The "topoi" used to describe Turner's paintings, are repeated and modified like quotations and paraphrases: one of these topoi is the idea of the observing subject in the dynamic centre of natural forces and of nature as structureless and "cloudy"; another recurrent concept reads nature as being shaped by art. Several convergences may be noted: first, Turner's work is seen as innovative not only within the history of painting, but also within the history of discourses. Turner does not depict objects, but rather the process of seeing itself – and thus he represents a way of world-creation which is characteristic of modernity. Secondly, Turner is regarded as a painter expressing the experience of contingency. In this respect, he is supposed to illustrate leading ideas of modern natural sciences; and to reflect technology conquering nature: according to Martin Burckhardt (in his monograph *Metamorphosis of space and time. A history of the perception*), the famous railway picture *Rain, Steam and Speed* attributes to the railway the status of a force of nature. Actually, natural forces – like fires, snowstorms, avalanches and conflagrations – and technical forces have been of equal interest to Turner. He was always concerned about those forces that create disordered landscapes. Turner's main topic, however, is not "chaos" itself, but the tension between chaos and order. All these aspects, as far as they are reflected upon in literary texts, correspond to central topics of literary self-reflection. As Italo Calvino has pointed out, it is especially this tension between chaos and order which forms the background of modern literary writing: the idea of creating small spaces of

[39] *Ibidem*, pp. 301-302.

temporary order and of proposing strategies of organising a disordered totality of sensory impressions – and the idea of reading an unreadable world.

> Il gusto della composizione geometrizzante, di cui potremmo tracciare una storia nella letteratura mondiale a partire da Mallarmé, ha sullo sfondo l'opposizione ordine-disordine, fondamentale nella scienza contemporanea. L'universo si disfa in una nube di calore, precipita senza scampo in un vortice d'entropia, ma all'interno di questo processo irreversibile possono darsi zone d'ordine, porzioni d'esistente che tendono verso una forma, punti privilegiati da cui sembra di scorgere un disegno, una prospettiva. L'opera letteraria è una di queste minime porzioni in cui l'esistente si cristallizza in una forma, acquista un senso, non fisso, non definitivo, non irrigidito in una immobilità minerale, ma vivente come un organismo. La poesia è la grande nemica del caso, pur essendo anch'essa figlia del caso e sapendo che il caso in ultima istanza avrà partita vinta.[40]

Literature may *be* both regarded and regards *itself* as a discourse about entropic and formative forces, and it takes part in their struggle by suggesting new models of order, while deconstructing established symbolic orders. In recent years, there has been an intensified interest in the developments of visual representation techniques and their influences on the processes of visual experience. The focus has been laid on the media that offered new views of the world and provided it with a new visual order. The 19th century actually found out that there is as history of vision. It is well known that not only photography and other technical media of representation, but also painting participated efficiently in this historicising of vision. It is, however, much less self--evident, that literature contributed to this process just as well – for example by describing processes of seeing the world and the metamorphosis of visually experienced structures. An important literary strategy of reflecting upon visual experience, its changing processes, and the subsequent metamorphosis of the visual world itself, is to write about landscape paintings – and especially about the landscapes depicted – or created – by Turner. Therefore it is not by chance that there have been novels and narrations about Turner even recently. The history of vision has continued, and in the era of multi-medial transformations and simulations of all kinds of experience, there are more reasons than ever to seeing means observing a world which has still to be structured, and why the structures we project onto our sensory data depend on the suggestions made by art. Those authors who refer to

[40] Italo Calvino, *Lezioni Americane. Sei proposte per il prossimo millennio* (Milano, 1993), p. 78.

Turner are clearly characterised by their affinities towards scientific discourses: Melville, who makes his narrator Ishmael classify the whales; Hildesheimer, who pretends to shed light upon a historical biography by quoting scientific strategies of representation like registers, references, photographical documents; and finally Serres, who delineates the history of knowledge, discourses and sciences. All of them indicate directly or indirectly the omnipresence of entropic forces that are made visible in Turner's landscapes and at the same time domesticated by art.

Places of Memory:
Mind and Landscape in Wordsworth and Proust

Michael Wood
Princeton University

By 1913, Marcel had written quite a lot of *A la Recherche du temps perdu* but had no idea of how long it was going to be. In that year he wrote to his friend Robert de Flers that his work was a novel full of passion and meditation and landscapes: "un roman à la fois plein de passion et de méditation et de paysages." I want to suggest in this talk that *A la Recherche* is a novel not only full of landscapes but full of Wordsworthian landscapes, in the strictest sense. This idea is so obvious that scarcely anyone has talked about it. But someone has to state the obvious every now and again.

The first part of this talk really goes beyond the realm of comparative studies, and suggests something like a form of identity: in reading Wordsworth we are already reading Proust, in reading Proust we are still reading Wordsworth. We might take our cue from Borges' story "Pierre Menard", and imagine the works of Wordsworth as signed by Proust, and vice versa. But then later in the talk I shall return to the comparative method, and note some of the differences there are between our writers after all.

Robert Frazer, in his excellent book on Proust and the Victorians, says:

> The fiction and poetry of the Victorian age in England, and to some extent in America, in which Proust was deeply read, is par excellence the literature of childhood, of memory, of innocence and betrayal, of time, change and intimations of eternity. All these are Proustian themes...

They are indeed, and not only do they sound like the themes of Wordsworth, they include a quasi-quotation: intimations of eternity for Wordsworth's intimations of immortality. And yet Wordsworth doesn't figure in Frazer's book – well, he gets two mentions, one in relation to a quotation from Oscar Wilde, and one in relation to a misquotation from Oscar Wilde. Well, perhaps this is because he was not a Victorian, but a Romantic. He was a Victorian and a Romantic, since he didn't die until 1850. He doesn't appear in the book, I suggest, because he is already everywhere in the book, and above all in the work of George Eliot and Thomas Hardy, which Proust loved, and the work of Ruskin, which Proust translated.

This is a very particular form of influence. Proust could be so close to Wordsworth not because he knew Wordsworth, but because he knew a literature that was saturated in Wordsworth. And since I'm going to try and show something like an identity between the two writers, and not just a similarity, I should in all good faith indicate how astonishingly scanty the actual historical record is. No mention at all of Wordsworth in the major biographies of Proust. No mention of Wordsworth anywhere in *A la Recherche* – the only place he appears is in a rejected variant, and there he appears in none too significant a role. Mme de Guermantes, in the volume *Sodome et Gomorrhe*, introduces the narrator to all kinds of ladies who bow to him like so many flowers: "comme dans les poésies de Wordsworth ou de Shelley, où les fleurs murmurent de tendres paroles." There are just three mentions of Wordsworth in Proust's vast corrrespondence (twenty-one volumes), none of them by Proust himself. All three have to do with Ruskin: one mention of Wordsworth by Ruskin, one quotation from Wordsworth by Ruskin, and remark by George Eliot, which the editor Philip Kolb says Proust may have read, in which she says certain volumes of Ruskin's book *Modern Painters* resemble what is most sublime in Wordsworth.

This is very thin. Couldn't be thinner. So how am I going to persuade you of this identity? Well, first by reading a little Wordsworth to you. There are several places to go, notably to the already mentioned "Ode on the Intimations of Immortality", and I do want to return to the following lines, which propose a very Proustian practice:

Obstinate questionings
Of sense and outward things,
Fallings from us, vanishings...

But let me take you, chiefly, to *The Prelude*:

There are in our existence spots of time,
That with distinct pre-eminence retain
A renovating virtue, whence...
                                          our minds
Are nourished and invisibly repaired.

"This efficacious spirit", Wordsworth continues,

This efficacious spirit chiefly lurks
Among those passages of life that give
Profoundest knowledge to what point, and how,
The mind is lord and master – outward sense
The obedient servant of her will.

Wordsworth now gives three – rather surprising – examples of spots of time, which I shall discuss more fully in a moment, and speaks of "remembrances" and "the power/They had left behind". But here as in other poems he worries that the power is fading, that the spots of time are themselves subject to time, that they won't always return as they do now.

The days gone by
Return upon me almost from the dawn
Of life: the hiding-places of man's power
Open; I would approach them, but they close.
I see by glimpses now; when age comes on,
May scarcely see at all; and I would give,
While yet we may, as far as words can give,
Substance and life to what I feel, enshrining,
Such is my hope, the spirit of the Past
For future restoration.

It's true there is no explicit recourse to anything resembling Proust's involuntary memory here, but almost everything else we find in Proust is already present: the mysterious power, the renovating virtue, the invisible repair, the conscious labour of the mind, the erratic opening and closing of the hiding places, the sense of time passing, time running out. Indeed the whole of Proust's novel is haunted not only by time lost or past but time running out as he speaks, and when he speaks of landscapes he usually means magical but fading landscapes. "L'esprit a ses paysages", he says in his last volume *Le Temps retrouvé*, but he doesn't stop there. "L'esprit a ses paysages dont la contemplation ne lui est laissée qu'un temps". The mind has its landscapes which it may contemplate only for a time.

And this is a strong meaning, I think, of the Romantic and the late Romantic body: it is the fragile, mortal house of the mind, and the mind is almost everything.

But let's stay for a time with Wordsworth's landscapes, with his rather peculiar spots of time. These are not at all Proustian in tone, and I may need to depart from identity into comparison here, but they are deeply Proustian in implication, because they say not that remembrances are worth having, but that remembering is a form of salvation, even when, especially when what is remembered is bleak or disagreeable. The conquest of time is not nostalgic, not the result of a wish to get time back, or return to the past, although it may look like that. It is a conquest of time itself, an attempt to reach a dimension where time will spread itself out like space – like spots of space.

Wordsworth's first two examples are linked, perhaps form a single example. As a small child ("while yet my inexperienced had/Could scarcely hold a bridle") he is out riding with a servant, and gets separated from his companion. Frightened, he dismounts, and stumbles on across the stony moor. He arrives at a dip where a gibbet used to be, and where a murderer was hanged. The gibbet is rotted, but someone has carved the murderer's name in the turf, and the locals make a habit of keeping the grass short so that the name can be seen. The child sees the name and flees. He climbs a hill and finds pool, and a girl there, gathering water, pushing her way against the wind. "It was, in truth,/An ordinary sight", he says, "but I should need/Colors and words that are unknown to man,/To paint the visionary dreariness/Which.../Invested moorland waste and naked pool..." Visionary dreariness. Now there's a Romantic landscape. Yet this is a spot of time to which the poet says he returns in "blessed hours".

In the other example Wordsworth and his brothers are waiting to be collected from their school for the Christmas holidays. They are collected, but their father dies while they are at home – a not unimportant feature of this spot of time. As they are waiting, the child Wordsworth climbs a crag that overlooks "the meeting-point of two highways", and sits "half-sheltered by a naked wall", with a sheep and a blasted hawthorn bush as his only companions. That's all, except for the bad weather, "a day/Tempestuous, dark, and wild". Yet the poet remembers the scene for the rest of his life, as if it were a treasure. I need a longer quotation here, to give you the feeling of what's happening.

> And, afterwards, the wind and sleety rain,
> And all the business of the elements,
> The single sheep, and the one blasted tree,

And the bleak music from that old stone wall,
The noise of wood and water, and the mist
That on the line of each of those two roads
Advanced in such indisputable shapes;
All these were kindred spectacles and sounds
To which I oft repaired, and thence would drink,
As at a fountain; and on the wintry nights,
Down to this very time, when storm and rain
Beat on my roof, or, haply, at noon-day,
While in a grove I walk, whose lofty trees,
Laden with summer's thickest foliage, rock
In a strong wind, some working of the spirit,
Some inward agitations thence are brought,
Whate'er their office, whether to beguile
Thoughts over busy in the course they took,
Or animate an hour of vacant ease.

There are so many things to say here. I'm fascinated by the role played by the murderer's name, and the death of the father, which are somehow interwoven into the natural scene – literally in the case of the murderer's name – but in no way underlined or glossed by Wordsworth. He offers us this grim moral content for his spot of time, but concentrates on its physical shape, as if the landscape really had to do all the work as a landscape, and not as a proposition or a narrative. We could speculate for hours about how these remembrances actually work for him, and why they work for him, but it would be sheer speculation, since we weren't there, and he is not telling us any more. I imagine him as inviting us to find our own spots of time, and interpret those more fully.

Nevertheless, one thing is sure here. Or maybe two. It looks at first as if he thinks of the harsh past scene when life is harsh in the present, the way Proust's narrator, through voluntary memory, can remember only old anguishes which match his present anguish, only a small section of his childhood life at Combray, only the sobs which echo through his life. Similarly, it is "on the wintry nights,/Down to this very time, when storm and rain/Beat on my roof" that he remembers the moment on the crag. But not only then, and this is the startling move. Even in high summer that old December day haunts him, when there is nothing in the present to trigger the memory: "or, haply, at noon-day,/While in a grove I walk, whose lofty trees,/Laden with summer's thickest foliage rock/In a strong wind." Well, there is the wind, but the suggestion now is that the memory is there anyway, an abiding presence, not just an association of ideas. And here is the other striking thing. Wordsworth doesn't know what these moments are for, he only knows he has them. And he is, I think, slightly ambivalent about what he want to claim for them. We know this because of the subtle, graceful slippage of his logic. It is not at all clear how an "agitation" could "animate an hour of vacant ease", unless by "animation" we mean something remarkably sinister, along the lines of Victor Frankenstein's experiments. "Beguile" strikes precisely the same interesting false note. What Wordsworth is saying, in my reading, is that he is truly haunted by these old moments, and truly grateful for them, in all their angular, difficult, death-laden mystery. That's what the "working of the spirit" is, and we may want to remember that a literal translation of Proust's "L'esprit a ses paysages" would be "The spirit has its landscapes". But these moments are hard to take, and it would also be nice to treat them as ways of passing the time, harmless thoughts, casual visitors who just dropped in for a cup of tea. Let me read the end of that passage again:

> and on the wintry nights,
> Down to this very time, when storm and rain
> Beat on my roof, or, haply, at noon-day,
> While in a grove I walk, whose lofty trees,
> Laden with summer's thickest foliage, rock
> In a strong wind, some working of the spirit,
> Some inward agitations thence are brought,
> Whate'er their office, whether to beguile
> Thoughts over busy in the course they took,
> Or animate an hour of vacant ease.

Proust knows that many memories are casual or unimportant, but he also knows that spots of time are matters of life and death, and I want to look now in detail at one that both live and dies, a spot of time in the making. This is not one of the famous memory experiences, where time is triumphantly cancelled by the taste of a madeleine, the sound of a spoon, the feel of a towel or the inequality of two paving stones. In these cases, the spot of time is finally understood for what Wordsworth also knew he was when he was not hiding from the realization: it is a means of power over time, it is, Proust would say, not a spot of time but a spot out of time, or a spot of time against time. But in the following sequence this realization had not quite occurred, and the instance is all the more revealing for this reason.

The narrator as young man is taking a holiday at Balbec, and is out for a ride in the countryside with Mme de Villeparis, a friend of his grandmother. They are close to a village called Hudimesnil when the narrator sees three trees and is filled with a sudden, inexplicable happiness: "tout d'un coup je fus rempli de ce bonheur profond que je n'avais pas ressenti souvent depuis Combray". ["Suddenly I was filled with this deep happiness that I had not often felt since Combray".] This is the happiness, although he can't know it at this moment, since he hasn't yet had the madeleine experience and the others, which fills him whenever he encounters, in the flesh so to speak, a spot of lost time. He has seen these trees before, he thinks, but he doesn't know where, and he finds himself vacillating in time, between some distant year and the present moment, "entre quelque année lointaine et le moment présent":

> je me demandais si toute cette promenade n'était pas une fiction, Balbec, un endroit où je n'étais jamais allé que par l'imagination, Mme de Villeparis un personnage de roman et les trois vieux arbres la réalité qu'on retrouve en levant les yeux de dessus le livre qu'on était en train de lire...

What is it that has the capacity to invert the ordinary relations between fiction and reality, to make what we usually call reality into a fiction. Proust's narrator doesn't know what it is but he knows what it feels like: an alternative form of reality, a chance of true life: "Il me semblait... qu'en m'attachant à sa seule réalité je pourrais commencer enfin une vraie vie". "It seemed to me that hanging on to its reality alone I could at last begin a true life".

But has the narrator seen these three trees before? Had the experience provoked by the trees before? And if so, where and when? At Combray? Or so far back in his life that he has no memory of it or them at all? In a dream? And if so, in an old dream or a very recent one? Or perhaps he has never seen them before, and this is where I want to invoke Wordsworth's obstinate questionings ("obstinate questionings/Of sense and outward things,/Fallings from us, vanishings..."), because this is just what is happening, and because this is an experience which occurs far more frequently in Proust than the famous memory experiences. Some feature of the external world, some landscape, seems to hide a secret, and the narrator feels it is his task to crack it, as if he were a detective or a scientist. He does crack it in the famous cases, but I hope it is not merely perverse to be interested in the cases he doesn't solve. Perhaps these cases had other solutions, or no solutions. Here is what the narrator says exactly:

> Ou bien ne les avais-je jamais vus et cachaient-ils derrière eux comme tels arbres, telle touffe d'herbe, que j'avais vue du côté de Guermantes, un sens aussi obscur, aussi difficile à saisir qu'un passé lointain de sorte que, sollicité par eux d'approfondir une pensée, je croyais avoir à reconnaître un souvenir?

And finally, Proust's narrator thinks of what everyone else would have thought of first off: perhaps it's an effect of optical fatigue, or *déjà vu*.

He really doesn't know, and he gets more fanciful. Perhaps the trees are witches or norns, come to offer oracles to him. Perhaps they are ghosts of dead friends asking to be brought back to life. In any case, the carriage keeps moving, and the trees disappear. And Proust writes one of his greatest paragraphs. It's worth remembering, I think, and Proust says it here, that for all the triumphs of time regained which inform the novel, the most unforgettable moments are those where a spot of time is neither simply lost nor finally found, but narrowly missed. It is as if Wordsworth were to encounter the power of remembrance he evokes so wonderfully, and then instead of underexplaining it, were to lose the explanation, as if he had filed it away in a room he couldn't open, or returned it to a library that had closed for ever. Here is the paragraph.

> Je vis les arbres s'éloigner en agitant leurs bras désespérés, semblant me dire: ce que tu n'apprends pas de nous aujourd'huí tu ne le sauras jamais. Si tu nous laisses retomber au fond de ce chemin d'où nous cherchions à nous hisser jusqu'à toi, toute une partie de toi-même que nous t'apportions tombera pour jamais au néant. En effect, si dans la suite je retrouvai le genre de plaisir et d'inquiétude que je ne venais de sentir encore une fois, et si un soir – trop tard, mais pour toujours – je m'attachai à lui, de ces arbres en revanche, je ne sus jamais ce qu'ils avaient voulu m'apporter ni où je les avais vus. Et quand, la voiture ayant bifurqué, je leur tournai le dos et cessai de les voir, tandis que Mme de Villeparisis me demandait pourquoi j'avais l'air rêveur, j'étais triste comme si je venais de perdre un ami, de mourir à moi--même, de renier un mort, ou de méconnaître un dieu.

I want to return, as an extended conclusion, to the mind in the fragile, time-threatened body, and I want to suggest both a continuity and a difference between the Romantic mind and the Symbolist mind. I have already quoted (twice) Proust's phrase "L'esprit a ses paysages", and of course this phrase occurs at a very late moment in a distinguished history – it is almost a cliché by the time Proust gets it. Proust couldn't have read Hopkins' magnificent phrase "O the mind, mind has mountains", but he certainly knew Verlaine's "Tout paysage est un état d'âme", every landscape is a state of mind. But what do these propositions mean, and how do they relate to Wordsworth's insistence on "how,/The mind is lord and master – outward sense/The obedient servant of her will". Well, let's see.

"L'esprit a ses paysages" says there are internal landscapes, mental landscapes, but presumes the existence of landscapes of another kind, landscapes outside the mind. Hopkins presumes there are landscapes in the mind, that everyone knows that. We just don't know what kind of landscapes, how bleak and mountainous and precarious they are. "Hold them cheap may who ne'er hung there", he says. "Tout paysage est un état d'âme" seem to say something more extravagant, and more purely Symbolist, reminiscent of Oscar Wilde: a landscape is nothing but a state of mind, if it isn't a metaphor it's just trees or a random slice of mere nature – vegetables, as Baudelaire said ("Je suis incapable de m'extasier sur des végétaux", "I can't get excited about vegetables"). Verlaine probably did mean something like this, and when he wrote "Il pleure dans mon coeur comme il pleut sur la ville", "It is weeping in my heart the way it is raining on the town", he wasn't very interested in anything other than the symbolic rain, what Ruskin would have called the pathetic fallacy, the imposition of human sentiments on to an indifferent nature. But Verlaine's phrase itself doesn't have to mean this, and we could take it to be saying that every landscape, whatever it is in itself, is also a state of mind, and that it is as a state of mind that we become interested in it. This, I take it, is what Wordsworth is saying. The natural world speaks to him, there is no question for him of nature being passive, or a mere screen on to what he projects his needs or desires. But nature, even for Wordsworth, must enter the human mind to acquire meaning. "Once again", he writes in "Lines composed a few miles above Tintern Abbey"

> Once again
> Do I behold these steep and lofty cliffs,
> That on a wild secluded scene impress
> Thoughts of more deep seclusion; and connect
> The landscape with the quiet of the sky.

Nice syntactical ambiguity: do the cliffs connect landscape and sky, or does the poet. Even if the cliffs do, they do it by impressing thoughts on the poet. The connection may not be a thought, but there is no connection without thought. So if the Symbolist Verlaine doesn't have to mean there is no landscape apart from the mind, the Romantic Wordsworth doesn't have to mean nature can do everything on her own. Indeed in his phrase about the mind being lord and master and the senses merely obedient he seems to go about as far as Verlaine in the opposite direction.

But then Proust? The answer is complex, as you might expect, and I want to conclude – to conclude this conclusion – by looking at an extraordinary moment in *Du côté de chez Swann*, where a demystified landscape turns back into nature. Professor Gumbrecht wondered yesterday whether autumn can be Romantic. Proust certainly thinks it can, although the romance fades pretty fast. The scene I have in mind begins when the narrator goes for a walk in the Bois de Boulogne on a November day:

> un de ces premiers matins de ce mois de novembre où, à Paris, dans les maisons, la proximité et la privation du spectacle de l'automne qui s'achève si vite sans qu'on y assiste, donnent une nostalgie, une véritable fièvre des feuilles mortes qui peut aller jusqu'à empêcher de dormir.

The narrator remembers former times, when all the elegant Parisian women took their carriage rides in the Bois de Boulogne – now there are only vulgar automobiles – and he evokes again the sensation we have already seen, the feeling of a joy not yet understood – the joy, I want to say, of not quite understanding.

> On sentait que le Bois n'était pas qu'un bois, qu'il répondait à une destination étrangère à la vie des arbres, l'exaltation que j'éprouvais n'était pas causée que par l'admiration de l'automne, mais par un désir. Grande source d'une joie que l'âme ressent d'abord sans en reconnaître la cause, sans comprendre que rien au dehors ne la motive.

But then Proust's narrator does something strange. Even as he is minutely registering historical change, he attributes the difference to his own subjectivity. The cars have replaced carriages, but the real difference lies in how he feels about these vehicles. He doesn't believe in cars or modern women, he says, insistently using the language of religious faith. The trees of the Bois de Boulogne bring back "le temps heureux de ma croyante jeunesse", the happy time of my youth and my belief. He has no "faith" he says, in the elegance of the women he sees now, but it's not their fault. The elegance of the women he knew before was not their achievement either. Only a matter of his belief. The world, Proust is saying, requires our belief for it to be a world. We have to animate it in order for it to exist as a world for us. It is important to see how delicate, how Romantic this proposition is. Proust is not saying the world is unreal in a material sense, as a novelist he is describing those cars and modern women for us. He is saying the world will not feel real, will not be real in another sense, unless we ourselves create it by faith – a curious collaboration between what the external world offers and what we make of it.

> Mais quand disparaît une croyance, il lui survit – et de plus en plus vivace pour masquer le manque de la puissance que nous avons perdue de donner de la réalité à des choses nouvelles – un attachement fétichiste aux anciennes qu'elle avait animées, comme si c'était en

> elles et non en nous que le divin résidait et si notre incrédulité avait une cause contingente, la mort des Dieux.

"La puissance que nous avons perdue de donner de la réalité à des chose nouvelles". Extraordinary phrase. And what happens now is that the Bois de Boulogne returns to nature, a move Proust indicates simply by noting a sad slippage from magical name to ordinary noun: the Lake becomes a lake, the Wood becomes a wood.

> Le soleil s'était caché. La nature recommençait à régner sur le Bois d'où s'était envolée l'idée qu'il était le Jardin élyséen de la Femme; au-dessus du moulin factice le vrai ciel était gris; le vent ridait le Grand Lac de petite vaguelettes, comme un lac; de gros oiseaux parcouraient rapidement le Bois, comme un bois, et poussant des cris aigus se posaient l'un après l'autre sur les grands chênes qui sous leur couronne druidique et avec une majesté dodonéenne semblaient proclamer le vide inhumain de la forêt désaffectée, et m'aidaient à mieux comprendre la contradiction que c'est de chercher dans la réalité les tableaux de la mémoire...

Reality is formed only in the memory, as Proust says elsewhere. He doesn't mean reality is only a memory, he means only memory can preserve reality, that we are mistaken if we look for it in space, or even in ordinary passing time. We need peculiar spots of recovered time, even if murder and death and bad weather are part of their inheritance. "L'esprit a ses paysages", the mind has mountains, "tout paysage est un état d'âme"; but spirit, mind and soul are not going to do their work, or live their life, for Wordsworth or for Proust, unless their real name is memory.

Sessões Paralelas

Corpos de pedra – estátuas e figurações do desejo em alguma prosa romântica de expressão alemã

Fernanda Mota Alves
Universidade de Lisboa

A literatura europeia de finais do século XVIII e do século XIX está povoada de narrativas acerca de estátuas que adquirem vida própria.[1] A matriz deste motivo remonta às *Metamorfoses* de Ovídio: aí se narra como o artista misógino Pigmalião se perde de amores pela estátua de marfim que ele próprio talhou, para dar forma a uma companheira feminina perfeita. Vénus compadece-se desta paixão e Galateia transforma-se num ser vivo nos braços do seu criador. A recuperação do mito no final do século XVIII articula-se estreitamente com alguns dos discursos contemporâneos responsáveis pelo entendimento do corpo na configuração da subjectividade moderna, desenhado no seio de um campo de tensões que opunham a natureza e a cultura.[2]

Um deles é o discurso científico e filosófico que veicula o entendimento do corpo humano como um mecanismo, legitimando a inferência de que é possível construi-lo artificialmente; assim, depois da publicação do "Traité des Sensations" de Condillac[3] (1754) e do tra-

---

1 Existe já um estudo das ocorrências deste motivo na novelística: Volker Klotz, Venus Maria. *Auflebende Frauengestalten in der Novellistik.* Ovid-Eichendorff--Mérimée-Gaudy-Bécquer-Keller-Eça de Queirós-Fuentes (Bielefeld: Aisthesis, 2000).

2 Devemos esta tese a Gerhard Neumann, "Pygmalion: Die Geburt des Subjekts aus dem Körper der Statue", Reto Luzius Fetz, Roland Hagenbüchle, Peter Schultz (Hrsg.), *Geschichte und Vorgeschichte der modernen Subjektivität*, Band 2 (Berlin, New York: Walter de Gruyter, 1998), pp. 782-810.

3 Na continuidade de John Locke, Condillac considera que a construção da identidade e do conhecimento do indivíduo resulta da elaboração das informações fornecidas pelos sentidos. Para demostrar este ponto de vista, imagina uma estátua dota-

tado "L'homme machine", escrito por La Mettrie já em 1747, as consequências práticas destas teses foram concretizadas pelo engenheiro Vaucanson, o primeiro construtor dos célebres autómatos que mais tarde forneceram o tema das narrativas fantásticas do Romantismo.

Um outro discurso está ligado à estética do Classicismo: Winckelmann descobre de novo a Antiguidade e identifica na estatuária grega a representação da Humanidade perfeita, uma "natureza espiritual, concebida apenas no entendimento" – um modelo para a arte, mas que implica também, na sua glorificação da grandeza sóbria e serena de seres superiores à violência dos instintos, uma pedagogia de aperfeiçoamento, explicitada mais tarde por Schiller em *Über die ästhetische Erziehung des Menschen, in einer Reihe von Briefen*. Já Herder, no ensaio *Plastik. Einige Wahrnehmungen über Form und Gestalt aus Pygmalions bildendem Traume*, valoriza no mito a animação de uma forma natural, e entende a estatuária como uma "fala natural da alma através do corpo".

Para além de fundamentarem o seu discurso num entendimento do corpo enquanto forma de expressão da alma, tanto Winckelmann como Herder reconhecem a superioridade estética da escultura relativamente à pintura: às manchas de cor, Winckelmann prefere os contornos tridimensionais e a brancura do mármore; Herder, que utiliza os sentidos como fundamento de uma tipologia das artes, privilegia o tacto em relação ao olhar e, com aquele, a escultura, em que se dá o milagre da animação de Galateia e o seu ingresso no mundo social. Se Herder (*Auch eine Philosophie der Geschichte zur Bildung der Menschheit*) se demarca explicitamente da idealização do mundo grego presente nos escritos de Winckelmann, rejeitando o entendimento da arte grega como medida de todas as apreciações, e valorizando os sentidos, existe, no entanto, entre ambos um traço em comum: o reconhecimento das potencialidades da representação plástica do corpo como forma de veicular uma dimensão que de algum modo o transcende – o corpo da estátua é, em Winckelmann, o meio de manifestação do espírito, e em Herder, o lugar em que a natureza se torna cultura. Podemos dizer, assim, que os dois paradigmas que configuram, a um tempo, a condição física e cultural do sujeito moderno desde os seus primórdios – situado entre a máquina e a estátua[4] – decorrem do pressuposto de que o ser humano pode ser construído de acordo com um modelo pré-estabelecido, análogo à mulher ideal concebida por

---

da de mecanismos de conhecimento idênticos aos dos humanos e desprovida de todo o saber, argumentando que ela o construiria a partir das sensações.

4 Nos termos de G. Neumann, "nostalgia da Antiguidade e crença na máquina", *ibidem*, p. 783.

Pigmalião. Mas esse modelo está originalmente associado a um entendimento da expressão plástica que o Romantismo viria a recusar.[5]

A estética romântica orienta as suas preferências para a música e a pintura, as artes cuja matéria prima é mais dúctil ou quase imaterial, e que por isso melhor se prestam à realização dos seus objectivos: uma criação de carácter progressivo e aberto, a auto-reflexividade por espelhamentos sucessivos, a diluição de limites e fronteiras rumo ao infinito. É, portanto, compreensível que a dureza do material e a nitidez e finitude dos contornos da estatuária levasse a um certo desinteresse relativamente à escultura. Wackenroder, autor de uma obra fundadora da estética romântica, *Herzensergießungen eines kunstliebenden Klosterbruders* (1797), é o primeiro autor romântico a deslocar o interesse da escultura para a pintura, ao mesmo tempo que, abandonando a defesa da imitação do modelo grego, reconhece verdadeira qualidade artística na pintura medieval e renascentista de inspiração cristã e também nos artistas alemães (sobretudo Dürer), pelo seu carácter próprio e genuíno. Curiosamente, é também com uma versão cristianizada do mito de Pigmalião que se defende, no início da obra, o carácter espiritual e até religioso da pintura: trata-se do capítulo intitulado "A visão de Rafael" ("Raffaels Erscheinung"), em que se transcreve um documento fictício que relata como o artista, que procurava representar o rosto da Virgem Maria, terá visto o esboço que pintara na parede animar-se milagrosamente, revelando-lhe com nitidez os traços autênticos que ele desejava reproduzir.[6] Na verdade, no episódio referido Rafael propunha-se pintar uma "Galateia".[7] Também os irmãos Schlegel seguiram o caminho iniciado por Wackenroder, defendendo o carácter radicalmente moderno da pintura e orientando as atenções para os tesouros da pintura gótica alemã.

Os românticos, ao problematizarem o Classicismo, desviaram a sua atenção da escultura enquanto arte autónoma; no entanto, esta ressurgirá, de outra forma, na ficção narrativa. As estátuas antigas surgem então como relíquias de um mundo perdido, assumindo contornos perturbadores aos olhos das personagens que com elas se cruzam. Em

---

[5] O debate estético entre Classicismo e Romantismo no referente às especificidades e valores relativos da escultura e da pintura está descrito em Maria Helena Gonçalves da Silva, "Variações de uma Estética da Percepção, do Olhar e da Imagem em Textos do Romantismo Alemão", Fernanda Gil Costa, Helena Gonçalves da Silva (eds.), *A Ideia Romântica da Europa. Antigos Caminhos, Novos Rumos* (Lisboa: Colibri, 2002), pp. 227-260.

[6] Wilhelm Heinrich Wackenroder, *Werke und Briefe* (Heidelberg: Verlag Lambert Schneider, 1967), pp. 11-15.

[7] Paolo D'Angelo, *A Estética do Romantismo* (Lisboa: Estampa, 1998), p. 187.

dois textos de carácter novelístico, também eles citações do mito de Pigmalião, procuraremos identificar o sentido e desenvolvimentos deste motivo. Pressupõe-se, desde já, que as identidades dos géneros e a relação original entre o criador e a criatura, e, em termos mais gerais, entre sujeito e objecto, fixadas pelo mito, se adequam à distribuição de papéis realizada na sociedade burguesa dos séculos XVIII e XIX: o feminino no domínio da natureza, dos impulsos e dos afectos, e o masculino no domínio da cultura e do *logos*.

Eichendorff: *Das Marmorbild* (1819)

Num tempo vagamente situado na Idade Média, o jovem Florio entra na cidade italiana de Lucca, onde conhece o poeta Fortunato e inicia um envolvimento amoroso com Bianca. Esta aproximação não tem continuidade: depois de um sonho em que se vê naufragar perante sereias de rostos iguais ao de Bianca, que o seduzem com o seu canto, Florio substitui nos seus devaneios a imagem desta jovem pequena e de compleição delicada pela de uma outra figura feminina, "muito mais bela, mais alta e esplendorosa, que ele nunca vira".[8] Florio está, assim, predisposto para a experiência que terá a seguir. Passeando pela noite, aproxima-se de um lago onde encontra uma figura de Vénus esculpida em mármore que parece olhar-se na água. Enquanto Florio a contempla persistentemente, a estátua adquire vida, recordando-lhe afectos infantis, longamente silenciados. Num abrir e fechar de olhos, a imagem transforma-se, e a rigidez do corpo da estátua, a imobilidade do seu olhar e "o silêncio sem limites"[9] enchem-no de pavor. Desde a sua primeira aparição, Vénus surge, portanto, sob o signo da ambiguidade, assumindo atributos de sedução e de terror mortífero perante a personagem masculina cuja perspectiva modaliza e condiciona o estatuto de realidade do narrado.

Florio vai cruzar-se com Vénus, julgando que se trata de uma dama nobre e rica, em várias circunstâncias: no jardim do seu palácio, passeando e cantando ao som de um alaúde; numa festa, em que Bianca está presente, e onde Vénus toma o aspecto físico daquela, distinguindo-se apenas pela imobilidade e pela fixidez do olhar; no exterior, vestida com um traje de caça; e, finalmente, num episódio em que a aproximação está prestes a tornar-se num encontro erótico, que

---

[8] Joseph von Eichendorff, *Das Marmorbild*, *id*, *Werke*, eds. Ansgar Hillach, Klaus-Dieter Krabiel (Munique: Winkler, 1970-1980), vol. II, pp. 526-564. Este passo: p. 536. Todas as citações são traduzidas por mim.

[9] *Ibidem*, p. 537.

apenas não se consuma porque Florio ouve a voz de Fortunato, cantando uma canção popular de carácter religioso, que o faz sair do encantamento que o prendia. Neste último encontro, que decorre no palácio da senhora, Florio reconhece, nas cenas representadas nas tapeçarias de seda que cobrem as paredes, as situações em que ele próprio a encontrou; na última dessas cenas Florio identifica um quadro análogo a outro que conhecera na sua infância, e vem-lhe também à memória uma representação da cidade de Lucca que vira nesse tempo remoto. Confessando essas recordações à senhora, ela responde-lhe: "Deixai esse pensamento! (...) Todos julgam já me ter visto em alguma ocasião, porque a minha imagem torna-se nítida e floresce com todos os sonhos da juventude!"[10]

Os tópicos da narrativa até aqui referidos evidenciam a pertinência de uma leitura "psicológica" do texto:[11] Vénus, que seduz Florio de diferentes formas, representa o despertar da sexualidade num jovem. Na origem desse processo estará o encontro com Bianca; essa experiência terá desencadeado desejos recalcados desde a infância, que se projectam na imagem de uma figura cujo estatuto de realidade é duvidoso. Assim, Vénus representa, no teatro mental de Florio, o desejo do amor erótico e da beleza, mas também a mãe primordial;[12] o sentimento de culpa por ceder à sedução, que resulta do sistema de valores tradicionalmente definidos pela moral cristã, é associado ao princípio masculino – ao ouvir a canção de Fortunato, Florio desfaz com uma oração o feitiço em que se enredou: "Meu Deus, não me deixeis perder-me neste mundo!".[13] Este dualismo, que opõe as pulsões aos ditames da racionalidade e da ordem, tem claramente a sua correspondência nos conceitos freudianos de *id* e *superego*. O princípio da ordem, que é também o da moral sexual cristã, sai vencedor. Perante os olhos de Florio, que pedira protecção ao Pai, a dama assume a brancura e a rigidez mortal que o assustara na estátua junto ao lago, enquanto todos os objectos circunstantes se animam e se aproximam dele de forma ameaçadora. Florio salva-se fugindo.

No dia seguinte, quando se prepara para abandonar a cidade, Florio passa por uma ruína que lhe dizem ser um antigo templo de Vénus; a

---

[10] *Op. cit.*, p. 556.

[11] O primeiro estudo que explora as possibilidades de interpretação da novela neste sentido é de Lothar Pikulik, "Die Mythisierung des Geschlechtstriebes in Eichendorffs *Das Marmorbild*" (*Euphorion*, 71/2, 1977), pp. 128-140.

[12] No soneto correspondente à canção que Vénus entoa no seu jardim, ela designa-se a si própria de "bela mãe" que recuperou a juventude e usa uma coroa de noiva. *Op. cit.*, p. 541.

[13] *Op. cit.*, p. 556.

ele se liga uma lenda que diz que a deusa regressa todos os anos na primavera, sedenta de prazer, condenando à perdição aqueles que seduz. Para o poeta cristão Fortunato, esse fascínio, que é um engano do olhar, tem carácter demoníaco. O texto termina com o reencontro de Florio com Bianca, que viaja no mesmo grupo, vestida de rapaz, para esquecer o seu desgosto de amor. O decurso da narrativa pode justificar a identificação dos dois pólos antagónicos entre os quais Florio se move: o amor pecaminoso, de natureza exclusivamente sexual, inspirado por Vénus, e o afecto espiritualizado com que Bianca se identifica. Mas, na verdade, o texto contamina Bianca com características de Vénus – não só a óbvia analogia do seu nome com a brancura do corpo da deusa, a sua identificação com as sereias[14] num sonho de Florio, ou a sua aparência quando usa uma grinalda de flores, citando claramente um quadro de Boticelli ("Primavera").[15] A proximidade entre as duas figuras revela-se sobretudo no próprio comportamento de Bianca: no seu primeiro encontro com Florio, o seu olhar "escuro e ardente" e os "lábios vermelhos e quentes" revelam um desejo análogo ao que Vénus desperta nele; mais tarde, Florio contemplará também a deusa com "olhos em chama".[16] E ainda, no baile em casa de Pietro, Bianca e Vénus fundem-se numa "imagem dupla",[17] em que as respectivas identidades dificilmente se distinguem. Podemos, portanto, considerar que também Bianca é vulnerável à premência dos impulsos que Vénus desperta nos humanos. O afastamento de Florio produziu um efeito pedagógico na jovem: ensinou-a a configurar o seu comportamento de acordo com um padrão de feminilidade assexuado (aqui aludido pela androginia da sua aparência ao envergar um traje masculino). Numa canção de Fortunato, no final da narrativa, diz-se que Vénus, despertando da morte na primavera, é obrigada a regressar à sua condição anterior, petrificando-se de novo porque sobre o mundo se ergue "uma outra imagem feminina", com uma criança nos braços.[18] O cânone da identidade feminina – a "Galateia" da era cristã, e, implicitamente, da contemporaneidade do autor – é, para este, o modelo mariano, e a umlher que se lhe adequa transforma-se num anjo.[19] Perante Florio abriu-

---

[14] *Op. cit.*, p. 535.

[15] *Op. cit.*, p. 527.

[16] *Op. cit.*, respectivamente pp. 529 e 555.

[17] *Op. cit.*, pp. 546-547.

[18] *Op. cit.*, p. 561.

[19] Também Florio sonha,desde o início, com a imagem de um anjo. *Op. cit.*, p. 538. A respeito das formas de apropriação discursiva do corpo, na linha da *História da*

-se o caminho da experiência que conduz à maturidade; ao narrador masculino do texto, por sua vez, reserva-se a possibilidade, legitimada pelo gesto condenatório, de encenar verbalmente o erotismo proibido, reconhecendo a sua latência permanente e recuperando-o no plano da arte.

O texto permite também, em nosso entender, a sua leitura como uma problematização alegórica das relações entre as artes. Sem dúvida que a música, e, com ela, a poesia, têm aqui uma primazia ética e estética. A afirmação de Fortunato – "um poeta honesto pode ousar muito, porque a arte que não é orgulhosa nem sacrílega esconjura e domina os indomados espíritos da terra, que erguem os seus braços das profundezas para nos prender"[20] – tem um valor duplamente metadiscursivo, porque se reporta à condição da personagem, que é um trovador, mas também à própria narração, cuja voz, como já comentámos, nomeia o perigoso objecto do desejo para melhor o esconjurar, ao mesmo tempo que se oferece um segundo objecto de fruição. É sobretudo no plano da relação da pintura com a escultura que se justificam aqui algumas palavras: a figura de Vénus aparece pela primeira vez a Florio como estátua que observa o seu reflexo na água, ou seja, apreciando a sua imagem bidimensional na superfície de um espelho. Todas as aparições subsequentes de Vénus a representam como visões coloridas, que aliás, são também ecos discursivos de representações pictóricas conhecidas.[21] A representação ambígua das afinidades latentes entre Vénus e Bianca corresponde à citação de vários quadros célebres, que conferem atributos análogos à deusa e à Virgem Maria.[22] A cena de maior intimidade, em que Vénus vai retirando véu após véu perante Florio, é de um voyeurismo óbvio – mas não se realiza a união amorosa, isto é, o tacto não substitui o olhar. Podemos então afirmar que a referência ao mundo clássico, presente através da mitologia e da escultura, e representando o apelo dos sentidos e o desejo de prazer, é entendida, nesta narrativa ro-

---

Sexualidade de Foucault, e da "sublimação cultural" do corpo feminino, veja-se Christian Begemann, "Der steinerne Leib der Frau. Ein Phantasma in der europäischen Literatur des 18. uns 19. Jahrhunderts" (*Aurora*, 59, 1999), pp. 135--159.

20 *Op. cit.*, p. 562.

21 Cf. Katharina Weisrock, "Die 'unmögliche Grenzstelle': Bilderrausch und Blickirritation" in Joseph von Eichendorffs *Das Marmorbild*, *id.*, *Götterblick und Zaubermacht. Auge, Blick und Wahrnehmung in Aufklärung und Romantik* (Opladen: Westdeutscher Verlag, 1990), pp. 119-141.

22 Cf. Waltraud Wiethöler, "Die Schule der Venus. Ein diskursanalytischer Versuch zu Eichendorffs *Marmorbild*", Michael Kessler, Helmut Koopmann (eds.), *Eichendorffs Modernität* (Tübingen: Stauffenburg Verlag, 1989), pp. 171-202.

mântica, como manifestação demoníaca; recalcada sob o peso da espiritualidade cristã, essa referência ao mundo clássico sofre, através de subtis técnicas de representação, uma redução gradual à bidimensionalidade característica da pintura – regressando, inevitavelmente, como "fantasma" no plano da narração.

Heine: *Florentinische Nächte* (1836)

Seguindo o padrão tradicional da novela, esta obra é uma narrativa enquadrada. Maximilian encontra-se em Florença, em casa de Maria, que está doente e morrerá em breve. Por ordem do médico, o visitante deverá distraí-la com as suas histórias, impedindo-a de falar ou mover-se. Trata-se, portanto, da situação original dos ciclos de novelas: efabular contra a morte e contra o medo. O texto apresenta duas partes, correspondentes a duas noites que Maximilian passa com Maria, contando-lhe várias histórias, a maioria das quais referentes ao seu passado amoroso. O primeiro episódio é recordado por associação, provocada pelo vulto branco de Maria deitada no sofá de seda verde. Maximilian ter-se-á apaixonado, em criança, pela estátua de mármore de uma deusa antiga deitada na relva, no jardim abandonado do palacete de seus pais. Deixado só pela mãe durante a noite, o rapaz escapa-se para o jardim e beija o corpo de pedra fria com paixão ardente. Esta experiência marca o início de uma série de amores invulgares, que tomam por objecto, não mulheres, mas as suas réplicas; as estátuas de figuras femininas da mitologia clássica ou de sentido alegórico têm a preferência de Maximilian relativamente à figura da Virgem Maria representada na pintura.[23] Mas Maximilian conta que também amou mulheres mortas[24] e viveu ainda uma relação feliz com alguém que só conheceu em sonhos.[25] O seu amor mais recente foi Mademoiselle Laurence, cuja história preenche a segunda noite. Maximilian conheceu-a em Londres, integrada numa companhia de saltimbancos que ele passou a procurar de rua em rua para vê-la executar o seu número, uma dança de coreografia original e misteriosa. Encontra-a mais tarde em Paris, já casada com um general bonapartista. Na ausência deste, Maximilian passa uma noite em casa de Laurence, em que ela lhe explica a sua origem: ela é filha de nobres; a sua mãe, maltratada pelo marido, é sepultada em estado de

---

[23] Heinrich Heine, *Florentinische Nächte*, *id.*, *Werke*, vol. I, ed. Klaus Briegleb (Munique: Hanser, 1975) pp. 557-616. Este passo: p. 563.

[24] *Op. cit.*, pp. 564-565

[25] *Ibidem*, pp. 567

morte aparente. Os ladrões que profanam a sepultura encontram-na viva e prestes a dar à luz, embora morra logo após o parto. Laurence é recolhida pela cúmplice dos malfeitores, que se torna a sua mãe adoptiva e, em conjunto com o seu companheiro, a trata com crueldade. Nessa mesma noite e nas subsequentes, Maximilian vê-a repetir, de olhos fechados, como sonâmbula, a dança perturbante que ele conhecia dos espectáculos de rua.

A orientação do desejo para uma estátua pode ser entendida como a resposta da criança aos sentimentos de carência e medo causados pela rejeição da mãe. Nesse corpo frio ele procura o afecto e o prazer que lhe foram negados,[26] e continuará a fazê-lo em todas as figuras por que se apaixona – uma busca em que a sexualidade, a beleza presente na arte e a morte se confundem. Esta permanente demanda tem traços obsessivos, condicionando a percepção que Maximilian tem do real em todos os seus aspectos: por exemplo, na personalidade e na arte de Paganini,[27] na beleza que as italianas revelam quando ouvem música,[28] ou na sede de viver que reconhece nas mulheres parisienses,[29] estão presentes os três momentos desta constelação.

A busca da felicidade individual contém ainda, neste texto, uma dimensão política e social subliminar, que se torna mais evidente sobretudo na relação de Maximilian com Laurence. Os saltimbancos que a rodeavam em Londres são caracterizados em termos que os associam à Restauração; o reencontro, em Paris, acontece já depois da Revolução de Julho, e a relação amorosa consuma-se num quarto decorado ao gosto em voga no Império. A esta mudança política no sentido da liberdade corresponde a revolução individual de Laurence, que soube libertar-se das condições opressivas em que vivia, e que todas as noites esconjurava pela dança a sua história e o seu sofrimento passado. Maximilian encontra nela a síntese de todas as formas de arte cujos objectos amara: em Laurence, a rigidez das estátuas, a que se assemelha, e da morte, de que nasceu, fluidificaram-se nos movimentos de uma dança atávica, capaz de exprimir os sentimentos mais intensos, desenhando os sinais de um enigma cujo sentido biográfico o amante é, por fim, capaz de entender. Também Maximilian, que encontra neste amor a satisfação dos desejos reprimidos, realiza uma revolução no plano individual. Provisoria-

---

[26] É nesse sentido que se orienta a interpretação do texto em Manfred Schneider, *Die kranke schöne Seele der Revolution. Heine, Börne, das "Junge Deutschland", Marx und Engels* (Frankfurt a. M., Syndikat: 1980), pp. 30-37.

[27] *Op. cit.*, pp. 575-578.

[28] *Op. cit.*, p. 569.

[29] *Op. cit.*, pp. 600-601.

mente, o poder transfigurador de Pigmalião apodera-se das duas personagens, manifestando-se na revolução que supera – sem eliminar – o silêncio e a rigidez da morte.[30]

Esta história, no entanto, situa-se no passado relativamente ao tempo em que o narrador entretém a sua amiga moribunda – Laurence partiu com o marido para Itália, e os amantes separaram-se. Maximilian retoma o seu fascínio pela morte, que é, ao mesmo tempo, um desejo de possuir e saber: a sua relação com Maria (cuja doença impõe a castidade a que o nome alude) é uma forma de procurar entender o mais definitivo dos enigmas, que ele gostaria de ver materializado numa última duplicação do corpo, branca e rígida como uma estátua: a máscara de morte de Maria. Em vão, aliás, conforme o médico assegura – porque a morte é um significante sem significado.[31]

Desde muito cedo, na sua carreira literária, Heine associou a cultura clássica ao seu apreço pelo Panteísmo, que, por sua vez, viria a constituir o cerne de uma utopia social em que os humanos seriam deuses felizes, saciados de todos os prazeres e isentos de pecado.[32] Heine defende ainda a tese de que, no presente, sob o domínio cultural do cristianismo, os deuses vivem no exílio e são temidos e representados como demónios.[33] À luz destas referências, torna-se clara a articulação entre as dimensões individual, política e estética do narrado. Laurence e Maximilian presentificam o ideal da harmonia pagã, convocando-a na estátua e libertando-a na dança dionisíaca – e esta, no corpo flexível de Laurence, realiza a síntese de todas as formas da arte e dos afectos. A provisoriedade da experiência e a sua natureza

---

30 Albrecht Betz entende a figura de Laurence como "alegoria da liberdade". Albrecht Betz, *Ästhetik und Politik. Heinrich Heines Prosa* (Munique, Hanser: 1971), p. 101.

31 *Op. cit.*, pp. 584-585. Cf. Christine Mielke, "Der Tod und das novellistische Erzählen. Heinrich Heines 'Florentinische Nächte'" (*Heine Jahrbuch*, 41, 2002), pp. 54-82, especialmente p. 73.

32 Em *Zur Geschichte der Religion und Philosophie in Deutschland* (1835), Heine descreve de forma lapidar essa utopia, demarcando-se dos republicanos: "Não lutamos pelos direitos humanos do povo, mas pelos direitos divinos do ser humano. (...) Não queremos ser sans-culottes, nem cidadãos frugais, nem presidentes baratos: promovemos uma democracia de deuses igualmente magníficos, igualmente santos, igualmente bem-aventurados. Vós quereis trajes simples, costumes comedidos e prazeres insípidos; nós, em contrapartida, queremos néctar e ambrósia, mantos de púrpura, perfumes preciosos, volúpia e luxo, dança de ninfas risonhas, música e comédias." Heinrich Heine, *Zur Geschichte der Religion und Philosophie in Deutschland*, *id*, *Werke*, vol. III, ed. Klaus Briegleb (Munique: Hanser, 1978), p. 570.

33 Particularmente em *Die Götter im Exil* (1853).

inquietante, correspondem, no âmbito privado, à insatisfação que, no plano histórico e político, a monarquia de Julho veio a significar.

A ocorrência do motivo da estátua animada na ficção narrativa romântica é parte de um fenómeno de dimensões mais amplas; na sua origem está, por um lado, o idealismo alemão, que entende a subjectividade abrangente como princípio que confere unidade ao universo; e, por outro lado, uma psicologia que rejeita o mecanicismo iluminista, dilui as distinções entre a sanidade e a perturbação mental e dirige a sua atenção para os fenómenos de motivação inconsciente. Surgem, assim, recorrentemente representações duplicadas do corpo ou da consciência – na forma de marionnettes ou autómatos, fantasmas, sombras, imagens reflectidas no espelho, personagens oníricas ou duplos do próprio sujeito – às quais está associado o efeito de uma "estranheza inquietante", irredutível à normalidade do quotidiano.

Nos textos comentados encontramos versões diversas do mito de Pigmalião. O feminino que é objecto do desejo constitui em ambos uma projecção do sujeito masculino; mas, no primeiro texto, Vénus petrifica-se de novo porque Florio regressou à ordem estabelecida; no segundo caso, as circunstâncias – o adiamento da utopia – forçaram Maximilian a aproximar-se de novo da morte de que a pedra é aqui metáfora. Sem dúvida que estas diferenças articulam mundividências distintas: a do católico conservador e a do pagão progressista. Mas a preocupação que está no âmago de ambos os textos é a mesma: a sobrevivência e a consolidação da subjectividade masculina, mediante a transposição da alteridade absoluta do feminino para o domínio incorruptível da arte, em representações que congregam a vida e a morte, o prazer e o terror.[34]

Terminamos com uma interrogação: esta perversidade que habita as estátuas no textos românticos não constituirá o derradeiro golpe no Classicismo de matriz winckelmanniana? É, pelo menos, na sua esteira que se realizam outras apreciações do mundo clássico, recuperado por Nietzsche e Freud e, paralelamente, banalizado no *kitsch* das estatuetas das salas de visita burguesas.

---

[34] Cf., a propósito da estética da morte no corpo feminino, a obra de Elizabeth Bronfen, *Over her Dead Body. Death, femininity and the aesthetic* (New York, Manchester: Routledge, Manchester University Press, 1992); reportamo-nos em especial ao capítulo "The 'most' poetic topic", pp. 59-75.

A Representação dos corpos fantasmagóricos como problematização da intersubjectividade

Orlanda de Azevedo
Universidade de Lisboa

O corpo parece fornecer, numa primeira abordagem e ao nível do senso comum, uma base estável para a definição da identidade, assegurando uma relativa continuidade do eu e um sentido da sua permanência. Delimitando a subjectividade, o corpo estabelece também as suas fronteiras, contribuindo assim para a noção da sua singularidade e diferença. No entanto, o corpo é também testemunho da transitoriedade do ser humano e, para além da inevitabilidade da sua decadência e finitude, nele ocorre uma incessante regeneração celular, determinando a permanente reconstrução do sentido de si.

Consequentemente, o corpo não pode ser reduzido a uma forma ou matéria detida passivamente pelo sujeito, assumindo uma dimensão vivencial, na medida em que participa na construção da subjectividade e se expressa num duplo estatuto: *ter* e *ser* um corpo; por um lado, o corpo é um objecto para os outros, por outro lado, para o sujeito o seu corpo nunca é simplesmente sujeito ou objecto. Assim sendo, o corpo é centro de percepção, perspectivação, reflexão, desejo e acção do eu[1], ao mesmo tempo que nele confluem códigos simbólicos, sociais, culturais e outros, atribuindo significado às diversas posições que o sujeito pode adoptar.

A percepção de semelhanças e diferenças relativamente à alteridade é indissociável, por conseguinte, da construção da identidade; com efeito, a noção de identidade coloca o indivíduo em relação com os outros, uma vez que o sujeito se situa – através do corpo, justa-

---

[1] Elisabeth Grosz, *Volatile Bodies. Toward a Corporeal Feminism* (Bloomington and Indianapolis: Indiana UP, 1994), xi.

mente – numa dada posição e num dado contexto. Contudo, se o corpo é de difícil percepção, e as suas fronteiras inexistentes, como se poderá conhecer a sua identidade? Sendo o corpo fantasmático um corpo virtualmente resistente à codificação construída com base nos paradigmas do corpo humano, de que formas poderá modificar ou distorcer esses mesmos paradigmas? Poderá a percepção do corpo fantasmático levar ao questionamento da consciência que o observa?

Estas serão as questões que pretendo analisar aqui, confrontando *Le Horla*, de Guy de Maupassant, e *Moby Dick*, de Herman Melville. Quer a baleia branca Moby-Dick quer o ser de uma "transparência opaca" Horla se constituem como corpos cuja inefabilidade da representação deriva da sua presença fugaz, dado que provêem de universos separados dos dos sujeitos da enunciação – inseridos na misteriosa profundidade do mar, no primeiro caso, ou numa atmosfera que se revela, de súbito, de natureza desconhecida e inquietante, em *Le Horla.*

Será a sua aparição (possibilitadora do olhar e, por via deste, do conhecimento) a estabelecer contacto com mundos que apenas se vislumbram e a impor, paradoxalmente, restrições à instituição do saber sobre o Outro. A suspeita instala-se, portanto, na fiabilidade do próprio olhar observador e projecta-se no entendimento que o sujeito detém acerca do mundo onde se insere – surgem, então, corpos fantasmáticos no universo humano – Ahab, Fedelah ou Queequeg, em *Moby Dick* – enquanto o Horla ocupa provocatoriamente o território do sujeito. Ambas as obras se desenvolvem, pois, em função de seres que, ausentes e por isso invisíveis (caso de Moby Dick) ou presentes e no entanto invisíveis (o horla), procedem a manifestações físicas com efeito residual extremamente perturbador. Tudo se orientará, pois, pelo objectivo da sua busca, tanto a nível individual como colectivo (apenas em *Moby Dick*) ou, ainda, textual.

Em *Le Horla*, o surgimento desse ser invisível e tremendo – "être invisible et redoutable"[2] – transfigura a percepção do real. A partir desse momento, os acontecimentos adquirem significado, ainda que por decifrar. Pressentimentos e pesadelos[3], que antecipam a visão do ser estranho, transmitem verosimilhança ao plano lógico e conferem sentido à realidade: um novo e ominoso sentido, porém.

Em *Moby-Dick*, a baleia apresenta, à semelhança do capitão Ahab, seu perseguidor, uma mutilação física na barbatana (Cap. 81), que sinaliza a sua indissociabilidade do Homem, o qual parece procurar

---

[2] Guy de Maupassant, *Le Horla* (Paris: Librio, 1995 [1887]), p. 32.

[3] *Ibidem*, pp. 10-11.

por "malícia" (Cap. 308). A sua "fronte alvacenta e a bossa cor de neve" tornam-na irreconhecível e fascinante e, se para Ismael ela é "a imagem do fantasma inacessível da vida, onde se acha a chave de todo enigma", "descomunal fantasma alvacento" que suscitou nele "um desejo" e o motivou a empreender a viagem à caça da baleia (Cap. 1), para Ahab prefigura, em contrapartida, todo o mal do mundo (Cap. 41).

Ismael, no capítulo "A Brancura da Baleia", explicita a inscrição cultural de que o corpo pode ser suporte, mesmo quando não-humano, atribuindo-lhe um estatuto de profunda significação – mesmo se instável e contraditória. Moby Dick é símbolo plurissignificativo, ser ubíquo e imortal, pertencente a um mundo que está para lá dos limites da condição humana. Ao suscitar terror, "demonstra, mesmo num irracional, o conhecimento do demonismo no mundo"[4], pois é, paradoxalmente, "princípio de luz" conducente à cegueira.

Ahab usa a linguagem para persuadir a tripulação – o mundo – a perseguir a Baleia Branca. Por seu turno, o narrador de *Le Horla* serve-se da palavra para, dominando-se a si próprio, dominar o Outro. A alteridade, enquanto objecto passional, entendido como experiência do absoluto conducente à incapacidade de gerir o relativo, produz, no sujeito, um impulso auto-destrutivo; conhecer implica, então, um esforço obsessivo de representar/dominar o que é por natureza irrepresentável.

Intensifica-se, então, a emergência da diferenciação e enfatiza-se a percepção e interpretação de sinais – o copo de água vazio e os copos quebrados durante a noite, assim como a rosa colhida por uma mão invisível, objectivam, em *Le Horla*, uma presença invisível. Também a página em branco na qual o sujeito simula a escrita se constitui como instrumento de comunicação e apreensão do ser inumano, aproximando ontologicamente visão, audição e escrita, esta última como processo de captação e nomeação do que é inefável aos sentidos:

> il est venu, le... le... comment se nomme-t-il... il me semble qu' il me crie son nom, et je ne l' entends pas... le... oui... il le crie... J'écoute... je ne peux pas...répète... le... Horla... J'ai entendu...le Horla...c'est lui...le Horla... il est venu!....[5]

A própria identificação traduz, porém, a inefabilidade do ser (Hors... Là...[Fora... longe...]), remetendo para uma natureza que ultrapassa a esfera da condição humana. A capacidade criadora reforça a

---

4 Herman Melville, *Moby-Dick or the Whale* (London: Penguin Books, 1992). Trad. Portuguesa: *Moby-Dick* (Lisboa: Relógio d'Água, s/d), p. 236.

5 Guy de Maupassant, *op. cit.*, p. 27.

dúvida quanto à existência do objecto, uma vez que este depende daquele que, ao nomeá-lo, o concebe. Os narradores de ambos os textos evidenciam, consequentemente, a tentativa de congregar um conhecimento multidisciplinar que ateste a sua credibilidade: em *Le Horla*, integrando a ciência e as paraciências (para além da frenologia e fisionomia, a anatomia, o magnetismo, o hipnotismo, a ainda incipiente neurologia); no romance de Melville, recorrendo a estratégias de aproximação e distanciamento que possibilitem um conhecimento mediato da realidade e, em simultâneo, fazendo apelo de um saber enciclopédico (pedagógico, científico, historiográfico, psicológico).

O facto de a narração, em *Le Horla*, ser feita com base no ponto de vista do louco e não do médico (como na primeira versão do texto, datada de 1886), potencia contudo o efeito de estranheza e instaura ambiguidades quanto à credibilidade do narrador, que revela ainda lucidez ao empreender o seu auto-exame[6].

A existência de uma relação efectiva com a alteridade é, então, colocada em dúvida: se o narrador do conto de Maupassant se interroga quanto à sua saúde mental, Ismael constata, referindo-se a Ahab, que:

> Os teus pensamentos engendraram uma criatura em ti próprio. A sua intensidade assemelha-te a Prometeu! Um abutre devorará eternamente o teu coração, esse abutre que tu próprio criaste. (Cap. 44)

A busca do Outro é, consequentemente, uma procura do Eu e de uma relação afectiva com o mundo. Tanto a caça a Moby-Dick como o esforço de desocultamento do Horla delineiam um percurso de perseguição e fuga (metáfora da caça amorosa) polarizado em violentos movimentos de encontro e conflito, dependentes de uma relação de fascínio e horror. O espaço marítimo, *habitat* natural (mas também sobrenatural) da Baleia Branca surge, à semelhança do espaço fluvial em *Le Horla*, como via de comunicação e conexão de mundos – elemento matricial que contribui para a composição da metáfora sexual que o arpão, o mastro, a perna de marfim e a relação dominante/dominado constróem. No texto de Melville, a água é, aliás, explicitamente relacionada com a meditação e com a imagem do Eu.

Por sua vez, o Horla é percepcionado como uma bruma, deslizante superfície de água que se interpõe[7] entre o sujeito e o seu refle-

6 "Certes, je me croirais fou, absolument fou, si je n'étais conscient, si je ne connaissais parfaitement mon état, si je ne le sondais en l'analysant avec une complète lucidité", *Ibidem*, p. 22.

7 "Une brume"; "comme (...) une nappe d'eau; et il me semblait que cette eau glissait de gauche à droite, lentement", *Ibidem*, p. 30.

xo[8]. Estabelece-se assim uma relação de "vampirismo psíquico", uma vez que "os espelhos não reflectem o vazio e o sujeito é como que despossuído de si"[9]. A relação parasitária ocorre igualmente a nível físico: o ser alimenta-se da água e do leite do narrador – substitutos do sangue[10], princípio equivalente ao fogo, energia vital e corporal[11], enquanto a Baleia Branca, por sua vez, se alimenta da carne humana.

Em suma, o relacionamento entre as entidades é antropofágico e desregulador da ordem vigente: enquanto o narrador da novela de Maupassant se pensa vítima de uma alma dominadora e parasitária[12], Ahab equivale a não mais que "uma carcaça vazia, um ser sem alma, um sonâmbulo" (Cap. 44).

Aliás, o capitão do Pequod surge inicialmente como um corpo apenas presentificado através de indícios. A sua ausência faz-se notar nas primeiras jornadas de viagem, adensando a apreensão que as palavras de alguns marinheiros (Peleg e Elias) provocaram em Ismael. O ruído dos seus passos (Cap. 29) documenta uma presença invisível, enquanto os seus gritos e riso sobrenaturais – já em presença –, são comparados (por Starbuck) aos de um lobo (Cap. 38). Organiza-se assim, uma figura simultaneamente fantasmagórica e animalesca e o seu deformado aspecto físico é facilmente associado pela tripulação a uma mente de intenções demoníacas. Lembre-se que a mesma associação é feita por Ahab relativamente a Moby Dick.

O rosto do capitão é comparado por Ismael a um mapa (Cap. 44), surgindo como expressão de uma história visível mas misteriosamente ilegível na sua complexidade, enquanto a testa enrugada é entendida como sinal de um pensamento incansável (Cap. 36) e conflituoso (Cap. 51); o seu olhar denuncia simultaneamente determinação e sofrimento (Cap. 28) e a cicatriz sulcada na face (cravada na carne até aos ossos, de acordo com as palavras do próprio capitão) é interpretada como marca de nascença ou vestígio de um combate no mar,

---

8 "Je ne me vis pas dans ma glace! Elle était vide, claire, profonde, pleine de lumière! Mon image n'était pas dedans... et j'étais en face, moi! (...) sentant bien qu'il était là, mais qu'il m'échapperait encore, lui dont le corps imperceptible avait dévoré mon reflet. Il est en moi, il devient mon âme; je le tuerai!", *Ibidem*, p. 29.

9 "Les glaces ne réfléchissent que le vide (...) le sujet est dépossédé de lui-même", Gwenhael Ponnau, *La Folie dans la Littérature fantastique* (Paris: Ed. du CNRC, 1990), p. 304. Tradução minha.

10 Cf. Jean Fabre, *Le Miroir de sorcière – Essai sur la Littérature fantastique* (Paris: José Corti, 1992).

11 Alain Chevalier e Alain Gheerbrant, *Dictionnaire des Symboles* (Paris: Robert Laffont, 1982), pp. 843-4.

12 Guy de Maupassant, *op. cit.*, p. 24.

prefigurando o carácter ambíguo de Ahab. Em acréscimo, a perna amputada por Moby-Dick na bacia do Japão deu lugar a uma prótese de osso de baleia, revelando uma união entre o homem e o animal que poderá ser o inquietante sinal de uma condição humana – ou humanamente – monstruosa.

Em *Le Horla*, o narrador experimenta igualmente o terror da dissolução de fronteiras entre o humano e o animal, entre os estados sólido, líquido e gasoso, sofrendo uma vertigem de ordem intelectual[13]. Tal como a perna de marfim de Ahab expõe uma crise identitária, relíquia da violenta privação de parte do corpo, o sujeito de *Le Horla* sofre também o terror da perda de si[14]. Com efeito, a privação de uma imagem do corpo una e pura implica alteração da identidade e a limitação da liberdade, configurando-se como usurpação e assim alienando o sujeito. Com efeito, se segundo Lacan a imagem de totalidade criada desde os primórdios da formação da identidade não é mais do que uma ficção, ainda que superada por uma conquista do imaginário, tal não impede que a deterioração dessa mesma imagem implique uma involuntária e indesejada cisão entre corpo e subjectividade, que é assim, também ela, fragmentada[15].

Contrastando com as relações entre Moby-Dick e Ahab e entre o Horla e o sujeito da enunciação, a amizade entre Ismael e Queequeg não procura a fusão totalizante mas sim a "junção dos dois mundos", de acordo com uma expressão retirada do próprio texto (Cap. 12). Efectivamente, é Queequeg, cujo estádio civilizacional é apresentado como intermédio, que ajuda Ismael a construir a possibilidade de regressar de entre os mortos.

O corpo do selvagem torna-se presente na imaginação de Ismael através de indícios auditivos, tácteis e visuais: o narrador de *Moby Dick* observa os objectos do quarto, experimenta a roupa do selvagem, ouve os seus passos, os sons guturais e bizarros que emite. Quando o observa finalmente, regista a sua estranheza face à "cor terrosa" da sua pele totalmente tatuada, ainda que tente controlar o medo e o preconceito através do raciocínio: "É só a aparência exterior; um homem pode ser perfeitamente honesto debaixo de uma pele tatuada", afirma-se no capítulo 3. Apesar de as expectativas do marinheiro terem sido condicionadas pela observação dos seus hábitos, considerados perigosos e infernais, Ismael acaba por salientar a relação de identidade entre ambos. Irmanados assim pela sua humanidade, resta, contudo, por en-

---

13 Cf. Jean Fabre, *op. cit.*

14 Guy de Maupassant, *op. cit.*, pp. 29-30.

15 Cf. Jacques Lacan, *Écrits 1* (Paris, Seuil, 1970).

tre a estranheza, a curiosidade e o fascínio que a diferença produz, um medo que é mútuo ("Afinal aquele homem era um ser humano como eu próprio, com tantas razões para temer-me quantas eu tinha para ter medo dele"; Cap. 3). Tomado inicialmente como "estranha criatura" (Cap. 4), Queequeg é entendido mais tarde como ser singular, portador de um sistema orgânico que o diferencia e, simultaneamente, o configura historicamente, pois no corpo do "selvagem" está gravada toda a história do mundo (Cap. 110), transmitindo de modo visível conhecimentos que permanecem, no entanto, indecifráveis.

Desta forma, se o corpo de Queequeg é entendido como exótico, proveniente do estado selvagem e tendendo para uma crescente civilização, esse exotismo é problematizado ao configurar uma sabedoria enigmática e profética, capaz de conferir significação a objectos como uma colcha de retalhos ou a acontecimentos antes incompreensíveis (a mão-fantasma da infância de Ismael).

Em acréscimo, o sujeito da enunciação de *Moby Dick* conjuga a reflexão metafísica e percepção simbólica e sensitiva – que, neste caso, funciona como elemento de coesão social, temporal e narrativa – de modo a congregar uma multiplicidade de experiências e perspectivas, coincidentes com a proliferação e heterogeneidade dos Outros que povoam o navio. O corpo deixa de corresponder a uma categoria comceptual para se materializar enquanto objecto plural, traduzindo a coexistência de mundos, apreendidos pelo sujeito estruturador.

É esta consciencialização que permite a Ismael salvar-se da apocalíptica destruição do Pequod: o esquife do selvagem, portador do conhecimento hieroglífico gravado no seu corpo, permite que o sujeito "escape para contar" (Caps. 110 e 135), ou seja, dar testemunho. Isto devido à significativa mediação de Queequeg, cuja própria marca com que se identifica – α – parece encerrar em si um conhecimento cósmico, uma concepção cíclica da história, de partida e retorno à origem[16]. A capacidade de renovação, expressa metaforicamente na adopção de Ismael pelo navio Raquel (na Bíblia, aquela a quem morriam os filhos), instaura o fim de um ciclo e o começo de uma nova era.

Neste texto, assim como em *Le Horla*, a transição entre a ordem vigente e aquela que a substituirá é representada como um combate entre a água – em analogia com a natureza da Baleia Branca e do Horla – e o fogo. Este surge por acção de Ahab e do narrador do texto de Maupassant, como meio de purificação e de regeneração. O fogo está imbuído simultaneamente de uma significação negativa, referente

[16] Cf. Mário Avelar, "Manipulações do Tempo em Moby-Dick" (*Vértice*, nº 66, 1995).

a uma função diabólica, devoradora, e traduz, por outro lado, a aspiração ao branco, símbolo da felicidade como resultado da aproximação da morte. Por seu turno, a água, enquanto fonte de vida, representa a multiplicação de possibilidades, a fertilidade, a paz e a revelação.

A união destes elementos não ilude a anulação do sujeito que, em *Le Horla*, expia a posição cimeira do homem na cadeia alimentar ("le vautour a mangé la colombe; le loup a mangé le mouton; (...) l'homme a tué le lion avec la flèche, avec la glaive, avec la poudre"[17]), e anuncia a vinda de uma força sobre-humana: "l' Être nouveau, le nouveau maître"[18], caracterizado como puro espírito: "ce corps d' Esprit"[19].

Os seres fantasmáticos, ao penetrarem no universo subjectivo, demonstram o carácter poroso das fronteiras, evidenciando a instabilidade da divisão entre o espaço interior do sujeito e o espaço exterior do(s) outro(s)[20]. Esta divisão binária repousa na simetria do corpo humano – que o corpo fantasmático dissolve – estabelecendo uma base antropológica para a semiotização dos objectos, de forma a estabelecer uma ordem cultural. Assim, a ordem encontra no caos a sua imagem invertida, propiciadora da identidade. Mas, ao separar, a fronteira não evita a existência de um ponto de contacto propício ao comtacto intersubjectivo[21]. Quando, como em *Moby Dick* e *Le Horla*, a alteridade se insinua ou exibe no território físico e psicológico do sujeito, este não evita o seu deslocamento, pondo em risco a sua posição central "normal". Desintegram-se, consequentemente, oposições como dominante/dominado, homem/mulher, natural/cultural, espontâneo/artificial, e a realidade, tomada como estática, dinamiza-se. A relação com a alteridade, enquanto entidade fantasmática, adquire também contornos ideológicos – opondo o centro à periferia, o aristocrata rural aos seus serviçais, o homem à mulher, o civilizado ao selvagem, o Velho Mundo ao Novo. O fantasma surge, então, como projecção da consciência do sujeito, questionando a legitimidade de tais antinomias.

Com efeito, tanto Ahab como o narrador de *Le Horla* cometem actos de violência irracional sobre a comunidade, convictos da possibilidade de erradicar o que consideram ser o mal, e que não admitem

---

17 Guy de Maupassant, *op. cit.*, p. 27.

18 *Ibidem*, p. 31.

19 *Ibidem*, p. 32.

20 Yuri Lotman, "The notion of boundary", *Universe of Mind. A Semiotic Theory of Culture* (Indiana: Indiana U. P., 1990), pp. 131-142.

21 "The extreme edge is a place of incessant dialogue", *Ibidem*, p. 142.

poder ter-se instalado neles próprios – ou ter deles emanado. O processo degenerativo culmina com a pretensão dos sujeitos – que se julgam eleitos, escolhidos pela força maldita – de realizar uma missão de salvamento do mundo do qual se sentem excluídos, não considerando qualquer outra personalidade envolvida. Contudo, as condutas individuais não são simbólicas por si mesmas, mas sim os elementos a partir dos quais se constrói um sistema simbólico que, como afirma Lévi-Strauss, não pode ser senão colectivo[22]. No entanto, ao ignorar a teia de interdependências sociais em que se situa, o gesto individual assume aspecto suicidário, em vez de redentor.

Contrariamente ao sujeito de *Le Horla* e a Ahab, Ismael supre o distanciamento entre o Eu e o Outro (des)multiplicando-o, ou seja, entendendo-se como ponto de estruturação do universo e assim congregando e sintetizando a pluralidade de corpos e de realidades. A subjectivização da realidade exterior é, então, edificada reconhecendo a pertinência das relações interpessoais para a reconstrução do conhecimento (e) do mundo. O sujeito necessita, por conseguinte, de ver para além do convencionado, de modo a superar a contínua volatilização pessoal, social, cultural e política a que está sujeito: à destruição apocalíptica segue-se, em *Moby Dick*, a sobrevivência criativa, instaurando uma segurança temporária e suspensa entre múltiplas possibilidades. Esta síntese irónica repousa na capacidade de ler a ambiguidade e polissemia dos corpos e exprimi-la como *translúcida*.

Assim, se Moby-Dick é, para Ismael, objecto de reflexão que, pela sua pregnância, não pode ser exaurido, por outro lado, ao tatuar no braço as medidas da baleia, Ismael institui o seu próprio corpo como suporte de inscrição cicatricial da h/História, capaz, por isso, de conhecer e de comunicar com o mundo e de organizá-lo sob formas.

[22] "É da natureza da sociedade expressar-se simbolicamente nos seus costumes e nas suas instituições; pelo contrário, as condutas individuais normais *nunca são simbólicas por si mesmas*: elas são os elementos a partir dos quais se constrói um sistema simbólico, que não pode ser senão colectivo", Claude Lévi-Strauss, "Introdução à obra de Marcel Mauss", *Ensaio sobre a Dádiva* (Lisboa: Edições 70, 1988), pp. 15-16.

Da paisagem habitada pelo corpo ao corpo enquanto paisagem: uma leitura de William Wordsworth e de Walt Whitman

Mário Vítor Bastos
Universidade de Lisboa

A recriação da paisagem na poesia de William Wordsworth (1770--1850) é marcada pelas suas raízes no norte Britânico, nos contrastes geográficos do Distrito dos Lagos, o principal espaço donde seleccionou para a sua escrita paisagens austeras e figuras populares, solitárias e desprotegidas, como em "The Cumberland Beggar" (1798) ou "Michael" (1800). À semelhança dos ritmos da poesia, as figuras humanas em Wordsworth resultam da paisagem originária nativa que reflectem e a que dão o sentido último. Personificação do lugar, e embora velho e débil, o mendigo de Cumberland é uma parte da paisagem natural circundante que o enobrece. O pastor Michael é outro exemplo do ancião aristocrata natural caracterizando e reflectindo a paisagem: "[...] these hills/ Which were his living Being, even more/ Than his own blood."[1]

Mas Wordsworth também originou uma nova sensibilidade e *pathos*, pela forma como idealizou a natureza (e a relação do homem com a natureza) e a entendeu como fonte de estímulos e exemplos para a imaginação. Esta forma mais difusa de entender e viver a natureza, aliada à expressão de sentimentos poderosos, reflecte-se, por exemplo, em paisagens imponentes. A descrição nocturna da paisagem montanhosa contida em "Night Piece" (1798), ou o passo do livro VI de *The Prelude* (1799, 1805, 1850) onde ocorre a travessia e ascensão

---

[1] Wordsworth and Coleridge, *Lyrical Ballads*, R. L. Brett and A. R. Jones (eds.) (London: Methuen, 1981), p. 228.

dos Alpes, e que finda com uma apoteótica defesa do poder da imaginação, ilustram este Wordsworth. Um forte traço descritivo, porém, nunca abandona a escrita, e a *ekphrasis* nos momentos de maior claridade daqueles textos torna-se reminescente das pinturas e aguarelas de paisagens montanhosas que os Ingleses John Robert Cozens (1752-97) e Francis Towne (1739?-1816) ou o mais conhecido Alemão Caspar David Friedrich (1774-1840) realizaram.

Curiosamente, naquele que é talvez o mais célebre poema de Wordsworth, a ode "Intimations of Immortality" (1802), o elemento realista não tem uma presença marcante. Nessa visão pastoril idealizada, a paisagem edénica é habitada por seres puros e inocentes, crianças sem rosto e identidade, sem a verosimilhança de Michael ou do mendigo de Cumberland. Do ponto de vista da representação da criança na paisagem, "The Idiot Boy" (1798) constitui um exemplo antagónico da ode: "Who's yon, that, near the waterfall,/ Which thunders down with headlong force,/ Beneath the moon, yet shining fair,/ As careless as if nothing were,/ Sits upright on a feeding horse?"[2] Esta quadra fixa o momento do reencontro da mãe com o filho, um rapazinho deficiente, o qual se perdera com o seu pónei numa noite de luar. Embora toda a situação esteja envolta numa atmosfera nocturna maravilhosa, a paisagem é precisa, localizável no espaço, e as personagens têm rosto. Num paralelo com a pintura, ao compararem-se a ode "Intimations of Immortatlity" com poemas de Wordsworth marcados explicitamente pela região nativa é como se assistíssemos à conhecida transição entre o pastoralismo neo-clássico de Claude Lorrain (1600-1682) e o realismo rural de Constable (1776-1837), entre a pintura paisagística realizada em estúdio e a pintura realizada ao ar livre. E Wordsworth foi decerto uma fonte de inspiração. Com efeito, segundo Ernst Gombrich, a poética realista próxima da fala do homem comum e da objectividade científica, defendida por Wordsworth nos seus "prefácios", constitui um aspecto central da "revolução romântica" em pintura, partilhado e aplicado por Constable no tratamento da paisagem[3].

A oposição entre os "dois Wordsworth" é perceptível ao longo das leituras que ele conhece ao longo do século XIX. Para John Ruskin (1819-1900), por exemplo, Wordsworth foi tanto o grande poeta da natureza como, ao ser um típico representante do sentimentalismo romântico, "um bom poeta secundário". Assim, Ruskin – que é profundamente influenciado pela dimensão realista de Wordsworth – também concebeu, em 1856, o conceito de *falácia patética* para

---

2 *Lyrical Ballads*, *op. cit.*, p. 98.

3 E. H. Gombrich, *Art and Ilusion* (Oxford: Phaidon Press, 1960, 1990), pp. 323-24.

criticar as "falsidades" e desenvolvimentos sentimentais, "mórbidos", dos poetas românticos (entre estes Wordsworth) no tratamento da paisagem natural[4]. Mas mesmo quando marcado pela "falácia patética" ou por um impulso meditativo, o sujeito wordsworthiano é sempre primeiro um observador. Observar é, neste caso, uma forma fundamental de conhecimento, incompatível com o saber livresco, como se afirma em "Expostulation and Reply" (1798) e "The Tables Turned" (1798). A paisagem prevalece porque através dela a natureza "ensina e educa" a percepção e o pensamento ao homem comum e ao poeta: "And hark! How blithe the throstle sings!/ He, too, is no mean preacher;/ Come forth into the light of things,/ Let nature be your Teacher."[5]

Wordsworth representa por vezes na sua poesia o seu próprio corpo na paisagem, como em "Expostulation and Reply", numa pose contemplativa e de união com a natureza apontada, neste caso, pelo interlocutor do poeta: "Why, William, on that old grey stone,/ Thus for the length of half a day,/ Why, William, sit you thus alone,/ And dream your time away?"[6] Também *The Prelude* fixa uma longa auto-observação do corpo e mente do poeta nas diferentes paisagens que foi conhecendo nos anos de formação, cada uma delas representando uma experiência específica de união, distanciamento ou ausência da natureza no eu, a que Wordsworth chama *spots of time* (*The Prelude*, 1850, Livro 12, verso 208 e seguintes). Na relação paisagem/corpo, presente na obra deste poeta, a paisagem natural acaba sempre por prevalecer sobre o corpo e por reflectir a mente, num processo sugestivo do semi-abstraccionismo que por vezes J. M. W. Turner (1775-1851) desenvolve em pintura. Esta omnipresença da paisagem natural é também perceptível quando Wordsworth descreve Londres, como no soneto "Upon Westminster Bridge". A metrópole é aí uma cidade bela, *mas porque ainda adormecida*: "The city now doth, like a garment wear/ The beauty of the morning; silent, bare,/ Ships, towers, domes, theatres, and temples lie/ Open unto the fields and sky."[7] Para Wordsworth, como refere no início de *The Prelude*, a metrópole foi para ele um espaço opressivo: "[...] escaped/ From the vast city, where I long had pined/ A discontented sojourner: now free/ Free as a bird to settle where I will" (*The Prelude*, 1850, Livro I, vv. 6-9). O livro VII deste poema (dedicado aos anos de residência em Londres) é

---

4 No capítulo 12 da 4ª parte do 3º volume de *Modern Painters*.

5 *Lyrical Ballads*, *op. cit.*, p. 105.

6 *Ibidem*, p. 104.

7 William Wordsworth, *op. cit.*, p. 114.

dominado pela paisagem caótica da grande cidade, descrevendo-se, por exemplo, o seu despertar para o bulício cosmopolita através de uma apóstrofe nos seguintes termos: "Rise up, thou monstrous ant-hill on the plain/ Of a too busy world! Before me flow,/ Thou endless stream of men and moving things!" (*The Prelude*, 1850, Livro VII, vv. 149-151). Paradoxalmente, se a metáfora do formigueiro ruidoso está longe de denotar um tratamento positivo do espaço (mesmo que o poeta não deseje uma negatividade explícita) é já a cidade dinâmica e cosmopolita de Walt Whitman que se pressente e prefigura aqui.

A influência de Wordsworth no romantismo norte-americano será muito grande. Walt Whitman (1819-92), em particular, lembra por vezes um seu discípulo transformado em poeta épico dos Estados Unidos. Dele, porém, desaparecem a agorafobia e as dicotomias de Wordsworth entre cidade e natureza, assim como entre país e região, igualmente bem marcadas na tradição pastoril norte-americana[8]. Nova-iorquino, Whitman não tem a sensibilidade rural de Wordsworth, permanece um poeta urbano quando viaja pelo país, ou desenvolve a sua versão da inocência adâmica em ambiente natural. A influência de Wordsworth chega a Walt Whitman sobretudo através de Ralph Waldo Emerson (1803-82), o filósofo-poeta do transcendentalismo da Nova Inglaterra. O olhar em Emerson "radicaliza" Wordsworth, pois alimenta o excesso panteísta e a fusão do eu com a paisagem natural: "I become a transparent eye-ball; I am nothing; I see all; the currents of the Universal Being circulate through me; I am part or particle of God."[9] Paisagem (*landscape*) e horizonte são sinónimos e exemplos para Emerson da experiência de liberdade. A sua percepção do espaço alia realismo e sublime românticos, como no seguinte exemplo de uma paisagem de Inverno da Nova Inglaterra, onde Emerson se auto-representa:

> Crossing a bare common, in snow puddles, at twilight, under a clouded sky, without having in my thoughts any occurrence of special good fortune, I have enjoyed a perfect exhilaration. I am glad to the brink of fear.[10]

Esta adaptação do uso wordsworthiano da paisagem (e do corpo) é desenvolvida diferentemente pelos principais discípulos de Emerson: Thoreau e Whitman. Como em Wordsworth, para este grupo de

---

[8] Cf. Leo Marx, *The Machine in the Garden* (London: Oxford University Press, 1964).

[9] R. W. Emerson, *Prose and Poetry*, Joel Porte and Saundra Morris (New York: W.W. Norton & Company, 2001), p. 29.

[10] *Ibidem.*

escritores *ver* a natureza é no essencial *despertar* de um estado de alienação. Thoreau (1817-62), por exemplo, objectiva e presentifica o eu na paisagem, através da casa que constrói às margens do lago Walden, experiência depois recriada na escrita do livro homónimo (1854). Mas Whitman, através das formas que adoptou de representação da paisagem e do corpo, preenche e complementa as "lacunas" de Wordsworth e dos seus directos continuadores americanos. O olhar inocente romântico em Whitman assimila tudo e todos através de uma (aparente) suspensão de valores morais e ideológicos. A poesia marcada pela fala do homem comum de Wordsworth transforma-se na América democrática, corpo e paisagem do maior dos poemas, como afirma Whitman, num registo nacionalista, no prefácio a *The Leaves of Grass* (1855), onde a variedade humana e paisagística americana é apresentada como a matéria poética por excelência. Como em Wordsworth, o corpo humano em Whitman personifica, reflecte a paisagem. O ideal nivelador democrático leva, no entanto, Whitman a assimilar e a inscrever no seu próprio corpo, toda a diversidade humana e natural que descreve, primeiro à semelhança de tatuagens. Numa segunda fase, a inscrição desta complexidade paisagística e humana torna-se no próprio corpo do poeta e este num imenso espelho caleidoscópico que tudo reflecte. Ao contrário da poesia Wordsworth – onde a multidão raramente surge e o amor pela humanidade sofre um grave revés, em *The Prelude* (Livros 9-11) com a desilusão provocada pela Revolução Francesa – Whitman literalmente devora e é insuflado pela diversidade do real, pela pluralidade dos espaços e das gentes que vai conhecendo, nomeando e catalogando. Mas se a modernidade do processo é óbvia, o olhar inocente, o pendor místico e sentimental que o acompanha persistem em ser românticos.

A sucessão de imagens e de paisagens é por isso muito mais dinâmica em Whitman do que em Wordsworth. A "aceleração" da História e o quotidiano, a observação da paisagem urbana e rural, através da viagem pelo país, ou mesmo o heroísmo e os momentos trágicos nacionais, fazem parte de um todo dinâmico que também escreve a história do corpo do poeta. A visão sempre generosa e inocente do mundo de Whitman, enquanto vate e homem comum, converte a paisagem – depois de nomeada e povoada – no seu corpo, e este em corpo poético. Numa fase posterior, "outonal", esse corpo anseia por ser reenviado à terra: "[...] O soil of autumn fields,/ Declining on thy breast, giving myself to thee,/ Answering the pulses of thy same and equable heart/ Tuning a verse for thee."[11] Quando finalmente o corpo e a pai-

[11] Walt Whitman, "The Return of the Heroes", *Leaves of Grass* (Oxford: Oxford University Press, 1990), p. 278.

sagem se nivelam no seio da natureza, o poeta torna-se numa presença implícita e imanente na sua diversidade paisagística e humana, assim legitimando a sua eternidade: "I bequeath myself to the dirt to grow from the grass I love,/ If you want me again look for me under your bootsoles." (*Song of Myself*, 1855, vv. 1299-1330).

No seu tratamento do corpo e da paisagem, Whitman acrescenta ainda a Wordsworth a assunção da nudez e da sexualidade. O corpo passa a ser abertamente uma "paisagem", um lugar onde a natureza e o homem se fixam e expõem: "I too had receiv'd identity by my body,/ That I was I knew was of my body, and what I should be I knew I should be of my body."[12] Esta assunção do corpo é, note-se, correspondente da exploração sistemática do verso livre desencadeada por Whitman. Neste aspecto não pode haver maior oposição entre os dois poetas. O corpo e a paisagem em poemas de Whitman como "Song of Myself", "The Sleepers" (1855) ou "I Sing my Body Electric" (1855) seriam impensáveis em Wordsworth. O corpo sexualizado na poesia de Wordsworth só existe enquanto fantasma – como no elucidativo "She was a Phantom of Delight" (1803) – ou morto, como nos poemas dedicados à misteriosa Lucy. Esta rasura da sexualidade adquire, por vezes, contornos sacrificiais, de voluntária auto-mutilação, acompanhando a entrega mística do eu à natureza[13]. Pelo contrário, em Whitman assiste-se à afirmação do corpo e da sexualidade apontada na paisagem: "Who goes there! hankering, gross, mystical, nude?" (*Song of Myself*, 1855, v. 388). Embora presente de uma forma "atenuada" em *Moby-Dick* (1851) de Melville (1919-91), na figura do canibal Queequeg[14], o corpo sexualizado não caracteriza a literatura Norte-Americana contemporânea da primeira edição de *Leaves of Grass* (1855). Para Thoreau, por exemplo, permanece apenas como um tema grosseiro e primitivo, o que o leva abertamente a defender a castidade como consequência última da relação superior do homem com a natureza[15].

Em Whitman deparamos, assim, com diferentes modalidades de representação do "corpo enquanto paisagem". Muitas vezes são corpos masculinos que dominam e são a "paisagem poética", como nos episódios de "Song of Myself" (Secções 11 e 13) do carroceiro negro ou dos vinte e oito banhistas, observados e desejados por uma mulher só, por sua vez observada pelo poeta. Em "The Sleepers" deparamos

[12] *Idem*, "Crossing Brooklyn Ferry", p. 131.

[13] Cf. Camile Paglia, *Sexual Personae* (London: Penguin Books, 1990), pp. 305, 315.

[14] Cf. os capítulos "The Counterpane" e "A Bosom-Friend" de *Moby-Dick*.

[15] Cf. o capítulo "Higher Laws" de *Walden*.

com uma situação em que o sono – ao contrário do que sucede em Thoreau – se apresenta como a forma mais universal de fraternidade e amor, porque expõe e exibe o corpo na sua universalidade: "The sleepers are very beautiful as they lie unclothed,/ They flow hand in hand the whole earth from east to west as they lie unclothed."[16] Em "I Sing My Body Electric", como o título indica, o poeta canta o seu corpo, e canta-o através da nomeação da diversidade dos outros corpos que preenchem a formam a paisagem: "The Bodies of men and women engirth me, and I engirth them/ They will not let me off nor I them till I go with them and respond to them and love them."[17] E em "Crossing Brooklyn Ferry" (1856), o corpo do poeta torna-se na paisagem urbana nova-iorquina, nos corpos que descreve e exprime:

> I too lived, Brooklyn of ample hills was mine,
> I too walk'd the streets of Manhattan island, and bathed in the waters around it,
> I too felt the curious abrupt questionings stir within me,
> In the day among crowds of people sometimes they came upon me,
> In my walks home late at night or as I lay in my bed they came upon me,[18]

De modo semelhante, é este o processo que se regista ao longo de toda a escrita de Whitman: a entrega e inserção do corpo do poeta na diversidade crescente dos corpos – cada um deles correspondendo a uma paisagem – que, por este meio, se reflectem e fundem entre si.

Pelo que têm de antagónico e causal, as escritas de Wordsworth e de Whitman dão, assim, forma a dois modos de representação da paisagem e do corpo que se encontram implicados. O século XX não deixou de explorar as afinidades e clivagens entre eles, e o alcance da sua herança conjunta não se limitou à poesia e à literatura, tendo acompanhado e influído, directa ou indirectamente, no tratamento da paisagem e do corpo nas outras artes, por vezes até em contextos muito distantes dos do romantismo. São disso exemplo as obras de dois nomes maiores da pintura não figurativa norte-americana do século XX, Mark Rothko (1903-70) e Jackson Pollock (1912-56). Pintor de Nova Iorque, Rothko é marcado por uma visão serena e essencial da natureza, reminescente do realismo paisagístico romântico. As suas pinturas abstractas – a um tempo sóbrias e monumentais – onde as formas arquetípicas e o minimalismo da cor "naturalizam" a

---

[16] Walt Whitman, "The Sleepers", *op. cit.*, p. 331.

[17] *Idem*, "I Sing my Body Electric", *op. cit.*, p. 116.

[18] *Idem*, "Crossing Brooklyn Ferry", *op. cit*, p. 131.

artificialidade da metrópole, evocam as paisagens de Turner e dão continuidade plástica à poética do olhar de Wordsworth e Emerson. Quanto a Pollock, ele é tributário de Whitman, sobretudo por ter comjugado e integrado gestos e expressões do seu corpo na pintura, em momentos de transfiguração criativa, sugestivos do encontro dionisíaco do eu com a paisagem.

Retórica do corpo sedutor

Ana Alexandra Seabra de Carvalho
Universidade do Algarve

Nas palavras do poeta David Mourão-Ferreira, "A sedução/ escreve torto por linhas direitas"[1], ou ainda, "Não olha a meios a sedução:/ mesmo para alcançar nenhuns fins"[2], sublinhando-se, assim, o carácter dissimulado, desviante, estratégico e determinado do jogo da sedução, o qual tanto se serve de meios retórico-linguísticos como da linguagem do corpo, assemelhando-se com frequência ao jogo teatral. Por outro lado, o objecto do desejo do sedutor (masculino ou feminino) não é retoricamente passivo. Mesmo no caso extremo de uma vítima de um libertino, usada como mero joguete dos caprichos e da vontade daquele, trata-se de um objecto sedutor que, por um motivo ou por outro – e o aspecto físico é quase sempre determinante –, desperta a atenção do libertino, seduzindo-o (Recorde-se o fascínio – para não dizer mais – que o objecto Tourvel provoca em Valmont, nas *Liaisons dangereuses*.).

A temática **da retórica do corpo sedutor**, como linguagem corporal que revela ou esconde as emoções do sujeito seduzindo voluntária ou involuntariamente o Outro, foi-nos sugerida a partir da leitura do *Diário do Sedutor* de Sören Kierkegaard e de uma comparação com o protagonista do romance stendhaliano *Le Rouge et le noir*, Julien Sorel, bem como com o modelo de apaixonado romântico segundo Gœthe, Werther, para, com base nas obras destes argutos mestres da Arte de Amar, procurarmos compreender o funcionamento desse outro tipo de discurso amoroso, paralinguístico, da **retórica do corpo sedutor**

---

1 David Mourão-Ferreira, *Jogo de espelhos: reflexos para um auto-retrato* (Lisboa: Editorial Presença, 1993), p. VI.

2 David Mourão-Ferreira, *op. cit.*, p. IX.

(a linguagem do olhar, do rosto, dos gestos, do corpo e também dos objectos e dos espaços que o embelezam e emolduram) e do modo da sua percepção pelo sujeito desejante.

De acordo com Alberoni[3], o grande sedutor fala às suas vítimas do sexo feminino como uma outra mulher. Conhecendo a importância das palavras e do modo como são ditas, ele procura esconder a violência do seu desejo falando com tranquilidade, segurança e apurada capacidade de persuasão. O grande sedutor sabe ser paciente, enredando a sua vítima num lento processo de encantamento, mas sabendo sempre retirar-se ou retardar o seu ímpeto, de forma a ganhar a total confiança da presa. O sedutor romântico, herdeiro do modelo setecentista, sobretudo francês, e mestre nas várias facetas do jogo retórico da sedução, manipula a sua vítima, objecto singular e excepcional aos seus olhos, detectando e interpretando os sintomas do efeito que o seu jogo de sedução sobre ela opera. Contudo, mesmo sem o saber, a vítima também exerce um poder retoricamente fascinante sobre o sedutor, seduzindo-o pela sua singularidade apreendida em constante transformação, como nos casos de Johannes e de Julien Sorel. Por seu turno, o apaixonado romântico encontra-se igualmente cativo no laço deste duplo jogo de sedução, com a sua sensibilidade seduzida pelo objecto amado, tido como raro e exclusivo, e procurando seduzi-lo continuamente para o possuir. Neste jogo, a retórica corporal da imagem do ser desejado desempenha um papel primordial, antes mesmo do rompimento do silêncio, como é o caso de Werther.

1. Antes de abordar a questão da **retórica do corpo sedutor**, permitam-me algumas muito breves considerações acerca dos mecanismos da *sedução vista como jogo do desejo*, isto é, como *processo de encantamento conducente à rendição do objecto de desejo.*

O jogo da sedução pode ser jogado por ambos os parceiros, sendo que cada qual tentará fazer uso, o mais eficazmente possível, das suas estratégias e tácticas sedutoras[4]. Este carácter retórico da sedução consciente e voluntária busca a rendição do objecto de desejo, o qual pode ser mais ou menos cooperante, dependendo da severidade da

---

[3] Francesco Alberoni, *O Erotismo* (Venda Nova: Bertrand Editora, 1991), p. 99.

[4] "La séduction est un jeu. D'une part, un personnage veut en séduire un autre. À l'autre extrémité de la scène, un second personnage souhaite d'être séduit par le premier (...). Si quelqu'un souhaitait limiter la séduction à son expression la plus simple, le résumé tiendrait en trois lignes: une dame et un monsieur se croisent dans l'allée d'un parc. Le monsieur se présente: "Merlin l'Enchanteur!" "Enchantée", répond la dame. Et c'est toujours une histoire de masques. (...). Qui veut être séduit participe au jeu", Hubert Juin, "Les périls du visible", Maurice Olender e Jacques Sojcher (ed.), *La Séduction* (Paris: Éd. Aubier Montaigne, 1980), p. 167.

máscara adoptada. Contudo, nem sempre é esse o caso. Existem as vítimas humilhadas e abandonadas após terem sido enganadas quer pelo sedutor, quer pelo seu próprio sentimento amoroso. A libertinagem setecentista em França, representada nas obras de Claude Crébillon, Laclos e Sade, por exemplo, mostra-nos que o mais importante nos jogos de sedução não é tanto a satisfação de uma necessidade libidinal, mas antes o *desejo do jogo*, do ritual convencionado[5], com o aproveitamento virtuoso do elemento aleatório que constitui a *ocasião* dos desvarios sentimentais e racionais. Cerimonial estratégico, a sedução é uma relação dual e agonística[6], que visa a derrota/conquista do objecto do desejo, por vezes de forma violenta, jogando-se com todas as armas disponíveis: intelectuais e afectivas (razão, emoções e sentimentos), bem como a sensualidade corporal – o olhar, a voz, a mímica e as máscaras faciais, a gestualidade e os movimentos do corpo; o cuidado com a aparência, ao qual se pode associar todo o artifício ligado à moda, perfumaria, cosmética, joalharia, ou mesmo a decoração de espaços propiciadores dos encontros amorosos. Mas a sedução é também jogo de descentramento do sujeito por relação ao desejo e ao prazer. O importante é o jogo, revelado pelo ritual e pela mestria das regras convencionadas[7], transformando-se, deste modo, o *jogo do desejo* em *desejo do jogo*, vitória dos signos sobre o natural, que visa esconder as estratégias libidinais ou da vontade de dominação do

---

[5] Jean Baudrillard, no seu célebre ensaio intitulado *De la séduction*, distinguia já o desejo, da ordem da Natureza, e a sedução, do domínio do Simbólico (Paris: Éd. Galilée, 1979); cf. também Jean Baudrillard, *Les Stratégies fatales* (Paris: Le Livre de Poche, 1994) e Gérald Cahen (ed.), *La Séduction* (Paris: Éditions Autrement, 2002).

[6] Jogo agonístico, por essência estratégico e ritualizado, a sedução, no plano discursivo, caracteriza-se igualmente por, de acordo com a etimologia, "desviar do seu caminho", da sua verdade, o sentido das palavras proferidas. Baudrillard define a sedução como *poesia do desejo*, mas talvez seja mais preciso considerá-la como *retórica do desejo*, pois trata-se, em nosso entender, de um discurso essencialmente estratégico, utilizando um código linguístico-retórico que dissimula as suas reais intenções através de um simulacro da linguagem da paixão, decantando e sublimando o desejo.

[7] O jogo estratégico da sedução libertina convencional implica, segundo Françoise Collin ["Le séducteur cache la séduction", Maurice Olender e Jacques Sojcher (ed.), *La Séduction* (Paris: Éd. Aubier Montaigne, 1980), pp. 189-96], a relação de dois indivíduos, geralmente de sexos opostos, ou seja, um sujeito masculino activo, audacioso, confiante no seu projecto e um sujeito-objecto feminino, que, mesmo desencadeando, de forma consciente ou inconsciente, o processo de sedução, não o conhece nem o controla. Deste modo, fica mais vulnerável, podendo transformar-se na vítima do sedutor, o qual procura, assim, escapar ao risco de se tornar ele próprio dependente deste objecto (como é o caso da generalidade das relações onde se afrontam um libertino e uma mulher apaixonada).

Outro sob a máscara encantatória e envolvente de uma personagem construída de acordo com as fantasias quer do sedutor, quer do objecto seduzido. Por outro lado, os códigos da sedução libertina determinam que o objecto seduzido deva ser abandonado de imediato, devido à perda de todo o interesse do sedutor após a conquista e, portanto, deixando de existir.

O sedutor libertino move-se pelo prazer do projecto, deliciando-se com a cedência progressiva da sua vítima e com a antecipação do fim que lhe reserva, do qual ela não deve sequer suspeitar. O prazer do libertino decorre, não da libido, mas do desejo de conhecer e do desejo de conquistar e de dominar o seu objecto. O sedutor de Kierkegaard enquadra-se perfeitamente neste modelo, como veremos.

2. Regressemos à questão da **retórica do corpo sedutor**. Se a faceta discursiva da retórica da sedução é incontornável, ela não esgota, contudo, as suas possibilidades retóricas. Dizíamos atrás que, apesar de toda a mestria do sedutor, o seu objecto de desejo também o seduz, mesmo que involuntariamente. Deste fascínio despertado no sujeito do desejo pelo objecto, destaquemos o papel exercido pela retórica corporal, nomeadamente a linguagem do olhar, do rosto, dos gestos, do corpo, sublinhada pelos objectos e espaços que o realçam e enquadram. Para tal gostaria de considerar aqui três exemplos de sedutores e/ou apaixonados masculinos fascinados pelos seus objectos de desejo: Johannes do *Diário do Sedutor* de Kierkegaard[8], Julien Sorel de *Le Rouge et le Noir* de Stendhal[9] e Werther do romance homónimo de Gœthe[10].

Johannes[11] é um sedutor que, de certa forma, estabelece uma ponte entre o sedutor libertino cerebral e calculista, estratega brilhante capaz de traçar um plano de ataque à vítima escolhida, pondo em cena todas as suas capacidades de inteligência e de mestria no domínio das próprias emoções e na manipulação dos outros, e o sedutor romântico, um esteta, fascinado, sobretudo, pela singular e superior qualidade por ele atribuída ao objecto escolhido[12]. De facto, a percepção do objecto é-

---

8 Utilizamos a versão francesa: Sören Kierkegaard, *Le Journal du séducteur* (Paris: Éditions Gallimard, 1943).

9 Stendhal, *Le Rouge et le noir* (Paris: Garnier-Flammarion, 1964).

10 Gœthe, *Die Leiden des jungen Werthers / Les souffrances du jeune Werther* (Paris: Aubier Montaigne, s.d.).

11 Cf. Jean Baudrillard, "La stratégie ironique du séducteur", *De la séduction* (Paris: Éd. Galilée, 1979), pp. 134-62.

12 Segundo Johannes de Kierkegaard, "le malheur, c'est qu'il n'est pas du tout difficile de séduire une jeune fille, mais d'en trouver une qui vaille la peine d'être séduite", *op. cit*, p. 64.

-nos transmitida pela subjectividade do sedutor, cuja sensibilidade estética é seduzida pela beleza graciosa e inocente que ele vê em Cordélia, uma jovem de 17 anos no desabrochar da sua feminilidade. Esta sensibilidade subjectiva filtra a sua apreciação estética, condicionando-nos, tal como o transforma em vítima da atracção exercida pelo objecto do seu desejo. Este desperta nele o ímpeto de conquista sem que o sedutor perca, no entanto, a lucidez necessária à concretização eficaz do seu projecto de sedução, o qual se conclui em aproximadamente seis meses (de 4 de Abril a 25 de Setembro, com toda a carga simbólica, em matéria amorosa, inerente a esta época primaveril e estival). O encantamento com que a sua sensibilidade percepciona a imagem de Cordélia, que não age intencionalmente como uma sedutora, é prova do poder retórico da imagem corporal do objecto. O primeiro vislumbre da bela desconhecida ocorre fortuitamente quando ela desce de uma carruagem, sendo o olhar de Johannes de imediato atraído pelo pormenor de um pequeno e gracioso pé[13]. Fascinado por esta visão, ele segue-a sem ser apercebido, disposto a observar com todo o cuidado a sua juvenil beleza e a graciosidade dos seus gestos, detendo-se vagarosamente na apreciação estética das suas perfeições (a cabeça, a fronte, a cabeleira, o rosto, a tez, os olhos), vistas como plenas de pureza e inocência, e realçadas pela mobilidade da expressão[14]. O olhar esteta do sedutor valoriza a vivacidade do rosto do objecto que contempla[15]. A mão da jovem, ao descalçar a luva, revela-se-lhe, como uma obra de arte antiga, esplendorosamente branca e bem esculpida (32). Mais adiante, Johannes atenta noutros pormenores do rosto da sua bela desconhecida: um bonito queixo, um pouco pontiagudo; uma boca pequena ornada de níveos dentes e de belos lábios, doces e sedutores; umas faces saudavelmente rosadas (36), um riso cheio de juventude, que condiz com uns olhos grandes e brilhantes, misteriosamente profundos, mas puros e inocentes, doces,

---

[13] S. Kierkegaard, *ibidem*, p. 28.

[14] "Ah! Comme elle est belle! (...). Sa tête, parfaitement ovale, s'incline un peu en avant, ce qui rehausse le front; celui-ci se dresse pur et fier, sans refléter d'aucune manière ses facultés intellectuelles. Ses cheveux foncés cernent tendrement et doucement le front. Son visage est comme un fruit, partout arrondi et replet; sa peau est transparente et mes yeux me disent qu'au toucher elle doit être comme du velours. Ses yeux (...) sont cachés derrière des paupières armées de franges soyeuses et crochues, dangereuses pour ceux qui cherchent son regard. Sa tête est comme celle d'une madone, imprégnée de pureté et d'innocence; elle s'incline comme la Madone, mais sans se perdre dans la contemplation de l'Unique, et il y a de la mobilité dans l'expression de son visage", *ibidem*, pp. 31-2.

[15] "Le front est un peu moins haut, le visage un peu moins régulièrement ovale, mais plus vivant", *ibidem*, p. 32.

calmos e joviais (61). O nariz, finamente arqueado, quando olhado de lado, revela-se-lhe mais pequeno, porém mais obstinado (61). Níveo é também o seu colo, embora quente e pleno (61). O cânone clássico desta beleza feminina é romanticamente sublinhado pela mobilidade e expressividade conferidas ao objecto, bem como pela busca da sua singular perfeição pelo olhar fascinado do sedutor esteta[16]. Este aspecto será desenvolvido ao longo da obra, quando o projecto de sedução já se encontra irremediavelmente em marcha e a intimidade entre os dois cresce. Não se trata da atracção artificial de uma sedutora, mas da atracção exercida sobre o sedutor pela beleza pura e fresca, assim como pela simples *toilete* matinal da jovem inocente[17], mas cuja sensualidade natural provoca involuntariamente a sensibilidade do sedutor[18]. Johannes sublinha ainda a importância do espaço envolvemte do objecto de desejo, no caso de Cordélia a familiar sala de visitas, espaço esse que, aos olhos do sedutor, a enquadra, a realça e reforça a sua rememoração (157-9). Este projecto de sedução inicia-se intencionalmente por uma forma de "erotismo espiritual", nas palavras de Johannes, e deve lentamente conduzir a jovem ao erotismo físico, manifestado numa recém-adquirida retórica corporal que envolve todo

16 "L'image que je possède d'elle semble être une image tantôt réelle et tantôt idéale de sa figure", *ibidem*, p. 64; "Je ne tiens pas du tout à la posséder au sens grossier, ce qui m'importe est de jouir d'elle au sens artistique", *ibidem*, pp. 128-9.

17 "(...) malgré ma cuirasse elle me fit une impression exceptionnellement forte. Quelle grâce elle avait dans sa robe d'intérieur en calicot, à rayures bleues et simple, avec une rose fraîche cueillie, non, la jeune fille en était une elle-même; (...) Elle paraissait si jeune et pourtant si parfaite (...) Elle était vraiment charmante, jeune comme une enfant et, pourtant, imprégnée de la noble dignité virginale qui commande le respect", *ibidem*, pp. 131-2.

18 "Je suis enivré de la pensée qu'elle est en mon pouvoir, une féminité pure et innocente, transparente comme la mer et pourtant profonde comme elle, ignorante de l'amour!", *ibidem*, pp. 136-7. "Comme la nature a royalement doté cette jeune fille! Ses chastes formes si douces, sa profonde candeur féminine, ses yeux clairs – tout m'enivre. (...) Mes yeux glissent sur elle doucement, sans convoitise, ce qui serait effronté. Une rougeur fine et fuyante, comme un nuage sur les champs, passe sur elle et dépérit lentement", *ibidem*, p. 140. "Assise sur mes genoux, son bras tendre et chaud jeté autour de mon cou, elle se repose sur ma poitrine sans que je sente un poids quelconque; ses formes douces me touchent à peine; sa taille ravissante, libre comme un nœud, m'enlace. Ses yeux se cachent sous des paupières, sa gorge est d'un blanc éblouissant comme la neige et si lisse que mes yeux n'y peuvent pas trouver de repos, car ils glisseraient si la gorge ne palpitait pas. (...) ses baisers sont fuyants comme ceux que le ciel donne à la mer, doux et tranquilles comme ceux que la rosée donne aux fleurs, solennels comme lorsque la mer caresse l'image de la lune", *ibidem*, p. 194.

o seu ser[19]. O inevitável abandono de Cordélia nos braços de Johannes[20] fá-la perder o encanto virginal que este lhe atribuía, sendo cruelmente abandonada após a conquista física, como todas as outras vítimas deste sedutor, uma vez perdida a principal qualidade que a atraía aos seus olhos[21].

Julien Sorel, sedutor seduzido pela beleza e pelo amor de Louise de Rênal e de Mathilde de la Mole, é um caso curioso de oscilação entre a vontade de agir de forma cerebral e calculista, por dever para com os seus princípios e o seu desejo de ascensão social, por um lado, e o amor que descobre sentir, pelo menos em certos momentos, por cada uma das duas mulheres da sua vida. Em ambos os casos, verifica-se que Julien, cujo retrato físico e psicológico corresponde já ao do jovem romântico pela sua singularidade e mobilidade[22], é inicialmente movido por uma atracção exercida sobre a sua sensibilidade por cada um destes dois objectos de desejo. Contudo, a beleza da jovem e altiva Mathilde de la Mole não conseguirá impôr-se, a seus olhos, ao encan-

---

[19] "Erotiquement elle est toute armée pour la lutte; elle y emploie les flèches des yeux, le froncement des sourcils, le front plein de mystère, l'éloquence de la gorge, les séductions fatales du sein, les supplications des lèvres, le sourire de ses joues, l'aspiration douce de tout son être. Il y a en elle la force, l'énergie d'une Valkyrie, mais cette plénitude de force érotique se tempère à son tour d'une certaine langueur tendre qui est comme exhalée sur elle", *ibidem*, pp. 217-8; ou ainda, "Quels charmes elle déployait, l'effort embellissant du jeu la rendait plus séduisante encore! Quelle harmonie pleine de grâce dans les mouvements si inconséquents! Quelle légèreté, – on dirait qu'elle dansait sur les prés! Malgré l'absence de toute résistance – quelle vigueur à s'y méprendre, jusqu'à ce que l'équipage explique tout, un dithyrambe dans l'attitude, et quelle provocation dans son regard!", *ibidem*, p. 231.

[20] "(...) elle se jettera dans mes bras, non pas comme si j'étais un amant, non, de manière tout à fait neutre; alors s'éveillera la féminité qu'on déniche pour l'amener à son élasticité suprême; on la fait se heurter contre quelque obstacle réel, elle passe outre; sa féminité atteindra un apogée presque surnaturel, et elle m'appartiendra avec une passion souveraine", *ibidem*, p. 85.

[21] "S'introduire comme un rêve dans l'esprit d'une jeune fille est un art, en sortir est un chef-d'œuvre", *ibidem*, p. 122; "Tout est fini pourtant, et je ne desire plus jamais la voir. Une jeune fille est faible quand elle a tout donné, – elle a tout perdu; car l'innocence chez l'homme est un élément négative, mais chez la femme c'est l'essence de sa nature. (...) Je ne veux pas lui faire mes adieux; rien ne me dégoûte plus que les larmes et les supplications de femme qui défigurent tout et qui, pourtant, ne mènent à rien. Je l'ai aimée, mais désormais elle ne peut plus m'intéresser. (...) Comme il serait donc piquant de savoir si on peut s'évader des rêveries d'une jeune fille et la rendre assez fière pour qu'elle s'imagine que c'est elle qui en a eu assez des rapports", *ibidem*, pp. 251-2.

[22] Cf. Stendhal, *Le Rouge et le noir*, *op. cit.*, pp. 46-7 (Julien, na apresentação inicial feita pelo narrador).

tamento nele progressivamente provocado por Mme de Rênal, também ela bela mas, sobretudo, de alma pura e nobre[23]. Tudo neste ser gracioso e doce o impressiona desde o primeiro momento: a graça do olhar, a grande beleza (55), a toilete cuidada, a tez esplendorosa, o ar doce (56), o perfume (57), a perfeição da mão e do braço (58-9). Lentamente, os sintomas físicos do enamoramento de Mme de Rênal por Julien sublinham a expressividade da sua beleza, influenciando a sensibilidade e a conduta do jovem sedutor: a palidez e os estremecimentos (67), o mal-estar provocado pelo ciúme não-confessado (74), os cuidados redobradamente coquetes com as toiletes estivais, de forma a realçarem os atractivos da sua figura (77), a mão que se retira com precipitação quando apenas involuntariamente aflorada (78-9). Mais adiante, à medida que a paixão de Mme de Rênal se intensifica, estes e outros sintomas são claros: ainda a toilete esmerada para agradar ao objecto do afecto, as reacções involuntárias do corpo da apaixonada (palidez, rubor, olhar ansioso, tremura da voz, etc. – cf. pp. 101-3). Interpretando estes sinais a seu favor, o ambicioso Julien decide-se a empreender a conquista de Mme de Rênal, querendo começar por lhe impor a entrega voluntária da mão na sua (79-82), contacto esse que ela acabará por aceitar e repetir, chegando mesmo a tomar a iniciativa ou a inquietar-se quando ele parece não corresponder (103). O passo seguinte no projecto de sedução de Julien consistirá na declaração amorosa que ele se impõe concretizar com brevidade (82). Contudo, o seu desejo intenso leva-o a cometer a loucura, "entraîné par le pouvoir de la beauté", de beijar impudicamente a mão e o braço sedutores de Mme de Rênal, mesmo correndo o risco de ser visto pelo marido, experiência que o deixou emocionalmente "dans une rêverie vague et douce", tal como Mme de Rênal, antes de ser assaltada pelo medo das consequências (91-4). Em seguida, este jovem ambicioso sente-se verdadeiramente determinado, e até mesmo no direito, de se tornar no amante de Mme de Rênal[24]. Continuando o seu plano de sedução, Julien concretiza a declaração amorosa[25] e, mais tarde, impõe-se o dever de beijá-la (106). A vitória completa não tardará muito, apesar da sua conduta desastrada, valendo-lhe a paixão e a inex-

---

[23] Cf. Stendhal, *Le Rouge et le noir*, *ibidem*, pp. 42-3, 54 (apresentação inicial de Mme de Rênal pelo narrador); pp. 55-9 (percepção da beleza de Mme de Rênal por Julien e vice-versa, no seu primeiro encontro); p. 95 (beleza, encanto e expressividade de Mme de Rênal); p. 114 (reforço da percepção apaixonada da beleza, física e moral, de Mme de Rênal por Julien).

[24] "Je me dois à moi-même d'être son amant", *ibidem*, p. 103.

[25] "Il faut bien que je parte, car je vous aime avec passion, c'est une faute… et quelle faute pour un jeune prêtre!", *ibidem*, p. 104.

periência de Mme de Rênal, bem como "l'impression imprévue qu'avaient produite sur lui des charmes séduisants" do objecto do seu desejo (110).

Mathilde de la Mole constitui o segundo objecto de desejo do ambicioso Julien, sobretudo quando este se sente desprezado por ela. De carácter orgulhoso e altivo, esta bela jovem aristocrata de 19 anos começa por não lhe agradar, pois as suas perfeições físicas, nomeadamente os seus belos e arrebatados olhos, grandes e azuis, parecem esconder, segundo a percepção de Julien, uma grande frieza de alma[26], contrastando com os de Mme de Rênal, iluminados sobretudo pelo fogo das paixões (258). Contudo, decide-se a seduzir Mathilde e a abandoná-la em seguida[27]. Lenta e progressivamente, Julien oscila entre o desagrado inicial em relação ao carácter de Mlle de la Mole e a atracção por este objecto sedutor, do qual aprecia os adoráveis encantos corporais: a figura, o pé, a graciosidade dos movimentos (328), as mãos, os braços, o seu porte de rainha colocam-no quase aos pés de Mathilde, "anéanti d'amour et de malheur" (355)[28]. Até à sua trágica morte, Julien Sorel sentirá a atracção destes dois objectos sedutores, mas o seu sentimento amoroso, finalmente assumido, fixar-se-á na doce e apaixonada Louise de Rênal (que morre logo após).

Werther é o paradigma do jovem apaixonado romântico[29], seduzido pelo encantamento que a primeira imagem vislumbrada de Lotte, simultaneamente virginal e materna, exerce sobre a sua exacerbada sensibilidade. No início do romance, Werther revela-se fascinado com

---

[26] "(...) il aperçu une jeune personne, extrêmement blonde et fort bien faite, qui vint s'asseoir vis-à-vis de lui.Elle ne lui plut point; cependant en la regardant attentivement, il pensa qu'il n'avait jamais vu des yeux aussi beaux; mais ils annonçaient une grande froideur d'âme (...)", *ibidem*, p. 257. "Mais, même quand ses beaux yeux bleus fixés sur moi sont ouverts avec le plus d'abandon, j'y lis toujours un fond examen, de sang-froid et de méchanceté. Est-il possible que ce soit là de l'amour? Quelle différence avec les regards de Mme de Rênal!", *ibidem*, pp. 323-4.

[27] "Eh bien, elle est jolie! (...). Je l'aurai, je m'en irai ensuite, et malheur à qui me troublera dans ma fuite!", *ibidem*, p. 315.

[28] Cf. igualmente pp. 419-20 e 422-3, onde podemos, uma vez mais, detectar os efeitos de atracção exercidos sobre o sujeito desejante pela retórica do corpo sedutor do seu objecto de desejo e que quase o levam a ceder às súplicas e ao ciúme apaixonado de Mathilde: cabeleira desalinhada, pescoço de alabastro, faces pálidas, ombros encantadores (*Ibidem*, pp. 419-20), olhar, lágrimas, fisionomia alterada pelo ciúme e pela forte emoção passional (*ibidem*, pp. 422-3).

[29] Cf. Stendhal, "Werther et Don Juan", *De l'amour* (Paris: Garnier-Flammarion, 1965), pp. 234-42 e Roland Barthes, *Fragmentos de um discurso amoroso* (Lisboa: Edições 70, 1981).

as sensações e emoções nele despertadas pela contemplação eufórica da Natureza esplendorosa, signo da presença divina no mundo, e que o coloca simultaneamente num estado de serenidade, de felicidade e de êxtase, propício a uma vida contemplativa e artística, mas também ao enamoramento. Com efeito, o jovem é vítima de um "coup de foudre" quando vê Lotte pela primeira vez e, a partir desse momento fatal, toda a sua existência será em função dela, afirmando sempre a superioridade da sua paixão sobre todas as convenções sociais. A sensibilidade e o sentimento exacerbados de Werther são totalmente cativados pelo encantamento produzido pela perfeição deste objecto feminino, anjo adorável[30], tesouro que reúne as qualidades da jovem virginal e da mãe. Werther é seduzido pela simplicidade da imagem em movimento da bela jovem rodeada dos irmãos menores, a quem distribui fatias de pão, antes de sair para um baile (19). A percepção de Werther começa por atentar na simplicidade da toilete (um vestido branco ornamentado com laços rosa[31]), no charme da figura, da voz e da atitude (19) deste objecto sedutor, inteligente e de carácter (21). Em seguida, os seus olhos negros[32], os lábios vivos e as faces frescas e animadas, a par do seu discurso interessante (22), exercem um fascínio inusitado sobre Werther, bem como o arrebatam a leveza e a graciosidade dos movimentos do seu corpo durante a dança (22-5). O resultado imediato, após este encontro, é o da plenitude existencial conferida pelo êxtase da paixão (28), que o levará posteriormente à sua exaltação e à do objecto amado (88-90). A sensualidade difusa que resulta do contacto fortuito dos dois corpos (os dedos, os pés, as mãos, as bocas durante a conversa) provoca no apaixonado um ardor e um estremecimento que o conduzem à torturadora vertigem do êxtase sagrado (41). Contudo, a imagem de Lotte torna-se obsidiante e sinónimo de sofrimento quando a percebe inatingível (111)[33]. Perto do final, o der-

---

30 Gœthe, *Werther, op. cit.*, pp. 17-8.

31 Um destes laços rosa, oferecido por Lotte no aniversário de Werther e por ele coberto de apaixonados beijos (*ibidem*, p. 61), constituirá um objecto fetiche, substituto da posse do objecto amado e dos momentos de felicidade passados na sua presença, com o qual deseja ser enterrado (*ibidem*, p. 150). Também a réplica do fato fetiche azul e amarelo, usado no primeiro encontro com Lotte, será a escolha para o momento do suicídio (*ibidem*, p. 94; p. 150).

32 Cf. *op. cit.*, pp. 40-41: Werther diz ler nesses olhos negros um verdadeiro interesse de Lotte por ele, interpretado como amor, pois isso é o que ele mais deseja. Já na p. 97 o apaixonado afirma que a visão destes olhos negros é tudo quanto basta à sua felicidade.

33 Também a imagem disfórica da Natureza se apodera, a pouco e pouco, desta alma hiper-sensível, à medida que se dá conta da impossibilidade da sua paixão, prenunciadora de um desenlace fatal – *ibidem*, pp. 62-63; p. 90.

radeiro, e o mais ousado, contacto com o corpo sedutor de Lotte é originado pelas fortes emoções despertadas em ambos pela leitura conjunta de Ossian. Revendo-se na desesperada situação cantada no poema, os dois apaixonados vertem amargas e abundantes lágrimas que forçam a interrupção da leitura. Então, Werther toma a mão de Lotte e cobre de beijos o seu braço (138). Reiniciando a leitura a pedido de Lotte, imediatamente a interrompe de novo para se jogar aos seus joelhos, no maior desespero, tomar-lhe as mãos, abraçá-la e beijá-la sem que, de início, ela oponha resistência. Porém, Lotte recompõe-se do choque e da emoção e obriga-o a parar, retirando-se em seguida (139). Para o apaixonado Werther, no cúmulo do desespero, esta recusa final de correspondência amorosa e de qualquer novo encontro por parte do objecto do seu desejo determinará a escolha do suicídio.

A **retórica do corpo sedutor**, nos três exemplos que escolhemos, revelou o poder fascinante exercido pelo objecto de desejo sobre o sujeito desejante, sedutor libertino ou apaixonado, o qual interpreta os sinais consciente ou inconscientemente emitidos no sentido mais conveniente aos propósitos de satisfação do seu desejo, agindo em conformidade.

Configurações retóricas pré-românticas do corpo e da paisagem

João Carlos Firmino Andrade de Carvalho
Universidade do Algarve

Em ***Homme Nu Tenant une Pique*** (1816)[1], de Théodore Géricault (1791-1824), prende-nos, de imediato, a relação que se estabelece entre a nudez de um corpo masculino, em primeiro plano, e a paisagem rochosa e montanhosa, em segundo plano. Que corpo e que paisagem são estes? Que relação entre eles? A postura representada expõe a nudez de um homem sentado sobre uma rocha, cujo corpo está de perfil, embora ligeiramente virado para a frente, notando-se uma leve curvatura do tronco apoiado sobre uma lança; inversamente à rotação do tronco, a cabeça surge ligeiramente virada para trás, de tal maneira que mal adivinhamos o seu perfil. Géricault esconde-nos o seu olhar que, na penumbra, se fixa nos cumes longínquos das montanhas rochosas. Os traços da sua cabeça (cabelo; parte do rosto visível) sugerem-nos a de um provável homem do século XIX. A representação anatómica da nudez masculina também não é exactamente a da nudez clássica. À luminosa claridade da parte do seu corpo mais exposto em primeiro plano, contrapõem-se os tons escuros das montanhas. Um céu semi-sombrio completa o quadro do pintor francês. De tudo isto, toca-nos a solidão estática de um homem cuja nudez expõe o seu despojamento material, a sua fragilidade humana, mas que parece querer compartilhar o seu olhar apenas com a Natureza (também ela despojada), de tal maneira parece estar absorto nela. É esta comunhão pensativa, nostálgico-melancólica e interiorizada, com a paisagem natural, que prefigura uma maneira romântica

---

[1] Óleo sobre tela; 93,6cm x 75,5cm; National Gallery of Art, Washington D.C.

da representação pictórica. Contudo, o modelo clássico da representação pictórica não nos parece estar inteiramente ausente (no gosto pela representação da nudez, pela descrição anatómica do corpo humano, no claro-escuro, na pose ambiguamente guerreira e bucólica: note-se que se apoia numa lança que serve de báculo, um pouco como o pastor que se apoia no seu cajado, curvado com o peso da existência humanamente trágica.) Um corpo que se dá a ver numa pose convencional e um rosto/olhar que se esconde na Natureza. Esta maneira dominantemente romântica com referências clássicas configura uma estética pré-romântica ou do dealbar do romantismo, e é deste modo que Géricault costuma ser identificado. É conhecido, por um lado, o seu gosto por Miguel Ângelo e, por outro, o modo por que o seu quadro ***Le Radeau de la Méduse*** (1819) foi recebido como um *manifesto romântico*, não sendo por acaso que Delacroix lhe tenha votado tanta admiração.

É sabido, igualmente, como certas categorias assumem um carácter transperiodológico, como é o caso do *trágico*, do *épico* ou do *realismo*, o que não impede que, por exemplo, o Classicismo lhes tenha dado uma feição e o Romantismo outra.

Perdoe-se-me este atrevimento de crítico de arte pictórica, que evidentemente não sou, mas é a propósito das fronteiras entre o neoclassicismo e o romantismo que vos quero aqui falar um pouco, a partir de alguns exemplos literários.

Para tal, gostaria de começar por convocar aqui um texto de Helena Carvalhão Buescu[2] onde, para responder à questão de saber se existe uma descrição romântica da paisagem, começa por sintetizar a funcionalidade da *descrição*, desde o período medieval à época clássica, sublinhando como os modelos da Antiguidade se impuseram naqueles períodos, colocando a *descrição* como *serva da narração* ou confinando-a a géneros ou processos específicos (a hagiografia, a historiografia, a enumeração na época medieval; a pastoral, a partir do século XVI; retratos e memórias, no século XVII; poema didáctico e impressões de viagens, no século XVIII), sendo a referida descrição, de qualquer modo, dominantemente sentida como marginal, um resto incómodo, uma definição imperfeita do real. Tal paradigma clássico sofrerá algumas alterações no século XVIII e, com o advento do Romantismo, a descrição passa de aspecto lateral, complementar, a aspecto central e incontornável da sua poética. Helena Buescu falará,

2 Helena Carvalhão Buescu, "Existe-t-il une description romantique du paysage?", (*Ariane, Revue d' Études Littéraires Françaises* nº 5, Lisbonne: G.U.E.L.F., Faculté des Lettres, Université de Lisbonne, 1987).

então (com Ohmann e com George Klein), numa percepção romântica "de tipo *sharpening* da singularidade e da diversidade"[3].

Deixemos, por ora, o texto de Helena Buescu e centremo-nos na literatura portuguesa do século XVIII, com o movimento arcádico de Correia Garção, Esteves Negrão e António Dinis da Cruz e Silva (membros da chamada *Arcádia Lusitana*).

No caso de Correia Garção (*Córidon Erimanteu*), encontramos, por exemplo, quer uma visão tipicamente neoclássica assente na descrição realista de um serão burguês no soneto "O louro chá no bule fumegando", em que pontuam a natureza morta e a paisagem humana envoltas no ideal horaciano do *carpe diem*, quer a recriação de um episódio do *Livro IV* da ***Eneida*** de Virgílio patente na conhecida "Cantata de Dido" (inserta na comédia ***Assembleia***), onde os ingredientes clássicos se podem enquadrar na sensibilidade estética pré-romântica (gosto pela tragicidade humana; presença do horror, das aves agoirentas e da *morte por amor* como clímax). Será por acaso que Almeida Garrett tanto tenha exaltado esta mesma *Cantata*?

Contudo, expandindo uma sugestão de António José Saraiva e Óscar Lopes[4], não haverá para o primeiro caso (o do soneto) uma intencionalidade irónica (e portanto, funcionaria a desconstrução, através da estilização, do modelo horaciano) e, para o segundo caso (o da *Cantata*), uma intencionalidade herói-cómica (e portanto, funcionaria a desconstrução, através da estilização, do tema mitológico de Dido)? Não respondendo a esta questão, gostaríamos de passar a um outro exemplo que nos é dado por Cruz e Silva (*Elpino Nonacriense*).

Com os sonetos deste árcade, deparamo-nos com aquilo que Helena Buescu[5] chamaria de *descrição com um carácter didáctico-moralista*, centrado no novo exotismo brasileiro (elogio tropicalista e censura da ganância humana no que diz respeito à exploração do ouro brasileiro). No caso das suas doze ***Metamorfoses***, enquadram-se as impressões/sensações da realidade exótica brasileira na mitologia tranquilizadora (a referência intertextual é, naturalmente, a das ***Metamorfoses*** de Ovídio). Concordo plenamente com Maria Luísa Malaquias Urbano, que afirma estar Cruz e Silva aqui mais próximo do *homem natural* iluminista do que do índio *bom selvagem* rousseauniano e romântico.[6]

---

3 Helena Carvalhão Buescu, *op. cit.*, p. 115.

4 António J. Saraiva e Óscar Lopes, *História da Literatura Portuguesa* (Porto: Porto Editora, 11ª edição), p. 649.

5 *Ibidem.*

6 Maria Luísa M. Urbano, "Introdução", *Obras de António Dinis da Cruz e Silva* (Lisboa: Edições Colibri, 2001, Vol. II), p. 13.

Veja-se o exemplo de "Pequi e Guarará" (*XIª Metamorfose: Os Pingos da Água e o Crisopraso ou o Pequi e Guarará*)[7]: o amor de Pequi, a bela Ninfa do sertão brasileiro, e de Guarará, "um garção robusto e destro", é perturbado pela intervenção de um terceiro – o Piauí, o rio apaixonado por Pequi; esta paixão não correspondida desemcadeia o ciúme, a inveja e o ódio pelo rival; procurando, assim, tomá-la pela força o desenlace trágico só podia corresponder ao assassinato de Guarará, aos rogos desesperados da infeliz Pequi que pede aos Numes Sagrados o fim da sua própria vida, o que realmente acontece: a Ninfa Pequi metamorfoseia-se num duro tronco, as suas lágrimas transformam-se em pedras preciosas, o mesmo acontecendo com o amante assassinado; assim, "a carpir se meteu (Piauí, o Rio) na umbrosa gruta".

Ninfas, Náiades, Dríades, Pastores e Faunos surgem-nos em enleios amorosos animando os exóticos "décors" brasílicos, descritos pelo poeta numa óptica naturalista e ecológica (que desembocará no indianismo e no ufanismo, traços originais da literatura brasileira, como lembra Maria Leonor Carvalhão Buescu[8]). Cruz e Silva, aliás, embrenhando-se pelos sertões adentro, terá recolhido muita informação etnográfica (vocabulário e costumes gentílicos) que, sem dúvida, vazou na sua obra poética, assim como muita informação naturalista que terá dado origem a dois volumes de História Natural (sobretudo sobre mineralogia)[9].

Mas também é certo que a noção de *metamorfose* inserida neste novo contexto de diversidade de sensações é desestabilizador de uma ordem tranquilizadora "à maneira clássica", e é precisamente por aqui que nos parece haver a possibilidade de fissura (in)consciente no sistema de representação clássica. Se a imitação dos Antigos não pode ser servil, na perspectiva árcade (*vide* ***Dissertação Terceira*** ou a ***Sátira II*** de Correia Garção), vemos aqui como uma das possibilidades de liberdade em relação aos modelos, reside numa atenção especial a este novo real (através da animização e da personificação, cria-se a transfiguração mágica de uma natureza luxuriante que excita os sentidos e a imaginação). A atitude pitoresca/*pinturesca* abre lugar a um *realismo da singularidade e da diversidade* que não desagradaria à percepção *sharpening* de um bom romântico, para o qual mais importante que a classe do objecto descrito é a sua irredutível e concreta

7 *Obras de António Dinis da Cruz e Silva* (Lisboa: Ed. Colibri, 2001, Vol. II), pp. 319-322.

8 Maria Leonor Carvalhão Buescu, *Literatura Portuguesa Clássica* (Lisboa: Universidade Aberta, nº 49, 1992), p. 226.

9 Maria Luísa M. Urbano, "Introdução" *op. cit.*, Vol. I, p. 13.

particularidade para o observador (intersubjectividade estabelecida entre o sujeito/homem e o objecto/natureza). É certo que, como demonstrou Aníbal Pinto de Castro[10], Cruz e Silva foi um dos mais duros críticos de Francisco de Pina e Melo (1695-1773) pelo apego deste último à retórica barroca, ainda que em compromisso com a moderação e liberdade árcades. Tal compromisso entre duas épocas permite a este poeta e erudito, por exemplo, "preconiza(r) o uso do estilo humilde na poesia bucólica"[11], na linha dos ***Idílios*** de Teócrito, das ***Éclogas*** de Rodrigues Lobo e das poesias rústicas de D. Francisco Manuel de Melo, contrariando o modelo de Camões e de Virgílio (em que os pastores falariam como gente das cidades, quase eruditos). Compreende-se, assim, que Pina e Melo adopte o estilo humilde na sua ***Bucólica***[12]. Registe-se, a este propósito, que Aníbal Pinto de Castro vê precisamente no apego barroco deste neoclássico a preparação do terreno para a sensibilidade pré-romântica. Em termos retóricos, tal relação do barroco tardio com o romantismo vê-a A. Pinto de Castro pelo lado dos *afectos* e das *emoções*, ou seja, na revalorização aristotélica do *mouere* (para a transformação dos afectos) tão esquecido pela importância concedida ao *docere* racionalista neoclássico (na linha das ***Instituições Oratórias*** de Quintiliano e de Luís António Verney). E não esqueçamos a importância de uma outra noção no século XVIII português – a do sublime –, à qual não é alheia a revalorização do ***Tratado do Sublime*** do Pseudo-Longino ou a revalorização da ***Art Poétique*** de Boileau (séc. XVII). Cremos que uma síntese de Pinto de Castro ganha aqui particular relevo:

> A progressiva valorização do sublime, dos afectos e da fantasia, de modo a transformar o discurso em arma destinada, não tanto a ensinar (*docere*), mas sobretudo a comover (*movere*), constitui, pois, um contributo de inegável importância para a renovação trazida pelo pré-romantismo que se aproxima. Estabelecera a Retórica clássica três finalidades essenciais à eloquência: *docere*, *delectare*, *movere*. A estética dos renascentistas procurara conjugá-las em equilibrada harmonia. O barroco exaltara o *delectare* para deixar em segundo plano o *movere* e quase esquecer o *docere*. Vem depois o racionalismo iluminista que, cominando severas penas contra o *delectare* como fim em si, endeusa o *docere*, fazendo dele a condição inevitável do *movere*. À medida, porém, que, passados os ardorosos entusiasmos da polémica

---

[10] Aníbal Pinto de Castro, *Retórica e Teorização Literária em Portugal. Do Humanismo ao Neoclassicismo* (Coimbra: Centro de Estudos Românicos, Faculdade de Letras de Coimbra, 1973), p. 659.

[11] *Ibidem*.

[12] *Ibidem*.

anti-barroca, surge a convicção da inestética secura da verdade quando elevada a nume tutelar e exclusivo da literatura, o *movere* atrai a sensibilidade pré-romântica, que chama o *delectare* a coadjuvar o orador na melindrosa tarefa de tocar os corações dos ouvintes, através dos afectos.[13]

Deixando de lado outras figuras (como a Marquesa de Alorna ou Anastácio da Cunha), já o caso de Bocage é completamente diferente dos abordados anteriormente, pois aqui estamos, simultaneamente, perante um claro árcade (o *Elmano Sadino*) e um claro pré-romântico ou, dito de outro modo, um pré-romântico (em termos de sensibilidade e de opções temáticas, com algumas consequências estilísticas) que ficou preso das convenções formais clássicas (aqui residirá a sua *limitação* ou a sua *originalidade*). Se, nos outros géneros líricos que cultivou (Odes, Elegias, Alegorias, Epístolas, Panegíricos, etc.), é a retórica árcade pouco imaginativa que ressalta aos nossos olhos, nos sonetos vemos, quer o que de melhor produziu em termos do modelo clássico, quer o que de mais pré-romântico apresenta na sua obra. Se, por exemplo, no soneto "Convite a Marília", a descrição da paisagem bucólica, em que se insere o par amoroso, assenta no tópico do *locus amoenus*, no soneto "Insónia", a descrição da paisagem assenta no *locus horrendus*, surgindo o amor infeliz como causa de uma identificação total do sujeito lírico com os "cortesãos da escuridade/Fantasmas vagos, mochos piadores, inimigos, como eu, da claridade!" e a noite como única confidente possível para a expressão de uma inquietude e desassossego interiores. O corpo (interior e exterior), apresentado pelo sujeito lírico no soneto conhecido como "Auto-Retrato" ("Magro, de olhos azuis, carão moreno"), é também já um corpo desalinhado, não harmónico, "mais propenso ao furor do que à ternura", mais propenso ao erotismo lânguido e demoníaco (e não esqueçamos toda a sua produção erótico-pornográfica), do que à proporcionalidade clássica e ao amor bucólico.

O século XVIII europeu é um século complexo[14], nomeadamente em termos literários, e a perspectiva comparatista mostrará isso mesmo. Mas, no caso português, talvez ainda mais complexo se pode revelar, pois, se não quisermos cair no reducionismo das etiquetas e sub-etiquetas periodológicas, verificaremos que há autores cujas obras procuram apenas obedecer à nova cartilha iluminista ou à nova cartilha árcade, outras revelam um neoclassicismo gongorizante, que

[13] Aníbal Pinto de Castro, *op. cit.*, p. 669.

[14] Vítor Manuel de Aguiar e Silva, *Teoria da Literatura* (Coimbra: Livraria Almedina, 1982, 4ª edição), p. 499.

pode, nalguns casos, ser uma forma de abertura para novas perspectivas estético-literárias (inconscientemente), outras ainda revelam um deslocamento claramente orientado para algo novo, mas sem que isso corresponda a uma consciência plena de integração num movimento programático, numa escola, como a romântica. Relembre-se que o século XVIII português mescla um barroquismo tardio com algum seguidismo neoclássico em relação a França (de que são exemplo os Estrangeirados) ou a Itália (de que são exemplo os Árcades), tendo dado origem a pouca originalidade, exceptuando, naturalmente, alguns casos. Por outro lado, sente-se a falta de um Jean-Jacques Rousseau (ex: ***Rêveries du promeneur solitaire***; ***Les Confessions***), de um movimento como o "Sturm und Drang" alemão (1767-1785: Hamann, Herder, os românticos-clássicos Schiller e Goethe) e dos ingleses que lhe estão na origem (James Macpherson e a *questão de Ossian ou da falsificação da história literária*), para podermos ter, entre nós, uma escola pré-romântica como na Alemanha, na Inglaterra e em França.

Gostaríamos de terminar esta intervenção com a abordagem do género *narrativa de viagens,* no século XVIII. Em Portugal, ao contrário de outras épocas, a literatura de viagens já não tem a pujança que conheceu. Ao contrário de outros povos europeus neste século[15], os portugueses viajaram pouco ou, pelo menos, viajaram pouco pela Europa. O género encontra-se em decadência entre nós, mesmo considerando excepções como ***O Piolho Viajante***[16], novela pseudo-pícara tardia, publicada no princípio do século XIX (mas cuja matéria respeita aos finais do século XVIII), que se assume como paródia do género em que se integra. Ora, é precisamente nesta linha *parodística*, mais ou menos consciente, que vamos assistir à produção ou à tradução de textos de literatura de viagens que, no século XVIII, muito circularam em Portugal sob a forma de literatura de cordel (veja-se o caso do folheto de cordel anónimo, intitulado ***Notícia verdadeira e curiosa do naufrágio sucedido (...) ao filósofo Carolino e do encontro que teve com uma Mulher que viveu 17 anos na companhia de um façanhoso bicho junto dos montes Mauritanos***).[17]

Pelo contrário, noutros países europeus, vamos encontrar, em grande quantidade, quer a produção de narrativas de viagem pela Europa

---

[15] Cf. Henry Fielding, *The Journal of a Voyage to Lisbon, 1755* (Dent, London, Dutton, New York: Everyman's Library, 1973).

[16] Obra de autor anónimo ou atribuída a António Manuel Policarpo da Silva.

[17] João Carlos Firmino Andrade de Carvalho, "Ciência e Alteridade num folheto de cordel do século XVIII", *Literatura de Viagem – Narrativa, História, Mito*, Actas do Colóquio Internacional org. por Ana M. Falcão, Maria T. Nascimento e Maria L. Leal, na Universidade da Madeira (Lisboa: Ed. Cosmos, 1997), pp. 99-105.

com um carácter educativo sério, quer a *sua parodização literária*, na linha de Voltaire (***Candide***; ***Zadig***; ***Micromégas***) e, sorbtudo, de Diderot (***Jacques, le fataliste***). Um dos casos mais interessantes é o de Laurence Sterne (1713-1768), autor de ***Tristram Shandy*** (1759-1767) e de ***A Sentimental Journey*** (1768)[18]. É a propósito desta última obra que queremos, brevemente, dizer algumas palavras, enquanto manifestação da sobrevivência paródica da narrativa de viagens que, no século XVIII, nos mostra uma perspectiva pré-romântica, assente na *retórica do sentimentalismo e da sensibilidade*. De facto, nesta novela impressionista, como refere Manuel Portela[19], Yorick (nome shakespeariano do narrador, inspirado numa personagem de ***Tristram Shandy***) parodia "certas convenções da viagem, do viajante e da história da viagem", propondo "outro modo de viajar e outra maneira de contar a viagem". Acrescenta Manuel Portela, a propósito de ***Uma Viagem Sentimental***:

> Mais uma vez, como em *Tristram Shandy*, o centro da acção vai deslocar-se para o interior e para o quotidiano. Não são os belos edifícios e as belas vistas que interessam ao viajante sentimental, mas o acaso dos encontros humanos e os sentimentos que estes despertam. Também não são os acontecimentos extraordinários, mas os pequenos contratempos e as acções rotineiras do dia a dia do viajante o que faz mover o trem da carruagem narrativa. A dilatação quase obscena do tempo e a fragmentação da história, embora muito menos usada do que em *Tristram Shandy*, continua a ter alguns momentos magníficos.(...) Um erotismo constantemente frustrado, parece ser o que define a ligação de Yorick ao mundo.(...) // É desta combinação de observação social, introspecção psicológica e desejo sexual que um novo tipo de narrativa de viagens vai emergir, explorando a retórica da sensibilidade e do sentimento.[20]

Corpo e *paisagem* surgem aqui condicionados pela impressão, sensação imediata e subjectiva do narrador Yorick. Personagens, tempo, espaço e acção surgem à completa mercê da manipulação de um autor-narrador que tem prazer em experimentar as possibilidades formais da linguagem literária (desconstrução do signo; ironia; paródia; intertextualidade). Tal espécie de *formalismo experimental*, filiado numa tradição que vai, pelo menos, de Rabelais (***Gargantua***; ***Pantagruel***) a Garrett (***Viagens na Minha Terra***), passando por Claude Crébillon (recorde-se que Sterne cita ***Les Égarements du Coeur et de l'Esprit***) e

---

[18] Laurence Sterne, *A Sentimental Journey Through France and Italy* (s.l.: Wordsworth Classics Editions, 1995).

[19] Manuel Portela (trad. de), "Prefácio – Yorick, ou o turista sentimental", *Uma Viagem Sentimental* (Lisboa: Edições Antígona, 1999), p. 13.

[20] *Ibidem*, pp. 15-16.

Xavier de Maistre (***Voyage autour de ma chambre***), opõe-se ao tradicional *realismo* da novela inglesa do século XVIII. O real, a Natureza, não é tanto o que "lá está", mas mais o que "para mim lá está" ou o que "em mim desperta", num jogo incessante com o leitor acerca das possibilidades em aberto ("that I leave to the reader to devise", na versão inglesa citada, p. 97; "isso deixo eu ao leitor que imagine", na tradução portuguesa citada, p. 218). A *descrição* assume aqui o primeiro plano, e a **paisagem descrita** é a da interioridade do "eu" na sua relação com o real circundante e com os outros – contudo, esse *real* é o da particularidade pertinente a uma alma sensível, e, nesses *outros,* o que interessa é a sua intimidade, a sua nudez, a sua alma (ver, na tradução portuguesa citada, p. 138[21]; p. 140[22]; p. 155[23]; p. 172[24]; p. 180[25]). A relação amorosa, erótica, o **corpo feminino**, são também algo de permanentemente diferido que mantém o desejo intacto; é mais a possibilidade da relação do que o facto em si mesmo considerado que atravessa a narrativa (vejam-se os exemplos da bela

---

21 *Ibidem*, p. 138 (**Processo de Particularização do Real**): "O Pássaro na gaiola continuou a atormentar-me até ao quarto; sentei-me à mesa e apoiando a cabeça inclinada sobre a mão, comecei a imaginar os padecimentos do cárcere. Estava na disposição certa para tal e por isso dei rédea solta à imaginação. // Começaria pelos milhões de criaturas minhas semelhantes que nasceram apenas para a escravatura; mas sentindo que, por muito comovente que a imagem fosse, não a conseguia aproximar de mim, e que a multidão de gentes dignas de dó nela estampada só me distraía. // – Agarrei num único cativo e, depois de o encerrar na masmorra, olhei em seguida pelo crepúsculo da sua porta de grades para lhe traçar o retrato" (na versão original: Laurence Steme, *Op. cit.*, p. 57).

22 Manuel Portela, *Op. cit.*, p. 140 (**A Viagem pelo interior de Si Mesmo**): "Como não há nada nesta estrada, ou antes, nada do que eu procuro quando viajo, não posso preencher melhor este espaço em branco do que contar a breve história desse mesmíssimo pássaro que serviu de tema ao último capítulo" (na versão original: Laurence Steme, *Op. cit.*, p. 58).

23 Manuel Portela, *Op. cit.*, p. 155 (**A Nudez da Alma dos Outros**): "É por esta razão, Monsieur le Compte, continuei, que não fui ver o Palais Royal – nem o Luxembourg – nem a Fachada do Louvre – nem tentei engordar o catálogo que temos de pinturas, estátuas e igrejas – vejo cada bela criatura como um templo, e antes queria entrar aí, e observar os desenhos originais e os esboços livres aí pendurados, do que ver a transfiguração do próprio Rafael" (na versão original: Laurence Steme, *Op. cit.*, p. 66).

24 Manuel Portela, *Op. cit*, p. 172 (**Outro exemplo de particularização do real**): "(...) a ver todos os que por ali passavam e a fazer conjecturas acerca deles, até a minha atenção se fixar num objecto particular (...)" (na versão original: Laurence Steme, *Op. cit.*, p. 74).

25 Manuel Portela, *Op. cit.*, p. 180 (**A questão do *Sentir* Romântico**): "Mas temos de *sentir*, e não argumentar nestas provações (...)" (na versão original: Laurence Steme, *Op. cit.*, p. 78).

Senhora viúva em Calais; da bela Costureira de Paris; da "fille de chambre" de Madame R****; etc.). No fundo, o mesmo se passa com a escrita literária para Sterne: não é tanto a *escrita da aventura* que lhe interessa, mas a *aventura da escrita*. O desejo da escrita, tal como o desejo amoroso, precisa de obstáculos que incentivem a imaginação, tal como a dificuldade de Yorick em decifrar o fragmento, eventualmente rabelaisiano, apenas lhe aumentava mais o desejo de o tentar. Estamos, pois, em pleno jogo da sedução, terreno privilegiado da literatura.

Deslizamentos afectivos da paisagem e do eu

Teresa Cristina Cerdeira
Universidade Federal do Rio de Janeiro

> O que está fora de mim está justamente em mim, é meu – e inversamente.
>
> Novalis

Antes de enveredar por um tema indiscutivelmente romântico que é o do tratamento da paisagem na sua relação especular com o sujeito lírico, caberia previamente ter em conta o próprio sentido do conceito de *romantismo*. Não haverá termo mais utilizado no que se refere, por exemplo, ao estudo do lirismo do que os termos *romantismo* ou *romântico* ou outros derivados menos frequentes mas igualmente possíveis. É que na verdade o termo *romantismo* pode vir historicamente datado, e, nesse caso, ele se concentrar-se-ia numa faixa de transição, como uma espécie de charneira entre o Antigo Regime e o Liberalismo, se levarmos em conta a sua dimensão política; entre uma era pré-industrial e o advento de uma civilização marcadamente urbana e fundada na economia de mercado, se tomarmos por base a sua dimensão propriamente económica; entre os arroubos de uma utopia libertária cantada pelos intelectuais revolucionários e a sua consequente desilusão pelo naufrágio dos ideais anteriormente defendidos no domínio inevitável das maiorias dirigentes, em outras palavras, num tempo de desmantelamento dos valores burgueses, se considerarmos a questão na sua dimensão ético-social. Se o romantismo histórico pode, enfim, situar-se nessa determinada fatia do percurso do homem ocidental, mais ou menos datável, haverá certamente um outro conceito de *romantismo* que, por sua dimensão de busca do ilimitado; de aspiração por um tipo de vivência orientada pelo sentimento desmedido e múltiplo mais do que pela razão totalizadora, única e, por isso mesmo, castradora; de consciência insatisfeita com a pequenez da condição humana necessariamente imperfeita, ambivalente, inacabada, ansiosa, entretanto, de perfeição e de aspiração do infinito, ganha foro de categoria universal a dar conta do conflito do sujeito e de uma interioridade exacerbadamente contraditória.

De certo modo, tocar nessa fluidez do termo é já preparar o terreno para um dos deslizamentos afectivos da paisagem e do eu numa esfera romântica, que pode não ser necessariamente a dos limites históricos do estilo de época. Mais ou menos no foro de *Racine et Shakespeare*, panfleto stendhaliano – hoje considerado praticamente canónico – que, ao falar de romantismo, explode as convicções de escola com a afirmativa iconoclasta: "TOUS LES GRANDS ÉCRIVAINS ONT ÉTÉ ROMANTIQUES DE LEUR TEMPS", privilegiando o segundo autor em detrimento do primeiro, a partir da sua marca definitiva de "modernidade"; mais ou menos nesse foro, repito, é que me permitirei utilizar aqui o termo *romântico*, apesar de tomar, como ponto de partida, alguns poetas que combinam a dimensão psicológica do termo com as suas balizas históricas.

A literatura do período romântico é também, ela própria, ambivalente, porque se, por um lado, é espaço activo de denúncia diante da insatisfação com a realidade, funciona por outro lado, como abrigo do ideal decepcionado, refúgio das aspirações insatisfeitas, espaço de fuga e sonho, quer na dimensão do tempo, quer na dimensão do espaço. Nesse sentido é que o gosto da paisagem ganha um estatuto que está longe de ser acessório, mero enquadramento das acções ou dos conflitos do eu. Nesse primado da interioridade, que exacerbará o espaço consagrado ao sujeito na sua relação dinâmica com o universo, nesse avultamento de uma egolatria – ilimitada e infinita – que faz do não-eu um universo apreensível e cognoscível a partir da dominação da experiência subjectiva, a paisagem, e muito especialmente a paisagem natural, funcionará como projecção do sujeito lírico, no mais das vezes filtrada pela emoção, pela experiência, pela história e pela sensibilidade de quem a observa e descreve, de quem a explora, integra, hierarquiza, de quem, enfim, a reconfigura a partir do lastro da sua interioridade.

O lugar primordial que a paisagem ocupa no Romantismo pode ser resgatado a partir de alguns poemas emblemáticos. Entre eles, muitos são os que, obedientes a um ideário ortodoxo, legitimam a função apaziguadora que a natureza pode exercer como cúmplice do sujeito lírico, num tempo em que o desencanto com o resultado dos movimentos sociais comprometeu definitivamente a integração do artista no novo modelo sócio-económico da industrialização e da modernização das cidades. No entanto, outros há que apontam dimensões de crise nessa mesma especularidade fundamental, seja pela recusa da sedução do espaço natural – quando a afinidade entre a beleza do cenário e a dor existencial se torna impossível –; seja no descompasso entre permanência e transitoriedade – quando a natureza-mãe aparece travestida de uma eternidade e de uma permanência que desconsolam definitivamente a precariedade da existência humana –; seja na análise de um estado anímico mais complexo, que surpreende o sujeito para além da contingência maniqueísta do gozo amoroso e da perda dolorosa, numa experiência que compromete justamente a tradicional descrição da paisagem idílica romântica ao desnudá-la realisticamente a partir do esvaziamento do compromisso afectivo. De Lamartine a Hugo, Garrett e Camões, aqui estarão representadas algumas das constantes e dos deslizamentos heterodoxos da paisagem e do eu.

Referi-me anteriormente a poemas emblemáticos e ousarei retomá-los, ainda que sob pena de redundância ou na contingência do excesso de citação. O lago lamartiniano corresponderia, nessa escala, àquela função apaziguadora da natureza, onde a dor – se não se cala – ao menos descobre alento na possibilidade de fixação da memória por um elemento menos transitório que o humano: "Un soir, t'en souvient-il? Nous voguions en silence". A distância que a morte impôs a Elvire lança o sujeito lírico numa gama incontável de sentimentos dolorosos que se metaforizam todos no espectáculo da natureza em que o poeta vai buscar isolamento, mas também alento e conforto para a dor. Se a perdição do sujeito está comprometida com a natureza, se o seu abandono o lança na noite eterna e em desconhecidas plagas, se o tempo que passa inexoravelmente é como o oceano que o traga, impedindo-o de ancorar-se para conseguir detê-lo –

Ainsi, toujours poussés vers de nouveux rivages,
Dans la nuit éternelle emportés sans retour,
Ne pourrons-nous jamais sur l'océan des ages
Jeter l'ancre um seul jour?

– por outro lado a natureza é também a confidente, a que retém a lembrança, a que permite reviver teatralmente o tempo passado, deixando que o poeta evoque, diante do espaço do idílio, a voz da amada tornada presente. Finda a encenação, explode, contudo, a revolta gerada pela impassibilidade que as forças naturais mantêm diante da fragilidade humana: "Hé quoi! N'en pourrons-nous fixer au moins la trace?". Apesar disso, não tardará que esta vaga de desespero se reverta a partir de um outro olhar lançado justamente sobre a eternidade dos elementos naturais. Antes considerada como um ultraje ao sofrimento, passa a tornar-se o lucro possível para quem está definitivamente submisso à mortalidade: "Vous que le temps épargne ou qu'il peut rajeunir, / Gardez de cette nuit, gardez, belle nature, / Au moins le souvenir!". E o poema finda numa espécie de transmutação da dor em êxtase panteísta que atravessa as três últimas estrofes em que a natureza humanizada *geme* e *suspira*, sendo capaz de uma identificação plena com o projecto de permanência do sujeito lírico, só passível de existir em ficção, em metáfora, em poesia:

Que le vent qui gémit, le rouseau qui soupire,
Que les parfums légers de ton air embaumé,
Que tout ce qu'on entend, l'on voit ou l'on respire,
Tout dise: 'Ils ont aimé!'[1]

Para ilustrar, entretanto, em diversa medida, as formas de neutralização da especularidade entre o sujeito lírico e a natureza, não seria difícil encontrar em Hugo o modelo da recusa do espectáculo natural quando a experiência dolorosa se sobrepõe a qualquer tipo de contemplação suavizadora da paisagem. A morte de Léopoldine dará ao poeta a oportunidade de compor um dos mais belos poemas de *Contemplations*, em nada semelhante – a não ser pela temática – à explosão patética da dor que se lê em "À Villequiers". São apenas três estrofes, de uma sobriedade elegíaca, onde a beleza da natureza é o cenário que o poeta se recusa a contemplar, na medida em que a ela – beleza viva, mas inanimada – se sobrepõe, viva, a memória da filha morta. A paisagem é, portanto, apenas funcional. Nela nunca se detém o olhar do sujeito lírico, em caminhada que dura desde a aurora – "Demain, dès l'aube" (v. 1) – até o anoitecer. A natureza fica, portanto, à parte nesse percurso em busca de um encontro, que não tem nada de necrófilo, porque é feito em direção à filha que o espera e em direcção a um mergulho dentro de si próprio:

Je marcherai les yeux fixés sur mes pensées,
Sans rien voir au dehors, sans entendre aucun bruit,
Seul, inconnu, le dos courbé, les mains croisées,
Triste, et le jour pour moi sera comme la nuit. (v. 5-8)

Gestual, psiquica e afetivamente, o sujeito lírico está de costas para a natureza e essa negação da paisagem transparece em sintagmas claríssimos como: enquanto paisagem *não olharei, sem nada ver, sem ouvir, curvado, de mãos cruzadas*, indiferente ao dia ou à noite[2]. É preciso dizer que, no entanto, a natureza continua lá, descrita em be-

---

[1] Todos os versos de Lamartine aqui citadas pertencem ao poema "Le Lac", incluindo no livro *Méditations Poétiques* publicado em 1820.

[2] Conjunto de poemas de Victor Hugo, publicados pela primeira vez em 1856.

leza para ser justamente recusada, e apenas funcionalmente presente para assinalar, por exemplo, os momentos da partida e da chegada – o campo todo branco da aurora ou o *ouro do entardecer* –, o ambiente da morte – o rio; ou a simplicidade da única oferta possível a se fazer àquela que, afinal, apenas metonimicamente ("Sur la tombe") é surpreendida como morte: "Et quand j'arriverai, je mettrai sur ta tombe / Um bouquet de houx vert et de bruyère em fleur" (v. 11 e 12).

Na tradição romântica portuguesa talvez seja com Garrett, no entanto, que o tratamento da relação da paisagem com o eu ganhará um contorno inesperado, que poderá ser percebido a partir da leitura de um poema emblemático, capaz de dar conta de um estado anímico mais complexo que o da simples oscilação entre gozo amoroso e perda dolorosa, os dois pólos que habitualmente concentram o impulso da escrita romântica.

Com o poema "Cascais"[3] estamos longe do que convencionalmente chamaríamos de encantamento natural. A descrição idílica da paisagem é substituída pela configuração de um espaço inóspito, espécie de *locus horrendus*, em que tradicionalmente o eu pareceria não granjear pouso e acolhimento. A sinistra costa de Cascais, com seu penedo árido e seco a enveredar pelo mar, fora, entretanto, o lugar que, no passado, unira os amantes que lá viveram. Diferentemente do lago lamartiniano, cuja placidez e beleza permanecem incólumes antes, durante e após o fim do amor, o cabo medonho, selvagem e seco de Cascais, finisterra demoníaca, torna-se, com Garrett, uma espécie de projecção expressionista do sujeito, na medida em que a sua descrição só aparentemente é fruto de uma apreensão visual, externa, objectiva. Ao contrário, o poema revelará que a observação fotográfica do espaço é absolutamente secundária, na medida em que pode ser inteiramente transformada pela sua apreensão sensível. Afinal, se, no presente, avultam nesta paisagem os elementos da braveza, da dureza, da aridez, condizentes com a vivência do sujeito lírico, ele próprio seco, maninho e solitário, porque esvaziado definitivamente do compromisso afectivo, aquele mesmo lugar, no passado, fora visto como ameno e acolhedor aos amantes ("Ali nessa bruta serra, / Ali foi um céu na terra"); a solidão era, então, para eles a mais pura expressão da vontade e do desejo ("Ali sós no mundo, sós,/ Santo Deus! como vivemos") e, evidentemente, se anulava pelo simples facto de haver entre os amantes uma amálgama que os indiferenciava num "nós" de plenitude: "Como éramos tudo nós / E de nada mais soubemos! / Como nos folgava a vida / De tudo o mais esquecida!". E é essa espécie de ple-

[3] O poema "Cascais", de Almeida Garrett, faz parte do livro *Folhas Caídas*, publicado em 1853.

nitude orgásmica – a única capaz de dissolver a fatal descontinuidade humana numa espécie de "petite mort", como lhe chamou Bataille no seu estudo sobre o erotismo[4] – que encontra eco perfeito nas palavras do poeta: "Como ela vivia em mim, / Como eu tinha nela tudo, / Minha alma em sua razão, / meu sangue em seu coração".

O que, no entanto, se configura como uma evidência é o facto de que esse paraíso só poderá ser concebido como uma paisagem interior: ele não tem nada de objectivo nem é ofertado pelos deuses; ao contrário, é fruto único de um desejo nada transcendente dos amantes que rompem o mítico desterro da solidão humana e reconstroem, eles próprios, um novo paraíso de delícias humanas. Desafiadores da criação, única até então a ser capaz de desconfigurar os espaços, transformando o Éden em terra trabalhosa para punição dos humanos, eles ousam inverter o movimento da mítica expulsão ao transformarem, desta vez, a dura terra em Éden reconquistado.

A grande ousadia está justamente no acto de reverter os desígnios divinos que condenam a criatura ao desterro. Ora, esse paraíso inventado pelo desejo, esse paraíso de ficção, que só existe na perspectiva dos que amam, não teria a menor hipótese de eternidade e já a tradição lírica ensinara que "a Fortuna [nunca] deixa durar muito"[5] um tempo de delícias, que só o corpo sabe inventar. Ao contrário, torna-se clara a inveja da divindade, que cobra, com a reiteração da punição desmedida, essa plenitude, que os homens, por algum tempo, conseguiram roubar ao divino:

Os anjos aqueles dias
Contaram na eternidade:
Que essas horas fugidias,
Séculos na intensidade,
Por milênios marca Deus
Quando as dá aos que são seus.

Como se se repetisse a maldição por essa nova ousadia humana, a consciência do desejo e do gozo acarretam uma nova expulsão do espaço edénico de modo a evitar que a árvore da eternidade se arriscasse de novo a ser cobiçada pelos mortais. Por isso mesmo, o divino obriga os amantes a pagarem o preço da transgressão com o *travo* que fica na boca depois da orgia do vinho, com os *fatais desenganos* que desfazem a *choça na serra*, com o vazio imposto, enfim, pelo destino àqueles que gozaram para além da conta ao anularem, temporariamente, os limites da precariedade humana.

---

[4] Georges Bataille, *L'Érotisme* (Paris, Minuit, 1957).

[5] Luís de Camões, *Os Lusíadas*, canto III, estrofe 120, verso 4.

Nesse sentido, a cena do desmantelamento do cenário idílico pela fúria do destino castrador recupera a imagem clássica da expulsão do paraíso, que afasta os amantes do "sítio encantado", fazendo sobejar a punição com a desfiguração do espaço no sítio infernal, que, na verdade, em termos puramente geográficos, nunca deixara de ser, o que equivaleria a dizer que o divino se volta potencialmente contra o imaginário criador dos amantes e não contra as contingências do espaço físico. Por isso dirá o poeta que "Inda ali mecas a terra / Mas já o céu não começa" – na medida em que findou, justamente, a filtragem do olhar de um sujeito poético a quem compete muito mais que observar e descrever, pois só ele pode reconfigurar uma paisagem a partir da história da sua sensibilidade.

Se esse espelhamento entre eu lírico e natureza é ortodoxamente romântico, apesar das suas ousadias iconoclastas com o palimpsesto edénico da tradição judaico-cristã, há em "Cascais" qualquer coisa de inesperado em termos da análise dos sentimentos. O que torna até certo ponto incómoda a sua leitura é o fato de o tempo presente da aridez, exemplarmente identificado com a imagem do "mesquinho / triste pinheiro maninho", não corresponder – como seria de se esperar do jogo maniqueísta entre gozo e dor tão caro ao romantismo – à imagem da permanência do sofrimento amoroso no eu lírico. Mais uma vez a relação com a paisagem funciona como metáfora da relação dos amantes: o sujeito lírico, que se recusa a rever o "sítio encantado", não o faz, na verdade, para evitar a dor da lembrança; ao contrário, ele recusa-se a revê-lo, porque já não há ali nenhuma lembrança possível, porque ele sabe que esse "Cascais revisited" é como um espaço para sempre "pavorosamente perdido", pelo simples fato de o "espelho mágico"[6], que favorecia o reconhecimento, ter desaparecido juntamente com uma paixão que já não existe. Tal sensação de "despaisamento" não é, aliás, uma mera hipótese. Ela nasce da lógica interna de um sujeito que já experimentou estranhamento similar no encontro com a mulher que fora sua amada no passado. Se os amantes se tornaram irreconhecíveis ("que a vejo sem conhecê-la!", o espaço teria também que sê-lo, e esta conclusão vem possivelmente carregada de menos dor do que a referida inflexão pessoana ao revisitar Lisboa. O que há de novo é que, contrariamente à tradição lírica, Garrett não aponta para nenhum sofrimento amoroso causado pelo fim do amor, mas para um estado de "desenamoramento" – a expressão é de Helder Macedo[7] para a leitura deste mesmo

---

6 As três últimas alusões remetem ao poema "Lisbon Revisited" (Pessoa/Campos).

7 Cf. Helder Macedo, "Garrett no Romantismo Europeu", *Leituras* série 3, número 4 (Abril/Outubro, 1999). Publicação da Biblioteca Nacional de Lisboa em homenagem a Almedia Garrett, pp. 35-41.

poema – estado que não é de crise, que não é de desespero, mas simplesmente de constatação do fim:

Se o visse...não quero vê-lo
Aquele sítio encantado,
Certo estou não conhecê-lo,
Tão outro estará mudado,
Mudado como eu, como ela,
Que a vejo sem conhecê-la!

A leitura deste desconcertantemente romântico "Cascais" de Garrett incita ainda o leitor a um entrelaçamento de linguagens, a um quase obrigatório compromisso intertextual com um poema que não pertence, no entanto, à categoria daquilo a que chamamos "romantismo histórico", já que foi produzido no século XVI, por um poeta de todos os tempos que é Luís de Camões. Trata-se da Canção IX, "Junto de um seco, fero e estéril monte", modelo tradicional de canção do exílio em que o sujeito se vê obrigado a gastar "uns tristes dias, / tristes, forçados, maus e solitários" num espaço físico que só vem reiterar a dureza e a solidão. Apesar de geograficamente se situar no longínquo limite da África e da Ásia, a Canção IX revela em termos imagísticos uma inesperada semelhança com a visão garrettiana de "Cascais", o que nos levaria a supor, com alguma coerência, que o poeta romântico português voltava mais uma vez agora pelas vias da composição de uma paisagem a retomar Camões como sua referência fundadora. A "deserta árida serra", "os negros penedos", "os ventos despregados", "os céus turvos, anuviados", "o mar que incessante brama", "a braveza de selvagem natureza"[8], a terra, enfim, que acaba no mar, num espaço maninho, bruto, seco e queimado, evocam evidentemente o "seco, fero e estéril monte,/ inútil e despido, calvo, informe, / da Natureza em tudo avorrecido"[9], do mesmo modo que o *seco rio* e a *seca fonte* garrettianos retomam a composição da paisagem camoniana: "nem rio claro corre ou ferve fonte, / nem verde ramo faz doce ruído"[10].

De certo modo, o incómodo de leitura estaria em nos sentirmos quase obrigados a falar, *avant la lettre*, numa *visão romântica* camoniana, reflexão que, entretanto, vem respaldada por uma referência canónica ao poeta quinhentista português feita, aliás, por um contemporâneo de Garrett que foi Friedrich Schlegel: "por isso ele merece ser chamado

[8] Sintagmas retirados de "Cascais".

[9] Versos da Canção X de Camões.

[10] A partir de agora, todas as citações não indicadas de modo diverso, pertencem à Canção IX de Camões

de poeta heróico romântico, por estar inteiramente penetrado pelo fogo e pelo entusiasmo do amor"[11]. Na verdade, tal ideia seria perfeitamente viável a partir, justamente, daquele conceito de romantismo entendido como categoria universal. E caso não se trataria, sequer, de uma intuição verdadeiramente *avant la lettre* – até porque nos obrigaríamos a estender tal qualidade intuitiva a, por exemplo, muitas das cantigas de amigo medievais em que a aparente concretude da paisagem facilmente se transmuda em simbolismo dos conflitos do sujeito lírico –, mas de simplesmente concebermos que o termo *romântico*, para além de sua dimensão histórica, pode definir um certo estado anímico que caracteriza uma afectividade contraditória.

Mas se a paisagem foi o elemento mais sensível que permitiu uma leitura intertextual dos poemas de Garrett e de Camões, fácil será apontar também a similitude na ousadia dos dois sujeitos líricos contra o poder divino ou Fortuna ou Fado – conforme a opção mais ou menos cristã, mais ou menos pagã de cada um dos dois poetas. Afinal, também o eu lírico camoniano, submetido ao fado do exílio, com "a vida / pelo mundo em pedaços repartida", exerce a sua transgressão contra o poder ao denunciar a absurda ira ontológica contra a criatura, esse "corpo terreno / bicho da terra vil e tão pequeno", impondo-lhe trabalhos forçados em terreno fero e informe. A Canção, longe de insistir na capacidade de suportação da dor, aponta, sobretudo, para possibilidade de ultrapassar a fadiga, o trabalho, a solidão a partir da força de uma aventura amorosa passada que, ao ser evocada pelo sujeito lírico, se transforma na grande sabedoria que não o deixa desistir definitivamente da vida. Mais uma vez é o desejo que se configura como arma de suspensão de um real inadequadamente imposto, criando em seu lugar uma ficção alentadora feita de lembranças capazes de instituir um outro espaço – que é evidentemente o da paixão – capaz de driblar as injustiças do Fado: "Diz-me o Tempo que a tudo dará talho; / Mas o Desejo ardente, que detença / Nunca sofreu, sem tento / Me abre as chagas de novo ao sofrimento". Que não nos enganem, entretanto, os sintagmas "sofrimento" ou "chagas" para apontar e emergência da paixão camoniana, pois o próprio poeta já ensinara mais de

[11] "Aussi mérite-t-il le nom de poète héroïque romantique, parce qu'il est entièrement pénétré du feu et de l'enthousiasme de l'amour". Friedrich. Schlegel, *Histoire de la Littérature Ancienne et Moderne*, traduite de l'Allemand, sur la dernière édition par William Duckett (Paris: Th. Ballimire, Libraire / Genève: Cherbuliez, Libraire, 1829).

uma vez que o amor "é ferida que dói e não se sente"[12] e que "mais vale um cuidado meu / por mil descansos alheios"[13].

O poeta é profundamente transgressor ao transformar, também ele, o trabalho em saber e o saber em desejo produtor de libertação: "Se de tantos trabalhos só tirasse / saber inda por certo que algua hora / lembrava a uns claros olhos que já vi". A figura feminina do passado terá sido possivelmente a amada de olhos claros, angélica e até impiedosa, mas essa referência de vida, quando trazida de novo à lembrança, quando reinventada pelo poeta e reconfigurada pela memória, ganha contornos mais suaves, permitindo-se abrandar a dureza de seu distanciamento diante de um amante desejoso e carente de sua imaginada presença. Porque não se trata, na verdade, de um encontro possível ao nível da realidade que, essa, não se altera em sua ferocidade e dureza, mas tão somente ao nível de uma realidade ficcional, de um *fingimento* – em parâmetros quase pessoanos – capaz de instituir uma vivência paralela, que o redime dos sofrimentos impostos, devolvendo-lhe um paraíso construído pelo imaginário: "Ah, Senhora! Senhora! E que tão rica / estais, que, cá tão longe, de alegria / me sustentais com doce fingimento!". Num sentido agora oposto ao de Garrett para quem a presença da mulher só reitera a sua ausência – "Que a vejo sem conhecê-la"[14] –, a ausente amada camoniana é capaz de devolver ao sujeito lírico a sensação da presença pela simples força da imaginação. Digamos que para Camões, neste caso – e realmente só neste – em que a ausência não é forjada mas imposta, o amador consente em transformar-se na coisa amada.

Mais uma vez, portanto, a ficção é transgressora, porque, mais uma vez ela é capaz de operar a mudança do tempo do trabalho em tempo do prazer, por outras palavras, em paraíso, a que se retorna por obra de uma imaginação absolutamente consciente, a rivalizar com os deuses.

O poeta percebe o caminho de progressivas conquistas que a ficcionalização do espaço lhe faculta: a recuperação da lembrança passada; seu redimensionamento numa relação mais plena porque recíproca; o descanso do trabalho ("Foge todo o trabalho e toda a pena"); a esperança que o invade na luta contra a morte; o mergulho enfim no devaneio, o salto para dentro da ficção amorosa que dissolve a distância e anula o tempo:

---

[12] Cf. o soneto: "Amor é fogo que arde sem se ver".

[13] Cf. "Mas porém a que cuidados?" – Glosas a mote alheio. A D. Francisca de Aragão, mandando-me esta regra que lhe glosasse (glosa terceira, versos 4 e 5).

[14] "Cascais", in *Folhas Caídas*.

Aqui com elas fico perguntando
[...]
Às aves que ali voam, se vos viram,
Que fazíeis, que estáveis praticando,
Onde, como, com quem, que dia e que hora?
Ali a vida cansada se melhora,
Toma espíritos novos, com que vença
A Fortuna e Trabalho,
Só por tornar a ver-vos,
Só por ir a servir-vos e querer-vos.

Na luta entre Tempo e Desejo, entre razão e sentimento, entre destino imposto e vivência imaginada, o poeta tem consciência do sofrimento que as chagas reabertas do amor lhe causarão, mas sabe – e é essa a lição do *commiato* da canção – que este jogo argumentativo sobre vida e morte é só, aparentemente, paradoxal. Na verdade, a revelação é de base tipicamente romanesca quando justifica que o amor é, antes de tudo, força vital e permite compreender que o *morrer de amor* é tão somente uma metáfora, e, como tal, capaz de transferir (*forein*) para além (*meta*) o sentido de morte, de modo a dissolvê-la em vida: "Assim vivo; e se alguém te perguntasse, / Canção, como não mouro, / Podes-lhe responder que porque mouro".

De muitas paisagens se compõe um quadro romântico. De um modo mais ou menos ortodoxo, entretanto, entendemos aqui por paisagem romântica aquela que ultrapassa o mero ornamento, ou a diletante referência cultural, ou um simples enquadramento, que não chega a ressignificar as acções e sensações humanas que aí têm lugar. De certo modo, a descrição de uma paisagem – natural ou outra – é uma estratégia literária de qualquer tempo, de qualquer estilo, de qualquer género literário. O que a configura como paisagem romântica é, pois, o necessário intercâmbio que se estabelece com a força vital de um sujeito que catalisa a partir de si todas as sensações, que concentra em si todas as percepções, que justifica por si todas as interpretações daquilo que afinal é o não-Eu, mas que por ele é ardilosamente revertido em imagem – mais ou menos fiel, mais ou menos distorcida – do sujeito. Ao dialogar com as coisas, é sempre consigo próprio que o sujeito fala, reconduzindo sempre, nessa dinâmica da interiorização, o que está fora de si para dentro de si. É desse seu ponto de vista, desse seu enquadramento, dessa selecção e filtragem do olhar, que o sujeito lírico romântico fala também da paisagem natural, reiterando o primado da sua interioridade antes que ela viesse a ser definitivamente desinstalada pela crise do sujeito na modernidade.

O Cedro e a Rosa – símbolos e alegorias na representação da paisagem na literatura inesiana

Maria de Lourdes Cidraes
Universidade de Lisboa

Na primavera de 1528, Anrique da Mota, escrivão do reino mas também poeta palaciano largamente representado no *Cancioneiro Geral* e autor de diálogos dramáticos que lhe reservaram um lugar pioneiro na história do teatro português, enviava da cidade de Coimbra, onde terminara o recenseamento da população, uma carta ao rei D. João III[1]. Mas não era de censos, gentes, termos e limites o assunto que nela se expunha. Anterior à *Castro* de António Ferreira e a *Os Lusíadas* de Camões, a *Carta* de Anrique da Mota é um dos mais belos e menos conhecidos textos literários sobre os trágicos amores de Pedro e Inês e constitui um documento fundador na mitogenia inesiana. É também aquele em que pela primeira vez foi introduzido o motivo da paisagem[2], que pela sua insistente presença ao longo dos tempos pode ser considerado um dos elementos estruturantes do mito de Inês de Castro.

A acção inicia-se em Coimbra, num dia de Primavera. O narrador passeia a cavalo, pelos campos do Mondego, quando uma repentina escuridão desce sobre a terra. Assustado com uma estranha palmada, o

---

1 A *Carta* foi publicada pela primeira vez, incompleta e sem indicação do autor, por Lourenço Caminha, com o título *Exclamação à morte de Inês de Castro quando o sogro a veio matar* (1791). A Eugenio Asensio se ficou a dever a sua publicação na íntegra, com a designação de *Carta sobre a Morte de Dona Inês de Castro*, "Inés de Castro de la Cronica al mito" (*Boletim de Filologia*, Tomo XXI, 1965), pp 354-357.

2 Asensio sublinha a introdução deste motivo: "Anrique da Mota le da por la primera vez vigencia literaria. Casi todos sus seguidores la aprovecharán.", *op. cit.*, p. 352.

cavalo lança-se numa desenfreada correria e o cavaleiro, atravessando a névoa e o negrume, vê-se subitamente em frente de um sumptuoso paço e avista uma gentil donzela, passeando no jardim com as suas damas. Irá assistir, horrorizado e surpreso, à cruel morte da donzela, ferida na sua câmara por duas estocadas, sem que qualquer assassino seja avistado. Quase em simultâneo vê chegar um cavaleiro, tão esforçado que o cavalo logo ali cai morto, e assiste ao último encontro dos dois amantes. Misteriosamente será de novo transportado ao lugar da partida. Tinham passado três dias.

Embora a *Carta* de Anrique da Mota, que se socorre da técnica da *visão* e da alternância de prosa e poesia, exija uma leitura orientada para o estudo da contextualização e da organização discursiva, limitemo-nos por ora ao tema proposto para este colóquio: a representação da paisagem.

O texto começa com a descrição dos campos do Mondego, onde o narrador passeia a cavalo, à hora em que "Phebo com o seus corredores começava a romper as escuridades", no tempo em que a Primavera "rompe a superfície da terra e nos mostra a suas brancas flores". Se esta descrição da paisagem de Coimbra obedece aos cânones clássicos e renascentistas do *locus amoenus* e do *jardim da Arcádia*, outros são os parâmetros que condicionam ou definem a construção do jardim que o narrador contempla na visão: um pequeno e secreto jardim, rodeado por altos muros e árvores espinhosas, onde correm águas límpidas, crescem verdes laranjeiras e rosas odoríferas perfumam os ares. Por ele passeava "uma muito galante e muito fermosa donzela que em idade e aparato (de sua pessoa), uma princesa parecia e trazia vestidos muito ricos e ricas roupas, acompanhada doutras lindas donzelas, as quais, como a senhora, acatavam e serviam".

Apesar de a *Carta* datar da segunda década do séc. XVI, o modelo que subjaz à representação do jardim é ainda o *vergel*, ou o *jardim de recreio* medieval, que continuava coexistindo com os novos jardins renascentistas e era frequente, como representação simbólica, na literatura, na iluminura e na tapeçaria ainda em finais do séc. XV. De pequenas dimensões, fechado ao exterior por altos muros ou sebes de árvores ou de vimes entrelaçados, com um relvado florido de lírios, rosas e margaridas, uma fonte, pássaros em liberdade e algumas árvores de fruto ou de sombra, distinguia-se do *jardim de árvores*[3] e também do *horto*, onde eram cultivados legumes e ervas aromáticas. Podia ser o *jardim das damas*, contíguo aos aposentos da senhora do castelo e

[3] Os jardins medievais foram classificados em 1305 por Pietro de Crescenzi, *Liber ruralium commodorum*, cf. Edward Hyams, *A History of Gardens and Gardening* (London: Y. M. Dent & Son, Ltd, 1971).

do palácio, ou o *jardim amoroso* cortesanesco, surgido na Provença e na Itália, onde damas e cavaleiros passeavam e se sentavam sobre a relva, ouvindo o canto dos trovadores[4]; jardim que a simbólica medieval transformou, simultaneamente, na alegoria do amor divino e do amor profano. Poetas cantaram este jardim e encheram-no de flores e de plantas que foram buscar, não apenas à realidade, mas ainda às descrições de autores clássicos que continuavam presentes na cultura medieval[5]. Era um jardim feito para "deleite dos sentidos"[6] – o olhar, a vista e o olfacto – deleite magnificamente sugerido nas belíssimas alegorias das tapeçarias de Cluny.

A descrição do jardim feita por Anrique da Mota é exemplar da mútua relação entre paisagem e representação literária, sobretudo no relevo que é dado aos motivos da *água* e da *rosa*, privilegiados na composição dos jardins monásticos e senhoriais, mas também símbolos recorrentes na literatura medieval – mística, trovadoresca e palaciana[7]. A partir deste texto a rosa e a fonte permanecerão como elementos essenciais na construção da paisagem inesiana.

Das rosas do jardim de Inês, na *Visão* de Anrique da Mota, só conhecemos o perfume. São imagem da beleza ideal que a cerca e dela irradia, emblema que consigo transporta entrando sozinha no palácio e caminhando, docemente e sem suspeita, para a morte. A beleza, como a rosa, é frágil; e ameaçada e insegura é a sorte dos amores.

É este duplo simbolismo, em que silenciosamente a morte se insinua na vida, na beleza e no amor, que reencontramos no primeiro acto da *Castro* de António Ferreira. De lírios e de rosas são as capelas que Inês, feliz e inconsciente do perigo que se aproxima, pede às amigas, no tempo em que o amor faz brando o ar, claro o rio e ameno o vale: "Colhei, colhei alegres, / Donzelas minhas, mil cheirosas flores / Tecei frescas capelas / De lírios, e de rosas". Alguns anos mais tarde a rosa e o lírio darão lugar, n'*Os Lusíadas*, à bonina, flor campestre colhida nos campos de Coimbra e também nos versos de Virgílio, Ovídio e

---

4 Ehrenfried Kluckert, *Grandes jardines de Europa. Desde la Antigüedad hasta nuestros días* (trad. esp., Colónia: Könemann, 2000), pp. 21, 22, 27 e 30.

5 Edward Hyams, *op. cit.*, pp. 10 e 19.

6 Ehrenfried Kluckert, *op. cit.*, pp. 27-28.

7 A rosa, que fora a flor de Afrodite e da Primavera, cristianizada, torna-se a *flor de Maria* e o símbolo de Cristo, do cálice sagrado e das cinco chagas. Símbolo da Virgem e do amor divino e imagem da alma, é também o símbolo da beleza feminina e do amor humano. Cf. Jean Chevalier e Alain Gheerbrant, *Dictionnaire des Symboles*, 7ª ed. (Paris: Seghers, 1974), pp. 113-114.

Catulo[8] e assim um elemento da paisagem renascentista, bucólica e arcádica.

Na literatura barroca e neo-clássica, as flores, e em particular a rosa, serão apenas um motivo retórico no processo de hiperbolização da beleza perfeita de Inês: de rosas, lírios e açucenas são as faces, de pérolas as lágrimas, de marfim e de alabastro os seios e o colo.

Até finais do séc. XVIII, com a escassez da produção lírica e o predomínio do género dramático que privilegiou os jogos de ciúmes e de poder, a paisagem tende a desaparecer no discurso inesiano, perdurando nalguns casos o modelo do *locus amoenus*, como no poema seiscentista de Maria de Lara e Meneses ("Saudades de Inês de Castro")[9], ou na tragédia neo-clássica de Domingos dos Reis Quita (*Castro*), em que Inês recorda o tempo dos seus felizes amores – "o ameno jardim, as verdes plantas, que tão alegres já meus olhos viram"[10] – e em que, pela primeira vez, a sua morte é situada junto da "fonte dos amores" da Quinta das Lágrimas, motivo que será repetidamente glosado na poesia posterior. A partir dessa época, em que a representação literária da paisagem passa a ser moldada pelo novo paradigma do *jardim sentimental romântico* e em que simultaneamente se inicia a fase saudosista do mito inesiano, a rosa, símbolo do amor, mas também do esplendor da beleza feminina, é substituída por árvores melancólicas, como o cedro que deu sombra a Inês e ouviu os seus queixumes saudosos (Soares de Passos, "A Fonte dos Amores"), ou os salgueiros que nas margens do Mondego repetem os seus tristes lamentos (Serpa Pimentel, "Inez de Castro ou a Fonte dos Amores"). Gonçalves Crespo, num soneto de temática romântica ("À Beira do Mondego") integra este motivo do salgueiro no *topos* do poeta incompreendido: "Nas curvas lanchas dormem os barqueiros. / O poeta no entanto, o eterno paria, / Escuta a voz de Ignez entre os salgueiros"[11].

---

8 *Comentários* de Faria e Sousa, *apud* Jorge de Sena, "Inês de Castro ou a literatura portuguesa desde Fernão Lopes a Camões e história político-social de Afonso IV a D. Sebastião", "Estudos de História e Cultura" (Separata da revista *Ocidente*, 1ª série, vol I, 1967), p. 598.

9 Publicado na *Fénix Renascida* (1716), com o título "Sentimentos de D. Pedro e de Dona Ignez de Castro", é anterior a 1649, data da morte da sua autora.

10 Domingos dos Reis Quita, *Castro* (1766), ed. ut. *A Castro*, prólogo e revisão de Mendes dos Remédios (Coimbra: França Amado Editor, 1917).

11 *Miniaturas* (Coimbra: 1871). Já no final do século, Silva Gayo retoma o *topos* da natureza confidente substituindo os montes e os vales da tradição camoniana pelos salgueiros do salgueiral: "Salgueiros ouviram ais / De brancos seios varados./ Salgueiros dos salgueirais / Inda de dôr, soltam brados", "Tristes Amores", *Mondego*, (1900).

Ao *vergel* medieval e ao *locus amoenus* renascentista, sucedera a *paisagem romântica*, que no entanto conserva ou recupera, a partir da permanente intertextualidade com o episódio camoniano, motivos renascentistas como os campos amenos do Mondego e as águas límpidas da fonte nascida das lágrimas por Inês. Mas agora tolda-se de melancolia, o canto saudoso do rouxinol enche de ecos a paisagem soturna e crepuscular e a sombra dos altos cedros cobre de tristeza e penumbra a "fonte das lágrimas" onde as águas límpidas correm sobre as pedras que guardam o sangue de Inês. A Natureza não é apenas confidente e reflexo de sentimentos, felizes ou melancólicos; o tópico romântico do *locus horrendus* é introduzido para exprimir o horror universal por uma morte sangrenta e injusta. "De horror o Mondego recua", "aves sinistras piam", "o chão treme", "os lobos uivam". Suspiros e os ais enchem de pasmo e tristeza a natureza antes amena e serena. Sob o "funéreo cipreste" já não florescem as rosas, nem junto à fonte crescem as boninas do campo. A *fonte dos amores* permanece, contudo, como elemento nuclear da paisagem. Às águas nascidas das lágrimas das ninfas e das filhas do Mondego unem-se agora as lágrimas dos poetas.

Do pequeno jardim simbólico medieval, das suas rosas e laranjeiras secretas, seus espinhos e seus altos muros e tanques, já ninguém se recorda. Só as águas ficaram sob a sombra tutelar dos cedros seculares. Mas as flores, que as águas regam, já não são rosas e lírios: são flores vermelhas, abertas, em ferida, na rocha dura. Outro jardim entrara na literatura e na tradição lendária, o jardim da Quinta das Lágrimas. Quinta que antes fora do Pombal, de novo batizada em memória de Inês e das lágrimas por ela choradas[12]. Nessa quinta, situada perto do Mondego, ainda hoje o viajante saudoso ou o turista apressado podem ver a antiga nascente de arco quebrado[13], que uma inscrição designa por "Fonte dos Amores", e alguns metros mais adiante a "Fonte das Lágrimas", assinalada por uma lápide onde um general inglês fez gravar os versos de Camões[14], assim celebrando, simulta-

---

[12] Segundo D. Carolina Michaëlis de Vasconcelos, o mais antigo documento em que aparece a designação de "Quinta das Lágrimas" é de 1730. "Pedro e Inês e a Fonte dos Amores" (*Ocidente*, vol. LVII), p. 53.

[13] Nessa quinta a Rainha Santa Isabel comprara duas nascentes que iam abastecer de água o convento e o paço de Santa Clara. António de Vasconcelos identificou essas nascentes com a fonte de arco abatido, que remonta, provavelmente, ao séc. XIV. *Inês de Castro* (Coimbra, 1928).

[14] Segundo Maria Leonor Machado de Sousa, trata-se do general Trant e não de Lord Weslley, como é frequentemente referido. *Inês de Castro, Um Tema Português na Europa* (Lisboa: Edições 70, 1987), pp. 44-45.

neamente, as memórias de Inês e o poeta que dela fez um dos mais conhecidos e amados mitos portugueses.

O motivo da *fonte dos amores* ou *fonte das lágrimas* é um tópico literário clássico e renascentista, que em Portugal deu o título a um poema latino publicado em meados do séc. XVI (*Fons Amores*, de Inácio de Morais, 1554) e que André de Resende associou, pela primeira vez, à história de Inês de Castro num poema igualmente em língua latina ("Agnetis Caede")[15]. Mas foi nos versos de Camões que cristalizou em pura poesia. Criação literária e simbólica, a *fonte dos amores* não é situável no tempo e no espaço. Contudo, os primeiros comentadores, de Manuel Correia a Faria e Sousa, procuraram fazer a sua localização geográfica, identificando-a com a fonte que existia junto dos paços de Santa-Clara. "E porque neste lugar trattarão elles seus amores, oje em dia se chama a fonte dos amores...", escreveu Faria e Sousa nos comentários à edição d'*Os Lusíadas* de 1631. Em 1689, nos comentários às *Rimas*, acrescenta a lenda do *cano dos amores*[16], lenda que ainda hoje é recordada na Quinta das Lágrimas e que retoma uma tradição literária presente no romance de Tristão e Isolda[17]: o pequeno aqueduto, que da quinta levava água ao paço de Santa Clara, transportava também as missivas amorosas que Pedro, ausente, enviava a Inês que as recolhia na fonte do seu jardim.

O motivo literário da *fonte dos amores* ou *fonte das lágrimas* – alegoria da compaixão universal pela desditosa sorte dos amantes – desde cedo se tornou também o lugar feliz dos amores de Pedro e Inês ou o melancólico cenário das saudades dos amantes separados. Para este desdobramento significativo poderá ter contribuído a existência de uma tradição popular que às fontes – lugar de encontro dos namorados e morada secreta de mouras encantadas – atribuía, nalgumas localidades incluindo Coimbra, o nome de *fonte dos amores*[18]. Contu-

---

[15] Creio ter sido Maria Leonor Machado de Sousa quem primeiro chamou a atenção para a importância deste poema, descoberto só em 1986, na formação do mito de Inês de Castro. *Op. cit.*, pp. 44-45.

[16] Comentário à canção "Vão as serenas águas do Mondego descendo". O aqueduto que levava a água para Santa Clara era conhecido por *cano dos amores*, o que terá dado origem à lenda do envio das missivas. Jorge Fernandes, poeta quinhentista (o "Fradinho da Rainha"), utiliza o motivo literário do *cano dos amores* como título de um poema – "Ao cano dos amores" – que não tem, contudo, qualquer relação com a história de Inês de Castro. Cf. Carolina Michaëlis de Vasconcelos, *op. cit.*, p. 52.

[17] Ehrenfried Kluckert, *op. cit.*, p. 30.

[18] A existência duma "fonte dos amores" em Coimbra é atestada por um documento judicial e vem referida no poema de Sá de Miranda "Epitalâmio pastoril", de cerca de 1535. Cf. Carolina Michaëlis de Vasconcelos, *op. cit.*, p. 50.

do, mais determinante do que essa possível contaminação foi certamente a própria evolução da temática inesiana, que na literatura portuguesa, com excepção do teatro setecentista, tende a privilegiar, não já as cenas dramáticas do confronto de Inês com o rei e com os conselheiros, mas antes os momentos em que o registo lírico invade o texto na confissão das saudades de Inês na ausência do amado, confissão em que a natureza, os campos do Mondego e a água das fontes são, simultaneamente, cenário e espelho de sentimentos e afectos.

Depois de Garrett, quase todos os poetas românticos cantaram a *fonte dos amores*: João de Lemos, Soares dos Passos, Luís Augusto Palmeirim, Tomás Ribeiro, Castilho... a lista é tão numerosa que Sousa Viterbo organizou o florilégio poético *Fonte dos Amores*, publicado em 1889.

Lugar dos amores e das saudades de Inês, que junto das suas águas recorda Pedro (Garrett, *Camões*), a fonte é também lugar de memória: "Fonte fresca e pura", "nascida das lágrimas", "canta a sem ventura de Inês" (Palmeirim, "Ignez de Castro"). Mas é igualmente o lugar que assistiu, horrorizado, à desditosa sorte daquela que sem culpa ali morreu[19]. Num poema dos finais do séc. XIX, escrito por ocasião das comemorações camonianas ("Surrexit. Homenagem a Luís de Camões"), Tomás Ribeiro glosa este tema: "Tu não sabes as queixas magoadas / que sussuram por ti o vale e o monte/ (...) não sabes que de lágrimas choradas / correm sobre o teu sangue em pura fonte!". O mesmo motivo está presente no poema "A Fonte dos Amores", de Soares dos Passos: "Teu sangue tinge as pedras, e esta fonte, / A fonte dos amores, dos teus amores, / Como que em som queixoso inda repete/ Às margens, e aos rochedos comovidos, / Teu derradeiro, moribundo alento."

É esta a lenda que se mantém até aos nossos dias e atrai muitos visitantes à Quinta das Lágrimas para contemplarem as manchas vermelhas – variedade de algas microscópicas – que a tradição diz ser o sangue de Inês. Carolina Micaelis de Vasconcelos associa a sua origem à lenda da morte do Mestre de Santiago, filho de Leonor de Gusmão, assassinado por Pedro, o Cruel, no alcácer de Sevilha onde

---

19 A associação da morte de Inês à *fonte dos amores*, repetidamente glosada pela lírica romântica, remonta ao início do séc. XVIII. Faria e Sousa, que em 1639 afirmara "Junto a elle fue degollata Ines", situa este acontecimento junto da fonte do paço de Santa Clara. Esta afirmação de Faria e Sousa ("Comentários" à edição de 1639), é um dos principais argumentos da tese da morte por degolação. Na segunda metade do século a tradição transferira já a *fonte dos amores* para a Quinta das Lágrimas, onde se desdobra em duas fontes distintas: "a fonte dos amores" e a "fonte das lágrimas".

até hoje perdurariam as marcas do sangue derramado[20]. No entanto, e apesar de ser provável a hipótese avançada pela investigadora de uma contaminação no espaço do romanceiro tradicional, não creio que seja necessário ir procurar na literatura castelhana a origem de um motivo que é recorrente na tradição popular e tem antecedentes na literatura inesiana portuguesa, onde, desde as *Trovas* de Garcia de Resende, o motivo do sangue repetidamente ocorre. Na *Castro* de António Ferreira, Inês morre, "envolta no seu sangue", junto dos filhos "tintos de sangue". E na última cena da tragédia o juramento de Pedro ressoa como uma terrível maldição: "...em sangue / Se converta aquela água do Mondego, / As árvores sequem, e as flores"[21]. Contudo, é na *Carta* de Anrique da Mota que encontramos, pela primeira vez, a imagem do sangue alastrando pelos ladrilhos do chão, o que antecipa, de certa forma, a lenda da Quinta das Lágrimas.

A transferência para este local da morte e dos amores de Inês, que se verificou em meados do séc. XVIII, teve consequências directas ao nível da representação da paisagem na literatura inesiana. Se o jardim descrito na *Visão* de Anrique da Mota exemplificava, de forma modelar, a mútua relação entre o jardim do final da Idade Média e as suas representações no texto literário e na pintura, as descrições românticas da Quinta das Lágrimas são igualmente exemplo de uma mútua relação entre literatura e paisagem, intencionalmente procurada no período romântico e nas décadas que o antecedem e anunciam. Da vontade de criar jardins inspirados em textos literários, como a *Nouvelle Héloise* de Rousseau[22], ou na pintura de paisagistas como Poussin, Watteau, Turner e Claude Lorrain[23], é testemunho a confissão de William Beckford, o célebre viajante inglês, que durante a sua estadia em Portugal desejou criar em Sintra um jardim à semelhança de um quadro de Claude Lorrain ("Claude-like-place"). De regresso a Inglaterra fez construir o seu fabuloso castelo de Fonthill como uma abadia neo-gótica, erguida num imenso parque onde cedros e outras árvores de grande porte, muitas vezes importadas de paisagens distantes, cobriam relvados e prados por onde passeavam animais em liberdade e flores exóticas, rododendros e magnólias, perfumavam o ar. E convidou Turner a pintar o parque que a sua fantasia e a sua riqueza tinham modelado. E Turner reproduziu na tela a paisagem que

---

20 Carolina Michaëlis de Vasconcelos, *op. cit.*, pp. 40-51.

21 António Ferreira, *Castro*, (publ. 1587), ed. ut. *Poemas Lusitanos*, 2ª ed. de Marques Braga (Lisboa, Liv. Sá da Costa, 1957), pp. 203-302, vol. II.

22 De que é exemplo o parque de Ermenonville (onde Rosseau morreu em 1778), que o marquês de Girardin fez construir à semelhança do jardim de Julie.

23 Ehrenfried Kluckert, *op. cit.*, p. 360.

na sua pintura se inspirara[24]. Espelho de espelho, talvez nunca arte e realidade tenham alcançado uma tão harmoniosa identificação.

O papel de viajantes, como Beckford, foi fundamental na criação deste novo modelo de jardim, iniciado ainda em meados do séc. XVIII em Inglaterra, e também na sua posterior difusão pela Europa. De Itália, deslumbrados com os jardins das vilas renascentistas e com os monumentos romanos, trouxeram o gosto da paisagem amena, dos pequenos templos, das estátuas e das ruínas. Do Extremo Oriente, da China e do Japão, importaram as "chinoiseries", os lagos com delicadas pontes e as plantas exóticas. A sua influência cruzou-se e reforçou o gosto pelo medievalismo e pelo exotismo. A sensibilidade romântica foi o filtro que permitiu a harmoniosa mistura das várias influências, propondo, como objectivo primeiro, a procura de uma nova intimidade com uma paisagem que o homem sonhava criar para si mesmo.

É este modelo de *jardim sentimental* que ainda hoje reconhecemos na Quinta das Lágrimas, com seus tanques de águas calmas e suas fontes silenciosas, suas ruínas neo-góticas e seus arvoredos sombrios onde os antigos carvalhos e loureiros foram substituídos por cedros e por plátanos e por outras árvores exóticas introduzidas já no início do século XIX, vindas algumas, provavelmente, da grande mata real[25] que o gosto romântico de um príncipe fizera plantar em Sintra; serra onde também Beckford sonhou o seu pequeno paraíso de Monserrate. Contudo, não são as grandes sequoias, que a tradição diz terem sido plantadas pelo duque de Wellington durante a primeira invasão francesa[26], nem a exótica canforeira ou o grande *ficus* da Austrália, que ainda hoje parece guardar com as suas imensas raízes a entrada para a fonte dos amores, que os viajantes recordam nos relatos que nos deixaram[27] e que os poetas evocam nos seus versos, mas o cedro, árvore tutelar de Inês, que ouviu os seus "segredos de amor" (Soares de Passos, "Fonte dos Amores") e ainda hoje relembra a sua morte. "Melancolicos ce-

---

24 Ehrenfried Kluckert, *op. cit.*, pp. 398-399.

25 Cf. Jorge Paiva e M. Lúcia Catarino, *O Arboreto da Quinta das Lágrimas* (Coimbra: GAAC, 1991), p. 14.

26 Segundo Jorge Paiva e M. Lúcia Catarino, na origem desta tradição poderá estar a confusão das sequoias existentes na quinta (*Sequoia sempervirens* (Lamb.) Endl.) com outra espécie (*Sequoiadendron giganteum* (Lindl.) Buckholz), muito tempo conhecida por *Wellingtonia gigantea* Lindl. *Op. cit.*, pp. 12 e 14.

27 M. Leonor Machado de Sousa, *op. cit.*, refere vários desses viajantes: o botânico Link que regista a espécie *Cupressus lusitanica* (Miller), a sua origem (América Central) e a data da sua introdução em Portugal (cerca de 1620); Kinsey que em 1828 descreve a Quinta das Lágrimas; a Duquesa de Abrantes que ainda julga o cedro do Buçaco oriundo da Índia; M. Rattazi que recorda a fonte e a lápide, em 1882.

dros, que assombrando / As frias lapas d'esta fonte pura, / Nos duros troncos a tragédia dura / Inda da linda Ignez estaes mostrando",[28] lia-se num soneto anónimo de 1784, numa provável alusão à inscrição "Eu dei sombra a Ignez formosa", que ainda no início do séc. XIX se via gravada num dos grandes cedros da Quinta das Lágrimas[29]. E no entanto estas árvores, trazidas do Buçaco onde foram introduzidas a partir da América Central no final do séc. XVI ou início do séc. XVII, são muito posteriores ao tempo em que Inês vivia no Paço de Santa Clara[30] e o seu número foi sempre limitado. Foi pela palavra dos escritores que, substituindo a rosa, o cedro se tornou um elemento central na representação da paisagem inesiana. Confidente de Inês e testemunha da sua morte, é também cúpula protectora cobrindo a "fonte das lágrimas" – lugar sagrado que guarda as marcas visíveis de um corpo invisível, que só pelo texto literário se constrói e se renova. Desta forma o cedro conserva a ambivalência simbólica da árvore, símbolo duplo de morte e regeneração. Pela sua grandeza remete também para o paradigma da imortalidade. Imortalidade a que acedeu "aquela que depois de morta foi rainha", através de um discurso mítico que tem como suporte primeiro o texto literário e como modelo o mito dos amantes que a morte não pôde separar. Imortalidade anunciada e garantida desde as *Trovas* de Resende, como "galardão" do amor.

À ambivalência simbólica do cedro, a lírica oitocentista acrescentou a simbologia do cipreste, associado na Europa à morte e ao luto[31] e assim símbolo da dôr universal pela morte de Inês. Elemento da tópica romântica, a sua introdução na representação da paisagem é exclusivamente de ordem literária – apesar do cedro do Buçaco ser efectivamente um cipreste[32] – assumindo assim um significado distinto mas secundário.

---

[28] *Apud* Maria Leonor Machado de Sousa, *op. cit.*, p. 96. Publicado anónimo, este soneto é atribuído a Elpino Duriense, pseudónimo de António Ribeiro dos Santos.

[29] Esta inscrição é descrita por A. M. Corte-Real, *Bellezas de Coimbra* (1831).

[30] Não se conhece com exatidão a época em que foram plantados os cedros da actual Quinta das Lágrimas, onde inicialmente existiam carvalhais e carrascos. Segundo Jorge Paiva, o *Cupressus lusitanica* Miller, originário da América Central e conhecido vulgarmente por cedro do Buçaco, foi introduzido nesta serra provavelmente ainda em finais do séc. XVI, por um frade castelhano, que pode ter sido S. João da Cruz a quem se atribui a plantação de uma dessas árvores na zona de Granada e que esteve em Portugal em 1585. Cf. Jorge Paiva, *A Mata do Buçaco, um magestoso arboreto*, caderno da Revista nº 11, *Pampilhosa uma Terra e um Povo* (Pampilhosa: GEDEPA, Julho 1992), pp. 7-11.

[31] J. Chevalier e A. Gheerbrant, *op. cit.*, p. 292.

[32] António Xavier Pereira Coutinho, *Flora de Portugal (Plantas Vasculares)*, 1912, 2ª ed., dir. Ruy Telles Palhinha, (Lisboa: Bertrand Irmãos, Lda., 1939), p. 55.

O Cedro e a Rosa

Se a rosa fora o símbolo da fragilidade do amor e da beleza, o cedro é o símbolo da íntima e secreta relação entre o amor e a morte. Na literatura inesiana, a paisagem romântica não é apenas cenário de amores e saudades ou testemunha comovida da cruel morte de Inês, mas também lugar sagrado, guardando até ao fim dos tempos as lembranças e as marcas indeléveis de um corpo imaginário que pela palavra poética se reinventa e se faz eterno.

El Paisaje canario en los relatos de los viajeros franceses de la época romántica

Clara Curell, Cristina G. de Uriarte y José M. Oliver*
Universidad de La Laguna

La nature est comme la liberté, chacun l'entend à sa manière
Sabin Berthelot (1839)

La nueva manera de sentir, de pensar y de expresarse que caracteriza al Romanticismo otorga la máxima importancia a las emociones y a la imaginación, que se despiertan o intensifican ante la contemplación de la naturaleza, una naturaleza que hasta el siglo XVIII había estado relegada a un segundo lugar en la literatura. Así, la búsqueda de lo sublime y la fascinación ante un paisaje distinto o espectacular van a ocupar un papel importante en las letras del período que nos ocupa, principalmente en los géneros tradicionales, y de manera destacada en la poesía, a la par que se muestra nítidamente en otras formas de escritura como son los relatos de viaje.

La narración del viaje constituye una de las primeras manifestaciones literarias y a ella se han dedicado no sólo hombres de letras, sino también aventureros, exploradores, marinos, misioneros y científicos que, de este modo, se convierten en relatores de sus propias experiencias. Las grandes expediciones marítimas que marcaron la segunda mitad del siglo XVIII continúan desarrollándose a lo largo de la centuria siguiente, durante la cual el objetivo científico, que hasta entonces había ocupado un primer plano, se ve desplazado de forma paulatina por los intereses políticos y comerciales de las principales

* Este trabajo se enmarca dentro del Proyecto de Investigación BFF2002-02483 del Ministerio Español de Ciencia y Tecnología, financiado parcialmente por el FEDER.

potencias europeas. Paralelamente, asistimos a una nueva forma de escritura del viaje inaugurada por Chateaubriand con su *Itinéraire de Paris à Jérusalem* en el que aspira, según Berty, a "dépasser l'opposition entre la puissance de rêve de l'écriture de voyage et son authenticité historique"[1]. En adelante, el relato intentará conjugar la observación directa con la visión subjetiva, los pasajes didácticos con los incidentes de la navegación[2].

Desde su incorporación a la Corona de Castilla a finales del siglo XV, las Islas Canarias se erigen en una escala obligada para las embarcaciones que surcan el Atlántico en dirección a la costa africana, al continente americano o al Pacífico. Las razones que determinan su elección frente a otros archipiélagos macaronésicos estriban tanto en la facilidad que ofrecen para el abastecimiento de agua y víveres, como en sus características geológicas, botánicas o climatológicas que permiten llevar a cabo múltiples observaciones. De esta forma, el archipiélago canario se convierte en un espacio familiar para los navegantes, sin por ello perder el carácter misterioso que, como todo territorio insular, lo había rodeado desde la antigüedad. En efecto, su larga tradición como extremo occidental del mundo conocido, la benignidad de su clima y su frondosa naturaleza propiciaron su asociación definitiva con los mitos clásicos de "Islas de los Bienaventurados" o "Islas Afortunadas"[3]. Tal y como podemos comprobar a través de las narraciones de los exploradores, con el paso del tiempo esta imagen ha pervivido en la mente de muchos de los que han arribado a estas costas, que desembarcan con la esperanza de encontrar reminiscencias de aquella tierra mítica y cuyos testimonios han podido contribuir a perpetuar esa visión[4].

---

1 Valérie Berty, *Un essai de typologie narrative des récits de voyage français au XIXe siècle* (París: L'Harmattan, 2001), p. 23. Friedrich Wolfzettel, por su parte, considera que ya a finales del siglo XVIII se puede percibir una mayor presencia de un yo confidencial y solitario que anuncia una nueva función de la literatura de viajes. *Vid. Le discours du voyageur. Pour une histoire littéraire du récit de voyage en France, du Moyen Âge au XVIIIe siècle* (París: Presses Universitaires de France, 1996), p. 305.

2 Michel Bastiaensen, "Le journal de voyage (1760-1820)" (*Neohelicon*, XVIII/2, 1991), p. 85.

3 Vid. Marcos Martínez, Canarias en la mitología. Historia mítica del Archipiélago (Santa Cruz de Tenerife: Centro de la Cultura Popular Canaria, 1992) y Las Islas Canarias de la Antigüedad al Renacimiento. Nuevos aspectos (Santa Cruz de Tenerife: Centro de la Cultura Popular Canaria, 1996).

4 Desde *Le Canarien*, primera crónica de la conquista de Canarias por el normando Jean de Béthencourt, hasta nuestros días, las referencias reales o ficticias a las Islas en textos franceses son abundantes. *Vid.* Cristina G. de Uriarte, "Entre mythe et réalité: Tenerife et les voyageurs français du XVIIIe siècle", *La géocritique. Mode*

El período más fructífero en cuanto a la afluencia de extranjeros al Archipiélago abarca desde finales del siglo XVIII hasta la primera mitad del XIX. Las relaciones que nos han dejado forman un abanico de textos de gran valor documental que nos permite no sólo conocer mejor las Canarias sino también acercarnos al espíritu del navegante prerromántico y romántico. Y en ellos hemos basado nuestro trabajo, para lo cual hemos analizado una treintena de obras en las que se recogen las impresiones e investigaciones de una serie de viajeros, en su mayoría hombres de ciencia, que recalaron en estas tierras entre 1796 y 1866[5]. El resultado es un conjunto de relatos heterogéneo, tanto por el extenso espacio de tiempo abordado, como por la calidad y forma de los soportes discursivos que adoptan (diarios de navegación, cartas, relaciones científicas, etc.).

Una vez en Canarias, y ante la imposibilidad de describir todo cuanto se despliega ante sus ojos, nuestros viajeros seleccionan aquellos aspectos del paisaje que les resultan más llamativos, bien por su aspereza, bien por su atractivo. De ahí que su mirada gire en torno a tres ejes: la insólita orografía, la fertilidad de la vegetación y, sobre todo, el pico del Teide, considerado durante mucho tiempo una de las más altas cumbres del planeta.

De este modo, al llegar a la isla de Tenerife, donde suelen fondear, los navegantes quedan inmediatamente sorprendidos por su carácter volcánico, de negras rocas desnudas, descarnadas, afiladas, entre las que crecen algunos arbustos en un suelo *bouleversé*[6], así como por los hondos y agrestes barrancos "profondément sillonnés par les torrents"[7]. A medida que se van adentrando en el país, resaltan la

---

d'emploi (Limoges: Presses Universitaires de Limoges, 2000), pp. 181-202; Clara Curell, "Presencia de Canarias en las letras francesas" (*Estudios Canarios. Anuario del Instituto de Estudios Canarios*, XLIV [1999], 2000), pp. 193-212, y Berta Pico y Dolores Corbella (dirs.), *Viajeros franceses a las Islas Canarias. Repertorio bio-bibliográfico y selección de textos* (La Laguna: Instituto de Estudios Canarios, 2000).

5 Por razones de espacio, en este estudio únicamente relacionamos, en anexo, los textos a los que aludimos, ordenados por la fecha de la llegada de sus autores al Archipiélago. Las citas se han transcrito respetando rigurosamente la grafía original.

6 François Péron, *Voyage de découvertes aux terres australes...* (Paris: Imprimerie Nationale, 1807), p. 14; Sabin Berthelot, *Les Miscellanées canariennes, Histoire naturelle des Isles Canaries* (Paris: Béthure Éditeur, 1839), p. 87; Alcide d'Orbigny, *Voyage dans l'Amérique méridionale* (Paris: Pitois – Levrault et Cie, 1835, p. 12).

7 Jacques Milbert, *Voyage pittoresque à l'île de France, au cap de Bonne-Espérance et à l'île de Ténériffe* (Paris: A. Nepveu, 1812), p. 8.

frondosidad de los bosques, situados en la parte septentrional, y la rica variedad de cultivos propia de las regiones templadas: los plátanos que maduran al mismo tiempo que los melocotones, la vid y el trigo que dan sus frutos a la par que los naranjos y los limoneros[8] o también, como apunta Gabriel de Belcastel, la estabilidad del clima: "Les premières ondées d'automne, ailleurs avant-courrières de l'hiver, ouvrent ici la porte au plus suave des printemps"[9]. Curiosamente, dos siglos antes, el poeta barroco Saint-Amant, que había tenido ocasión de conocer el Archipiélago, se había expresado en términos similares en los últimos versos de su soneto *L'automne des Canaries*:

> L'orange en mesme jour y meurit et boutonne,
> Et durant tous les mois on peut voir en ces lieux
> Le printemps et l'esté confondus en l'autonne.

Pero, por encima de todo ello, sobresale el Teide, que con sus 3.718 metros sigue atrayendo la curiosidad de los científicos[10] y despertando la admiración de cuantos lo contemplan:

> Sa large base étoit alors voilée par les nuages, tandis que sa cime, éclairée par les derniers rayons du soleil, se dessinoit majestueusement au-dessus d'eux. [...] mais, il faut l'avouer, l'isolement de ce pic au milieu des mers, la présence des îles fameuses qu'il annonce au loin, les souvenirs qu'il rappelle, les grandes catastrophes qu'il proclame, et dont il est lui-même un prodigieux effet, tout concourt à lui donner une importance que ne sauroient avoir les autres montagnes du globe.[11]

Todos los viajeros realzan en sus escritos la grandiosidad y majestuosidad del Pico, rodeado de su eterno mar de nubes, utilizando distintos recursos literarios, tales como metáforas, personificaciones y símiles. Así lo podemos comprobar en este fragmento de Jacques Milbert:

> Quel spectacle! qu'il est imposant et sublime! Je fus ébloui et obligé de voiler mes yeux en y portant la main. Le pic se présentait en face,

---

8 Charles-J. Sainte-Claire Deville, *Études géologiques sur les îles de Ténériffe et de Fogo* (Paris: Gide et Cie, 1846), p. 5 y Alcide d'Orbigny, *op. cit.*, p. 13.

9 Gabriel de Belcastel, *Les Îles Canaries et la Vallée d'Orotava au point de vue hygiénique et médical* (Paris: J. B. Baillière et Fils, 1861), p. 29.

10 Históricamente, este volcán sirvió a los marinos para guiarse en sus navegaciones, lo que hizo que durante mucho tiempo se adoptara como meridiano de referencia. Con el fin de determinar su altura exacta se organizaron numerosas expediciones europeas, siendo Jean Charles Borda quien, en 1776, efectuó la primera medición precisa y fiable. *Vid.* Alfredo Herrera Piqué, *Las Islas Canarias, escala científica en el Atlántico. Viajeros y naturalistas en el siglo XVIII* (Madrid: Rueda, 1987), p. 57 y ss.

11 François Péron, *op. cit.*, p. 13.

> dans l'éloignement; il était entouré de montagnes dont les plans croisés et variés de mille manières se distinguaient facilement les uns des autres. Les nuances les plus délicates dessinaient légèrement leurs contours; les bandes se prolongent de droite à gauche jusqu'à une très grande distance, et le sommet du pic, détaché de l'atmosphère sur un ciel du bleu le plus pur, élève sa tête majestueuse, isolée dans l'espace: il domine souverainement les autres montagnes et semble un roi au milieu de sa cour.[12]

o también en este otro del barón de Bougainville:

> [...] *le Pic*, qui s'était tenu caché durant notre séjour à Santa-Crux, dépouilla tout à coup son manteau de nuages; les vapeurs qui le dérobaient à nos regards laissèrent voir à nu sa tête chauve, et nous pûmes à loisir contempler ce géant des mers, dont la masse imposante semblait encore s'agrandir en se dessinant dans le vague des ombres. Qui ne serait frappé d'un pareil spectacle?[13]

Ello no impide que, en algunas ocasiones y dependiendo de la situación, el narrador abandone las apreciaciones personales y adopte un punto de vista objetivo, propio de su espíritu científico, como vemos en el siguiente pasaje del marino Dumont d'Urville:

> A six heures, moment précis du coucher du soleil, le pic de Ténériffe, dont le piton seul était visible, se dressait droit devant nous sous la forme d'une petite île conique, ou plutôt d'une énorme pyramide d'une forme régulière. Son angle visuel, mesuré au micromètre, était déjà de 19° 44'', quoique sa distance, conclue de relèvements assez sûrs, fût encore de 106 milles.[14]

El paisaje canario ejerce, asimismo, otra influencia en estos viajeros que refleja claramente una de las principales características de la escritura romántica. Nos referimos al lirismo con el que pretenden traducir, por medio de palabras, los sentimientos que les provoca una naturaleza que ya no conciben como algo exterior, sino de la que se sienten parte integrante, por lo que su misión no va a consistir simplemente en reproducirla, sino que deberán buscar un modo de forumlarla. De esta manera, como bien señala Carvalhão Buescu[15], este proceso de interiorización de la percepción de la realidad que tiene

---

[12] Jacques Milbert, *op. cit.*, p. 51.

[13] Hyacinthe Potentien, *Journal de la naviagation autour du globe de la frégate La Thétis et de la corvete La Espérance* (Paris: Arthus Bertrand, 1837), p. 33.

[14] Jules Dumont d'Urville, *Voyage au Pôle Sud et dans l'Océanie...* (Paris: Gide, 1842), p. 11.

[15] Helena Carvalhão Buescu, "Existe-t-il une description romantique du paysage?" (*Ariane. Revue d'études littéraires françaises*, 5, 1987), p. 113.

lugar en los escritores románticos culmina, necesariamente, en la materialización de esa subjetividad, y ello sólo es posible a través de la descripción. Sin embargo, en el caso específico de la literatura de viajes, no podemos olvidar que se trata de un género intrínsecamente descriptivo, en el que, *a priori*, no tiene cabida la escritura novelesca, ya que una de las pretensiones de sus autores ha sido, desde siempre, transcribir, bien para sí o bien para compartir con los demás, sus vivencias. Pero no es menos cierto que el discurso del viajero romántico va a tomar ese nuevo cariz que acabamos de señalar, como trataremos de demostrar a continuación.

Algunas de las impresiones que refieren nuestros cronistas las han experimentado ya durante la travesía. En el caso concreto del viaje a Canarias, el recorrido que llevan a cabo de lo imaginario a lo real está influido no sólo por una representación mental previa y una herencia cultural, sino también por la condición insular del lugar: "Pour le navigateur, les îles sont beaucoup plus que des points de terre dessinés sur des cartes, elles sont chargées d'une attente inconsciente"[16]. Al llegar a su destino, se encuentran con una realidad geográfica que podrá colmar o no sus expectativas. Así, Alcide d'Orbigny, que en su periplo hacia Sudamérica recala en el puerto de Santa Cruz de Tenerife en 1826, nos hace partícipes, antes de pisar tierra canaria, de su ansiedad por ver una naturaleza ya soñada: "ce que mes yeux, avides de nouveautés, espéraient y rencontrer, mon imagination exaltée se le représentait sous la forme de mille chimères. Dès-lors, plus de sommeil pour moi"[17]. Esta misma emotividad la observamos en el dibujante Milbert cuando avista la silueta de Gran Canaria: "Notre imagination s'élançait avec transport vers les *îles Fortunées*, et se promettait des jouissances nouvelles"[18].

Una vez desembarcados, los viajeros viven esa ósmosis con los elementos naturales propia de la sensibilidad romántica. Sabin Berthelot, que pasó gran parte de su vida en Tenerife[19], es uno de los

---

[16] Jorge Magasich-Airola y Jean-Marc de Beer, *America Magica: quand l'Europe de la Renaissance croyait conquérir le Paradis* (París: Autrement, 1994), p. 166.

[17] Alcide d'Orbigny, *op. cit.*, p. 8.

[18] Jacques Milbert, *op. cit.*, p. 6.

[19] La primera estancia de Berthelot en Canarias se prolongó de 1820 a 1830, etapa en la que fijó su residencia en la villa tinerfeña de La Orotava, donde llegó a fundar un innovador liceo y a dirigir el Jardín de Aclimatación. A su regreso en 1847, logró ser nombrado representante consular del gobierno francés en Santa Cruz de Tenerife, ciudad en la que murió en 1880. A lo largo de todos esos años, Berthelot fue un excelente anfitrión y fuente de información para los naturalistas europeos que recalaban en Tenerife. Sus trabajos de investigación sobre el Archipiélago abarcan aspectos tales como la historia, las costumbres, la botánica, la zoología, la

autores que mejor plasma esta compenetración con el paisaje isleño: "Il faut avoir respiré le parfum de la forêt pour bien concevoir tout ce que l'âme éprouve de jouissances en se sentant pénétré de cette atmosphère de vie"[20], cuyas particularidades invitan, además, al recogimiento y a la reflexión: "La tranquillité des lieux, leur imposant aspect, leurs beautés vierges, disposent la pensée à la méditation"[21].

La serenidad, el silencio y la singularidad del espectáculo natural favorecen un aislamiento que propicia, incluso, un ejercicio casi místico de interiorización, como lo expresa en su relato el ingeniero Louis Cordier al encontrarse en el Teide:

> Elevé à cette hauteur dans l'atmosphère, assis paisiblement sur cet énorme monceau de ruines fumantes, isolé dans l'Océan, veillant seul au milieu du silence de la nature, j'admirais religieusement la majesté de son sommeil, je rappelois des souvenirs, et j'attendois sans impatience l'heure où j'allois satisfaire la curiosité qui m'amenoit de si loin sur un des plus anciens volcans de la terre.[22]

o D'Orbigny en las notas que toma en su primer paseo por tierras canarias:

> [...] l'aspect agreste des coteaux, la solitude dans laquelle je me trouvais, tout me disait que je n'étais plus en France; et j'osais à peine articuler un mot, dans la crainte de troubler le silence sauvage de ce désert [...]. Toujours en extase, j'entendais encore, dans le lointain, le son aigu des sifflemens et le tintement des clochettes suspendues au cou des chèvres. Bientôt les sons se perdirent tout à fait dans le vague des airs. Je m'aperçus alors seulement que la nuit s'avançait et que j'étais seul au milieu des montagnes.[23]

Para Berthelot, la magia del ambiente en el que está inmerso induce, además, a la ensoñación:

> Du reste, le spectacle dont j'étais entouré avait trop d'attraits pour me priver de sa vue en me livrant au repos: la sérénité du ciel, la solitude du lieu, les formes bizarres de tous ces blocs de lave entassés autour

---

geografía, la geología, la etnografía, etc., y todavía hoy constituyen un referente ineludible. Esta obra la reunió, con la colaboración de Philip Barker-Webb, en su monumental *Histoire Naturelle des Isles Canaries* (París: Béthune éditeur, 1836--1850, 9 vols. + 1 álbum).

20 Sabin Berthelot, *Les Miscéllanées canariennes*, in *Histoire Naturelle des Isles Canaries* (Paris: Béthure Éditeur, 1839), p. 70.

21 *Ibidem.*

22 Louis Cordier, *Journal de Physique, de Chimie, d'Histoire Naturelle et des Artes* (Paris: Fuchs, 1803), p. 57.

23 Alcide d'Orbigny, *op. cit.*, p. 13.

de notre bivouac, les grandes ombres qui voilaient ces gorges profondes d'où nous étions sortis, ce pic au-dessus de nos têtes et que la lune éclairait de son brillant flambeau, tout cela parlait à l'imagination et réveillait la pensée.[24]

Otro de los rasgos propios del pensamiento romántico es su comcepción del universo como organismo vivo en constante evolución. Por ello, no es de extrañar que el «viajero-escritor» de esta época haga hincapié en los cambios que experimenta su entorno y que, gracias a una percepción no sólo visual sino total, en la que cada sentido tiene su papel, ha podido captar. Esta insistencia en la variación de las formas, de los volúmenes, de los colores o de los sonidos, no es solamente algo novedoso, sino que constituye y define el propio paisaje romántico[25]. Los relatos de esta época nos ofrecen, pues, una naturaleza en movimiento, plagada de detalles o de matices que la hacen singular y distinta y, de ahí, que privilegien aquellos momentos del día en los que es especialmente visible esta mutabilidad, como el amanecer[26] o el crepúsculo[27], y también aquellos aspectos o efectos caracterizados por su condición fugaz, como la luz[28], con sus reflejos[29] y sus sombras[30], los olores[31] o los sonidos[32].

En cualquier caso, tratar de representar algo cambiante, y por tanto fugitivo, comporta una gran dificultad, y, en algunas ocasiones, los cronistas reconocen su impotencia para plasmar por escrito, o incluso a través del dibujo, determinadas escenas o situaciones[33]. Esta carencia de medios, sobre todo léxicos, que ya había puesto de relieve

[24] Sabin Berthelot, *op. cit.*, p. 159.

[25] Helena Carvalhão Buescu, *op. cit.*, p. 116.

[26] Élie Le Guillou, *Complément aux Souvenirs d'un aveugle. Voyage autour du monde de l'Astrolabe et de la Zélée...* (Paris: Berquet et Pétion, 1842), p. 28; Sabin Berthelot, *op. cit.*, p. 12 y Charles-J. Sainte-Claire Deville, *op. cit.*, p. 6.

[27] Jacques Milbert, *op. cit.*, p. 6; Alcide d'Orbigny, *op. cit*, p. 13 y Ludovic Hébert, *Voyage autour du monde* (Paris: Éd. Plon et Cie, 1878), p. 7.

[28] Cyrille-P. Laplace, *Campagne de circumnavigation de la frégate l'Artémise...* (Paris: Arthus Bertrand, 1841), p. 29.

[29] Jacques Milbert, *op. cit.*, p. 6; Sabin Berthelot, *op. cit.*, p. 87 y Ludovic Hébert, *op. cit.*, p. 7.

[30] Jacques Arago, *Souvenirs d'un aveugle. Voyage autour du monde* (Paris: Horzet et Ozanne, 1839), p. 28 y Alcide d'Orbigny, *op. cit.*, p. 13.

[31] Sabin Berthelot, *op. cit.*, p. 84.

[32] Sabin Berthelot, *op. cit.*, p. 224 y Alcide d'Orbigny, *op. cit.*, p. 13.

[33] Jean-B. Bory de Saint-Vicent, *Voyage dans les quatre principales îles des mers d'Afrique...* (Paris: F. Buison, 1804), p. 59; Jacques Arago, *op. cit.*, pp. 27-28.

en el siglo XVIII Bernardin de Saint-Pierre[34], obliga a los viajeros a emplear toda clase de procedimientos con el fin de lograr su cometido, es decir, apropiarse de una realidad que han tenido la oportunidad de percibir para poder luego revelarla a unos futuros lectores que la desconocen. Uno de los principales recursos que pueden ayudarles a suplir la insuficiencia de su lenguaje, plagado de lugares comunes propios de la tradición retórica, es el empleo de metáforas visuales, de términos pictóricos, etc.[35], en un intento de "écrire comme on peindrait la nature", en palabras de Richard[36].

Un primer indicio de esta estrecha relación entre lenguaje y pintura se manifiesta en que no pocos autores reconocen que el panorama que se despliega ante sus ojos merecería ser objeto de un cuadro. Leemos, así, en la relación de André-Pierre Ledru: "La statistique d'un pays intéressant par son climat, ses productions, et par l'aménité de ses habitants, présente un large tableau qui peut exercer le crayon de plusieurs peintres" (p. IX). Berthelot, por su parte, mucho más rotundo y vehemente, declara:

> Il faudrait une main habile pour traduire sur la toile ce magnifique coup-d'oeil. Que font à Paris tant d'artistes qui s'épuisent en vains efforts devant des tableaux de commande? Qu'ils traversent les mers, et en moins d'un mois ils seront dédommagés de leur peine en face de cette nature grandiose, de ces massifs qui se surplombent, de ces rochers rongés par le temps qui se dessinent sous un ciel de feu et projettent au loin leurs grandes ombres.[37]

Esta arenga se convierte en Jacques Arago, dibujante de la célebre expedición de Freycinet, en una verdadera indignación:

> Dites-moi donc ce que font à Paris tant de grands artistes dans leurs tranquilles ateliers! Je maudis et ma faiblesse et mon impuissance, en face de si sauvages et de si gigantesques tableaux![38]

La dimensión pictórica se muestra, de forma ya más palpable, en el empleo de voces pertenecientes al ámbito de las artes plásticas, como

---

[34] Así lo asevera en su *Voyage à l'île de France* (París-Amsterdam: Merlin, 1773, vol. II, p. 227): «L'art de rendre la nature est si nouveau que les termes mêmes n'en sont pas inventés».

[35] Alain Guyot, "Peindre ou décrire? Un dilemme de l'écrivain voyageur au XIXe siècle" (*Recherches & Travaux*, 52, 1997), pp. 101 y ss.

[36] Paule Richard, "*Ut naturae pictura poesis*. Le paysage dans la description littéraire au début du XIXe siècle" (*Revue des Sciences Humaines*, 209, 1988), p. 141.

[37] Sabin Berthelot, *op. cit.*, p. 73.

[38] Jacques Arago, *op. cit.*, p. 28.

los verbos *dessiner*[39], *colorer*[40] y *peindre*[41], o los sustantivos *couleur*[42] y *teinte*[43]. Resulta especialmente llamativa la presencia de términos referentes a los tonos y a sus diferentes gradaciones, que nos hacen pensar que el escritor ha sustituido su pluma por la paleta y el pincel. De esta manera, la multiplicidad de matices que conforman las descripciones convierten el paisaje en un verdadero caleidoscopio que, pasando por *les couleurs diaprées*[44], *le pourpre*[45] y *la rougeur étincelante*[46] del horizonte en el crepúsculo, va desde la *teinte brune*[47] o *la couleur brunâtre*[48] del suelo a *la neige rosée*, *le rose éclatant*, *la neige argentée* o *la blancheur* del pico del Teide[49], donde se reúnen "ces couleurs chatoyantes et dorées qui font étinceler les plus hautes sommités de la terre"[50]

Este sucinto acercamiento a la representación del paisaje canario en un conjunto de relaciones de viajes del siglo XIX nos permite extraer algunas conclusiones.

Por un lado, comprobamos que los viajeros, en consonancia con la evolución del pensamiento de la época y, muchas veces, aun no siendo conscientes de ello, consiguen dotar a sus textos de un valor estético que, sin descuidar la inherente objetividad de este género, convierte a esos "viajeros-escritores" en auténticos "escritores-viajeros", como se denomina a sí mismo el zoólogo D'Orbigny[51].

Por otra parte, no nos parece arriesgado afirmar que nuestros autores poseen uno de los rasgos esenciales del talante romántico: la exaltación de su individualidad, que tratan de armonizar con el mundo exterior y que expresan mediante un lenguaje lírico y apasionado. Ciertamente, en estos escritores la naturaleza no se convierte en el

---

39 Jacques Milbert, *op. cit.*, p. 6.

40 Élie le Guillou, *op. cit.*, p. 28.

41 Sabin Berthelot, *op. cit.*, p. 12.

42 Jean-B. Bory de Saint-Vincent, *Essais sur les îles Fortunées et l'Antique Atlantique ou Précis de l'Histoire de l'Archipel des Canaries* (Paris: s/l, 1803), p. 275; Jacques Milbert, *op. cit.*, p. 6; Sabin Berthelot, *op. cit.*, p. 12.

43 Élie le Guillou, *op. cit.*, p. 28; Ludovic Hérbert, *op. cit.*, p. 7.

44 Sabin Berthelot, *op. cit.*, p. 12.

45 Élie le Guillou, *op. cit.*, p. 28.

46 Ludovic Hérbert, *op. cit.*, p. 7.

47 Jean-B. Bory de Saint-Vincent, *Essais...*, p. 275.

48 Jacques Milbert, *op. cit.*, p. 6.

49 Ludovic Hérbert, *op. cit.*, p. 7.

50 Jacques Milbert, *op. cit.*, p. 52.

51 Alcide d'Orbigny, *op. cit.*, p. 2.

espejo del alma, como suele ocurrir sobre todo con los poetas; más bien sucede lo contrario: es el paisaje el que, con sus novedosas formas, sonidos, silencios, luces, sombras y colores, propicia el encuentro del viajero con su propio yo en soledad.

Ya en las postrimerías del movimiento romántico, Belcastel nos brinda, desde la atalaya del Teide, una descripción del Océano, elemento ineludiblemente unido a la geografía insular, que no puede ser más ilustrativa:

> Bientôt, en effet, à notre droite, la mer, la mer des tropiques avec son sourire calme et son bleu profond, tantôt se découpant sur la dentelure d'un palmier, tantôt se montrant sans voile, déroule au loin, au-dessous de pentes cultivées et bien bas sous nos pieds, ses flots revêtus d'une grâce incomparable. Vue de cette hauteur, son azur est plus profond encore; son immensité semble grandir. Son murmure ne se trahit que par la frange argentée dont elle borde les quinze lieues de côte alors découverts à la vue. Sa solitude et son silence ont une voix qui remue l'âme dans ses profondeurs.[52]

Llegamos al término de nuestro recorrido con esta poética imagen, en la que el mar se torna una hermosa mujer cuya silenciosa serenidad invita a la introspección, y que nos permite afirmar que, en este caso, *el paisaje se hace cuerpo.*

Anexo: Relatos de viajes citados

Autor	Estancia	Obra
André-Pierre Ledru (naturalista)	1796	*Voyage aux îles Ténériffe, La Trinité, Saint-Thomas, Sainte-Croix et Porto-Rico...* Paris, Arthus-Bertrand, 1810.
Jean-B. Bory de Saint-Vincent (naturalista)	1800	*Essais sur les îles Fortunées et l'Antique Atlantide ou Précis de l'histoire de l'Archipel des Canaries.* Paris, 1803.
		Voyage dans les quatre principales îles des mers d'Afrique... Paris, F. Buison, año XIII [1804].

52 Gabriel de Belcastel, *Les Îles Canaries et la Vallée d'Orotava au point de vue hygiénique et médical* (Paris: J. B. Baillière et Fils, 1861), pp. 14-15.

Autor	Estancia	Obra
Jacques Milbert (dibujante)	1800	*Voyage pittoresque à l'île de France, au cap de Bonne-Espérance et à l'île de Ténériffe*. Paris, A. Nepveu, 1812.
François Péron (naturalista)	1800	*Voyage de découvertes aux terres australes...* Paris, Imprimerie Nationale, 1807.
Louis Cordier (ingeniero de minas)	1803	*Journal de Physique, de Chimie, d'Histoire naturelle et des Arts*. Paris, Fuchs, 1803.
Jacques Arago (dibujante)	1817	*Souvenirs d'un aveugle. Voyage autour du monde*. Paris, Horzet et Ozanne, 1839.
Élie Le Guillou (médico)	1817	*Complément aux Souvenirs d'un aveugle. Voyage autour du monde de l'Astrolabe et de la Zélée...* Paris, Berquet et Pétion, 1842 [mis en ordre par J. Arago].
Sabin Berthelot (naturalista)	1820- -1830 1847- -1880	*Les Miscellanées canariennes*, in *Histoire Naturelle des Isles Canaries*. Paris, Béthune éditeur, 1839.
Alcide d'Orbigny (naturalista)	1826	*Voyage dans l'Amérique méridionale*. Paris, Pitois-Levrault et Cie, 1835.
Hyacinthe Potentien, baron de Bougainville (oficial de marina)	1824	*Journal de la navigation autour du globe de la frégate La Thétis et de la corvette La Espérance*. Paris, Arthus Bertrand, 1837.
Jules Dumont d'Urville (oficial de marina y naturalista)	1837	*Voyage au Pôle Sud et dans l'Océanie...* Paris, Gide, 1842.
Cyrille-P. Laplace (oficial de marina)	1837	*Campagne de circumnavigation de la frégate l'Artémise...* Paris, Arthus Bertrand, 1841.
Charles-J. Sainte--Claire Deville (geólogo)	1842	*Études géologiques sur les îles de Ténériffe et de Fogo*. Paris, Gide et Cie, 1846.
Gabriel de Belcastel (médico)	1859	*Les Îles Canaries et la Vallée d'Orotava au point de vue hygiénique et médical*. Paris, J.B. Baillière et Fils, 1861.
Ludovic Hébert, comte de Beauvoir (aristócrata)	1866	*Voyage autour du monde*. Paris, E, Plon et Cie, 1878.

Paisagem, frutos e corpos.
Sobre o *voyeurismo* de Werther

Orlando Grossegesse
Universidade do Minho

Conforme a leitura mais corrente do romance *Os Sofrimentos do jovem Werther*, a amargura, o desespero e o suicídio do protagonista devem-se à impossibilidade de realizar o seu amor com Lotte, na qual se fixa o desejo obsessivo do jovem. No caso de uma identificação do leitor com o herói, a culpa pode ser atribuída a Lotte, incapaz de decidir-se em favor dos seus sentimentos íntimos e corresponder ao amor, ou às leis morais da sociedade burguesa; no caso de uma leitura mais distanciada, a culpa é do próprio Werther, incapaz de libertar-se da sua paixão doentia e de integrar-se na sociedade. Comum a todas as posições é o pressuposto mais ou menos assumido de procurar razões para o sofrimento e porventura alternativas ao desfecho letal, como se houvesse uma necessidade de ajudar o coitado do jovem, impondo ao crítico literário o papel dum terapeuta[1].

A compreensão de Werther como vítima gera no fundo argumentações ao nível da própria auto-representação do protagonista, negligenciando o romance de Goethe como "*forma* literária" e abrandando a "provocação" da sua semântica[2]. Em primeiro lugar, o jovem Werther constrói, em não menor grau através da própria escrita, uma intensifi-

---

1 Vd. a crítica de Gerhard Plumpe, "Kein Mitleid mit Werther", Hank de Berg e Matthias Prangel (eds.), *Systemtheorie und Hermeneutik* (Tübingen / Basel: Francke, 1997), p. 215.

2 Plumpe, p. 216. Para facilitar a leitura, todas as citações de bibliografia em língua alemã aparecem na tradução do autor. No caso dos textos de Goethe, surge a indicação do texto original em nota de rodapé.

cação específica dum sentimento amoroso como sofrimento que *requer* a proibição dum relacionamento genital e burguês com Lotte, já ocupado pelo noivo e posterior esposo Albert. Contudo, este tabu não se deve "tanto à questão da moral mas antes ao medo do próprio Werther de se poder ver obrigado a cumprir as afirmações e pretensões amorosas"[3], quer na realização corporal do desejo quer na vida burguesa.

De facto, diversos críticos repararam no pouco interesse demonstrado pelo amante em possuir o objecto do seu amor. No entanto, a maioria dos estudos procede a uma psicanálise mais ou menos freudiana do caso. As auto-definições de Werther como infantil, a ausência do pai no romance e a relação aparentemente distante com a mãe em contraste com a idealização maternal da amada Lotte oferecem sintomas suficientes para diagnoses de narcisismo e regressão pré-genital perante a ordem paternal[4].

Estas interpretações desvalorizam ou negligenciam a construção semiótica do sofrimento, cultivado num deslocamento complexo do desejo, começando pelo próprio relacionamento corporal, desviado dos órgãos sexuais para pés e dedos, peito e boca, passando pela sexualização do olhar e o fetichismo (imagem, pessoas, objectos) até às fantasias eróticas e culminando na própria escrita que não só descreve mas também colabora decisivamente na produção auto-sugestiva do sofrimento: nas suas cartas, Werther esforça-se por definir o seu amor espiritual por uma amada santificada, só aparentemente afastado dum desejo corporal. Este desejo é revelado e alimentado pela mesma escrita que, em descrições sensuais e metáforas sexuais de líquido e fogo, rompe claramente com a retórica das afinidades das almas[5]. Desde o primeiro encontro, não só o olhar mas também o acto da escrita são carregados de erotismo, no sentido de *voyeurismo* bem como masturbação[6]. Sistematicamente, a realização do amor por Lotte não é só deslocado mas também protelado até ao ponto do *nunca*-no-aquém,

---

3 Hans-Peter Schwander, *Alles um Liebe? Zur Position Goethe im modernen Liebesdiskurs* (Opladen: Westdeutscher Verlag, 1997), p. 25.

4 Por exemplo Helmut Schmied, "Woran scheitert Werther?" (*Poetica* 11, 1979) e Wolfgang Kaempfer, "Das Ich und der Tod in Goethes *Werther*" (*Recherches Germanistiques* 9, 1979).

5 Cf. Stephan K. Schindler, *Eingebildete Körper. Phantasierte Sexualität in der Goethezeit* (Tübingen: Stauffenburg Colloquium, 2001), pp. 111-115.

6 Schindler (2001) refere, entre outros, o estudo de Wellbery sobre a lírica do jovem Werther, caracterizado pela mesma dupla sexualização (olhar e escrita): David E. Wellbery, *The Specular Moment. Goethe's Early Lyric and the Beginnings of Romanticism*, (Stanford, California: Stanford Univ. Press [1994] 1996).

tornado equivalente ao *sempre*-no-além, dum modo comparável ao petrarquismo.[7] No entanto, ao contrário duma sublimação de amor bem conseguida, a proximidade da morte possibilita em Werther uma intensificação de sexualidade fantasiada e até – fugazmente – realizada nos beijos finais que significam, ao mesmo tempo, a morte do amante.

> Todas as tentativas de sublimar a sexualidade (...) quer na vivência da natureza, no idílio camponês, na *imitatio Christi* quer na identificação com textos literários e com as crianças que podem deitar a mão a tudo, não só fracassam neste beijo mas também podem ser lidas posteriormente como sexualização do quotidiano.[8]

Perante este modelo semiótico que, em última instância, defende uma emancipação e ilimitação de desejo e paixão em vez da sua sublimação e disciplina no sentido iluminista[9], interpretações psicanalíticas planas não conseguem dar uma explicação satisfatória deste êxito amoroso de Werther, precisamente na iminência da morte[10]. O amor culmina nos "beijos intermináveis" e "furiosos", sonhados e depois realizados[11] que, junto com as lágrimas, inconfundivelmente substituem a união sexual[12], poucas horas antes do suicídio.

Na primeira versão do romance, a confluência sonhada de *eros* e *thanatos* encena-se significativamente na última carta antes da intervenção do editor como narrador autoral, instância que relativiza Werther como caso patológico. A recordação deste sonho que ainda no acto de escrever atiça o fogo do desejo antecipa o posterior momento de êxtase induzido pelo acto da leitura sentimental comum dos cantos de Ossian. Em vez de a escrita *alimentar* o reviver do sonho na

---

7 Vd. Jörg-Ulrich Fechner, "Die alten Leiden des jungen Werthers. Goethes Roman aus petrarkistischer Sicht" [1982], Peter Herrmann (ed.), *Goethes Werther. Kritik und Forschung* (Darmstadt: Wiss. Buchgesellschaft, 1994), pp. 338-358.

8 Schindler, p. 116 f.

9 Vd. Matthias Luserke, *Die Bändigung der wilden Seele. Literatur und Leidenschaft in der Aufklärung* (Stuttgart: Metzler, 1995), p. 271 f.

10 Vd. a crítica de Schwander, nota 28 em p. 28, relativamente ao estudo de Kaempfer.

11 Em sonho: "deckte ihren lieben lispelnden Mund mit unendlichen Küssen" (pp. 196-215); no encontro real: "deckte ihre zitternde stammelnde Lippen mit wüthenden Küssen (pp. 246-247). A indicação dupla de páginas explica-se pela impressão paralela das versões de 1774 e de 1787 de *Die Leiden des jungen Werthers* aqui utilizada: Waltraud Wiethölter (ed.), Johann Wolfgang Goethe, *Sämtliche Werke*, vol. 8 (Frankfurt / Main: Deutscher Klassiker Verlag, 1994).

12 Vd. a repetição significativa do sintagma "cobrir a boca / os lábios com beijos" (pp. 196-215; pp. 246-247).

recordação, aqui é a declamação de cantos de tempos remotos, traduzidos e portanto reescritos pelo amante, que alimenta a realização fugaz deste sonho. Acontece na imaginação duma paisagem, próxima da morte e longe de qualquer controlo social, na qual relações amorosas acabam em tragédia mas perduram no além; e nesta paisagem morre também o bardo dos cantos, perdurando na natureza e na memória dos próprios cantos. É só nesta "natureza-texto"[13] que Werther e Lotte, semi-mortos nos actos da tradução[14] e da leitura identificadora desta tradução, experimentam este amor excepcional, *per definitionem* incompatível com repetição ou permanência em vida, no entanto perfeitamente compatível com a promessa de eternidade, utilizando estruturas de sentimento religioso: "ele morre feliz."[15] Contudo, este triunfo de amor (aparentemente) correspondido é celebrado por Werther numa "solidão total"[16], completada na carta de despedida por uma perspectiva *post mortem* antecipada, devido à certeza do suicídio do amante e 'poeta sem obra', que Lotte só vagamente pressente[17].

Os estudos de David E. Wellbery e Stephan K. Schindler, que conjugamos neste ensaio com as interpretações de Gerhard Plumpe e Hans-Peter Schwander[18] e com a nossa própria leitura de *Werther*, também partem da interpretação psicanalítica. Contudo, eles tornam a

---

[13] Leo Löwenthal, *Literature and the Image of Man* (Boston: The Beacon Press, 1957); cit. conforme a tradução alemã *Das Bild des Menschen in der Literatur* (Neuwied: Luchterhand, 1966), p. 205.

[14] A tradução de Ossian por Werther funciona como metáfora da impossibilidade dum regresso (re-tradução) à vida, uma metaforização explorada na literatura moderna: Judith Klein, "Sinnzerstörung und Tod. Übersetzen als Thema umd Metapher der modernen Literatur", *in* P. V. Zima (ed.), *Literarische Polyphonie* (Tübingen: Günter Narr, 1996), p. 118 f.

[15] Plumpe, p. 223.

[16] Günter Niggl, "Ossian in Goethes *Werther*", *in* Margaret Stone e Gundula Sharman (eds.), *Jenseits der Grenzen: die Auseinandersetzung mit der Fremde in der deutschsprachigen Kultur* (Bern: Peter Lang, 2000), p. 59. Como Niggl comprova, esta duplicidade de união amorosa e solidão nasce duma colagem premeditada dos textos declamados, entre *Songs of Selma* e *Berrathon.*

[17] Esta falha na comunicação íntima revela uma certa analogia entre este encontro e a despedida de Werther no fim do primeiro livro – uma despedida definitiva só compreendida por ele próprio. Contudo, esta alimenta, na sua interpretação de sentimentos induzidos pela paisagem nocturna e expressos por Lotte, a promessa duma futura união no além. Ambos os episódios contribuem para a auto-sugestão da paixão do amante, independente de Lotte como identidade psíquica e corpo próprio.

[18] Schindler (2001) refere-se a Wellbery (1994 / 96) e não menciona nem Plumpe (1997) nem Schwander (1997), ambos publicados independentemente sem leitura explícita de Wellbery.

diagnose de auto-erotismo e regressão à fase pré-genital ou até à simbiose original no corpo maternal num horizonte analítico para redescobrir a semiótica específica da corporalidade na obra do jovem Goethe e para reconstruir a leitura coeva da sexualidade wertheriana. O tema da sexualidade, bem presente na recepção imediata do romance[19], ficou posteriormente suprimido ao privilegiar-se uma leitura abrandada moralizante que obedece ao estudo aparentemente objectivado do jovem Werther como um caso extremo, acentuando a retórica da afinidade das almas no seu discurso. É uma afinidade lícita a ser desenvolvida no "parque natural" da comunicação sentimental, mas punida em caso de transgressão da ordem social vigente.

Este abrandamento, ainda reforçado pela integração dos *Sofrimentos do jovem Werther* na construção biografista da obra goethiana, no sentido de constituir um episódio na vida do autor transformada em *romance de aprendizagem*, fomentou a desarticulação da sua "semântica de provocação" (Gerhard Plumpe). Daí, uma reconstrução da sexualidade significar também a sua reintegração no programa da subjectividade excepcional defendido pelo jovem Goethe (David E. Wellbery).

Conforme Wellbery e Schindler, a fixação oral, a metaforização sexual da sensualidade (líquido, fogo, electricidade) e a sexualização do olhar referem-se, no fundo, a todos os corpos, minando assim a norma social da sexualidade genital, heterossexual e monogâmica[20]. Neste sentido, a leitura canonizada para uso escolar negligencia a semântica de vários episódios. Por exemplo, reparemos no passeio aparentemente insignificante, no qual Werther começa um *flirt* com Friederike, na presença do noivo ofendido e sob o olhar atento e risonho de Lotte, que o aconselha a parar[21]. Na conversa que se segue, Werther defende fervorosamente, secundado por Lotte, a interligação estreita entre sentimento e corpo para remediar a "doença" do "mau humor" com a ajuda do canto e do exercício físico ao ar livre, "no po-

---

19 Por exemplo, *Des jungen Werthers Zuruf aus der Ewigkeit an die noch lebenden Menschen auf der Erde* (1775) de Johann August Schlettwein, analisado em Schindler, p. 117 f.

20 Cf. Wellbery, p. 207 e Schindler, p. 119.
David E. Wellbery, "Morphisms of the Phantasmatic Body: Goethe's *The Sorrows of Young Werther*", *in* Veronica Kelly and Dorothea von Mücke (eds.), *Body & Text in the Eighteenth Century*, (Stanford: Stanford Univ. Press, 1994), pp. 181-208.

21 "Lotte (...) mir das Artigthun mit Friederike abrieth" / "mir zu verstehen gab, dass ich mit Friederike zu artig gethan.", p. 65.

mar"[22]. É aqui que pela primeira vez no romance aparece o conceito de doença, retomado por Werther na discussão com Albert ao definir a *doença para a morte* ("die Krankheit zum Tode", pp. 98-99), causada pela paragem da interligação saudável entre sentimento e corpo, conduzindo até ao suicídio. Sem dúvida, a incapacidade do protagonista de automedicar-se constitui uma ironia dramática: em vez de sair para o ar livre, dançando e cantando, ele fecha-se com Lotte num quarto escuro, abdicando totalmente da fruição universal da vida; fecha-se ainda na leitura, aparentemente partilhada pela amante, de uma paisagem lúgubre, lugar idóneo quer para desfechos trágicos de relações amorosas monogâmicas quer para a morte do poeta no qual se espelha Werther, tradutor e leitor de Ossian. Em vez do desejo duma criação artística viva no meio da paisagem, divinizada como objecto de amor e de arte, ainda antes de conhecer Lotte (pp. 14-15), a "natureza-texto" traduzida e declamada desperta o desejo da morte[23], à semelhança da própria Lotte, transformada em anjo da morte.

Nesta lógica, trata-se de um desvio fatal, num entender totalmente contrário do deslocamento freudiano: é a paixão por Lotte que heterossexualiza o pan-sexualismo e não, como se lê frequentemente, a paixão por Lotte que "contagia" a relação de Werther com o mundo. Em vez de Lotte incarnar um centro quente (demais) que irradia, o relacionamento com ela deve ser considerado ponta dum icebergue, imagem petrarquisticamente paradoxal porque em vez de nunca derreter nunca arrefece.

É logo no início do romance que aparece Werther, deitado na erva, diluindo o seu corpo na simbiose eufórica com a natureza, diluição continuada posteriormente, quando abraça Lotte no rodopiar sensual do *walzen* no qual tudo desaparece à sua volta e se sente desvanecer: "Deixei de ser"[24]. Em ambos os episódios, Werther encena-se num lugar, simultaneamente perto do nascimento e da morte, comemorando assim a perda da simbiose original com o corpo materno, uma perda

---

22 [Lotte:] "Wenn mich etwas recht neckt und verdriesslich machen will, spring' ich auf und sing ein paar Contretänze den Garten auf und ab, gleich ist's weg." (pp. 64-65)

23 Löwenthal, p. 205.

24 "Ich war kein Mensch mehr" (pp. 48-49). Recordamos que o "Walzen" acrescenta novas figuras de dança ao "Contretanz" que possibilitam maior contacto físico entre homem e mulher.

inscrita no corpo humano pelo umbigo – ferida essencial numa leitura contrária à psicanálise freudiana falocêntrica[25].

Antes de concentrar o seu desejo exclusivamente em Lotte, Werther procura *alimentar-se* de corpos humanos e paisagens, unindo as noções de corpo e paisagem num conceito abrangente de natureza, e fazendo confluir o desejo sexual, no âmbito da regressão infantil, com o desejo de nutrição e exploração táctil do Outro. O objecto que metaforiza perfeitamente esta confluência é o fruto.

Vejamos por exemplo a carta que Werther escreve no seu aniversário: fala da sua "doença" com rasgos de perturbação alimentícia. Não se farta de beijar mil vezes a prenda oferecida por Lotte, preciasmente aquela fita cor-de-rosa que ela levava no peito (!) quando se conheceram, dançando juntos: "sorvendo com cada suspiro a lembrança daquela felicidade com a qual se me encheram demais aqueles poucos dias felizes, passados para sempre."[26] Segue-se uma reflexão sobre a mortalidade do ser humano, nas metáforas de flor e fruto ("só poucas flores chegam a ser frutos") que culmina no apelo de *comer* o fruto maduro, em vez de deixá-lo apodrecer. Depois, Werther desce do nível metafórico à descrição dum episódio vivido *repetidas vezes* com Lotte, não por acaso uma colheita de fruta. Trata-se de uma acção claramente sexualizada no "pomar de Lotte" em vez de uma sublimação do desejo: Werther apanha as pêras no alto da árvore com uma vara comprida, passando-as a Lotte que espera em baixo. Este idílio campestre encena – numa lembrança bíblica – a expulsão do jardim edénico, com uma inversão significativa: é o homem quem entrega o "fruto proibido" a uma mulher (aparentemente) angélica[27].

Perante este episódio, repare-se também no fruto *roubado* que Werther oferece a Lotte, precisamente quando eles procuram descansar depois do esforço físico do *walzen* (pp. 48-49): na primeira versão do romance, são fatias de limão com açúcar; na segunda, laranjas, de maior carga afrodisíaca e frequentemente representação do 'fruto proibido' na iconografia[28]. Em ambas as versões, Werther fica

---

[25] Referimo-nos à obra de Elisabeth Bronfen, nomeadamente *The Knotted Subject* (Princeton Univ. Press, 1998), que ainda não foi aplicada a *Werther*. Satisfazer tal *desideratum* não cabe a este estudo.

[26] "und mit jedem Atemzug schlürfe ich die Erinnerung jener Seligkeiten ein, mit denen mich jene wenigen, glücklichen, unwiederbringleichen Tage überfüllten." (pp. 110-111). Repare-se também no conceito alimentício de "überfüllen".

[27] O comentário de texto da edição utilizada, (ed.) Wiethölter, p. 968, só refere uma cena das *Confessions* de Jean-Jacques Rousseau (I, 4) como modelo possível.

[28] Cf. comentário de texto da edição utilizada, (ed.) Wiethölter, p. 964.

com "o coração punçado"[29] quando outras mulheres participam na fruição destes frutos, completando assim a declaração da posse corporal da amada no *walzen*, expressa na carta ainda sem referência directa a Lotte. Vaticina-se assim a posterior fixação fatal do seu desejo, abdicando paulatinamente da ilimitação do seu corpo na paisagem, na sexualização do olhar e no pan-sexualismo oral: "Não é que as crianças metem mão a tudo que lhes apetece? – E eu?", pergunta Werther, já com algum desespero (pp. 176-177). Um mês mais tarde, ele passa a sorver ("schlürfen"), cheio de desejo sexual ("voller Wollust"), a 'poção' preparada por Lotte, qual anjo da morte, num copo que lhe oferece com o seu olhar estranhamente bondoso (pp. 182-183).

O pan-sexualismo é o complemento tradicionalmente negligenciado do conceito herderiano de natureza, adoptado pelo jovem Goethe, no sentido pan-dinâmico, no qual o homem se converte em co-criador consciente da natureza: arte é criação como a própria natureza, sendo ao mesmo tempo a réplica dela[30]. É sabido que este pan-dinamismo continua na fase weimariana de Goethe, dominada pela experiência da Antiguidade greco-latina. Sendo assim, a essência do programa apresentado nos *Sofrimentos do jovem Werther* ainda persiste na segunda versão do romance, publicada em 1787. Imaginação e realização de desejo e a sua domesticação na sociedade burguesa são temas afirmados e redefinidos como questão essencial da própria natureza humana. Isto comprova-se pela inserção da história paralela do camponês enamorado bem como no reforço não só do auto-erotismo, na segunda versão ainda mais explicitamente caracterizado como infantil, mas também da dimensão erótica no comportamento de Lotte: ela heterossexualiza, de uma forma dolorosa para Werther, o pan-sexualismo 'nutritivo'. Da segunda versão, lembremos o famoso episódio do canário que "beija" com o seu bico a boca de Lotte, procurando em vão alimento (na interpretação de Werther), e passa depois, mandado por Lotte, a "beijar" a boca do amante faminto: "o contacto do debicar era como um sopro, um pressentimento da fruição amorosa"[31]. Quando Lotte ainda lhe oferece migalhas de pão com os seus lábios, Werther não a pode olhar: "Não deveria fazê-lo! Não deveria provocar a minha imaginação com estas imagens de inocência e felicidade celestial (...)." (p. 167).

---

29 "ein Stich durch's Herz ging" (pp. 48-49).

30 Alfred Schmidt, "Natur", *in* Bernd Witte et al. (eds.), *Goethe Handbuch* (Stuttgart, Weimar: J. B. Metzler, 1998, vol. 4/2), pp. 760, 763 e 771.

31 "(...) die pickende Berührung war wie ein Hauch, eine Ahndung liebevollen Genusses." (p. 167)

O episódio citado comprova que estas componentes contribuem para acentuar ainda mais a relação problemática entre imaginação e realidade, directamente ligada à definição do sujeito não só como amante mas também como criador artístico. Deste modo, o romance participa num projecto de subjectividade que transcende, em primeiro lugar ao nível da história narrada, a fixação numa relação heterossexual com Lotte e, em segundo lugar ao nível da instância do autor, o próprio texto do romance – não num sentido biografista mas num sentido poetológico.

Concordamos com Anthony Thorlby quando fala da tentação de "real-life poetry", encenada nos sofrimentos de Werther, "longing to marry imagination and reality – rather than an actual girl" à semelhança do próprio jovem Goethe[32]. Ao elaborar a segunda versão do romance epistolar, o autor constrói a história da sua 'evolução poetológica' em diálogo com o *voyeurismo*, transformado em teoria do olhar e do desejo. No centro da questão está o relacionamento entre realidade e imaginação, portanto também a missão do artista e do escritor.

Neste sentido, Goethe publica ainda em 1796, nos *Horen* de Schiller, mais um texto com Werther como protagonista e com uma base autobiográfica. Trata-se do fragmento *Briefe aus der Schweiz*[33], provavelmente escrito numa primeira versão (não conservada) durante a viagem que Goethe fez em 1779. O texto final apresenta um Werther antes do seu famoso namoro fatal com Lotte, mas com poucas referências concretas. No entanto, o declarado carácter apócrifo do texto como cópia dum manuscrito perdido (p. 594) expressa claramente a intenção, ao nível do 'autor abstracto', de oferecer estas *Cartas da Suíça* como glosa do romance *Os sofrimentos do jovem Werther*[34].

Não surpreende que Goethe tivesse situado o seu Werther na Suíça, cuja paisagem montanhosa já era fonte de sentimentos para Julie e Saint-Preux em *Lettres de deux amants* (1761). No entanto, é exactamente a imagem da Suíça como lugar exemplar de natureza

---

32 Anthony Thorlby, "From what did Goethe save himself in *Werther*?", *in* Volker Dürr e Gézar von Molnár (eds.), *Versuche zu Goethe*. [Homenagem a Erich Heller], (Heidelberg: Lothar Stiehm, 1976), p. 165.

33 Só existe uma "Erste Abteilung" por sua vez aparentemente incompleta, aqui citado na mesma edição de Waltraud Wiethölter (ed.), Johann Wolfgang Goethe, *Sämtliche Werke*, vol. 8 (Frankfurt / Main: Deutscher Klassiker Verlag, 1994), pp. 594-609.

34 Isto já é referido implicitamente na crítica recente, por exemplo em Schindler, pp. 126, 131, falando do "Schweizer Werther".

original e liberdade que Werther nega com veemência (pp. 994-95), dando uma descrição totalmente negativa do país e dos seus habitantes, em contraste com a idealização no Romantismo alemão[35]. Este início preludia não só o cepticismo de poder "agarrar e perfurar a natureza magnífica com os olhos", mas também a incapacidade de transformá-la em representação artística[36]. Questiona-se a natureza como lugar do imediato, da não-discursividade: "O que é esta ambição estranha, da arte à natureza e da natureza à arte?" (p. 597) pergunta Werther, reconhecendo o seu estatuto de 'diletante' entre não poder fazer arte e não poder tocar e fruir o desejado – exemplificado num cesto de frutas. "Quero imprimir-me o corpo do ser humano como o corpo das uvas e dos pêssegos."[37]. No entanto, é difícil ficar *impressionado*: o belo corpo nu do amigo, observado ao tomar banho, só serve para enriquecer a imaginação, já pré-formada pelos modelos clássicos de Adónis e Narciso (p. 605), seguido pelo último experimento deste *voyeurismo*, o mais convencional: presenciar o *striptease* duma bela jovem que se finge não observada; no entanto, o *voyeur* não encontra prazer nesta encenação de natureza[38], ao olhar finalmente o corpo totalmente despido, invocando novamente um mito da Antiguidade grega (p. 608).

Estas fantasias auto-eróticas bem como o desejo homo-erótico, que já se encontram em *Sofrimentos do jovem Werther*[39], fazem parte do pan-sexualismo que a fixação em Lotte heterossexualiza. Nas *Cartas da Suíça* apresenta-se friamente, sem encenação de euforia ou desespero, um complexo auto-experimento de *voyeurismo*: o Eu que vê, sente e deseja, pretende *ilimitar* o seu corpo, querendo entrar em fusão com paisagem, frutos e corpos (tanto masculino como feminino). Só a

---

[35] Em 1800, o *Athenaeum* de August Wilhelm e Friedrich Schlegel publica "Naturbetrachtungen auf einer Reise durch die Schweiz" de August Ludwig Hülsen. Neste texto, a paisagem suíça aparece como expressão directa da religião poética da natureza (III, 1, pp. 34-57).

[36] "ich suche sie [die herrliche Natur] mit meinen Augen zu ergreifen, zu durchbohren, und kritzle in ihrer Gegenwart ein Blättchen voll, das nichts darstellt (...)." (p. 597).

[37] „(...) ich will mir die Gestalt des Menschen eindrücken wie die Gestalt der Trauben und Pfirsichen." (p. 604).

[38] "Alle Bewegungen folgten so natürlich auf einander, und doch schienen sie so studiert zu sein." (p. 608).

[39] Vd. Rickels, Laurence A., "Psy Fi Explorations of Out Space: On Werther's Special Effects", *in Outing Goethe & His Age*, (ed.) Alice A. Kuzniar (Stanford Univ. Press, 1996), pp. 147-173, e Tobin, Robert D., "In and against nature: Goethe on Homosexuality and Heterotextuality", *in Outing Goethe & His Age* (ed.), Alice A. Kuzniar (Stanford Univ. Press, 1996), pp. 95-110.

sexualização do olhar transforma tanto a paisagem como a nudez dos corpos. Neste sentido, Werther pretende enobrecer as funções sensuais de boca (saborear) e mão (apalpar) no sentido da visão, no entanto, sem êxito. Paisagem, frutos e corpos nus, por si só, não conseguem despertar sensações no observador, só a imaginação. Da transformação artística nascem só espelhos (frios) narcisistas, bases de um prazer estético a-sexual – sentir-se tocado sem (poder) tocar. Fazendo a ligação com a nossa interpretação de *Werther*, podemos dizer que o fogo sensual é atiçado pela dor sobre a ausência do corpo, e atiçado ainda mais nas imaginações, uma espécie de *voyeurismo* interior, sobre o papel. Deste modo, o acto erotizado da escrita[40] nasce da sexualização do olhar, não de paisagem, frutos ou corpos. As *Cartas de Suiça* contribuem para uma re-leitura poetológica de Werther que, após estas experiências de *voyeurismo*, deveria ser compreendido como um "diletante" não sofre com uma Lotte inalcançável, mas com a sua incapacidade de não (poder) *tocar* nunca uma realidade "nua e crua".

---

[40] Cf. Christiaan L. Hart-Nibbrig, *Die Auferstehung des Körpers im Text* (Frankfurt am Main: Suhrkamp 1985), p. 120, que fala do arder do amor nas cartas de Saint--Preux e da transformação do acto erotizado da escrita em castração simbólica.

[illegible]

Paisagem romântica e utopia: *Paul et Virginie* de Bernardin de Saint-Pierre no Romantismo português

Carla Maria Vicente Guerreiro
Université de Paris X

O objectivo da minha comunicação consiste na abordagem da recepção de Bernardin de Saint-Pierre, nomeadamente da sua obra-prima *Paul et Virginie*, pelos românticos portugueses.

Bernardin de Saint-Pierre foi um autor muito apreciado em Portugal pela geração romântica. *Paul et Virginie* foi uma obra comentada, traduzida, prefaciada, utilizada como epígrafe em vários contos e romances publicados em folhetim em vários periódicos. A sua filosofia sobre o sentimento da Natureza e da comunhão com Deus foi alvo dos mais variados elogios por parte da crítica literária portuguesa e o idílio entre os dois protagonistas foi considerado uma história "moral", em oposição à literatura "degenerada" de alguns autores franceses em voga, como Alexandre Dumas, Paul de Kock e o Visconde d'Arlincourt.

Como se processou a recepção desta obra? Para compreender a sua recepção, procedi ao estudo de quatro vertentes: testemunhos e referências presentes em vários periódicos do século XIX, apreciações críticas, traduções e adaptações. Todos estes documentos analisados atestam a fama de *Paul et Virginie*, bem como o apreço manifestado pela crítica e pelo público. No entanto, a meu ver, a dimensão estética da obra, isto é, a grande riqueza descritiva da paisagem exótica da Île de France, foi de um modo geral – salvo raríssimas excepções – menosprezada.

Comecemos então pelos testemunhos e referências nos periódicos. Ao analisar vários periódicos do século dezanove, deparei-me com todo o tipo de referências relacionadas com o autor de *Paul et Virginie*. Assim, encontramos resenhas biográficas, pequenas notícias sobre o lançamento das edições mais recentes da obra em questão, citações retiradas da mesma obra em novelas publicadas em folhetim, efemérides, crónicas e ensaios, artigos de opinião e até pequenos poemas e algumas "páginas de vida íntima". Em quase todos estes artigos ressalta o elogio à dimensão moral de *Paul et Virginie*, numa crítica bastante explícita à chamada literatura da moda, enaltecendo a sua "filosofia do coração"[1], que exprime os "afectos mais ternos do coração humano" como "o amor juvenil e casto, o filial, o materno, a compaixão pelas desventuras dos miseráveis e dos desamparados"[2], numa obra qualificada como um "incomparável idílio (...), simples e maravilhoso poema, singelo como as parábolas do Evangelho, inefável como as cenas da natureza virgem, que representa"[3], sendo mesmo uma obra "digna de figurar nos salões mais aristocráticos" e "muito apropriada para ser oferecida de presente a qualquer senhora"[4]. São, pois, raros os artigos onde se aborda a descrição da natureza em *Paul et Virginie.* Um dos poucos artigos onde a dimensão descritiva desta obra é abordada foi publicado na revista *Panorama*[5]. Trata-se de um artigo bastante extenso, intitulado "Estudos Literários – Bernardin de Saint-Pierre", redigido por J. C. Harcourt. Neste artigo, o autor procede a um estudo bastante pormenorizado da vida e obra de Bernardin de Saint-Pierre, ao mesmo tempo que contextualiza historicamente a produção literária do autor de *Paul et Virginie*, e que aborda as suas influências literárias, nomeadamente a de Rousseau. Em termos estilísticos, o autor deste artigo não deixa de elogiar as qualidades descritivas da obra em questão, ainda que de forma resumida e sem mencionar explicitamente as qualidades da descrição da paisagem envolvente:

> Estão ali impressos os contrastes variados e sensíveis entre a natureza e a sociedade (...) estão ali reunidos num quadro aprazível, sedutor e natural a elegância e a simplicidade da forma, como num quadro de Rafael; a riqueza, a amenidade do estilo, a verdade dos caracteres e a

---

1 E. Garcia, "As primeiras paginas de um romance" (*Preludios Litterarios. Jornal Academico*, 1, Dezembro de 1858), p. 5.

2 "Paulo e Virgínia" (*A Ilustração. Jornal Universal*, vol. I, 1, 19 de Abril, 1845), pp. 9 e 10.

3 D. Miguel de Souto-Mayor, "Bernardin de Saint-Pierre" (*Archivo Pittoresco. Semanario Illustrado.* Vol. II, 1858/1859), pp. 130-133.

4 Publicidade inserida em *A Independencia* (Coimbra, 5, 1 de Fevereiro, 1870).

5 J.C. Harcourt, "Estudos litterarios – Bernardin de Saint-Pierre" (*Panorama*, vol. X, 1853).

> fidelidade das observações locais brilham ali em todo o seu esplendor e beleza.[6]

Num outro periódico literário, o *Tirocínio Literário*[7], publicado em 1862 em Nova Goa, foi publicada uma novela intitulada "O Anjo e o Demónio", cujo enredo se situa num ambiente exótico, mais preciasmente na Índia. Logo no início desta novela, o narrador descreve o ambiente em que decorre a intriga: trata-se de uma vivenda rodeada por um jardim, onde foram plantadas árvores de fruto da região, perto do qual corre um rio "estreito e tranquilo". Enfim, uma descrição que não destoa do ambiente descrito por Bernardin de Saint-Pierre em *Paul et Virginie*. De igual modo, a descrição dos interiores só vem confirmar, de forma bem explícita, a atmosfera evocativa da obra de Bernardin de Saint-Pierre:

> É formosa a simplicidade e elegância. As paredes pintadas de folhagens miúdas em fundo de cor de cana desmaiada, são ornadas de quadros primorosos, representando algumas passagens da singela e melancólica história de Paulo e Virgínia, tão repassada de amor e candura.[8]

É neste ambiente idílico que se desenrola a vida conjugal de Germano, o protagonista, que reflecte o ambiente idílico de *Paul et Virginie*. Nesta novela, a narrativa "obedece" à ideia veiculada por Bernardin de Saint-Pierre de uma vida feliz no seio da natureza. No entanto, a descrição dos ambientes não revela propriamente uma "cor local" ou "exótica".

Há ainda dois outros artigos onde se faz o elogio das qualidades descritivas da escrita de Bernardin de Saint-Pierre, que têm a virtude de despertar a imaginação. Um desses artigos foi redigido no jornal *O Contemporâneo*, em 1885. Trata-se de um artigo intitulado "Uma noite em Louredo", assinado por Sousa Fernandes[9]. Neste artigo, o seu autor propõe-se confiar ao leitor as suas impressões de uma noite em Louredo, na região do Minho, inspirando-se no exemplo e na mestria do autor de *Paul et Virginie*:

> Quando leio os *Quadros da Natureza*, de Humboldt, ou as divagações da *História Natural*, de Lacépède, quando vejo o entusiasmo com que Chateaubriand e Bernardin de Saint-Pierre exaltam os quadros majes-

---

[6] J. C. Harcourt, *Op. cit.*

[7] M. J. da Costa Campos, "O Anjo e o Demónio" (*Tirocinio Litterario. Periodico Quinzenal*, 6, Abril, 1862), pp. 42-44.

[8] *Ibidem*, p. 43.

[9] Sousa Fernandes, "Uma noite em Louredo" (*O Contemporaneo*, 51, 1885), pp. 62--63.

tosos que a natureza bordou pelo solo virgem do novo mundo, pelas florestas tradicionais da Índia, pelas adustas selvas africanas ou pelos bosques florentes da Europa, não sei que estranhas sensações se amparam do meu espírito, que misteriosos desejos me impelem para esses pontos de eleição onde se inspirou de colorido e fervor a admiração dos narradores.

O outro artigo no qual podemos encontrar também algumas referências à descrição da natureza nas obras de Bernardin de Saint--Pierre foi publicado no *Jornal para Todos*[10], de 1898. Neste artigo, um ensaio não assinado sobre *Paul et Virginie*, que precede uma tradução incompleta da obra, o autor explica as razões da publicação deste romance no jornal em forma de folhetim pois, segundo o seu ponto de vista, "a escolha deve agradar a todos os nossos leitores porque, para se ajuizar do enorme valor da obra, basta dizer-se que o romance *Paulo e Virgínia*, tendo sido escrito há mais de um século, ainda hoje é lido com extraordinário interesse", apesar de os tempos terem mudado e "os espíritos serem (...) mais *lúcidos* e *mais práticos*" que dantes. Seguidamente, o autor do artigo faz uma resenha bio--bibliográfica sobre Bernardin de Saint-Pierre, mencionando algumas das suas obras mais importantes. Sobre *Paul et Virginie*, a sua opinião não poderia ser mais elogiosa: efectivamente, esta obra é considerada como um romance "cheio de pureza, duma concepção completamente original, écloga encantadora e elegia sublime, que se admira com o coração e se aplaude chorando" pois "é no meio da natureza rica e exuberante uma criação simples e feliz, que resume toda a alma, todo o ideal religioso, moral e poético do autor".

Deixando o campo dos testemunhos dos periódicos, passemos então à análise de algumas apreciações críticas de alguns escritores. São de realçar as críticas e evocações de Camilo Castelo Branco, de Teófilo Braga e, sobretudo, de Almeida Garrett. Comecemos então pela visão camiliana da obra de Bernardin de Saint-Pierre. Camilo, habitualmente crítico em relação à literatura francesa, deixou-se seduzir pelo sentimento da natureza do autor de *Paul et Virginie*, a quem se refere frequentemente nas suas obras, tanto em alusões directas como indirectas. É o caso do sexto casamento dos *Doze Casamentos Felizes*[11], em que o narrador nos descreve a felicidade de Bernardo Pires e da sua esposa Teresa após dez anos de casamento, tendo uma filha bastante formosa e que lhes dá a felicidade:

---

[10] *Jornal para Todos*. (n.º 1, 1 de Julho de 1898), p. 2.

[11] Camilo Castelo Branco, *Doze casamentos felizes* (Lisboa: Parceria A. M. Pereira, 1902, 3ª edição), pp. 119-120.

> E a natureza sempre liberal para os que bem sabem saborear-se nela das alegrias modestas e duráveis, a natureza sinónimo de providência e Deus, como a entende o autor das "Harmonias" e de "Paulo e Virgínia", dera-lhes uma filha para convencer-nos de que há neste mundo perfeita felicidade, se os prazeres, onde a buscamos, não custam desgostos a outrem, nem carecem de desculpar-se com a cegueira das paixões.

Do mesmo modo, também encontramos algumas referências nas *Memórias do Cárcere*[12], através de uma narrativa encaixada cujo protagonista é o Tenente Salazar, poeta, "sincero jacobino, inimigo do trono e do altar, republicano gafado da lepra de Robespierre", condenado ao degredo na Índia e apaixonado por Rosa, sobrinha do Cónego Barreto, um inimigo figadal dos liberais. Nesta narrativa, evoca-se, de uma maneira indirecta, o universo de *Paul et Virginie*, através dos sonhos do Tenente Salazar em passar o resto dos seus dias na Índia na companhia de Rosa:

> As intenções do preso eram honestíssimas. Afigurava-se-lhe um éden o desterro, levando consigo a Eva para as florestas virgens da Índia. (...) Sorria-lhe a vegetação luxuriante e formosa daquelas regiões, e já, em sonhos de febril amor, o poeta se vira com Rosinha, chapotando ramagens nos bosques, para edificarem a sua cabana no respaldo de uma colina, perpendicular a um arroio de águas claras e auríferas.

No entanto, nem todas as referências a *Paul et Virginie* são positivas. É o caso do prefácio de Teófilo Braga à tradução portuguesa desta obra por Bocage, datada de 1800 e editada em 1905. Teófilo refere-se a esta obra de Bernardin de Saint-Pierre como um romance que "produziu uma grande emoção por causa das descrições da natureza tropical, começando daí o gosto do *exotismo* na literatura, adoptado por Chateaubriand no *Atala*", ao mesmo tempo que a qualifica de "mesquinho arremedo do idílio amoroso de *Daphnis e Chloé*", facto que teria influenciado a não publicação desta obra aquando da sua tradução, devido ao seu "Deísmo banal, que não obteve publicidade" [13].

Além destas referências, salienta-se a crítica de Almeida Garrett, que não esconde o seu fascínio por esta obra de Bernardin de Saint-Pierre, citando-a como um exemplo de utilização da "cor local" tão cara ao Romantismo, no seu "Bosquejo da história da poesia e língua

---

12 Camilo Castelo Branco, *Memórias do cárcere* (Lisboa: Companhia Editora de Publicações Ilustradas, s.d., 4ª edição) pp. 78-87.

13 Teófilo Braga, prefácio à *História de Paulo e Virgínia*. Tradução inédita de Manuel Maria Barbosa du Bocage (Porto: Livraria Chardron, 1905), pp. 34-35.

portuguesa", uma introdução à sua antologia de poesia intitulada *Parnaso Lusitano*.[14] Numa crítica feita a Tomás António Gonzaga, Garrett lamenta o facto de este autor não ter sabido emprestar, como o autor de *Paul et Virginie*, alguma cor local à sua poesia:

> Gonzaga, mais conhecido pelo nome pastoril de Dirceu, e pela sua Marília, cuja beleza e amores tão célebres fez naquelas nomeadas liras (..) Se houvesse por minha parte de lhe fazer alguma censura, só me queixaria não do que fez, mas do que deixou de fazer. Explico-me: quisera eu que em vez de nos debuxar no Brasil cenas da Arcádia, quadros inteiramente europeus, pintasse os seus painéis com as cores do país onde as situou. Oh! E quanto não perdeu a poesia nesse fatal erro! Se essa amável, se essa ingénua Marília fosse, como a Virgínia de Saint-Pierre, sentar-se à sombra das palmeiras (...) que pintura, se a desenhara com sua natural graça o ingénuo pincel de Gonzaga!

Uma outra vertente da recepção de *Paul et Virginie* é o estudo de algumas edições portuguesas. Foram escolhidas as edições de 1800 (trata-se da tradução de Bocage, mencionada anteriormente, e que foi editada em 1905), de 1823, de 1883 e de 1896 (nenhuma delas menciona o nome do tradutor) e a de 1898, traduzida por Alfredo Alves e Bulhão Pato. Comecemos então pela tradução de Bocage. Segundo Hernâni Cidade, esta tradução revela um "compromisso curiosíssimo entre o classicismo do autor – aliás bem romântico sob outros aspectos – e as já nítidas tendências românticas de Saint-Pierre"[15]. Como se processou este "compromisso" entre estas duas estéticas? De acordo com Hernâni Cidade, Bocage possui a "exaltação que há-de caracterizar os românticos"[16]. No entanto, o mesmo não se pode dizer em relação à estética da sua poesia. E o mesmo se passa com a sua tradução, pois se Bernardin de Saint-Pierre tinha trazido para a literatura o gosto do concreto na descrição naturalista, fixando pormenorizadamente a cor, o relevo plástico, de modo a despertar sensações objectivas na percepção dos objectos. Bocage, pelo contrário, não escapa à intelectualização da realidade. Eis aqui alguns exemplos retirados da obra original[17] e da versão portuguesa[18]: em relação à expressão

---

[14] Almeida Garrett, "Bosquejo da Historia da poesia e lingua portugueza", *Parnaso Lusitano, ou Poesias Selectas de Auctores Portugueses, antigos e modernos* (Paris: J.P. Aillaud, 1826-1827), p. 46.

[15] Hernâni Cidade, *Lições de Cultura e Literatura Portuguesas.* (Coimbra: Coimbra Editora, 1984), pp. 368-371.

[16] *Ibidem.*

[17] Bernardin de Saint-Pierre, *Paul et Virginie* (Paris: P.F. Didot, 1789) – trata-se da segunda tiragem da primeira edição separada.

[18] Bernardin de Saint-Pierre, *op. cit.*

"d'attiers dont le fruit est plein d'une crème sucrée", Bocage utiliza a expressão "uma substância mui doce". De igual modo, o tradutor revela-se incapaz de traduzir certos vocábulos do texto original, como é o caso de certos frutos exóticos – os vocábulos do texto original "des pépins, et des noyaux de badamiers, de manguiers, d'avocats, de goyaviers, de jacqs et de jam-roses" são traduzidos por "mangueiras, jacas, goiabas, abacateiros e outras plantas frutíferas" – bem como de descrever pormenorizadamente os objectos – como é o caso do original "têtes noires des rochers", traduzido por "sumidade da penedia", tal como a expressão "flancs escarpés de la roche", que foi traduzida por "lados das penhas". Além disso, Bocage parece também substituir os termos concretos do texto original por outros mais vagos, mas com um maior efeito dramático. É o caso da descrição da tempestade que provoca a morte de Virginie aquando do seu regresso à ilha: a riqueza descritiva do texto original, patente em expressões como "vaste nappe d'écumes blanches, creusée de vagues noires et profondes" foi substituída pela expressão bastante vaga "todo serras e abismos, todo escumas, horrores, teatro de morte".

Depois desta breve análise, passemos à edição de 1823. Trata-se de uma tradução não assinada, editada pela Tipografia Rolandiana com o título de *Paulo e Virgínia: história fundada em factos traduzidos do vulgar*[19], e que foi reeditada em 1862. Tal como na tradução de Bocage, também aqui nos deparamos com algumas dificuldades na tradução de certos vocábulos ligados à flora e à fauna locais: é o caso dos vocábulos referentes a várias aves marinhas, como "paillencus, des frégates, des coupeurs d'eau", que foram traduzidos por "diversas aves", bem como o da enumeração de certas árvores, como "pépins, des noyaux de badamiers, de manguiers, d'avocats, de goyaviers, de jacqs et de jam-roses", que foi substituída pela menção vaga de "diferentes árvores". No entanto, o texto traduzido apresenta já algumas particularidades descritivas, graças ao recurso à dupla adjectivação: é o caso da expressão "leurs pitons qui brillaient d'un vert argenté", vertida para "seus picos, que pareciam de cor verde prateada e mui resplandecente", bem como a expressão "crème sucrée", transformada em "nata substancial e açucarada". Há, pois, a meu ver, uma certa evolução na descrição da natureza nesta tradução, apesar de um certo desconhecimento da parte do tradutor em relação a determinado vocabulário relativo ao ambiente dos trópicos.

Quanto à edição de 1883, é talvez a edição mais cuidada relativamente à descrição da natureza, pois apresenta um glossário científico, que atesta o cunho didáctico desta edição. Além da presença do glos-

[19] *Paulo e Virginia: historia fundada em factos traduzidos do vulgar* (Lisboa: Tipografia Rolandiana, 1862).

sário, é bastante notório o cuidado na tradução bem explicativa de todo um vocabulário ligado à natureza da ilha: assim, as aves mencionadas no texto original como "le corbigeau et l'alouette marine, et au haut des airs, la noire frégate et l'oiseau blanc du tropique" serão conhecidas no texto traduzido por "corlino e a calhandra marinha, e a grande altura, a negra fragata e juntamente o albatroz"[20]. Do mesmo modo, o tradutor descreve de forma bem explícita, tal como no texto original, certos elementos do cenário onde decorre a acção. Assim acontece na descrição do jardim de Virginie devastado por uma tempestade. Vejamos então as duas traduções:

> Pour le jardin, il était tout bouleversé par d'affreux ravis. La plupart des arbres fruitiers avaient leurs racines en haut, de grands amas de sable couvraient les lisières des prairies et avaient comblé le bain de Virginie.

> Enquanto ao jardim, estava todo sulcado por horríveis barrancos, a maior parte das árvores frutíferas tinham as raízes à vista: Grandes montões de areia cobriam a orla dos prados e tinham atulhado o banho de Virgínia".[21]

Depois desta tradução, passemos à edição de 1896, cuja tradução foi assinada por Álvaro de Castro[22]. Nesta versão, podemos verificar um certo desprezo, contrariamente à edição de 1883, relativo aos pormenores descritivos do texto original e mesmo uma certa incapacidade de traduzir certos vocábulos: quando, no texto original, há uma grande riqueza na descrição das árvores plantadas por Paul – "des jeunes plants de citronniers, d'orangers, de tamarins, dont la tête est d'un si beau vert, et d'attiers dont le fruit est plein d'une crème sucrée" – no texto traduzido essa riqueza descritiva não é tão evidente – "pés de limoeiros, de laranjeiras, de tamarindos, que são copados, de um verde tão bonito e de palmeiras". De igual modo, o tradutor não conseguiu transmitir a riqueza sugestiva do calor excessivo que, no texto original, gerou alguns "vapores" "qui couvrirent l'île comme un vaste parasol", optando por mencionar que o calor fez erguer do oceano "evaporações que empanaram o céu cobrindo a ilha totalmente".

Por fim, chegamos a 1898, data da edição traduzida por Alfredo Alves e Bulhão Pato para a Parceria António Maria Pereira. Tal como na edição anterior, os tradutores nem sempre se mostraram aptos a traduzir certos termos da flora e da fauna exóticos, talvez por

---

[20] Bernardin de Saint-Pierre, *Paulo e Virgínia*. Tradução de António Pereira de Paiva Pona (Porto: Empresa de Obras Populares Ilustradas, 1883), p. 45.

[21] *Ibidem*, p. 67.

[22] *Paulo e Virginia*. Versão portuguesa de Álvaro de Castro (Porto, Livraria Chardron, 1896, 2ª edição).

desconhecimento dos mesmos e – tal como nas edições anteriores – do local a descrever: é o caso da enumeração de algumas árvores como "des tatamaques, des bois d'ébène, et de ceux qu'on appelle ici bois de pomme, bois d'olive et bois de cannelle" que não teve qualquer tradução, ou ainda de certas aves, como "des paillencus, des frégates, des coupeurs d'eau et d'une multitude d'oiseaux marins", que teve como tradução "toda a espécie de aves marinhas"[23].

Por fim, passamos a uma outra vertente da recepção desta obra: as adaptações. Neste campo, destaca-se uma adaptação em verso datada de 1836, com o título de *Paulo e Virgínia. Cantata que às belas Conimbricenses O. D. e C., penhor de respeito, amizade e gratidão*[24], da autoria de José Freire Serpa Pimentel, segundo Visconde de Gouveia e autor pertencente à escola ultra-romântica e, na época da publicação desta obra, aluno do segundo ano de Direito em Coimbra. Trata-se, como o título indica, de uma cantata ao estilo neoclássico relativa à história de Paulo e Virgínia. Ao analisar esta obra, podemos verificar que ela tem pouco ou nada de romântico, exceptuando talvez um verso de Lamartine como epígrafe. A linguagem está carregada de todos os clichés arcádicos, graças à utilização das tradicionais figuras de estilo desta corrente, como hipérbatos, hipérboles, antíteses e elipses, como se pode ver nos seguintes exemplos: "E busca da Palmeira o tronco anoso"[25]; "O sangue em borbotões a areia tinge"[26]; "No frio tronco imprimem beijos quentes"[27]; "Onde, ó Zéfiro, a brisa embalsamada?"[28]

De igual modo, a descrição da natureza reflecte os clichés linguísticos do neo-classicismo. É o caso da descrição da tempestade que provocará a morte de Virgínia: para a descrever, o autor utiliza expressões típicas do *locus horrendus* como "fofos escarcéus", "ferozes tufões", "negras ondas", "feias nuvens de horroroso aspecto", "túmida braveza", "negra cerração", "pego encapelado" ou "negros tufões". Efectivamente, este vocabulário reflecte muito mais a estética de um Bocage ou de um Correia Garção (cf. "Cantata de Dido"), do que a riqueza descritiva e visual presente no romance de Bernardin de Saint-Pierre. Além disso, o autor recorre frequentemente à utilização de figuras mitológicas, como

---

[23] *Paulo e Virginia*. Tradução de Alfredo Alves e Bulhão Pato (Lisboa, Editora Antonio Maria Pereira, tipografia Moderna, 1898), p. 184.

[24] José Freire de Serpa Pimentel, *Paulo e Virgínia. Cantata às belas Conimbricenses* (Coimbra: Imprensa da Universidade, 1936), pp. 9, 10, 13, 15, 17, 23.

[25] José Freire de Serpa Pimentel, *op. cit.*, p. 9.

[26] *Ibidem*, p. 23.

[27] *Ibidem*, p. 10.

[28] *Ibidem*, p. 9.

Neptuno, Tritão, Vénus, as Nereidas e Cupido, que se prontificam a socorrer Virgínia, tentando convencê-la a libertar-se das roupas que lhe impedem os movimentos e a acompanhar o Tritão, lançando-se nas ondas, em nome do seu amor por Paulo.

Tendo em conta todos estes documentos analisados, penso ser possível chegar à seguinte conclusão: apesar da grande difusão e do apreço do público, a recepção desta obra pecou pela primazia da dimensão moralizante, bem presente no elogio aos amores singelos dos dois protagonistas em detrimento da descrição da paisagem exótica. Efectivamente, o sentimento da natureza apresentado por Bernardin de Saint-Pierre, bem como a utopia de uma vida no seio da natureza, foi bastante enaltecido, quer nos artigos jornalísticos – como o do *Jornal para todos*, em que se exalta a "natureza rica e exuberante", ou o do *Tirocínio Literário*, cujo conto "O Anjo e o Demónio" ilustra bem a utopia da vida afastada da civilização – quer em algumas apreciações críticas, como a de Camilo, ao mencionar a importância da "natureza sinónimo da Providência e de Deus". No entanto, faltou o elogio e a utilização da "cor local" – um conceito geralmente caro aos românticos – tanto nas críticas como nas traduções e mesmo nas adaptações. Aparentemente, só mesmo Almeida Garrett se apercebeu da importância e do valor da "cor local" e da beleza plástica da paisagem na definição de uma estética romântica, ao apontar *Paul et Virginie* como um exemplo a seguir.

O Homem metabólico: do jardim à montanha – a hipótese do cinema

Fernando Guerreiro
Universidade de Lisboa

Num filme recente de Gus Van Sant, dois personagens sem nome – ou com um nome comum, Gerry – procuram, sem o conseguir, entrar na paisagem e ter acesso a um determinado lugar – evasivamente designado por a "coisa" ou o "sítio" – que constituiria o seu santuário ou coração secreto.

Esta situação de rejeição do homem pela paisagem é particularmente perturbadora e coloca a questão da nossa relação com a natureza.

Grosseiramente, em relação a este tópico, podemos distinguir duas posições.

Para uns, a acção do homem na natureza – entendida como um todo pulsante e em expansão (Novalis) – pode ser descrita como uma deslocação feita no sentido do *mesmo* que propicia o retorno ao segredo (revelado) da sua essência.

O "país natal" de Hölderlin, no poema "Retour au pays" (*Heimkunft*): "ce que tu cherches est là tout près et déjà t'acueille"[1], ou o "irmão gémeo" perdido a que se refere Maria Gabriela Llansol em *O Senhor de Herbais*[2].

Para outros, a natureza não é o "mais familiar" mas o *mais estranho*: a marca, no exterior, de uma não-natureza ou de uma trans(in)-

---

[1] Friedrich Hölderlin, *Poèmes* (Paris: Aubier-Montaigne, 1943), p. 319.

[2] Maria Gabriela Llansol, *O Senhor de Herbais* (Lisboa: Relógio d'Água, 2002), p. 269.

-humanidade em nós de que seríamos, sob formas antropomórficas, o histórico resíduo.

Pó de estrelas, como quer Lucrécio (*De Natura Rerum*), seja ele mineral, alienígena ou divino?

A linha do horizonte, de facto, de cada vez que a olhamos, tende a revelar-se o lugar de uma exclusão que nos confina à pequenez do nosso mundo.

Henri Maldinay, citado por Jean-Marc Besse, di-lo de uma forma muito precisa: "L'espace du paysage est d'abord le lieu sans lieux de l'être perdu. Dans le paysage [...] l'espace m'enveloppe à partir de l'horizon de mon Ici, et je ne suis Ici qu'au large de l'espace sous l'horizon duquel je suis hors"[3].

Daí o movimento de oscilação do nosso pensamento sobre a natureza que se processa de acordo com a figura de uma espiral falhada e barrada mas aberta nas duas pontas ao infinito.

Num primeiro momento, este movimento sinusoidal caracteriza-se por uma tentativa de "prise" sobre o objecto a partir de um modelo de *familiarização* da natureza: uma natureza próxima, abreviada e concentrada, ao alcance da mão, a que corresponde a forma (conceptual e simbólica) do *jardim*.

Natureza da natureza, paisagem da paisagem, o jardim surge-nos como uma paisagem exponenciada, do 2º grau – uma sinédoque-metáfora conotando uma concepção mais global do espaço –, que, enquanto lugar fechado (ideal e privilegiado), partilha as propriedades do espaço (e discurso) da Utopia: entre o não-lugar, *ou-topia*, e o lugar bom, *eu-topia*, simultaneamente um lugar "en deçà", não marcado, e "au-delà", positivado e futuro[4].

Numa perspectiva muito solta sobre o assunto, podemos dizer que no Ocidente europeu se passa da natureza cósmica do Renascimento – ideal de um *locus amoenus* socializado em que, de acordo com as filosofias animistas e neo-platónicas, como escreve Rabelais no *Quart Livre* (cap. XXXII), "*Physis* (c'est Nature) enfante Beauté et Harmonie"[5] – à natureza melhorada ("belle nature") da Idade Clássica, em que o paradigma aristotélico do "melhor" (*Poética*, XXV) se encarna nas respresentações da natureza como "nature aimable" ou "nature choisie".

---

[3] Jean-Marie Besse, "Entre géographie et paysage, la phénoménologie", Michel Collot (ed.), *Les Enjeux du Paysage* (Bruxelles: Ousia, 1997), p. 330.

[4] Louis Marin, *Utopiques: jeux d'espaces* (Paris: Éditions de Minuit, 1973), pp. 29--30.

[5] Claude Gilbert-Dubois, *L'Imaginaire de la Renaissance* (Paris: P.U.F., 1985), p. 166.

No século XVIII, contudo, passa-se de uma natureza ideal geométrica e descontínua – interpretada e articulada em função de grelhas: sistemas – a uma natureza contínua, cheia e orgânica, ligada a uma percepção sensorial e táctil do espaço (em que a referência a Newton se substitui à de Descartes)[6].

O modelo do jardim inglês, enquanto dispositivo experimental e performativo/teoria de condicionamento (pela percepção e sensações) do indivíduo, é o que corresponde mais cabalmente a este novo tipo de filosofia, o sensualismo.

Característica maior deste jardim "paysager" (Baridon), a sua abertura à natureza.

Como Horace Walpole escreve no *Essay on Modern Gardening* (1785), referindo-se ao jardineiro-paisagista Kent, "he leaped the fence [franchit la clôture] and saw that all nature was a garden"[7].

Estamos assim no quadro de um modelo aberto e aleatório de natureza em que a ordem genésica do acaso (feliz) se substitui à regra ("high priori road" [Pope]) do sistema e em que se privilegiam os princípios (critérios estéticos) da variação, da irregularidade e da surpresa que condicionam uma modalidade poiética de produção de formas e uma inserção fusional do homem na natureza.

Ter-se-ia assim uma natureza-jardim e um jardim-natureza – duas modalidades do todo orgânico de uma *natura naturans* – em que, nos termos do autor anónimo da *Promenade ou itinéraire des jardins d'Ermenonville*, "on a mis la campagne dans le jardin et le jardin dans la campagne"[8].

A abertura à natureza do jardim inglês traduz-se numa prática complexa de desgeometrização (Baridon) que se processa no terreno como crítica do modelo geométrico articulado (tido como abstracto e artificial) do jardim clássico francês (de que o Versailles de Le Nôtre continua a ser o paradigma).

Como refere Michel Baridon, se no século XVII se procura sobretudo "'enjardiner' le paysage", agora tenta-se "'paysager' le jardin"[9].

---

6 Michel Baridon, *Le Jardin paysager anglais au XVIIIe siècle* (Dijon: EUD, 2000).

7 Horace Walpole, in Marie-Madeleine Martinet (ed.), *Art et nature en Grand-Bretagne au XVIIIe siècle* (Paris: Aubier-Montaigne, 1980), p. 184.

8 *Promenade ou Itinéraire du jardin d'Ermenonville* (sem nome de autor, 1811), in René-Louis de Girardin, *De la composition des paysages ou des moyens d'embellir la nature au tour des habitations, en joignant l'agréable à l'utile* [1777] (Seyssel: Champ Vallon, 1992), p. 133.

9 Michel Baridon, *Les Jardins – Paysagistes. Jardiniers. Poètes* (Paris: R. Laffont, 1998), p. 803.

Desta perspectiva, o jardim-parque amplia-se à dimensão de uma propriedade-jardim que se apresenta como uma forma civilizacional, de época, de apropriação económica, territorialização topográfica e familiarização (também social) da natureza.

Ampliado, no entanto, o olhar que preside à sua ordenação, é o do proprietário. Assim, o ponto de vista do Sujeito da composição (estetização) da paisagem de René-Louis de Girardin – paisagista, também, do seu domínio de Ermenonville – ainda não é o panorâmico do "Voyageur"[10] mas o circunscrito do Habitante da casa, tendo sempre em conta "l'effet général de l'ensemble relativement au point de vue de la maison"[11].

A segunda tendência do homem na sua relação com a natureza é a de *sair*, de casa ou de si, para, no curso da sua deambulação, nela se reencontrar ou perder.

Andar, enquanto "acte d'une finalité sans fin" (Montandon), mais do que apropriar-se do espaço e estabelecer com ele uma articulação através do corpo, permite permanecer (em trânsito) no traçado de uma abertura por onde entra (e passa) o mundo[12].

E posto em movimento, o sujeito, "un être en chemin"[13], não pára de percorrer e alterar em todos os sentidos a sua percepção e representação do mundo.

Assim, no seguimento das experiências de viagem e de marcha dos turistas(-escritores) ingleses e alemães do final do século XVIII, com o Romantismo desenvolve-se um movimento cada vez mais no sentido do exterior e das fronteiras do conhecido.

Se viajar surge caracterizado positivamente como um *viver pleno* ("Voyager, c'est vivre dans toute la plénitude du moi", escreve Dumas)[14], a montanha – e em particular, para os turistas europeus, os

---

[10] René-Louis de Girardin, *op. cit.*, p. 52.

[11] *Ibidem*, p. 43.

[12] Alain Montandon, *Sociopoétique de la Promenade* (Clermont-Ferrand: Publications de L'Université Blaise-Pascal, 2000), p. 13. Cf. também David Le Breton, *Éloge de la Marche* (Paris: Métailié, 2000) e Rebecca Solnit, *L'Art de Marcher* (Arles: Actes Sud, 2002).

[13] Claude Reichler, *La découverte des Alpes et la question du paysage* (Genève: Georg, 2002), p. 175.

[14] Alexandre Dumas, *Impressions de Voyage en Suisse* (Paris: M. Lévy Frères, 1868 [1835], 3 vols.), II, p. 24.

Alpes – apresenta-se como o fora escarpado e inalcançável do "mesmo", o *un* (des-) do *heimlich* (do conhecido)[15].

A subida da montanha permite pela primeira vez o ponto de vista do alto, panorâmico, de uma "perception circulaire du monde."[16]

Se na carta (datada de Abril de 1336) que Petrarca escreveu sobre a sua subida ao cimo do monte Ventoux a visão da montanha é recoberta pela sua reinterpretação moral[17], nos *Voyages dans les Alpes* de Horace-Bénédict de Saussure (que escalou o Monte Branco em Setembro de 1787) o ponto de vista do alto constitui tanto o lugar de observação de onde é possível espraiar um olhar panorâmico, como o ponto de intelegibilidade a partir do qual as visões até então escatológicas da formação da Terra (Thomas Burnet) encontravam uma solução unitária. "Laboratoire de la nature", "réservoir dont elle tire les biens et les maux qu'elle répand sur notre terre"[18], a montanha, para Saussure, constituía "la clef d'un grand système", "dont la connaissance paraîtrait devoir répandre le plus de jour sur la théorie de la Terre"[19].

No entanto, à dupla escalada do terreno e do pensamento corresponde também uma ascensão estética que nos conduz das estéticas do belo e do pitoresco ao "belo horrível" do Sublime. Um sublime de coisas, do grande, vertical (Baldine Saint Girons)[20], mas ao mesmo tempo moderno (científico e técnico), dessacralizado (laico) e prometiano. Com a montanha, observa Nicolas Giudici, "la réalité elle-même est devenue sublime"[21].

"Expérience corporelle complète"[22], "événement qui arrive au corps"[23], a subida da montanha – que Saussure descreve nos seus

---

15 Cf. o nosso artigo "A montanha romântica. Dois percursos: A. Dumas, V. Hugo" (*Elvas-Caia. Revista Internacional de Cultura e Ciência*, 1, 2003) e o livro *O caminho da montanha* (Braga: Angelus Novus, 2000).

16 Michel Baridon, *Les Jardins*, p. 834.

17 Pétrarque, *L'ascension du mont Ventoux* (Paris: Les Mille et Une Nuits, 2001).

18 Horace-Bénédict de Saussure, *Discours préliminaire aux* Voyages dans les Alpes (Genève: Zoè, 1998), p. 28.

19 Horace-Bénédict de Saussure, *Voyages dans les Alpes* (Genève: Georg, 2002), p. 53.

20 Baldine Saint Girons (ed.), *Le Paysage et la question du Sublime* (Valence: Réunion des Musées Nationaux, 1997), p. 97.

21 Nicolas Giudici, *La Philosophie du Mont Blanc – De l'alpinisme à l'économie immatérielle* (Paris: Grasset / Fasquelle, 2000), pp. 20, 329.

22 Claude Reichler, *op. cit.*, p. 12.

23 *Ibidem*, p. 78.

efeitos tomando por modelo o grupo escultórico do *Laocoonte*[24] constitui também um *facto antropológico* novo[25], uma experiência metabólica de transformação do homem com a natureza, re-interpretada nas ficções da altura em função das figuras do *último dos homens* (*The Last Man* [1823] de Mary Shelley) ou de uma *nova criação: espécie* de que a "criatura" de Frankenstein, da mesma autora [1818], constitui um dos protótipos mais conhecidos.

O termo *metabólico*, com efeito, deriva da partícula grega *meta* (com o sentido de sucessão, participação, mudança) e do substantivo *bolê* (acção de jogar), do verbo *ballein*, lançar, que também entra na composição do termo *símbolo* (grego *súmbolon*, relacionado com o verbo *sumbállein*: juntar, reunir, aproximar).

A metábola, por seu turno, constitui uma figura intensiva (expressiva) de pensamento, funcionando pela repetição ou acumulação diferenciantes, que, devido ao efeito de surpresa introduzido na construção, pode produzir, como refere Lausberg, um efeito de estranheza[26].

Deste ponto de vista, mais do que a relação com o carácter dinâmico do símbolo, interessa-nos estabelecer uma aproximação entre o processo metabólico, entendido como alteração no movimento, e os efeitos de transporte e de elipse metamorfoseante ("comparação abreviada" com transformação) da metáfora. Teríamos assim um tipo novo de figura, a *metáfora metabólica*, que corresponde melhor aos processos a que aqui nos referimos.

E de facto, também na literatura de viagens romântica, a descoberta do ponto de vista do alto rasga a estética mais fixa e particularizante do pitoresco a um Sublime e a uma imaginação dinâmicos em sintonia com a percepção metamórfica da natureza.

Para A. Dumas trata-se de "mettre les pieds sur la toile"[27], sair do quadro de uma teoria da representação como pintura, para ascender ao ponto de vista panorâmico de uma visão descontínua e desflashante da natureza.

Desafio à vida e à arte, para Gautier ("L'art, selon nous, ne monte pas plus haut que la végétation; au-delà, c'est l'inaccessible, l'éternel,

---

[24] Horace-Bénédict de Saussure, *Voyages dans les Alpes*, p. 33.

[25] Claude Reichler, *op. cit.*, p. 78.

[26] Para este ponto remetemos para René Alleau, *A Ciência dos Símbolos* (Lisboa: Edições 70, 1982), pp. 31-33; Heinrich Lausberg, *Elementos de Retórica Literária* (Lisboa: Fundação Calouste Gulbenkian, 1966), pp. 112-113; Bernard Dupriez (ed), *Gradus – Les procedés littéraires* (Paris: U.G.E. 10/18 nº 1370, 1984), p. 284.

[27] Alexandre Dumas, *op. cit.*, I, 139.

l'infini", escreve)[28], a montanha surge não como um objecto de representação: descrição[29] mas como um conglomerado enigmático face ao qual só resta procurar os equivalentes (icónicos ou analógicos) que a indiciem e signifiquem.

Seja o símbolo de Hugo ("toute chose contient une pensée; je tâche d'extraire la pensée de la chose. C'est une chimie comme une autre", escreve na carta XXIV de *Le Rhin* [1842])[30], seja a sua literalização, por desfiguração e desmetaforização, em Dumas.

Na altura, a necessidade da construção dessa nova perspectiva passa pela referência a dispositivos não literários de percepção e de representação. Mais do que a pintura ou a gravura, ou mesmo a fotografia – Gautier, em 1868, refere-se à superioridade indicial e não mimética da fotografia face à pintura[31] –, as técnicas sensacionalistas de produção de ilusão de movimento e de continuidade das imagens: Fantasmagoria, Panorama e Diorama[32]. O *pré-cinema*, como escreve Hassan El Nouty[33].

Com efeito, pelo seu carácter cinético e metabólico – tanto a insistência nos efeitos de desrealização e de ilusão óptica como a procura da "ilusão perfeita" capaz de produzir um maior efeito de real (Dumas refere-se ao Diorama, no final do seu livro) –, a "démarche" destes autores antecipa técnica, formal e fenomenologicamente a vinda do cinema.

Do nosso ponto de vista, são as teorias do cinema como substância, análogo do movimento e das figuras orgânicas da natureza, que melhor permitem compreender a sua pregnância à nova visão romântica.

Seja no quadro da nova teoria dos simulacros de Jean Louis Schefer[34], para quem o mundo emite simulacros e as imagens constituem "des *avant-corps*" dos objectos[35], seja no âmbito do imanentismo

---

28 Théophile Gautier, *Les Vacances de Lundi – Tableaux de montagnes* (Seyssel: Champ Vallon, 1994), p. 47.

29 Alexandre Dumas, *op. cit.*, II, p. 252.

30 Victor Hugo, *Voyages en Suisse* (Genève: L'Âge d'Homme, 1982), p. 32.

31 Théophile Gautier, *op. cit.*, pp. 48, 50. N. Giudici sublinha que, se "la montagne vit dans l'événementiel", ela e a fotografia são "toutes deux (...) formes de l'actualité"(*Op. cit.*, pp. 350-354).

32 Paul Virilio, *La machine de vision* (Paris: Galilée, 1988), pp. 90-93.

33 Hassan El Nouty, *Théâtre et Pré-Cinéma – Essai sur la problématique du spectacle au XIXe siècle* (Paris: Nizet, 1978), pp. 51-64.

34 Jean Louis Schefer, *Du monde et du mouvement des images* (Paris: Éditions de l'Étoile/ Cahiers du Cinéma, 1997).

35 *Ibidem*, p. 18.

fenomenológico de Gilles Deleuze (*Cinéma – L'Image mouvement*)[36], para quem o cinema, imanência de um fluxo-matéria, constitui uma dobra, prega do mundo. Pela sua forma aberta e não centrada[37], assim como pelos seus efeitos(-substância) de relevo (modulação da "durée" do objecto, "empreinte" da sua presença), o cinema, para Deleuze, tende a identificar-se com a noção de "image-mouvement", de que o "plano" ("la coupe mobile d'un tout dont il exprime le changement"[38]) constituiria a unidade articulada de funcionamento.

É em função do modelo de visão que o cinema na época fixa como um possível a vir que podemos tentar compreender a *visão-cinema* romântica, tendo sempre em conta que, mais do que estabelecer paralelismos de processos, interessa identificar o dispositivo de percepção, i.e. a *câmara* que desde já funciona dentro da sua cabeça.

Podemos de qualquer modo tentar referir alguns dos componentes desse dispositivo de visão accionado por um sujeito que, nos termos de Claude Reichler, ele próprio se configura como "un *traité des sensations* en acte"[39].

Antes de mais, o ponto de vista do alto, *panorâmico*, que permite não só a extensão da vista em largura como a construção da profundidade de campo.

É esta ampliação (volumétrica) da perspectiva que permite também passar de uma concepção mais pictural e estática da natureza como "quadro" à sua percepção (sensacionalista) como "espectáculo". Escreve Dumas:

> il n'y a pas au monde de spectacle plus magnifique que le lever du soleil sur ce panorama dont on est le centre, et au milieu duquel en tournant sur son talon, on embrasse d'un seul coup d'oeil trois chaînes de montagnes [...] parsemées sur cent lieues de circonférence.[40]

Em segundo lugar, a paisagem apresenta-se como uma situação envolvente: *volume*. Devido à interacção dos seus diferentes planos, ela afecta pela totalidade dos sentidos, imprimindo um efeito de recaída (de dissolução e refundição sublimes) no sujeito: "Là, tout vous remue à la fois. On est ébloui, étourdi, bouleversé, terrifié, charmé"/ "j'ai en moi comme un bouillonement immense. Il me semble que j'ai la chute du Rhin dans le cerveau", escreve Hugo [59,57]. Um processo

---

36 Gilles Deleuze, *Cinéma 1 – L'Image mouvement* (Paris: Éditions de Minuit, 1983).

37 *Ibidem*, p. 85.

38 *Ibidem*, p. 32.

39 Claude Reichler, *op. cit.*, p. 172.

40 Alexandre Dumas, *op. cit.*, II, p. 252.

também de reformulação antropológica que traz consigo uma nova ordem dos sentidos em que o ouvido se sobrepoê à visão, em consonância com o carácter mais imaginário (espectral) do que mimético da paisagem[41].

Mas temos também um outro tipo de *imagem.*

Assim, no quadro de uma estética sensacionalista e do choque – que funciona frequentemente por inversões bruscas de planos e antíteses[42] –, valoriza-se uma percepção desflashante que já perdeu as suas coordenadas mas cujo modo de funcionamento paradigmático e associativo comunica um destaque quase alucinatório aos detalhes. Efeito 3D, de relevo e hiper-realidade, que C. Reichler aproxima da Hipotipose[43], mas de uma hipotipose animada que recorre aos efeitos de presentificação dinâmica da associação das imagens (por montagem acelerada de atracções: a entrada no parque de Laufen em Hugo[44]) – ou da metáfora metabolizante ("je croyais voir un troupeau énorme de monstres poilus, groupé autour de cet abreuvoir bleu"/ "on croiait voir un océan monstrueux figé au milieu d'une tempête")[45].

Também os processos de descrição (-narrativos) passam a incorporar as modalidades cenográficas e dinâmicas do drama romântico e dos teatros de efeitos dos "boulevards": o "fondu enchaîné" por sobreposição com ilusão de continuidade (Dumas: "Oh! s'il pouvait arriver [...] qu'un pan de mur s'écroulât, que les yeux pussent percer l'espace, et qu'on vît tout à coup [...][46]) ou as mudanças de cenário, aos olhos dos espectadores (Hugo: "On arriva à Laufen.[...] On entre./ On est dans la cour du château. Ce n'est plus un château, c'est une ferme.[...] Une porte s'ouvre. La cascade apparaît"[47]). Por fim, os efeitos de "travelling" para diante[48], de "plongée" com *zoom* (no abismo[49]) ou o efeito de profundidade de verdadeiros planos sequência (a visita guiada pelo interior da cartuxa do São Bernardo, também em Dumas[50]).

---

41 Senancour, *Oberman* [1804] ("Troisième fragment – De l'expression romantique et du *Rans des Vaches*") (Paris: Gallimard, Folio nº1565, 1984), p. 185.

42 Victor Hugo, *op. cit.*, pp. 35, 62.

43 Claude Reichler, *op. cit.*, pp. 68-69.

44 Victor Hugo, *op. cit.*, pp. 57-58.

45 Victor Hugo, *op. cit.*, pp. 94, 106.

46 Alexandre Dumas, *op. cit.*, I, p. 180.

47 Victor Hugo, *op. cit.*, pp. 57

48 Alexandre Dumas, *op. cit.*, I, p. 180.

49 Victor Hugo, *op. cit.*, pp. 58-60.

50 Alexandre Dumas, *op. cit.*, I, 222-4.

Do nosso ponto de vista, só o cinema dá volume e encarna imaginariamente o carácter pleno, tridimensional e alucinatório, do Sublime da visão panorâmica romântica.

Colocando-se no lugar do outro (do real) *não literário* da linguagem, como a paisagem, o cinema abre a literatura à sua estranheza.

Se se quiser, enquanto hipótese totalmente outra, o cinema é um análogo desse princípio não humano, vírus ou semente alienígena da linguagem a que ainda se dá o nome de literatura e que, enquanto lugar do *Unheimliche* (Lacoue-Labarthe)[51], nos confronta com o carácter não articulado da nossa natureza ("o pensamento do vivo tem pouco de humano", escreve também M.G. Llansol[52]).

A questão não é tanto atingir um fim – subir a um cume, escrever um poema, acabar um artigo ("le réel dans tous ces efforts est *qu'on monte pour monter*; le sublime, c'est l'inutile (presque toujours)", escreve Michelet, citado por Gautier)[53] – mas ocasionar secâncias, *fazer contacto*, para que na transformação, metamorfose, venha e se afirme a matéria-outra – a coisa em nós não-natural mas cósmica – que ao mesmo tempo nos funda e (des)estrutura.

---

[51] Philippe Lacoue-Labarthe, *La Poésie comme expérience* (Paris: Christian Bourgois, 1986).

[52] Maria Gabriela Llansol, *op. cit.*, p. 224.

[53] Théofile Gautier, *op. cit.,* p. 168. Cf. também João Garcia, *A Mais alta solidão* (Lisboa: Publicações Dom Quixote, 2002).

Bodies of Romance: Love and Landscape in Byatt and Fowles*

Orsetta Innocenti
Università di Roma Tre

> Todo lo que nos sucede, todo lo que hablamos o nos es relatado, cuanto vemos con nuestros propios ojos o sale de nuestra lengua o entra por nuestros oídos, todo aquello a lo que asistimos (y de lo cual, por tanto, somos algo responsables), ha de tener un destinatario fuera de nosotros mismos, y a ese destinatario lo vamos seleccionando en función de lo que acontece o nos dicen o bien decimos nosotros. Cada cosa deberá contarse a alguien – no siempre el mismo, no necesariamente –, y cada cosa va poniéndose aparte como quien ojea y aparta y va adjudicando futuros regalos una tarde de compras.
>
> *J. Marías, Todas las almas*

1. Nostalgia of Romance.

All *that* was the plot of a Romance. He was in a Romance, a vulgar and high Romance simultaneously, a Romance was one of the systems that controlled him, as the expectations of Romance control almost

* I would like to thank Chiara Tabet, who has checked out the English version of this paper.

everyone in the Western world, for better or worse, at some point or another.[1]

With these words Roland Michell – main character of Byatt's novel *Possession* – perfectly defines the intimate nature of the plot he is happening to live in. This is itself the unexpected consequence of his sudden decision to start an active dialogue with the past life of the Victorian poet he has been studying: Randolph Henry Ash. It has been stated by Iser that "through the experience of the text [...] something happens to our own store of experience", as "the text does contain a good deal of familiar material, but this usually serves not as a confirmation, but as a basis out of which the new experience is to be forged"[2]. Hence, the new (active) relationship with the past (consequence of Roland's reading act, and deeply literary itself) allows its new interpretation in terms of Romance – as merely romance-like is the nature of the relationship between Ash and Christabel La Motte discovered by Roland – and a redemption from the present, banal every-day life of the main characters (Roland and Maud, scholar of Christabel's poetry) – the two discovering at last a (quite) obvious identification with the two poets. Kendall Walton suggested that "the experience of fictionally facing certain situations [...] is the means by which one achieves insight into one's situation, or empathy for others, or a realization of what it is like to undergo certain experience, and so on"; therefore the "fictional worlds", the "representational works of art" "help us to recognise and accept feelings that are repressed or just unarticulated"[3]. Thus, *Possession* reflects on one of the topic matters of fiction such as that concerning the identification of reading and on the main aspect of Romance, caused, – as Gillian Beer puts it – "by the relationship [the romance] imposes between the reader and the romance-world". Such a relationship "liberates us but also involves unusual dependency"[4]. Hence, the act of reading the past allows both its interpretation in terms of Romance and its actual return in present life. Besides, the novel itself – with its thrilling plot (we need to know how the story is going to end) – is a sort of post-modern traditional Romance. By narrating a plot which is sentimental and mysterious at once, it seems to reflect on one of the most common themes of the

---

1 A. S. Byatt, *Possession. A Romance* (Vintage: London, 1991).

2 Wolfgang Iser, *The Act of Reading* (Baltimore: The Johns Hopkins University Press, 1978), p. 132.

3 Kendall Walton, *Mimesis as Make-Believe. On the Foundations of the Representational Arts* (Cambridge: MA and London, 1990), p. 272.

4 Gillian Beer, *The Romance* (London: Methuen &Co Ltd, 1970), p. 3.

great Victorian fiction: that is, the ambiguous nature of Romantic love, and of its following 19th-20th century transformations.

Not surprisingly, we end up finding the main elements of Byatt's romance-like setting in another great English post-modern classic (in which the dialogue past/present becomes once again a way to reflect on the different aspects of Romantic love): John Fowles' *The French Lieutenant's Woman*. Actually, Roland's conscious words echo those pronounced by Charles Smithson after the first (deep) glance that Sarah casts at him on Lyme's Cobb. Walking on the Cobb together with his *fiancée* Ernestina, Charles is struck by Sarah's lonely figure who stares out to the stormy sea in a conscious, totally (not-)conventional way. It is Ernestina who reveals to Charles the identity of this mysterious person, together with the meaning of her name ("The French Lieutenant's Woman"): it is the banal story of an ingenuous maid, seduced and then abandoned by the first man she has encountered. Yet, Charles' words – at the end of the chapter (and of Tina's story) – reveal the regret for a world which has lost its Romance: "I wish you hadn't told me the sordid facts. That's the trouble with provincial life. Everyone knows everyone and there is no mystery. No romance".[5]

From *The French Lieutenant's Woman* (1969) to *Possession* (1990) one can notice a mutual dialogue between the two novels, involving a reflection on some crucial aspects of both past and present narrative. That reflection develops even beyond the more evident common theme of possible persistence of Romantic love – and of its romance-like transformations – in time and space. As a matter of fact, the presence of a contemporary narrator in *The French Lieutenant's Woman*, as well as Roland and Maud's academic position in *Possession*, implies the notion of novel as a "prodotto consapevole di se stesso e della propria organizzazione come dialogo tra testi"[6], and discusses the concept itself of intertextuality or that (even more problematic) of "anxiety of influence". Moreover, directly addressing to the reader, and – more generally – to the act of reading (which expressly allows the Romance in *Possession* and – somehow – also in *The French Lieutenant's Woman*) implies a special function of literature itself. That is, literature turns up to be able to create fictional, yet possible worlds, which give a chance to all the un-realised possibilities of reality. "Perhaps it is only a game" – *The French Lieutenant's*

---

[5] Gillian Beer, *op. cit.*, p. 16.

[6] Mirella Billi, "Dialogismo testuale e parodia in *The French Lieutenant's Woman* di John Fowles" (*Rivista di letterature moderne e comparate*, XLI, 1988), p. 165.

Woman's narrator states at the beginning of chapter 13, discussing the fictionality of novel and novelist's (and reader's) duties. And he goes on: "Only the same reason is shared by all of us: *we wish to create worlds as real as, but other than the world that is*. Or was"[7]. Fowles' statement implies a pervasive idea of fiction, which – as he puts it – "is woven into all"[8]: in other words, Fowles discusses exactly the traditional contrast between reality and fiction or, better said, between reality and Romance:

> A character is either "real" or "imaginary"? If you think that, *hypocrite lecteur*, I can only smile. You do not even think of your own past as quite real; you dress it up, [...] ... fictionalize it, in a word, and put it away on a shelf – your book, your romanced autobiography. We are all in flight from the real reality. That is a basic definition of *Homo sapiens*.[9]

More briefly, at the end of his romance-like stay in Brittany together with Maud, Roland wonders about his difficult coming back "in the real world"[10], and suggests "one should not privilege one world above another"[11].

If all of us need a romance-like plot (which reflects our need to tell someone our own story, to make it readable), both Byatt's and Fowles' choice to narrate such an important theme as the possible transformations of Romantic love through a literary mode like Romance is not that surprising. As a matter of fact – as Giddens states – from the 18th century onwards, Romance progressively becomes also "a potential avenue for controlling the future, as well as a form of psychological security (in principle) for those whose lives were touched by it"[12], without losing its power of total identification that involves the reader into the narrative plot: "'I felt possessed. I had to know'"[13], says Roland to Blackadder in order to justify the theft of Ash's letters; similarly Maud (to convey the opening of Ellen Ash's box): "'We need the end of the story'"[14]. While Fowles' novel offers to the reader three possible endings with three possible levels of Ro-

---

[7] J. Fowles, *The French Lieutenant's Woman* (London: Vintage, 1996), p. 98.

[8] *Ibidem*, p. 99.

[9] *Ibidem*, p. 99.

[10] *Possession*, p. 424.

[11] *Ibidem*.

[12] Anthony Giddens, *The Transformations of Intimacy. Sexuality, Love & Erotism in Modern Societies* (Cambridge: Polity Press, 1992), p. 41.

[13] *Possession*, p. 486.

[14] *Ibidem*, p. 499.

mance, *Possession*'s subheading (*A Romance*) plainly suggests its literary genre, confirmed by the quotation of the well known passage from the beginning of Hawthorne's *The House of the Seven Gables*:

> The point of view in which this tale comes under the Romantic [i.e.: romance-like] definition lies in the attempt to connect a bygone time with the very present that is flitting away from us.[15]

Besides, the romance-like space, which still allowed (even if in a very defined way) a form of Romantic passion in the Victorian age, becomes nowadays just a fictional world, which exists almost only in the space of a reading identification. This is the question raised by *The French Lieutenant's Woman*'s narrator, and reconsidered also by Roland and Maud, who are looking for a solution to turn their still unexpressed love story into an actual relationship. It is the very problem also faced by Mike and Anna, main characters of the screenplay adapted from Fowles' novel by Harold Pinter. The end of the film becomes also that of the unique virtual world where the two lovers' relationship comes true. Therefore, reflecting on Romance possibilities becomes also a way to consider space (and landscape) as an active element, able to build (and bring into being) the love relationship between the different characters.

2. Romantic or romance-like?

The intertextuality of the two novels underlines the progressive evolution of the concept of Romantic love and its relationship with a well defined sort of landscape. Both *The French Lieutenant's Woman* and *Possession* choose to set the story (or at least a considerable part of it) in a historical period – (Victorian age) – which is already far from the concept of Romantic love elaborated during the early 19th century. Remo Ceserani suggested the existance of a "rapporto non casuale tra la formazione e la diffusione della concezione dell'amore romantico e la nascita di alcuni dei maggiori generi letterari del primo Ottocento"[16]. We might use his suggestions in order to read the double coding of past and present passions of the two novels. In effect, the involving trait (like an "elective affinity") of Romantic passion is often contradicted by a "realtà dura e mediocre che ogni volta dimostra l'irrealizzabilità dell'ideale".[17] This very conflict causes the birth

---

[15] *Ibidem* (page not numbered).

[16] Remo Ceserani, *Il Fantastico* (Bologna: Il Mulino, 1996), p. 110.

[17] *Ibidem*.

of some specific narrative forms, which become also the (utopian) place (in another space, in another time) where the Romantic passion can again come true. From this perspective, the Victorian age seems to react in a quite peculiar way; while the impossibility to actually bring to reality the Romantic ideal has been accepted, it is nevertheless necessary to find new ways of compromise in order to allow at least a partial return of the ideal. Then, Fowles' and Byatt's choice of a Victorian setting for their novels reveals its metaliterality, as literature itself becomes more and more the best place where it is possible to play (and enjoy) a Romantic passion. "Telling a story" – noticed Anthony Giddens – "is one of the meanings of 'romance'". Hence, Ash, La Motte (and even Sarah) are actually good plotters, since they choose Romance as the best solution allowing to mediate between reality and imagination. So, their "story now became individualised, inserting self and other into a personal narrative which had no particular reference to wider social processes".[18]

Hence, the main characters of the two novels must re-create the ideal setting for a Romantic love. This is to be actually enjoyed, but in a circumscribed, yet real, time and space; both Christabel and Randolph and Sarah (for Charles it is quite more complicated) are deeply conscious not only of the (Romantic) exceptionality of their love, but also of its contrast with Victorian everyday reality. Then, they try both to experience at least once the renewed Romantic passion and not to lose a domestic life which, for many reasons, they love and choose. "I have a wife, and I love her" – Ash plainly writes to Christabel –, and Sarah herself (who has weaved the romance-like plot which caused Charles' passion) is conscious of the circumscribed nature of this Romantic/romance-like space:

> You have given me the consolation that in another world, another age, another life, I might have been you wife. You have given me the strength to go on living… in the here and now. […] Please go now. I pray for your happiness. I shall never disturb it again.[19]

Similarly, Christabel and Randolph want to fulfil "some great happiness"[20] (and passionate too) of a few settled days, in "a small space, for a limited time – in which to marvel that *they* have found each other"[21], but without renouncing their quiet, domestic, independent every-day life.

---

[18] Anthony Giddens, *op. cit.*, pp. 39-40.

[19] *The French Lieutenant's Woman*, p. 342.

[20] *Possession*, p. 196.

[21] *Ibidem*, p. 193.

"Another world, another age", "a small space, for a limited time": Sarah, Christabel and Randolph (somehow even Charles) perfectly know that their Romantic love needs a suitable scenery (a real and a metaphorical one) – of course of a Romantic kind – where it may begin and develop. But they of course also know that clearly enough, once a pure confidence in the teachings of the "elective affinities" has been lost, the only possible way to follow is that of romance-like fiction, which actively uses the traditional Romantic themes and places, and therefore allows again – through an act of creation which gives back to the landscape its Romantic peculiarity – the rise of passion.

Then, the description of the two love stories is built upon a deep system of intertextuality which is there to convey their Romantic nature (*e.g.*: the choice of the epistolary form in *Possession*, or the *topos* of the oppressed maid played by Sarah in *The French Lieutenant's Woman*); the *climax* of Romantic themes reaches its height precisely with the choice of the places where the passion blooms. As a matter of fact, Lyme Regis and Dorset, as well as Yorkshire, are typically literary Romantic and romance-like places, and they are haunted by the phantoms of great characters, who deeply loved (and because of this love are dead). Once again, the act of reading is important both because "it produces a certain illusion [...] that [...] makes it appear for the time that we have lived another life"[22], and as a means for the creation of a romance-like *scenario*.

In *The French Lieutenant's Woman* the first intertextual reference directly mentioned by a character belongs to Ernestina, who, during their first stroll, remembers Charles that they are walking on the very Cobb where Jane Austen has pictured one of the most Romantic scenes of *Persuasion* (and maybe of the whole Austen's narrative): that is, Louisa Musgrove's fall, and, moreover, the renaissance of Anne and Captain Wentworth's mutual love. First of all, Tina's longing for Austen's light Romanticism somehow expresses – together with her own "anxiety of influence" – the one of a whole age. But, more than that, the direct quotation of that very passage becomes the (melodramatic) way through which the narrator (who also quotes Austen's famous description of Lyme's surroundings as epigraph of chapter 10[23]) considers, and puts aside, the ending suggested by Aus-

[22] Henry James, *Theory of Fiction*, edited with an introduction by James E. Miller (Lincoln: University of Nebraska Press, 1972), p. 93.

[23] "With its green chasms between romantic rocks, where the scattered forest trees and orchard of luxuriant growth declare that many a generation must have passed away since the first partial falling of the cliff prepared the ground for such a state,

ten's novel (*i.e.*, the first of the three endings narrated in the novel, predictable and domestic, where Charles becomes Tina's more or less happy husband, and his Romantic passion for Sarah is conveniently abandoned). Unfortunately, while Ernestina seems to be somehow conscious both of the Romantic possibilities of Lyme's landscape and of the necessity of re-living it with a romance-like attitude, Charles' regret is far from being so, and needs something much deeper than his *fiancée*'s little attempts. In a couple of minutes, his first encounter with Sarah's inscrutable figure (which again, might imply the memory of a passage of *Persuasion*) who stairs at him with a glance of challenge, reminds the reader of another character and (mainly) of another geography of romance-like passions: *Tess of the d'Urbervilles* and the Wessex of Thomas Hardy. As a matter of fact, the narrator himself directly quotes Hardy's name several times and, particularly, in chapter 35. There, he is defined as "the great novelist who towers over this part of England of which I write".[24] Clearly enough, the narrator's intention is that to make the reader consider Dorset (*scenario* of Sarah and Charles' love story) a place originally full of Romantic passion which, romance-likely, might be lived once again. Actually, "it would be difficult not to notice the similarities between Tess Durbeyfield and Sarah, both educated beyond their stations and both associated with the natural landscape"[25]: a landscape which directly participates in Tess' fall and that, romance-likely, Sarah is able to re-create as scenery of her passion. So, Sarah and Charles' following encounters will take place just in that authentic "English Garden of Eden" which is the Undercliff. This is a place – "like all land that has never been worked or lived on by man" – full of "mysteries", "shadows", "dangers"[26], and therefore ideal as for the presence of all the elements necessary to develop the Romantic fiction. From their first encounter to the one in the old barn, Sarah's acts are determined by a will of romance-like mediation and they all tend to a precise point ("this will be the mid-point, to which everything ran, before, and from which everything will run"[27], Christabel will say to Ash during their first night in Yorkshire): Exeter's room, where Sarah's lie can finally come true.

---

where a scene so wonderful and so lovely is exhibited, as may more than equal any of the resembling scenes of the far-famed Isle of Wight", *TFLW*, p. 70.

24 *Ibidem*, p. 262.

25 J. R. Aubrey, *John Fowles. A Reference Companion* (Westport: Greenwood Press, 1991), p. 102.

26 *The French Lieutenant's Woman*, p. 71.

27 *Possession*, p. 284.

Similarly, also in *Possession* living passion means to confine it in a specific romance-like space, which becomes Romantic thanks to an act of literary mediation. Neither Randolph nor Christabel want to hold back their love in the (so Romantic) form of an epistolary relationship; they are too good readers not to know that it is better to "leave the *coup de foudre* to the weavers of Romances".[28] Nevertheless, they let themselves be progressively involved by the "plot which holds"[29] them, which frames their relationship into a traditional Romantic *scenario* (with the direct mention of the names of "Wordsworth and Coleridge and Goethe and Schiller [...] not forgetting, of course, Christabel La Motte"[30]). Moreover (just like in *The French Lieutenant's Woman*), the novel shows a sort of double reading agreement: the one (explicit) between the two poets and another (more implicit) between the narrator and the reader himself. From this perspective, it is possible to see the choice of a romance-like 'elsewhere' from everyday life as a conscious act of reading identification, conveying (for a while) the reality of the lost world of Romantic passion:

> May we not, in some circumscribed way – briefly, perhaps, probably – though it is Love's Nature to know itself eternal – and in confined spaces too – may we not steal some – I almost wrote small, but it will never be that –some great happiness? We must come to grief and regret anyway – and I for one would rather regret the reality than its phantasm, knowledge than hope, the deed than hesitation, true life and not mere sickly potentialities. [...] There may well come a moment when this will be impossible, for many good reasons – but you know, and feel, as I know and feel that this moment of impossibility is not *yet*, is not *now*?[31]

Ash's words are effective, and Christabel consents to escort him to Yorkshire (officially, looking for those very same fossils looked for by Charles on the Undercliff). But – as the reader well knows – Yorkshire is a famous place of literary passion, where love is strongly linked to the romance-like geography of the Wuthering Heights. Going there implies therefore Christabel and Randolph's intention of re-reading (and re-enjoying) Catherine and Heathcliff's Romantic love, wandering through their romance-like scenery. This becomes a new "Paradise Garden [...] smelling so airily sweet, it put you in mind

---

[28] *Possession*, p. 193.

[29] *Ibidem*.

[30] *Ibidem*, p. 86.

[31] *Ibidem*, p. 196.

of Swedenborg's courts of heaven where the flowers had a language and colours and scents were correspondent forms of speech".[32]

Once again, landscape proves to be a creator of Romance, a setting where it is possible to live a Romantic passion, at least if you have a certain literary consciousness – *i.e.*, if you have a body of romance. In effect, only a body of romance is really able to read the romance-like possibilities of landscape and it is therefore also able to direct the unities of time and space towards a well defined action. "A whole ungovernable torrent of things banned, romance, adventure, sin, madness, animality, all these course [...] wildly through"[33] Charles when, at the end of his Romantic and romance-like quest, he finally "strains his mouth upon" Sarah's one, in the deep romance-like southern part of Victorian England. In the same years, in the distant (and romance--like) Yorkshire, Randolph and Christabel burn their passion with no different words: "Here, here, here, his head beat, his life had been leading him, it was all tending to this act, in this place, to this woman, white in the dark, to this moving and slippery silence, to this breathing end".[34]

But everything happens according to previously established rules: Romance artificially re-creates the ancient colours of Romantic landscape. Hence, the possible romance-like world, once it has been lived, can be put aside, and it ends ("every day we shall have less [time]. And then none"[35], Christabel says to Randolph). If the encounter with one's twin soul might happen just out of destiny – "Destiny"[36] says Charles before going to the old barn; more consciously, Ash: "But he had known immediately that she was for him, she was to do with him, as she really was or could be, or in freedom she might have been"[37] – it is a destiny that, in order to come true, must be wisely checked, read and re-read.

3. "Through the Looking-Glass"

The possible readings are not finished: even in our more than conscious contemporary age which – as Roland puts it – "mistrusted love,

---

[32] *Possession*, p. 286.

[33] *Ibidem*, p. 336.

[34] *Ibidem*, pp. 283-284.

[35] *Ibidem*, p. 284.

[36] *The French Lieutenant's Woman*, p. 231.

[37] *Possession*, p. 278.

'in love', romantic love, romance *in toto*, and which nevertheless in revenge proliferated in sexual language"[38], "who can live without passion, if we see it as the motive-power of conviction?"[39]. And the first place which makes one feel a part of a larger plot is obviously a mental landscape. Here the act of reading itself becomes an "intense pleasure":

> It is possible for a writer to make, or remake at least, for a reader, the primary pleasures of eating, or drinking, or looking on, or sex. [...] They do not habitually elaborate on the equally intense pleasure of reading. [...] And yet, natures as Roland's are at their most alert and heady when reading is violently yet steadily alive.[40]

Such is the statement of *Possession*'s narrator when he describes Roland's first entrance "in the world of creation", which is, according to James, the best of possible worlds:

> To live *in* the world of creation – to get into it and stay in it – to frequent it and haunt it – to *think* intently and fruitfully – to woo combinations and inspirations into being by a depth and continuity of attention and meditation – this is the only thing.[41]

Then, Byatt puts herself at the end of the long tradition of writers who have hardly tried to define the boundaries between reality and imagination. Moreover, she addresses her statements directly to the reader ("Think of this, as Roland thought of it"[42]), with an attitude similar to that of *The French Lieutenant's Woman*'s narrator. Hence, the dialogue between past and present involves also Fowles' novel, which becomes one of *Possession*'s explicit references. These range from the choice of a great system of epigraphs *à la* George Eliot at every chapter, to the reference to Tennyson's *Maud*, mentioned also by Fowles' narrator as "the one book" Charles "carried constantly with him"[43] in his wanderings as a lonely Romantic traveller, or to the intertextual reference to *Great Expectations*' "Miss Havisham"[44] which implies the "typically Victorian double-minded hesitation be-

---

38 *Possession*, p. 423.

39 Anthony Giddens, *op. cit.*, p. 201.

40 *Possession*, p. 470.

41 Henry James, *op. cit.*, p. 88.

42 *Possession*, p. 471.

43 *The French Lieutenant's Woman*, p. 408.

44 *Possession*, p. 499.

tween romance and realism"[45] of Dickens' novel and, hence, Fowles' three possible endings.

In any case, the problem remains always the same: once you have put aside (even since Christabel's times) any kind of immediate, Romantic, identification, once you have rejected the possibility of a romance-like setting where to enjoy passion once more, does it still exist a place (other than the mental landscape re-created by the act of reading) where to actually live a form of passion? Is it still possible – in other words – to have bodies of romance? Nowadays –Anthony Giddens writes – "nobody knows if sexual relationships will become a wasteland of impermanent liaisons, marked by emotional antipathy as much as by love"[46], and this is the question marking the different phases of Roland and Maud's 'courtship'.

Besides, on the one hand, the power of imagination is not entirely satisfying – and Roland and Maud act as if they "were being driven by a plot or fate that seemed [...] that of those others"; on the other hand, they begin to doubt the possibility of being successful:

> Roland thought, partly with precise postmodernist pleasure, and partly with a real element of superstitious dread, that he and Maud were being driven by a plot or fate that seemed, at least possibly, to be not their plot or fate but that of those others. And it is probable that there is an element of superstitious dread in any self-referring, self--reflexive, inturned postmodernist mirror-game of plot-coil that recognises that it has got out of hand, that connections proliferate apparently at random, that it is to say, with equal verisimilitude, apparently in response to some ferocious ordering principle, not controlled by conscious intention, which would of course, being a good postmodernist intention, *require* the aleatory of multivalent or the 'free', but structuring, but controlling, but driving, to some – to what? – end. Coherence and closure are deep human desires that are presently unfashionable. But they are always both frightening and enchantingly desirable. 'Falling in love', characteristically, combs the appearances of the world, and of the particular lover's history, out of a random tangle and into a coherent plot. Roland was troubled by the idea that the opposite might be true.[47]

From this perspective, their expedition to Yorkshire and their escape to Brittany seem to be two different attempts to re-build an 'elsewhere', a pleasant and propitious landscape where to be captured (and consciously enjoy a possible romance). Nevertheless, neither

---

[45] M. Thorpe, *John Fowles* (Windsor: Profile Books, 1982), pp. 28-29.

[46] A. Giddens, *op. cit.*, p. 196.

[47] *Possession*, p. 422.

Roland, nor Maud are able to really enact their passion ("They took to silence. They touched each other without comment and without progression"[48]). "What their mute pleasure in each other might lead to, anything or nothing [...]?" Roland "wonders much of the time", a question which echoes that addressed to Charles by the ironical narrator in *The French Lieutenant's Woman*, when they meet in the train-wagon to London:

> Now the question I am asking, as I stare at Charles, is [...] what the devil am I going to do with you? [...] My problem is simple – what Charles wants is clear? It is indeed. But what the protagonist wants is not so clear;[49]

Once again, the narrator's statement involves his relationship with the past tradition:

> I have pretended to slip back into 1867; but of course this year is in reality a century past. It is futile to show optimism or pessimism, or anything else about it, because we know what has happened since.[50]

In other words, the post-modern act of reading should be able to re-create a suitable scenery to represent not only Romantic love, but also its romance-like interpretation.

In effect, through the double romance-like plot (linking past to present, Randolph and Christabel to Roland and Maud), Byatt is able to perform that past/present relationship which Fowles had obtained exclusively through the narrator/reader dialogue. Incidentally, the same device had already been used by Pinter in his screenplay, which Fowles himself has defined as "a brilliant metaphor for the book". As a matter of fact, Pinter's screenplay and Byatt's novel seem to represent the two possible versions of the combat of wants described by Fowles. In both cases a different ending (negative or positive) for the present love story is allowed precisely by the different relationship with the places where the passion might come to life.

In Pinter's screenplay the film set is the only form of possible world, which – through the progressive identification of the two actors, Mike and Anna, with the roles (Charles and Sarah) they are going to play – allows them to actually live their love story. But the identification is wrong: the story does not work. While it is true that "we somehow regard what only fictionally exists as being real and

---

[48] *Possession*, p. 423.

[49] *The French Lieutenant's Woman*, p. 389.

[50] *Ibidem*, p. 390.

what only fictionally occurs as actually taking place"[51], we must at the same time be sure not to lose our way to come back to reality, otherwise "la lettura diventa un'attività unilaterale e potenzialmente pericolosa"[52] and, moreover, the fictional world will never become possible (and/or real). Then, while Mike is definitely captured by the "deep and narrow, an obsessive, involvement"[53] of the fictional film--romance (e.g.: the last scene, when Mike calls Anna with the name of Sarah), Anna finally manages to wake up, and decides to escape. That is, she decides to come back to the unfictional world of reality and true life; the film set (as the Undercliff, or Yorkshire) is a "circumscribed" space, a dream which one needs to be woken up from.

Possession's solution is quite the opposite (though symmetrical): Roland and Maud's travels from one romance-like place to another (following the way of Christabel and Randolph), from one plot to another[54], finally manage to re-create a virtual space, a landscape where it is actually possible to rebuild the reality of passion. Besides, a helpful narrator offers them a final *coup de théâtre*, by making Maud Christabel *and* Randolph's direct descendant, hence by suggesting the possibility – like in the second part of *Wuthering Heights* – of a hereditary transmission of Romance[55]. But Roland and Maud themselves are able to consciously face the relationship with the past Romantic plot and make every effort to find a suitable compromise between "social realism"[56] and (Romantic) romance. "We could think of a way – a modern way – Amsterdam isn't far" – Roland suggests to a reluctant Maud, and then he goes on: "Let's get into bed [...]. We can work it out".[57]

---

51 Kendall L. Walton, *op. cit.*, p. 205.

52 Federico Bertoni, *Il Testo a quattro mani* (Firenze: La Nuova Italia, 1996), pp. 272-73.

53 Richard Chase, *The American Novel and its Tradition* (New York: Double Day Anchor Books, 1957), p. 13.

54 "In any case, since Blackadder and Leonora and Cropper had come, it [the Romance] had changed from Quest, a good romantic form, into Chase and Race, to other equally valid ones", (*Possession*, p. 425).

55 For the concept of hereditary romance see O. Innocenti, "La formazione negata. Il romance ereditario delle sorelle Brontë" (*Inchiesta letteratura*, XXVIII, 122, 1998), pp. 38-41.

56 *Possession*, p. 425.

57 *Ibidem*, p. 507.

O Corpo heróico face à energia cósmica
Aspectos do titanismo romântico
a partir de Victor Hugo

Carlos J. F. Jorge
Universidade de Évora

Os heróis de Hugo, como muitas das personagens românticas, evidenciam o seu poder num jogo de relações agonísticas com as forças cósmicas. Não é inteiramente novidade, tal confronto, nas representações narrativas – ou mesmo dramáticas, ou até líricas. Para citar um exemplo solene, a marcar a antiguidade do fenómeno, basta-nos referir a *Odisseia*. No entanto, mesmo se aceitarmos ficar de acordo sobre o facto de Ulisses ser grande pelo que defronta *do mundo*, no seu retorno a Ítaca – os poderes dos mares, dos ventos, dos escolhos –, e isso ter sido retomado frequentemente, na literatura, como substância temática, ou como fundamento comum de alguns importantes motivos literários, parece-nos, ainda assim, de considerar o caso do antagonismo *Homem/Cosmos* dos românticos como algo digno de reparo especial.

Para uma tal abordagem, temos várias razões estimulantes. De algum modo, este trabalho procura desenvolver o fundamental que nos parece importante formular, tendo em conta que, desse modo, estamos aptos apenas a esboçar o problema num registo textual que não deverá ultrapassar as anotações liminares[1].

---

[1] Quer isso dizer que, desenvolvendo as hipóteses que as nossas tentativas de questionamento apresentam, o trabalho em curso poderá ser bastante ampliado, sobretudo na explicitação ou análise de recorrências e variantes das várias figuras ou dispositivos representativos que aqui procuramos agrupar nos seus traços genéricos. Presumimos que os desenvolvimentos possíveis são, fundamentalmente, dois:

A hipótese que colocamos, liminarmente, é a de que o romantismo representa artisticamente, de modo inteiramente novo, a relação Homem/Cosmos, pela acentuação da individualidade, estruturada numa construção espírito-corpo a desenvolver-se na acção, e a enigmática presença de um Cosmos representado como unidade de forças e energias. Estas, contudo, formulam-se, poeticamente, desde o romantismo, a partir do saber empírico, racional e experimental das ciências – e não de um saber teológico, como emanações directas de um ente supremo ou divino[2]. Segue-se, nessa mesma linha de preocupações, a importância que ganha o defrontar do Cosmos pelo indivíduo humano, num processo que, na literatura romântica, reconfigura três entidades e as suas respectivas relações: o *Ente Supremo* (Deus ou a sua extensão: demiurgo, potestade vicariante, energia sublime, força sublimada e/ou suprema), o *Cosmos* (energias, tensões com as suas espécies activas, incluindo, como figuras recorrentes, os animais e mesmo os homens categorizados como *outros*) e o *Homem* (preferencialmente um indivíduo, sendo, no paradigma romântico, a *individualidade solitária*, ensimesmada e mesmo solipsista, a figura de eleição).

Antes de mais, abordemos a questão dessas forças cósmicas e do modo como elas têm aparecido na literatura, ora opondo-se aos protagonistas, ora ajudando-os, ora hostilizando-os (quer como obstáculos inertes, convocando a réplica energética, quer aparecendo como di-

---

a aturada verificação, num conjunto de textos significativo, de autores marcantes (pelos menos – e as nossas referências, aqui, não podem ser mais do que *alusivas*, para não dizer *elípticas*) da literatura europeia, entre finais do século XVIII e meados do século XIX; e a reformulação dos traços genéricos caracterizadores dos mecanismos e procedimentos que aqui formularemos num primeiro esboço.

2 Argumentamos, aqui, que a expressão literária acompanha um novo paradigma científico que, sem se pronunciar como ateísta, desenvolve a possibilidade de um conhecimento do Cosmos que tem a ver com as ciências empíricas (prestes a serem pronunciadas como positivas) e em alheamento relativamente à interrogação teológica ou mesmo metafísica. Que, muitas vezes, os poetas românticos declaram o seu espanto perante o espectáculo das forças cósmicas, encarando-as como resultado de uma obra divina, está fora de dúvidas; mas também é evidente que o relacionamento directo entre os processos cósmicos e a divindade, ainda recorrente e dominante no século XVII, e mesmo XVIII, nas obras anteriores às "Luzes", já não se faz sentir: o mundo, para os românticos, já não é um teatro de ilusões, como o era ainda para Descartes. Em Hugo, por exemplo, ele assemelha-se mais a um turbilhão caótico que, embora desencadeado pela potestade suprema, desenvolve forças e energias próprias, afronta o homem com ameaças e catástrofes inesperadas que a própria divindade não terá previsto. Tal hipótese, que aqui fica apenas mencionada, já foi por nós desenvolvida no texto "A retórica do Cosmos – A linguagem da ciência na poética da ficção e da lírica de Victor Hugo", que apresentámos no colóquio sobre as relações entre a literatura e a ciência, *O saber proibido*, que teve lugar na Universidade de Évora em Maio de 2002.

nâmicas), ora forçando a acção do homem, do herói (protagonista ou sujeito da acção ou situação), ou, pelo menos, a sua formação, figuração ou transformação reconfigurante. Sendo estas forças – ou entes de poder – naturais, podendo apresentar-se como tectónicas, marítimas, climatéricas ou participantes da biosfera, elas manifestam-se com uma potência ou uma carga energética que o homem tem de entender e dominar, para levar a cabo a sua missão[3]. Do mesmo modo agónico emerge a voz poética ou narrativa ao construir situações: ela debate-se, sobretudo, com a necessidade de configurar, de modo representável literariamente, o que é força, movimento, energia. Como dirá Delphine Gleizes, a "instabilidade dinâmica é a da vaga, tornando-se esta, simultaneamente, modelo da narração e princípio da sua génese, perpetuamente aberta a outros começos"[4]. Contudo, o mais notável em Hugo, nosso exemplo privilegiado aqui, é que não é apenas a interioridade egóica que se forma nessa luta (poeta ou herói da acção), mas também a postura física ou mesmo o desenvolvimento da compleição corpórea que se constitui em resultado do confronto. De algum modo, toda a sua obra poético-ficcional faz ressoar, ampliar-se e variar a veemência estimuladora e auto-valorizadora que se patenteia, por exemplo, em "Fonction du poète", *proposição*, em sentido poético pleno, não só de *Les Rayons et les ombres*, mas de toda a sua produção literária: "Peuples! Écoutez le poète!/ (...) Lui seul a le front éclairé/ (...) Marche, courbé dans vous ruines/ (...) Il rayonne! Il jette sa **flamme**".

Deve notar-se também aqui, para que possamos desenvolver com mais precisão a abordagem do procedimento poético-ficcional hugoliano como culminar da emergência de uma das configurações dominantes do romantismo, que, em Victor Hugo, o discurso da ciência (o seu léxico, a ordenação e disposição dos seus argumentos, a sua estrutura silogística e/ou entimémica) surge como propiciador de um material verbal a partir do qual se constrói uma linguagem da veemência e da passionalidade. Manifesta-se, nos seus textos, para dar conta dos conflitos em estado supremos (é sempre derradeira ou carregada de irreprimíveis consequências, a situação romântica – de que Hugo é um

3 Algumas figuras dessa mesma relação, nas variedades que vão desde o encontro com o pitoresco até ao confronto com o "horror" provocado pela grandeza e sublimidade da paisagem, aparecem claramente evidenciadas por Fernando Guerreiro em *O Caminho da montanha* (Coimbra: Angelus Novus, 2000), especialmente no capítulo "A subida dos Alpes". Quanto à questão que é, para nós, aqui, central, relativamente ao *corpus* de obras e autores acima sugeridos, ver, no texto citado, sobretudo pp. 63, 64 e 68-71.

4 Ver Gleizes, "Genèse des formes", Hiddleston (ed.), *Victor Hugo – Romancier de l'abîme* (Oxford: Legenda, 2002), p. 101.

exemplo extremo) qualquer coisa como o turbilhão vociferante do Cosmos que, longe de inspirar um discurso "branco" do saber, razoável e iluminado, solicita, antes, a manifestação poética da catástrofe sibilada, a coloração das forças poderosas do universo, e mesmo a emergência dos caos enunciáveis pelas trevas, pelos dilúvios, pelas forças tectónicas e atmosféricas. Como diz Meschonnic, "o mar é o roedor do rochedo (...) por isso opõe-se ao homem industrioso, e que sabe o que faz" [5].

De algum modo, onde o verosímil clássico cessante colocava entes divinizados e titãs (num modelo alegórico), todos eles antropomorfizados, Hugo coloca as forças e os objectos naturais descritos pelas ciências, como entidades animadas (num modelo metafórico). Poderíamos dizê-lo de outra forma, com Gleizes: o processo poético de criação de Hugo desenvolve-se como uma interpretação da paisagem "em busca de formas monstruosas e uma representação fiel à sua percepção de viajante"[6]. Elas não são, evidentemente, antropomórficas: contudo, a visão e escuta dos poetas permite que as suas representações emirjam, se anunciem com a capacidade performativa de, enquanto processos dinâmicos (por vezes de desígnios enigmáticos), actuarem poderosamente sobre o destino humano ou o espaço domesticado. Assim, os ventos e as correntes não são movimentos cegos, mas fúrias desencadeadas, deslocando-se como agentes das fábulas; as tempestades e os trovões não são fenómenos indiferentes às paixões dos homens mas sim, antes, forças que com eles actuam, que desafiam e alteram os poderes, os destinos e as constituições das personagens[7]. É digno de registo, aliás, que o próprio Hugo faz a *poética explícita* dessa mudança dos processos de representação nas estrofes iniciais da sua introdução lírica a *La Légende des siécles*, "La vision".

A tal processo, não é indiferente o acumular de transformações operadas no discurso literário ou nas reflexões dos escritores, relativamente ao modo de representação do corpo humano e ao modo como

---

5 Remetemos para dois textos que, quanto a este ponto, não poderiam deixar de ser nossa referência preciosa: Henry Meschonnic, *Pour la poétique IV – Écrire Hugo* (Paris: Gallimard, 1977) e "Genèse des formes. Textes et dessins autour des *Travailleurs de la mer*", de Delphine Gleizes (*op. cit.*, pp. 95-118). De um modo geral, a abordagem de Meschonnic, num capítulo do livro totalmente dedicado a *Les Travailleurs de la mer* (pp. 132-164), apresenta várias observações coincidentes com as nossas – o exemplo apresentado é da p. 142 desse texto. O texto de Gleizes é uma fecunda análise dos processos que Hugo usa para produzir uma "interpretação da paisagem".

6 *Op. cit.*, p. 99.

7 Uma abordagem bastante próxima da nossa, quanto a esta matéria, aparece em Gleizes (*op. cit.*, p. 100).

ele age, durante as últimas décadas do século XVIII, nomeadamente as que se encontram patentes nas obras de alguns dos autores classificados, muitas vezes, como *pré-românticos*[8]. Pensamos, obviamente, em obras como as de Rousseau, Goethe, Diderot. Assim, parece-nos de ter em conta, para formularmos a base a partir da qual o romantismo constrói a corporeidade heróica, a tradição instaurada, desde finais do século XVIII, pela nova sensibilidade e perspectiva do corpo, desenvolvida em Diderot, Rousseau (e, mesmo, num paradigma que aqui apenas afloraremos, Sade) e a estruturação de um universo de construção do indivíduo, dentro do qual se desenvolve um novo tipo de protagonista literário, característico do *romance de formação* (ao qual Bakhtine atribui o mérito de estabelecer um cronótopo original, enunciando com ênfase e persistência a especial relação que tal romance institui entre os entes em formação e os lugares histórico-sociais em que se formam), de que Goethe foi obreiro maior.

Esses primeiros momentos da construção de um imaginário, seus arquétipos e figuras principais, tem imediata continuidade em nomes significativos da primeira geração romântica, sobretudo em autores que, por deliberada opção de inovação em relação aos cânones de que se demarcam, se colocam nas "origens" do romantismo. Referimo-nos, para darmos alguns exemplos significativos, a Byron, Sénancour e Madame de Staël, visando abordar a questão com um mínimo de amplitude, quer no que toca a nacionalidades, quer no que diz respeito a constituições básicas de perspectiva individual – masculino e feminino, no caso que aqui nos interessa.

É através de referências, variantes, aproximações e paralelismos estabelecidos entre Hugo e os dois elencos acima declinados (que se limitam a representar dois momentos importantes da tradição de onde Hugo emerge) que será possível compreender e valorizar como, neste, se constrói o corpo heróico enquanto figura literariamente marcante: por um lado como processo que revela uma continuidade na tradição, por outro lado como desenvolvimento que, pela dimensão e intensidade que atinge no autor de *Les Misérables*, se torna uma marca excepcional, de originalidade e grandeza próprias. Resultará dessa compreensão, também, numa dimensão mais especulativa, a maneira como

---

[8] Esquecendo-nos – por inevitável impossibilidade de aqui a encararmos – da complexa questão que envolve a delimitação do conjunto de obras que se diz ter anunciado o romantismo e, com mais razão, da espinhosa controvérsia que é a sua designação, empregamos o termo pré-romantismo, com todas as reservas que os especialistas recomendam, procurando apenas circunscrever um grupo de autores e de obras que, não sendo românticas, nos parecem ter ajudado a construir as novas figuras da enunciação e do enunciado poéticos, segundo a pertinência dos elementos de fundo acima expressos.

essa figura se sustém de tal modo que, ainda hoje, pode ser representativa da imagem positiva ou aura enaltecedora do herói moderno. Além dos delineamentos precursores que os elencos de autores pré-românticos e românticos, acima apresentados, propõem, temos em conta o modo como o corpo aparece nas formulações genológicas. Prevalecem, por neles os enunciados serem forçosamente explícitos, os géneros *narrativo* – e, aqui, termos de deixar bem claro que o exemplo privilegiado por nós é *Les Travailleurs de la mer*, de Victor Hugo – e *lírico*[9]. A herança que advém a Hugo do romance de formação ou de aprendizagem reconhece-se, principalmente, no modo como a personagem – o protagonista romanesco, por norma – se integra de modo profundo no mundo material em que emerge e no qual se recorta. Minimizamos a dimensão "cognitiva" do romance de aprendizagem, ou seja, aquela sua característica fundamental segundo a qual se dá, em relação ao "herói", a passagem "da *ignorância* de si" para o "*conhecimento* de si" e, sobretudo, a importância que, nesse modelo romanesco, tem "a obtenção do conhecimento de si (como) condição prévia a toda a acção autêntica a realizar"[10]. As razões de tal renúncia da nossa parte são fundamentalmente duas: em primeiro lugar, a etapa da construção do corpo, onde termina o nosso interesse, antecede o conhecimento de si, que gera o interesse romanesco do romance de formação; em segundo lugar, o romanesco romântico, quer na tonalidade novelesca, quer na lírica, não tem, salvo raras excepções, continuidade na "vida nova"[11], depois da aprendizagem.

Quanto a esse aspecto, o final de *Les Travailleurs de la mer* é um extraordinário exemplo: a aprendizagem da vida, pela grande obra, *prova* pela qual ele se torna o herói digno da sua amada, só tem um resultado para Gilliat, no plano do conhecimento: a descoberta de que se encontra preparado para a morte. Assim, complementarmente, a compreensão da estrutura do romance romântico, à luz da formulação paradigmática do romance de formação (na sua configuração goethiana, que parece ser a única plena e acabada), revela-se como a da *desesperada crise*, ou seja, a da *inevitável catástrofe*. Conhecer-se poderia entender-se, em consequência, como significando estar *pronto*

[9] Percebe-se que o dramático, quando trata o corpo, verbalmente, o faz de modo alusivo e mesmo *para* ou *peritextualmente*, nas margens didascálicas ou nas "antecâmaras" textuais que são as apresentações *pré-textuais* das personagens, as quais, por iniciativas editoriais ou autorais, antecedem o texto dramático propriamente dito – e só muito raramente o corpo aparece verbalmente expresso.

[10] Susan Rubin Suleiman, *Le Roman à thèse ou l'autorité fictive* (Paris: PUF, 1983), p. 82.

[11] *Ibidem*.

para a morte. Talvez por isso, poderíamos dizer que, de Goethe, os românticos foram muito mais herdeiros de *Werther*, do que de *Os anos de aprendizagem de Wilhelm Meister*. Nesta ordem de ideias, poderíamos acrescentar, como nota de interesse para a categorização dos sub-géneros narrativos, pelo menos na observação de pendor histórico-literário – nota essa assente em reconhecimentos imediatos de leitura, a carecer de confirmação do que é, de momento, sobretudo conjectural –, que só no realismo, ou mesmo no naturalismo, o romance de formação se manifesta numa fecunda continuação do que o grande clássico alemão anunciava.

No entanto, há ainda uma outra dimensão do romance de formação que nos parece dinamicamente presente em Hugo e, muito especialmente, no romance que aqui nos ocupa em particular: a relação física do herói com espaços nos quais actua. Tal dimensão foi amplamente interrogada por Bakhtine, quando perspectivava a "destruição do idílio" como um dos "temas principais" do romance de finais do séc. XVIII e princípios do séc. XIX, exactamente como aparece enquanto formulação do fim do pequeno mundo "sublimado filosoficamente" de Rousseau, para deixar emergir o seu oposto, "o mundo vasto" de "alienação hostil"[12].

Ora o que acontece a Gilliat, em *Les Travailleurs de la mer*, é o seu afastamento do "lugar de idílio", aquele que, embora em situação precária, o albergava, tendo partido para o espaço inóspito de um rochedo em que tem de recuperar um barco, pôr à prova as suas potencialidades. Assim, o herói revela a sua capacidade de "reconstruir sobre bases novas, tornando-o próximo, humanizando-o"[13], o ameaçador conjunto de rochedos. Destes, curiosamente, o mais imponente e capaz de se prestar a acolhimento e mesmo protecção, chama-se "L'Homme". É importante sublinhar, para desenvolver o nosso ponto de vista sobre a estrutura desta relação de aprendizagem, que o objecto em que o herói terá de trabalhar é uma máquina, símbolo desse "labor diversificado e mecanizado" de que fala Bakhtine no texto que temos citado, labor esse realizado num mundo não idílico que não "depende do trabalho pessoal"[14] integrado nos valores do universo familiar. E, entre outras coisas, para o fazer terá de criar a sua oficina numa das cavernas do rochedo que se encontrava a seco:

---

[12] Cf. Bakhtine, *Esthétique et théorie du roman* (Paris: Gallimard, 1978), pp. 374-375.

[13] *Ibidem*, p. 375.

[14] *Ibidem*.

> Gilliatt empila du charbon et du bois dans ce foyer, battit le briquet sur le rocher même, fit tomber l'étincelle sur une poignée d'étoupe, et avec l'étoupe allumée, alluma le bois et le charbon. Il essaya la soufflante. Elle fit admirablement. Gilliatt sentit une fierté de cyclope. Maître de l'air, de l'eau et du feu. Maître de l'air; il avait donné au vent une espèce de poumon, créé dans le granit un appareil respiratoire, et changé la soufflante en soufflet. Maître de l'eau de la petite cascade il avait fait une trompe. Maître du feu; de ce rocher inondé, il avait fait jaillir la flamme.[15]

O fascinante, no romance de Hugo, é o modo como ele equaciona a questão do confronto entre o herói e esse mesmo mundo, levando o primeiro à decisão pronta de "reconstruir" o produto da mais sofisticada tecnologia da época, "sobre bases novas, de o tornar próximo, humanizando-o e descobrindo-lhe uma relação nova com a natureza"[16]. Repare-se que, para recuperar a máquina em risco de se perder pela força dos elementos, Gilliatt defronta-se com "a vasta natureza do mundo imenso, com todos os fenómenos do sistema solar, as riquezas tiradas das entranhas da terra, a multiforme geografia"[17] do rochedo, das correntes e das variações climáticas de um ponto crítico do canal da Mancha. Deverá registar-se, por outro lado, para o entendimento do processo da prova, que o mundo idílico de Gilliatt (como o de todos os habitantes da ilhas do Canal, tal como o romance no-las apresenta) é um complexo de tensões latentes, cuja matriz é a do defrontar as dinâmicas geográficas pelos homens e o entrecruzar de traços culturais. Efectivamente, no seu quase imobilismo, os habitantes das zonas ribeirinhas têm o seu mundo familiar, de integridade orgânica com a natureza, em permanente contacto com a itinerância dos outros e com a energética dos mares. O mundo da ilha onde o herói habita tem o seu quotidiano, de quase estreiteza e fechamento em *microcosmo*, mas, também, uma diluição de fronteiras, dado subsistir em labuta de errância regular, iterativa: ora se desenvolve no ir e vir da faina pesqueira, ora se deixa permear pelo alheio através da actividade portuária, onde até nem falta a inquietação da pirataria. O idílio onde Gilliatt cresce sem, praticamente, conhecer mundo, é um *idílio cruzado por várias influências*, nomeadamente pelas dos viajantes, comerciantes, armadores do seu próprio barco e piratas que se deslocam do continente para as Ilhas Britânicas e vice-versa.

Tal regime, de idílio atravessado pelos outros, produz uma corporeidade social específica: a coesão e a força social desenvolvem-se

[15] Victor Hugo, *Les Travailleurs de la mer* (Paris: Hachette, 1979), pp. 270-271.

[16] Bakhtine, *op. cit.*, p. 375.

[17] *Ibidem*.

pelo que ganham de pletora e energia orgânica no contacto mais ou menos litigioso com os outros. Ora, Gilliatt, nos seus anos de crescimento na ilha, tornou-se um corpo individual, simbolicamente representativo do seu pequeno mundo, como que por sinédoque. Surgido de um dos lados do Canal, trazido ainda criança de colo por sua mãe, que ninguém sabia se era inglesa ou francesa, o protagonista foi habitar com ela uma casa abandonada e assombrada[18]. Habitante da ilha, sem nunca sair dela, a não ser na labuta pesqueira do canal, Gilliatt, por esses motivos, era mantido à distância pelos outros como um estranho, impopular pelas superstições que em torno dele circulavam e pelo modo como protegia os animais contra a bestialidade dos seus concidadãos (pp. 30-31). Por outro lado, impunha algum respeito, em parte pelo saber farmacológico (ou mágico – proveniente de bruxedos, talvez) herdado da mãe.

Quanto à sua compleição física, podemos dizer que, igualmente, se constrói em sintonia com o pequeno mundo da sua origem. Ele emerge, claramente, como resultado de um fazer quotidiano que, na representação literária, vem assumindo crescente importância sorbtudo a partir da estética de Diderot[19], assente em conjecturas anatómicas e fisiológicas, e da "narrativa" educativa de Rousseau. A conjectura que uma tal perspectiva gera é extremamente importante para se compreender a dimensão significativa que o corpo assume nesta obra. A acção deve desenvolver-se, segundo preconiza o mestre do "hipotético" Émile, pelo estar "toujours en mouvement", fazer-se "homme par la vigueur" donde resultará que "bientôt il sera (homme) par la raison"[20].

De algum modo, o tema da consonância entre o corpo em acção, na natureza, e a razão detentora de grandeza ética mantém-se uma viva estrutura dialéctica na representação romântica e na busca do sentido da existência nos escritores românticos. A importância do rigor da natureza, a função de exigência de experiência física árdua que nesta se encontra, as provas a que nela são expostas as personagens, figuram

---

[18] Victor Hugo, *op. cit.*, pp. 19-21.

[19] No seu artigo, "L'Homme", da *Encyclopédie*, Diderot dá a seguinte definição: "Dans l'état de nature, l'homme qui exécuterait avec plus d'aisance toutes les fonctions animales serai sans contredit le mieux fait; et réciproquement le mieux fait exécuterait le plus aisément toutes les fonctions animales". Angelica Goodden, citando esse mesmo artigo do enciclopedista, considera que essa "doutrina antropológica (o estudo do corpo humano)" será mantida por Diderot "durante toda a sua vida" (*Diderot and the Body*, p. 61). Tal ponto de vista desenvolve-se naquilo que a mesma estudiosa considera o "Entusiasmo de Diderot pelo corpo".

[20] J.-J. Rousseau, *Émile ou de l'éducation* (Paris: Garnier-Flammarion, 1966), p. 147.

como matéria fundamental em *Oberman*, por exemplo. Sénancour faz da descida pelo leito do rio, em plena intempérie alpina, pelo seu herói, uma verdadeira imposição estigmática, que imprime no corpo deste uma transfiguração através da qual se encerra toda a aprendizagem de dureza e estoicismo que está explanada ao longo das *cartas* ficcionais. É nos Alpes, também, que Byron projecta alguns dos confrontos mais significativos entre homem e cosmos, mesmo os que são desenvolvidos pelas componentes líricas dos seus textos. A urdidura do "The Prisoner of Chillon", por exemplo, assume todos os traços da argumentação passional pela directa implicação que existe entre o estar/ser do sujeito de enunciação e os objectos da natureza: petrificada, no seio da qual se encontra imobilizado – "I had no thought, no feeling – none –/ among the stones I stood a stone" (IX); apelativa, quando a esperança da liberdade renasce – "A light broke in upon my brain. – It was the carol of a bird" (X).

No entanto, essa simbiose, entre uma natureza que se representa e interioriza e uma entidade subjectiva que com ela se desenvolve, sobretudo nos momentos de crise ou de agonismo, manifesta-se, desde as perspectivas sobre a "sensibilidade" dos setecentistas até às representações dos primeiros românticos, como uma construção do ser em harmonia com o Cosmos, ou de um ser dele dependente. Madame de Staël, por exemplo, no seu *De l'Allemagne*[21], sugere a importância dessa relação, embora os termos da mesma lhe surjam como enigma:

> Je ne sais quel rapport existe entre les cieux et la fierté du cœur, entre les rayons de la lune qui reposent sur la montagne et le calme de la conscience, mais ces objets nous parlent un beau langage, et l'on peut s'abandonner au tressaillement qu'ils causent, l'âme se trouvera bien.

De qualquer modo, o Cosmos ao qual o homem faz face manifesta--se como uma imagem da estabilidade tensa (face a face para o conhecimento ou para a luta pela sobrevivência) ou da inevitabilidade catastrófica (a energia cósmica é incontornável). E, quanto a nós, é nesse ponto que a perspectiva hugoliana se mostra original ou, pelo menos, forjando um passo em frente na representação da relação entre o Homem e o Cosmos. Esse encontro, esse face a face, já não é um *encontro com o ser*, ou uma *submissão às forças do universo*, mas um *fazer-se* ou *transformar-se no confronto*.

Num determinado momento do trabalho, carente de comida e água potável, exausto pela actividade, "Gilliatt était une espèce de Job de l'océan. Mais un Job luttant, un Job combattant et faisant front aux fléaux, un Job conquérant, et, si de tels mots n'étaient pas trop grands

[21] *De l'Allemagne* (Paris: Garnier-Flammarion, 1968, vol II), p. 296.

pour un pauvre matelot pêcheur de crabes et de langoustes, un Job Prométhée"[22]. Tal epíteto, sugerindo um oxímoro, ao nomear o *ser* enquanto *paciente*, figura *apreendida* pela designação, e o *ser* enquanto *acto*, figura da *libertação*, na mesma pessoa, pode bem ser a representação simbólica do processo de que aqui falamos: o ente passivo, o paciente, o Job, transforma-se, por ampliação (não deixa de ser Job mas passa a ser também outro), no ente titânico reconhecível e nomeável que altera a ordem cósmica, roubando o fogo às potestades supremas: Prometeu.

É certo, pelo menos, que ambos os termos do epíteto têm uma figuração: aquela em que Gilliatt, acossado pelas forças do vento e do mar, pela fome e pelo frio, parece soçobrar: "Presque toujours il veut fuir cette présence informe de l'Inconnu. Il se demande ce que c'est; il tremble, il se courbe, il ignore; parfois aussi il veut y aller. Aller où? Là."[23]. Mas é nessa persistência, nessa resistência às coisas que o esmagam e que lhe causam perplexidade, que a transformação se dá. É quando Job não se suporta mais enquanto ignaro e passivo que se inicia a ascensão de Prometeu. E, desta vez, ainda que "preso", pela tarefa, ao rochedo, nele não tem de temer a força das coisas nem das aves de rapina: a estas afugenta-as, ao rochedo, que o prende, rouba-lhe os segredos da sua dinâmica para construir o reforço do fogo, a forja, e o reforço dos músculos, o apoio para as gruas que constrói com cordas e mastros. E mesmo a força agrilhoadora oculta nas rochas – o polvo, que prendeu debaixo de água o malfeitor que causou o naufrágio cujos efeitos Gilliatt vem corrigir – é "decapitada"[24].

Esta capacidade, de decapitar um polvo gigante, nasce de duas potências desenvolvidas: a perícia do pescador, que sabe defrontar o animal marinho, e a determinação do titã que, tendo enfrentado as fúrias do céu, do mar e da rocha, saiu triunfante. É dessa transformação que nos apercebemos nos momentos finais da luta contra o mar e o oceano:

> Gilliatt de son côté regardait la nuée. Maintenant il levait tête. Après chaque coup de cognée, il se dressait hautain. Il était, ou il semblait être, trop perdu pour que l'orgueil ne lui vînt pas. Désespérait-il? Non. Devant le suprême accès de rage de l'océan, il était si prudent que hardi. (...) Il semblait étonner l'abîme. Il allait et venait sur la Durande branlante, faisant trembler le pont sous son pas, frappant, taillant, coupant, tranchant, la hache au poing, blême aux éclairs,

---

22 Victor Hugo, *op. cit.*, p. 300.

23 *Ibidem*, p. 302.

24 *Ibidem*, p. 373.

> échevelé, pieds nus, en haillons, la face couverte de crachats de la mer, grand dans ce cloaque de tonnerres.[25]

Deste confronto, no entanto, não ficam os estigmas da exclusão: ao contrário, como na cena final do romance se enuncia, o resultado da luta não faz do titã triunfante um ser diferente da natureza que enfrentou. Depois de recuperar a máquina, regressar com ela no seu barco à sua vila de adopção, Gilliatt adquire o reconhecimento social do mais importante dos cidadão: o seu "futuro" sogro, o pai da mulher a cujo amor aspira. No entanto, o facto de ter domado as forças da natureza e avançado no domínio das tecnologias modernas, não o faz conquistar o coração da amada, que descobre estar apaixonada por outro. Assim, abdica da sua mão a favor do rival que com ela parte para a América. Ora, é nesse momento que Gilliatt busca no seu recente adversário, o oceano, o acolhimento derradeiro. Vendo partir a sua amada que perdeu para outro, sentado num rochedo do porto da sua vila pesqueira, como se ele próprio fosse rochedo, olhos fixos no barco que a transporta, Gilliatt deixa-se ficar, enquanto a maré sobe, integrando-se no meio natural que tão bem conhece: "A l'instant où le navire s'effaça à l'horizon, la tête disparut sous l'eau. Il n'y eut plus rien que la mer."[26]

---

[25] *Ibidem*, p. 355.

[26] *Ibidem*, p. 456.

Rodolphe Töpffer, un corps "excentrique" dans le paysage romantique

Maria Hermínia Amado Laurel
Universidade de Aveiro

Proposer l'analyse d'un auteur ou d'un *corpus* littéraire orientée selon une méthodologie "excentrique" s'avère un pari risqué soit pour l'objet d'analyse lui-même soit pour le meneur du projet, le cas échéant, la responsable du projet. Pour l'objet d'analyse, en ce qu'il lui est assigné dès le départ une place décentrée – et dès lors marginale – dans la république des lettres à laquelle tout auteur digne d'analyse se doit d'appartenir; pour la responsable du projet – l'auteure de ces lignes – en ce qu'elle risque de se perdre devant l'incohérence présupposée de son projet.

La tâche devient plus difficile lorsqu'il s'agit d'un auteur qui prise à la fois son appartenance à une république des lettres dont il est un des premiers hérauts et dont il s'efforce d'identifier les traits pertinents – le champ littéraire romand des premières décennies du XIXe siècle –, et son décentrement par rapport à un modèle à ses yeux "excentrique" – l'école romantique française; la tâche devient plus difficile encore en ce que le chercheur perçoit, au fur à mesure que progresse sa réflexion, une oeuvre protéiforme qui, par la distance critique (et bien souvent d'un humour savoureux) qu'elle assume face aux modèles romantiques, constitue un plaidoyer pour un romantisme plus proche sans doute de la modernité première du mouvement: la libre émotion du moi devant la grandeur d'un paysage naturellement propice aux retrouvailles de l'homme – être individuel mais aussi universel – avec lui-même, dans la poursuite de l'accomplissement de son idéal identitaire.

Éloignés de plus de 150 ans de la mort de Rodolphe Töpffer (Genève, 1799-1846), nous constatons que, si la lecture de ses *Nouvelles genevoises* ou de son roman *Rosa et Gertrude* ne semble plus trouver beaucoup de lecteurs enthousiastes de nos jours, la critique récente[1] réévalue son oeuvre et lui accorde une place méritée dans l'histoire des lettres romandes contemporaines des romantismes européens, davantage attirée par les signes prémonitoires dont elle recèle, très particulièrement dans ses albums d'histoires en images, les fondements de la sémiotique visuelle. Au talent reconnu par Goethe (ce dont l'auteur de l'album *M. Jabot* était particulièrement fier[2]), mais à peine référé par le patron de la critique au XIXe siècle dans des articles où Sainte-Beuve consacre plutôt son portrait moral[3], cité par des spécialistes de renom depuis surtout les années 60 du siècle dernier et finement analysé par Thierry Groensteen et Benoît Peeters[4], Rodolphe Töpffer est de plein droit considéré aujourd'hui non seulement comme l'inventeur d'un genre tenu lui-même pour marginal pendant bien longtemps par la critique, et auquel il accordait lui-même une place résiduelle dans ses écrits, soucieux sans doute de l'apparence sociale sérieuse qui convenait à un directeur de pensionnat, de plus professeur de rhétorique à l'Académie de Genève, mais aussi comme son premier théoricien.

L'excentricité[5] de Töpffer peut être mesurée en fonction d'indicateurs divers – de nature biographique (par la déviation forcée, pour des motifs de santé, d'un avenir voué à la peinture, en héritier de son père, le peintre protégé de Joséphine, Wolfgang-Adam Töpffer), politique (par ses idées conservatrices dans une Genève promise au triomphe du parti radical, devenu lui-même collaborateur régulier à *Bibliothèque Universelle de Genève*[6] à partir de 1830, revue reconnue comme la

[1] V. les parutions autour de l'année 1996, date du 150e anniversaire du décès de Rodolphe Töpffer, et postérieures.

[2] Sur les parrainages symboliques de Töpffer par des contemporains illustres, en particulier celui de Goethe, v. Daniel Maggetti (éd.), *Töpffer* (Genève: Éditions d'Art Albert Skira, S.A., 1996), pp. 150-153.

[3] Gérald Antoine (éd.), *Sainte-Beuve: Portraits littéraires* (Paris: Robert Laffont, 1993), pp. 1031-1039.

[4] Thierry Groensteen et Benoît Peeters (éds.), *Töpffer: L'invention de la bande dessinée* (Paris: Hermann, 1994).

[5] Nous ne prendrons pas le mot "excentricité" dans son sens courant d'"extravagance", mais dans son sens scientifique d' "éloignement du centre", selon le *Petit Robert de la Langue Française*.

[6] Sur le seuil symbolique capital que constitue pour Töpffer l'admission à la revue, cf. Daniel Maggetti et Jérôme Meizoz, "Un Montaigne né près du Léman", Daniel Maggetti (éd.), *op. cit.*, pp. 138-140.

tribune des émules du doyen Bridel dans leur défense de l'helvétisme, en ce que cette idéologie signifie la glorification des valeurs nationales (A. Vinet) et du paysage alpestre[7], sociologique (par son parti pris saturnien contre le progrès[8], devançant de quelques décennies les diatribes baudelairiennes[9]) ou par son portrait littéraire "protéiforme" (et, par là, profondément romantique), définit par Marie Alamir--Paillard en termes d'un "singulier pluriel", dans une longue énumération que je transcris, en guise de présentation du personnage:

> Auteur de romans, de nouvelles, de comédies, de récits de voyages, directeur de pensionnat, professeur de rhétorique, épistolier, dessinateur, illustrateur, politicien, journaliste, pamphlétaire, critique d'art et promoteur de la peinture genevoise, esthéticien, philosophe, moraliste.[10]

L'excentricité de cet auteur est à situer en premier lieu par rapport à deux univers idéologiques et esthétiques qui déterminent, à leur tour, deux champs littéraires distincts: le champ littéraire français – identifié par la "pleine effervescence" du mouvement romantique –, et le champ littéraire genevois émergent, des années 30-40, en plein processus d'affranchissement de la matrice française.

Yves Bridel, dans le chapitre qu'il consacre à Rodolphe Töpffer dans le 2e tome de l'*Histoire de la Littérature en suisse romande*, élargit le champ littéraire "excentrique" identifié par Daniel Sangsue[11]

---

[7] V. le rôle de Töpffer pour l'affirmation d'une école de peinture genevoise entre autres textes, dans le dernier opuscule des *Réflexions et menus propos d'un peintre genevois*, intitulé "Le paysage alpestre"; sur les connotations esthétiques et idéologiques qui lui sont sous-jacentes, v. Marie Alamir-Paillard, "Rodolphe Töpffer critique d'art, 1826-1846: de la subversion à la réaction" et Daniel Maggetti et Jérôme Meizoz, "Un Montaigne né près du Léman", Daniel Maggetti (ed.), *op. cit.*, pp. 67-131 et pp. 133-188.

[8] Rodolphe Töpffer, *Du progrès dans ses rapports avec le petit bourgeois et les maîtres d'école* (s/l: Le Temps qu'il fait, 2001).

[9] Sur la nouvelle "querelle des Anciens et des Modernes" qui opposa Baudelaire à quelques-uns de ses contemporains, v. Maria Hermínia Amado Laurel, *Itinerários da Modernidade* (Coimbra: Minerva Coimbra, col. Minerva Literatura, 2001), pp. 33-57.

[10] Marie Alamir-Paillard, "'Aux arts, citoyens!', Rodolphe Töpffer ou la critique militante (1826-1832)", Philippe Junod et Philippe Haenel (éds.), *Critiques d'art de Suisse romande – De Töpffer à Budry* (Lausanne: Editions Payot Lausanne, coll. "Etudes et documents littéraires", 1993), p. 41.

[11] La catégorie d'"excentrique" a été accordée par Daniel Sangsue aux récits de quelques auteurs français de la première moitié du XIXe siècle, Gautier, De Maistre, Nerval, Nodier, dans la mesure où ces récits mettaient en scène des "dispositifs qui (visaient) globalement à une contestation du romanesque". D. Sangsue fait plusieurs références à Töpffer, notamment à ses *Voyages en Zigzag*, ouvrage dont

à l'auteur genevois, contemporain de Gautier, de De Maistre, de Nerval et de Nodier (romanciers dont la situation excentrique est analysée par D. Sangsue), tout en considérant comme "traits" pertinents de cette "mouvance", "la révolte contre le goût dominant, la mise à l'épreuve du discours littéraire, la contestation des frontières des genres"[12].

C'est dans ce contexte qu'il faudra situer la contestation du romantisme par Töpffer, et de quelques auteurs en particulier, dont George Sand et Balzac, et, par conséquent, sa situation excentrique par rapport à l'axe de référence central et centralisateur que ce mouvement esthétique et littéraire, mais aussi idéologique, pouvait représenter pour lui, réfractaire à toute idée de système ou d'école littéraire. "Les écoles (...) enrégimentent, sous une même manière, toutes les manières; et ce que l'art gagne en éclat, les artistes le perdent en originalité", considère-t-il dans son essai de 1837, *Du touriste et de l'artiste en suisse.* Contestation dans laquelle la question du paysage et du corps dans le paysage qui, dans le cas particulier de notre auteur, fait corps avec le paysage, joue un rôle déterminant.

Ce sont quelques modalités de la représentation du corps dans le paysage objet des récits littéraires ou de ce "genre mixte" que constituaient pour l'auteur les albums d'histoires en images, que nous nous proposons d'introduire dans notre étude, tout en essayant de montrer la continuité de la pensée qui les soutient, malgré leur différente formulation génologique.

La place considérable que le paysage – *topos* cher à la littérature de la première moitié du XIXe siècle, de Rousseau à Chateaubriand et à Flaubert, en passant par Victor Hugo et Alexandre Dumas, qui nous ont laissé des livres remplis de souvenirs de leurs voyages en Suisse tels que *Le Rhin*, le premier, et des *Impressions de voyage*, le second, – détient dans la production töpférienne est sans doute redevable de son goût profond pour la peinture et de sa connaissance du genre; elle ne peut être pourtant détachable, à notre avis, de la mise en pratique des principes pédagogiques défendus par l'éducateur que Töpffer fut également[13]. Les randonnées annuelles avec ses écoliers ont constitué,

---

la publication en 1843 précède de deux années celle des *Caprices et zigzags* de Théophile Gautier. Les commentaires de Gautier aux *Réflexions et menus propos* de Töpffer sont également référés par D. Sangsue, *Le récit excentrique* (Paris: José corti, 1987), p. 287.

12 Yves Bridel, "Rodolphe Töpffer", Roger Francillon (ed.), *Histoire de la Littérature en Suisse romande* (Lausanne: Editions Payot Lausanne, 1997, vol. 2), p. 74.

13 Philippe Kaenel, "Les voyages illustrés", Daniel Maggetti, *op. cit.*, pp. 201-246 (v. en particulier les pages sur "Pédagogie et voyage", pp. 205-207).

pour l'auteur, le meilleur champ d'observation du paysage, certes, mais aussi de la présence humaine dans ce paysage, présence devenue élément capital dans sa théorisation du paysage alpestre. Outre la rencontre des habitants locaux, lui et sa troupe d'écoliers s'étonnent bien souvent devant la présence, combien de fois inattendue et surprenante, de ce genre de voyageur qui s'aventurait dans l'exotisme du paysage suisse, le touriste, la plupart des fois, le touriste anglais.

Ces rencontres préludent la modalité des voyageurs que, près de 150 ans après la mort de l'auteur genevois, Tzvetan Todorov identifiera comme les "exotistes"[14] et dont Töpffer dénonçait déjà "l'esprit touriste". Quelques dessins de l'album *Excursion dans les Alpes* sont particulièrement révélateurs de l'état d'esprit de Töpffer, qui condamne les méfaits du tourisme naissant, prêt à se convertir dans une puissante industrie moderne[15]. Dessins qui illustrent d'autre part l'endurcissement du nationalisme croissant de Töpffer à partir des années 30, et qu'une exploitation du paysage alpestre à des fins autres que la seule délectation du voyageur-spectateur exaspère[16].

C'est dès les textes de ses premiers voyages que des paysans convertis en marchants d'objets en bois ou transformées en véritables jouets touristiques - que Töpffer désigne par *harpies*, les assimilant aux monstres mythologiques –, surprennent le pensionnat, dans ses déambulations dans l'Oberland, une des régions les plus célébrées pour ses beautés naturelles. Tel que le rappelle Philippe Kaenel, "sur le revers de la Scheidegg, le pensionnat doit affronter", et il cite un extrait de la 15e journée de l'*Excursion dans les Alpes*:

> toutes les Harpies levées, et à leur poste. Ce sont de petits *lutteurs* qui luttent fictivement à l'helvétienne, sur l'herbe mouillée; ce sont des petites filles qui tyrolisent du gosier; ce sont encore des naturels qui mendient l'achat d'un pigeon; ce sont enfin d'autres qui mendient, tout simplement.[17]

La problématique du rapport du corps au paysage romantique passe donc, chez Töpffer, par la distinction des corps imposée par le phénomène du tourisme, laquelle se trouve aussi intimement liée à

---

[14] Tzvetan Todorov, *Nous et les autres: la réflexion française sur la diversité humaine* (Paris: Editions du Seuil, 1987), p. 377.

[15] Sur les méfaits actuels de cette "industrie", v. Maurice Chappaz, *Les Maquereaux des cimes blanches* (Genève: Zoé, 1984 (réed.)).

[16] V. également, à ce propos, l'opuscule de Rodolphe Töpffer, *Du paysage alpestre*, précédé de *Du touriste et de l'artiste en Suisse* (La Rochelle: Rumeur des Ages, (1994)), pp. 29-57.

[17] Philippe Kaenel, "Les voyages illustrés", Daniel Maggetti, *op. cit.*, p. 242.

l'engagement nationaliste de l'auteur. Soutenir un discours réactionnaire va de pair, pour lui, avec la défense du paysage suisse contre les atteintes dont il est de plus en plus l'objet de la part d'individus qui en sont complètement étrangers et qui, par conséquent, le *dénaturent* tout en le *dénaturalisant*. Distinction des corps qui n'est pas exempte des tonalités d'une mise en opposition de type manichéiste, et qui tend au cliché, entre le touriste, majoritairement anglais ou français – souvent insensible à la beauté naturelle du paysage et ignorant des traditions et usages suisses, qu'il convient de préserver –, et l'habitant local, référence purificatrice dans sa rudesse originale, proie facile néanmoins de l'aliénation touristique.

L'ironie de l'auteur, souvent teintée de mépris xénophobe, atteint surtout deux sortes de voyageurs. En premier lieu, un personnage récurrent dans les récits de voyage, très particulièrement des *Voyages en zigzag*, le touriste anonyme que le pensionnat retrouve dans des situations parfois caricaturales, dues à son incurie et à son hardiesse déplacée, touriste qui fait preuve d'un esprit hautain devant le savoir de guides expérimentés et prudents. Le "Voyage autour du Mont-Blanc, 3e journée" nous en donne un exemple concluant. L'approche du Mont-Blanc, dont la simple vue est décrite comme un "magnifique spectacle" par Töpffer voyageur, où se mêlent un sentiment d'admiration et de respect devant la grandiosité de la nature, est vaguement troublée par un autre spectacle, celui de "deux anglais qui se sont aventurés, contre l'avis de leur propre guide, à gagner le glacier du Tour" par la voie la plus dangereuse. Le dédain de Töpffer envers ces voyageurs qu'il n'hésite pas à traiter de "fous", est perceptible dans l'abandon rapide de la description de la situation extrêmement dangereuse où leur défi insensé de la nature les a placés, à l'approche du Mont-Blanc: "à voir alors ces deux obstinés, qui, suspendus, père et fils, sur un effroyable abîme, persévèrent dans leur périlleux voyage, l'inquiétude finit par devenir instante, aussi bien que gratuite. Nous quittons le col"[18].

C'est ce type de comportements qui confirme la mise à distance opérée par le voyageur autochtone – qui fait corps avec le paysage –, envers le voyageur étranger – dont le corps est souvent rejeté par le paysage.

Deuxièmement, une autre modalité spécifique des voyageurs en Suisse pendant la première moitié du XIXe siècle, celle des écrivains voyageurs romantiques, s'accompagne souvent, sous la plume particulièrement attentive aux petits détails signifiants et caustique de

[18] Rodolphe Töpffer, "Voyage autour du Mont-Blanc, 3e journée", Rodolphe Töpffer, *Voyages en zigzag* (Paris: Editions Hoëbeke, 1996), p. 171.

Töpffer, de la défiguration parodique des personnages et des situations qu'ils expérimentent.

Davantage que par l'intrigue qui la soutient, la nouvelle *Le Grand Saint-Bernard* se révèle intéressante en ce qu'elle met en scène deux cas d'écrivains voyageurs dont la perception différente du même paysage et du rapport du corps à ce paysage les situe dans des champs littéraires distincts.

Le développement d'un réseau d'oppositions qui se construit progressivement au long de la nouvelle, entre des situations réelles (dites par le narrateur) et des situations fantaisistes (imaginées par l'écrivain voyageur français), se révèle pour Töpffer un champ privilégié de la parodie des "impressions de voyage", genre en vogue à l'époque.

Au récit-cadre du voyage/promenade d'agrément du narrateur, se superpose, à un deuxième niveau narratif, le récit d'un récit en train de se faire, celui du voyage en Suisse d'un étrange voyageur écrivain français qui se trouve séjourner par hasard dans la même auberge que le narrateur, l'hospice du Grand Saint-Bernard. Au cours de ce voyage survient un étrange événement: une avalanche à la fin du mois de juillet. Cet épisode, dont la version écrite reproduite à l'*explicit* de la nouvelle constitue un véritable pastiche ultraromantique, accomplit ce que nous désignerions comme une *promenade* stratégique dans les clichés du paysage alpestre, dont les récits font l'objet de livres "délicieusement" écrits et trouvent un public fidèle auprès de vieilles dames sensibles à un style qui cultive les "infinies nuances qui (répondent) aux mille harmonies d'une âme sensible"[19]. Paysage alpestre dénaturé par la démesure et la fantaisie du récit romantique français, dont le modèle explicite est celui de "l'école d'Alexandre Dumas", tenue pour responsable de la vogue et de l'abondance de ce type de descriptions.

L'épisode de l'avalanche, la bravoure de l'écrivain devenu héros d'une situation tragique, son discours hyperbolique, les métaphores florales qui caractérisent la nature fragile d'une héroïne poitrinaire, alliés à la rudesse congénitale des suisses et à d'autres clichés – voilà les ingrédients suffisamment explicites sur les procédés de l'école.

Le rapport du personnage au paysage est dit, dans cet épisode, sous plusieurs modalités. Dans le cas de la description de la jeune héroïne devenue une:

---

[19] Rodolphe Töpffer, "Le Grand Saint-Bernard", *Nouvelles* (Lausanne: Editions L'Age d'Homme, 1986, tome II), p. 131.

> plante, créée pour fleurir sur le radieux penchant des Apennins, (qui) avait dû germer au milieu des pentes froides de l'Helvétie, en sorte que, sur le point de s'épanouir en éclatante corolle, le vent glacé des hauteurs la forçait de s'emprisonner dans l'ingrate enveloppe de son pâle calice,[20]

le recours à l'imagerie métaphorique florale en accentue la délicatesse et l'innocence, et souligne le rapport d'assimilation euphorique entre le personnage et le paysage; dans le cas de son prétendu fiancé (en vérité son frère), un rapport du même type, par le choix de ce que nous désignerions comme des métaphores montagnardes, mais dont l'objet est, tout à la fois, de mettre en évidence le cliché du personnage, "un grand Jacques tranquille, empressé comme une statue (car) ces Suisses sont comme cela", et l'incompatibilité frappante entre ces deux êtres: "un jeune Suisse aux formes massives", au "flanc brut", dont les yeux ressemblent à "deux blocs de granit", contre lequel se heurtent les rêves de l'héroïne incomprise et auréolée d'intimes tristesses, nommée par une prémonition étonnante, Emma, elle aussi éduquée au couvent, à la seule différence du couvent du Sacré-Coeur pour celle-ci et des Ursulines dans le cas de la Bovary.

Le rapport dysphorique entre le voyageur français et le paysage est illustré par la "lutte funèbre" que lui et la soi-disant avalanche se livrent. Une avalanche qui se présente "avide comme une tombe" et qui, par cette caractéristique stylistique, s'inscrit dans la continuité du discours symbolique d'animisation de la nature, effet particulier de la représentation du corps dans le paysage dans cette nouvelle: "Cependant la nuit approchait, les noires dentelures des cimes semblaient mordre les nuages du soir, et les gorges du Saint-Bernard absorber, immenses gueules, les dernières lueurs du couchant"[21].

La voie est ouverte à la description du *locus horrendus* du paysage de montagne, et à toute la panoplie romantique des contrastes entre le grotesque et le sublime, la monstruosité de la nature et la fragilité de l'être humain, la force brute des éléments et le triomphe du courage du héros.

Par contre, le rapport au paysage vécu par le voyageur suisse se révèle d'une plus grande complexité. Le pèlerinage à la tour du Lépreux, ruine idyllique immortalisée par le livre de Xavier de Maistre, *Le Lépreux*, dont le voyageur suisse propose la lecture d'un passage à la jeune promise de l'aubergiste d'Ivrée qui l'accompagne (la jeune héroïne "sauvée in extremis" par l'écrivain voyageur),

---

[20] *Ibidem*, p. 130.

[21] *Ibidem*, p. 132.

présente un cas de rapport au paysage en contrepoint des modalités précédentes, en ce qu'il constitue la mise en garde du narrateur face au piège de la triade romantique corps, paysage, lecture. Piège dans lequel il avait failli tomber, entraînant avec lui la jeune personne – "Nous venions de sentir ensemble, de nous émouvoir ensemble, nos coeurs s'étaient secrètement approchés l'un de l'autre" – mais auquel il résiste, interrompant, non sans regrets, au moment décisif, une situation qu'il craint de ne savoir maîtriser par la suite. Le récit de Töpffer poursuit ainsi la "stratégie déceptive" du récit excentrique qui déjoue l'attente des lecteurs[22]: "Aussi, faisant un effort extrême pour résister aux sollicitations du père, du frère, et aux timides mais instantes prières de leur compagne, je me séparai d'eux après les avoir remerciés de leur accueil".

Triade dont reste pourtant le livre, qui continuera son chemin dévastateur dans le coeur sensible d'une autre Emma potentielle, à l'avenir annoncé dans une prolepse remarquable: "Elle me pria de ne pas poursuivre (la lecture). Alors je fermai le livre, et, en le lui offrant pour qu'elle pût achever plus tard cette lecture, je la priai de conserver ce petit volume en souvenir de moi", un moi aux intentions maléfiques pré-baudelairiennes, assez surprenantes chez un auteur comme Töpffer... conscient "du mal (qu'il venait) de lui faire... en troublant le calme de son coeur, et en l'ouvrant à la poésie"[23].

Les albums[24] *Les Amours de M. Vieux-Bois* (dessiné en 1827, contemporain du texte programmatique du drame romantique qu'est la préface de *Cromwell*, mais publié dix ans après à Genève) et *M. Pencil* (dessiné en 1831 et publié en 1840 à Genève et à Paris), dessinés et légendés au trait simple et si expressif de Rodolphe Töpffer, nous permettent d'analyser d'autres aspects du personnage romantique et de son rapport à la nature, à la lumière de ses images caricaturales.

Considérant ce dernier album, nous dirions que le narcissisme de M. Pencil (dessinateur peintre, comme son nom le suggère) est évident dès les premières planches, qui le montrent en artiste qui s'autocomtemple dans le paysage. Le paysage devient ici la mise en abîme de soi-même, dans la mesure où il est la toile de fond du décor véritable où M. Pencil se trouve – peintre du plein air, en pleine nature –, et la toile-même qu'il vient d'achever, sur ce paysage. Narcissisme renfor-

---

[22] Daniel Sangsue, *op. cit.*, p. 178.

[23] Rodolphe Töpffer, *Le Grand Saint-Bernard*, pp. 126-127.

[24] Nous prenons comme ouvrage de référence, *Rodolphe Töpffer: M. Jabot, M. Crépin, M. Vieux-Bois, M. Pencil, Docteur Festus, Histoire d'Albert, M. Cryptogame* (Paris: Pierre Horay Editeur, 1975-1996).

cé, comme c'est souvent le cas dans ses albums, par les différentes perspectives auxquelles Töpffer soumet successivement ses personnages, préfigurant les suites d'images dont se composeront les dessins animés.

Sans vouloir nous allonger sur la déconstruction du couple amoureux mis en scène dans l'album *M. Vieux-Bois*, dégageons-en les traits pertinents de leur rapport au paysage. La désignation-même du héros surprend le lecteur: outre l'âge avancé que cette désignation accorde au personnage, le manque de charme et la raideur qu'elle présuppose l'écartent de la galerie des héros romantiques, jeunes et soupirants, dont le coeur est prêt à s'enflammer aux ardeurs de la passion[25]. Retenons uniquement les moments où l'un ou les deux éléments de ce couple se retrouve/nt devant le paysage.

Le rapport prétendument euphorique annoncé par l'homonymie (phonique et graphique) entre le nom du héros et le bois où devraient avoir lieu leurs amours est démenti par l'incompatibilité totale qui existe soit entre le protagoniste et sa belle, désignée comme "l'objet aimé", soit entre eux et le paysage qui, malgré sa beauté, ne favorise nullement leur rapprochement. "L'objet aimé" ignore complètement son amoureux et ne cède en rien aux charmes du paysage, tournant le dos à M.Vieux-Bois et gardant toujours les yeux baissées. Cette attitude, annoncée dans la première planche de l'album, est encore plus significative dans les planches 64 à 67, où le décor peut être facilement identifié comme le paysage suisse, célébré par les voyageurs romantiques, et vite devenu cliché de la peinture de genre: d'agréables prairies, devenues ici de "gras pâturages", fleuve, montagnes aux cimes perceptibles dans l'arrière-plan du dessin.

Si le décor où évoluent ces planches évoque les figures de la poésie pastorale – M. Vieux-Bois métamorphosé dans le berger virgilien de Tircis, dont il emprunte "le nom provisoire", jouant de sa flûte et se revêtant d'une peau de mouton, essayant de séduire sa belle en faisant défiler devant elle tous les charmes de "la vie pastorale" –, ce décor

---

[25] Ce *topos* romantique est également l'objet de la dérision de Töpffer dans l'album *M. Jabot* (figuration de ce que nous désignerions aujourd'hui par les comportements politiquement corrects), lors du malentendu survenu entre une marquise, veuve, éprise de clichés romantiques et le héros, autour d'un jeu de mots qui s'établit entre la situation réelle vécue par M. Jabot, qui crie "au feu" s'étant aperçu que sa chemise brûlait, et l'interprétation qu'en donne la marquise, qui occupe une chambre annexe: une déclaration d'amour de son voisin, qui crierait "ô feux"... Dans l'album *M. Vieux-Bois*, l'"ardeur infinie" qui risque de faire brûler les deux "amants" provient des poteaux auxquels ils sont attachés, condamnés au bûcher par des moines, dans une allusion aux sévices de l'Inquisition..., ardeur qu'ils éteignent en se jetant promptement dans le fleuve proche.

n'est pas suffisant à changer le rapport de l'objet aimé à son amoureux, ni à la rendre plus sensible aux charmes du paysage. Elle garde la plus grande indifférence et assume la raideur que le comportement facétieux de M. Vieux-Bois dément chez ce dernier personnage. D'autre part, si ce décor évoque plutôt toute une tradition littéraire héritée du XVIIIe siècle, l'attitude de ce personnage féminin rend incongru son statut d'objet du désir de Tircis. La planche 17, dans une reprise lointaine et ironique de la fable de La Fontaine *Le Corbeau et le Renard*, préfigurait déjà cette situation, qu'elle tourne en dérision: le séducteur, un gros niais; le jaloux, au regard concupiscent, sur un arbre perché, qui convoite un objet de désir – "l'objet aimé", dont l'apparence abrutie repousse tout désir. Un exemple concluant des effets de la perspective de lecture "combinatoire" et articulée entre la persistance de "traits permanents" chez un personnage et l'ensemble graphique dans lequel ce personnage s'insère, ensemble qui lui donne tout son sens et en fait ressortir les aspects comiques.

Benoît Peeters insistera sur l'importance qu'acquiert chez Töpffer la variation des associations entre les traits permanents et les traits non permanents de ses personnages, "jeu de relations" dont dépend leur signification respective. Quasi préfigurant, pour cet auteur, la linguistique saussurienne, c'est dans *Essais d'autographie*, publiés en 1842, que Töpffer distancie sa pensée de la fixité inhérente aux conceptions physiognomoniques de Lavater[26], (1741-1801) – théologien zurichois "passionné d'occultisme" qui inspire à Balzac ses fameuses "physiologies", et référence obligatoire dans l'étude du corps dans le paysage pseudo-scientifique romantique.

S'opposant à la vogue de la physiognomonie dont Lavater avait posé les principes[27], Töpffer en écarte les présupposés philosophiques et scientifiques, pour ne s'intéresser qu'aux possibilités graphiques et dynamiques du trait.

Une autre théorie, la phrénologie[28], particulièrement en vogue pendant la première moitié du XIXe siècle, dont les conséquences abominables se développeront au long du XXe siècle, est également la cible

---

[26] Benoît Peeters, "Le visage et la ligne: zigzags töpfferiens", Thierry Groensteen et Benoît Peeters (éds.), *op. cit.*, pp. 6-19.

[27] La première traduction française de ses *Physiognomonische Fragmente* (parus à partir de 1775) date de 1786: *L'Art de connaître les hommes par la physiognomonie*. Cf. Thierry Groensteen et Benoît Peeters, *op. cit.*, p. 3.

[28] Développée par Gall (1758-1828) en France à partir de sa fixation à Paris en 1808, cette théorie pseudo-scientifique prétend reconnaître les facultés de chaque individu dans la configuration particulière de son crâne. Cf. Thierry Groensteen et Benoît Peeters (éds.), *op. cit.*, note 8. pp. 4-5.

de la raillerie de Töpffer, très particulièrement dans l'album *M. Crépin* (1837). Au ridicule de la figure de M. Craniose, phrénologue recommandé à M. Crépin pour l'éducation de ses enfants, et à l'inconséquence de ses conclusions, implicites ou explicites, sur les sujets soumis à ses observations tactiles crâniennes, s'ajoute l'utopie dangereuse de ses projets, qui prévoient la constitution de la société idéale, régie par un Grand Tâteur qui veillerait à la perfection de celle-ci[29]. Les planches 58 et 59 de cet album illustrent particulièrement cette situation.

Les planches 23 et 28 de l'album *M. Vieux-Bois* mettent en scène d'autres *topoï* de la tradition du paysage romantique, particulièrement intéressants. La première nous montre le personnage dans "un antre sauvage", où il déplore sa destinée. Pourtant, ce refuge ne peut être assimilé comme un lieu retiré, de tonalité rousseaunienne, à l'abri du regard persécuteur des autres, recherché par l'homme sensible qui y viendrait pleurer ses malheurs. Très prosaïquement, par contre, M. Vieux-Bois s'y abrite parce qu'il vient d'être volé, épisode que Töpffer ne nous montre pas, mais dont il dessine les conséquences. Ayant recours au *topos* consacré – le lieu retiré et protecteur –, en déplaçant les motivations du personnage de son champ convenu – le sentiment amoureux malheureux, l'incompréhension des hommes –, et en lui attribuant une attitude antagonique à l'attitude conventionnelle du repli romantique sur soi – M. Vieux-Bois déclame (et non "déplore"...), dans une attitude théâtrale, sa situation –, Töpffer défigure non uniquement le *topos* (lieu + tradition) littéraire romantique, mais aussi la langue qui le dit, par la déconvenue entre l'image et la légende. Celle-ci est visible dans le rapport intratextuel mis en scène entre le fond d'un paysage romantique – dans lequel s'inscrit le dessin d'un héros amaigri, dont les formes anguleuses accentuent la vieillesse et dont la posture débridée devient davantage chocante, voire même obscène –, et le texte qui lui correspond: "M. Vieux-Bois, dévalisé par des brigands, se réfugie dans un antre sauvage, où il déplore sa destinée". La juxtaposition entre la justification donnée dans la légende par la phrase l'intercallée – "dévalisé par des brigands" –, et la situation où se retrouve le héros, met au même plan le côté réaliste de l'événement – le fait qu'il a été volé –, et le cliché romantique du héros incompris – des amours malheureuses, construisant de ce fait l'ironie.

La solitude du héros dans la nature – propice dans le discours romantique, à l'éveil du sentiment amoureux – est encore envisagée

[29] C'est dans l'*Essai de physiognomonie* (1845), que Töpffer expose clairement ses arguments contre les théories de Lavater et de Gall.

dans cet album selon d'autres coordonnées que celles que nous venons d'identifier. C'est le cas de la planche 28, qui remplace une belle prairie par un pâturage nourrissant, dans lequel nous retrouvons M. Vieux-Bois. Les pensées amoureuses de ce personnage se verront subitement interrompues par un événement tout à fait saugrenu, à la limite de l'invraisemblable: l'éclatement de son cheval en conséquence de l'embonpoint que lui a procuré "la vie pastorale". Si cette situation burlesque est explicitement dessinée dans les planches 28 et 29, la planche 61, d'une subtilité qu'augmente la distance à laquelle elle se trouve de la planche 28, se limite à présenter une autre victime potentielle de l'embonpoint: l'"objet aimé".

Le paysage, habité non par le poète ou le couple amoureux, mais par des animaux (remarquer le cheval à l'arrière plan de la planche représenté de dos, qui mange tranquillement sa pâture), accomplit ici des vertus guérissantes, pour le corps: humain ou animal, et devient essentiellement "pâturage". Ainsi se déconstruit tout le rapport harmonieux du couple amoureux au paysage riant de ce qui n'aurait pu être qu'une belle prairie bordée de cimes enneigées au loin, et que l'offre d'un bouquet de marguerites aurait voulu renforcer (planche 31).

L'importance dont se revêtait pour Töpffer le couple image/légende et qu'il avait définie dans la Notice à *M. Jabot*, parue dans la Bibliothèque Universelle de Genève en juin 1837, est confirmée par cet exemple. Töpffer, qui n'est pas un illustrateur de textes préexistants (comme l'a été Grandville, l'illustrateur des *Fables* de La Fontaine), ni un auteur de légendes pour des dessins préalablement élaborés par d'autres, légendes qui leur donnent tout leur sens, établissant un rapport de "subordination" du dessin au texte écrit[30], y insiste sur la "nature mixte" de ses albums. Cette nature particulière postule la lecture complémentaire, simultanée et unifiante des deux catégories narratives: le *trait* dessiné (corps et décors – intérieurs ou paysages) et le *trait* rédigé (légendes) qui l'accompagne, dans une entreprise *artisanale*, le dessin et le texte étant *manuscrits* par le seul auteur[31]: "Les dessins, sans ce texte n'auraient qu'une signification obscure; le texte, sans les dessins, ne signifierait rien"[32].

---

[30] Selon Annie Renonciat, *La Vie et l'oeuvre de J. J. Grandville* (Paris: ACR Éditions-Vilo), citée par Thierry Groensteen et Benoît Peeters, *op. cit.*, p. 21.

[31] Sur l'autographie, méthode töpfferienne d'impression, v. Thierry Groensteen, "Naissance d'un art", Thierry Groensteen et Benoît Peeters (éds.), *op. cit.*, pp. 88-93.

[32] *Rodolphe Töpffer: M. Jabot, M. Crépin, M. Vieux-Bois, M. Pencil, Docteur Festus, Histoire d'Albert, M. Cryptogame* (Paris: Pierre Horay Editeur, 1975, 1996), p. (5).

Si, dans les albums, considérés par Töpffer comme un genre mineur, l'auteur se permet de parodier en toute liberté de sa verve créatrice, les conventions esthétiques romantiques, c'est dans des essais tels que *Réflexions et menus propos d'un peintre genevois* (dont la publication des opuscules qui les composent se termine en 1843), *De l'artiste et de la Suisse alpestre* (1837) ou *Du paysage alpestre* (1843), entre autres, que Töpffer développe ses conceptions esthétiques personnelles, dans une attitude métafictionnelle résolument moderne. Profondément engagé dans la constitution d'une école de peinture genevoise, et tout en célébrant la valeur des peintres suisses contemporains, tels Calame (l'illustrateur des *Voyages en Zigzag*), Diday, Léopold Robert ou Lugardon (le peintre de sujets historiques et de mythes nationaux suisses), Töpffer insiste dans le dernier essai sur le besoin de ne pas séparer le paysage de l'homme, "son naturel accessoire".

Töpffer partage le paysage alpestre, dans ce texte, en trois zones, la zone basse, la moyenne et la supérieure. Si, dans les deux premières zones, le regard du peintre se sent attiré par la "poésie familière des noces de village" et par d'autres moments de la vie campagnarde et paysanne qu'il cherche à représenter sous des tonalités réalistes, et dont l'*Orage à Handeck*, de Calame, constitue un exemple abouti, l'insertion dans le paysage de types régionaux lui fera découvrir avec Léopold Robert, "autre chose qu'un mannequin à costumes" dans "l'homme des Cantons".

La conception du beau selon Töpffer, qui accorde une place déterminante, et de fonds romantique, à la sensibilité personnelle de l'artiste créateur, d'après laquelle "le beau du paysage, comme tout beau artistique, procède du peintre tout autrement que de l'objet", s'applique particulièrement à la troisième zone dans laquelle il divise le paysage alpestre, celle où la peinture s'affirme dans toute sa plénitude comme espace de la recherche de l'idéal. Le corps humain n'y est plus celui du paysan laborieux des zones basse et moyenne, représenté selon une perspective référentielle; il y acquiert une autre dimension, où se rejoignent les fondements de son nationalisme et sa pensée esthétique: "la zone supérieure, celle d'une poésie, non plus rurale, agreste, sauvage, non pas même humaine (...); mais austère, imposante, religieuse et sublime".

Cette dernière zone se révèle pour lui l'espace symbolique où son désir d'une peinture innovatrice rejoint son idéal nationaliste, d'où la portée fortement politique de cet essai, qui dépasse ainsi son but strictement esthétique. Pour Töpffer c'est à ce niveau où les différences n'existent plus entre les hommes que l'art peut devenir "libre comme la pensée, et créateur de son langage, peut et doit toujours s'élever à plus haut encore que la brute nature".

Le *topos* littéraire cher au XVIIIe siècle de l'élévation physique conçue comme circonstance déterminante de l'élévation spirituelle (confirmé, par exemple, par le sentiment d'extase religieux ressenti par Saint-Preux dans *La Nouvelle Héloïse* en conséquence de l'altitude où il se trouve), constitue le fondement de la nouvelle esthétique du paysage alpestre chez Töpffer, laquelle ne peut être comprise indépendamment de facteurs d'ordre biographique, tels les déceptions politiques et l'aggravation de son état de santé vers la fin de sa vie.

En revenant sur le postulat töpfferien de la présence humaine dans le paysage, c'est, par contre, en ce que le paysage des hautes cimes alpestres semble ne pas lui accorder de place, de par sa nature inhospitalière, que cette présence s'y manifeste de façon plus incontestable pour le peintre. L'expérience vécue par l'homme dans ces hautes régions du paysage alpestre – traversées par des populations nomades – est comparable, pour l'auteur, à celle vécue par l'homme dans le désert:

> cet intérêt qui, dans le désert, lie le voyageur au voyageur, qui, dans ces solitudes, semble croître avec l'isolement et faire que, pour quelques instants du moins, les différences de condition, d'aisance, d'éducation, disparaissent pour ne laisser plus que *l'homme face à face avec l'homme*.[33]

Le Grand Saint-Bernard, avec son couvent, ses religieux, et l'ambiance cosmopolite qui y règne, devient le lieu de la réalisation de cette expérience sublime à laquelle d'autres plus tard accorderont aussi une place exceptionnelle dans leur formation et dans leur oeuvre, tels Maurice Chappaz, lui aussi voyageur infatigable.

Haut lieu de la poésie – où se rejoignent "l'élévation, la solitude, la pureté" – le paysage de la zone supérieure des Alpes est le haut lieu également de l'idéal romantique de l'unicité retrouvée entre l'homme et le monde, en ce qu'il en révèle les "richesses méconnues à la vérité":

> Disposition poétique, (...) qui, (...) non seulement est expressible à l'art, mais forme l'un des traits les plus profonds qu'il lui soit donné d'exprimer, (...) dont le charme (...) repose non plus sur la base muable

[33] C'est nous qui soulignons. Rodolphe Töpffer, *Du paysage alpestre* précédé de *Du touriste et de l'artiste en Suisse* (La Rochelle: Rumeur des Ages, 1994), p. 53.

> et accidentelle de la vie sociale, mais sur la base éternellement et universellement identique et mystérieuse de la destinée humaine.[34]

L'unicité référée ne saurait être interprétée ni selon une perspective de contemplation statique, ni de mysticisme ascétique, qui en retirerait les attributs référentiels; au contraire, elle les renforce. Du côté de la nature, par le don de l'observateur qui saura extraire la richesse, la diversité et l'éblouissement des "sauvages plateaux", dont les contrastes le frappent; du côté des hommes, de par leur mouvance même, voyageurs nomades.

Poéticité des lieux exprimée par la parole du peintre, qui en donne "un mélancolique et émouvant poème", et dont les formes plastiques créent un "langage" nouveau, apte à dire la mouvance de l'homme dans le paysage que la nouvelle école de peinture souhaitée par Töpffer ne saurait ignorer.

Un langage nouveau qui pourrait se limiter à dire uniquement le pittoresque de ce qui ressemble à première vue un "sujet animé", mais qui dit surtout le corps – humain et animal – dans le paysage, un corps vrai dont nous sentons les exhalations et partageons les souffrances, sensations et sentiments combien éloignés de ceux répandus par les corps embaumés revêtus de beaux habits des touristes qui longent les lacs ou s'aventurent dans des régions qu'ils maculent par leur effronterie et leur ignorance de la sublimité des lieux.

L'effort physique du "marchant forain, tirant après lui sa mule fatiguée"; la hâte du médecin qui doit vaincre les obstacles naturels appelé en détresse par une "mère en pleurs"; la fatigue, le froid et le dénuement d'extrême misère ressentis par cette famille d'émigrants de Suisse ou d'Italie; le chant du "pèlerin des vallées"; l'errance spirituelle des hommes de religion ou leurs déambulations humanitaires; les pas rassurants des chevriers devenus guides de montagne et le bail des animaux en transhumance, autant de cas qui illustrent la typologie évoquée par Rodolphe Töpffer dans sa célébration des corps dans un paysage alpestre qu'il revêt de nouvelles tonalités romantiques[35].

---

[34] Rodolphe Töpffer, *Le Grand Saint-Bernard*, p. 53.

[35] *Ibidem*, p. 54.

Estética romântica e descrição: a paisagem e o corpo na obra de Garrett, Herculano e José de Alencar

Maria Luísa Leal
Universidad de Extremadura

1. A falácia garrettiana: onde está o Vale de Santarém?

Uma impressão que não conseguimos evitar quando atentamos em algumas descrições das *Viagens na minha terra* é a de que o narrador-autor atravessa uma crise de representação que deriva da inadequação entre a sua linguagem, que não deveria ser clássica nem romântica, e um real que, pelas suas características intrínsecas, não pode ser descrito por nenhum sistema linguístico ao seu alcance: a prosaica fealdade da velha da estalagem faz-lhe cair a pena da mão, isto é, leva ao esgotamento da linguagem; o pinhal da Azambuja mudou-se ou, por outras palavras, não encaixando "esta" e "aquela antiga selva"[1], o narrador-autor vê-se perante a negação da existência do objecto a descrever; a contemplação da charneca leva-o a um estado poético em que é "como se os fizesse, os versos, como se os estivesse fazendo"[2]; o próprio encontro com o Vale de Santarém, em vez de paisagem a pintar do natural em todos os seus pormenores, motivará uma narrativa. Porém, se o objecto compraz o narrador-autor, com menos linhas o descreve, como acontece com o café do Cartaxo[3]. Parece pois bastante

---

1 Almeida Garrett, *Viagens na minha terra* (Lisboa: Editora Planeta DeAgostini, 2002), p. 31.

2 *Ibidem*, p. 48.

3 "Em poucas linhas se descreve a sua simplicidade clássica: será um paralelogramo pouco maior que a minha alcova; à esquerda duas mesas de pinho, à direita o mos-

evidente a impossibilidade de o narrador garrettiano encarar a descrição com didáctica seriedade, uma vez que ela o leva a praticar sistemáticos distanciamentos irónicos como os que acabo de resenhar: esgotamento da linguagem, recusa de representação de um tema previamente escolhido (o pinhal da Azambuja), derivação para géneros literários que não cultivam a descrição, como são o lirismo ou a novela sentimental. Isto mesmo parece ter sentido, com indignação, um leitor de Garrett que esperava que este levasse a cabo nesta obra uma representação de tipo realista, isto é, que fizesse "a descrição estética de todos os lugares e a descrição crítico-científica de todos os monumentos nela citados, desligando-os da fastidiosa narrativa romântica que vem atrapalhar tudo"[4]. Refiro-me a António Arroio e a um libelo acusatório por ele redigido em 1916, intitulado "Almeida Garrett e Fialho de Almeida no Vale de Santarém". No seu artigo António Arroio discute um problema que se prende directamente com a descrição paisagística na estética romântica: o da sua falta de fidelidade ao real externo e excessiva vinculação à subjectividade do autor. Atentemos nas circunstâncias que motivaram o artigo deste crítico de arte, uma vez que delas dependem as expectativas de leitura que o levaram a uma verdadeira indignação contra Almeida Garrett e a sua tão célebre quanto, no entender de António Arroio, inexistente descrição do Vale de Santarém.

Encarregado de redigir um capítulo de uma obra colectiva – *Notas sobre Portugal* – destinada à Exposição do Rio de Janeiro de 1908, António Arroio decidiu reconstituir a imagem do país através de páginas descritivas dos melhores escritores portugueses. Ao chegar à província da Estremadura, recorreu às *Viagens na minha terra*, mas não pôde encontrar nas páginas de Garrett a descrição da paisagem que buscava, posto que este "tudo quanto diz desde que viu a tremenda janela passa meramente a ser o ponto de partida para a novela de amor que o absorve de ali até ao fim do livro". E acrescenta:

> estava-se então naquela época em que, como algures diz Eça de Queirós, de todos os rumores do universo, o único que nós ouvíamos era o rumor da saia de Elvira. E não é para admirar que o namorante e apai-

---

trador envidraçado onde campeiam as garrafas obrigadas de licor de amêndoa, de canela, de cravo. Pendem do tecto, laboriosamente arrendados por não vulgar tesoura, os pingentes de papel, convidando a lascivo repouso a inquietante raça das moscas. Reina uma frescura admirável naquele recinto". Cf. *op. cit.*, p. 42.

4 António Arroio, "Almeida Garrett e Fialho de Almeida no Vale de Santarém", *Fialho de Almeida – In Memoriam*, (Porto: Tipografia da Renascença Portuguesa, 1917), p. 15.

xonadiço visconde enveredasse pelo caminho que tomou, sendo português, sendo romântico e sendo quem era.[5]

E é por este triplo pecado que Almeida Garrett se vê excluído de um cânone onde, com maior ou menor consciência, António Arroio pugnava por uma descrição de tipo realista-naturalista. Essa descrição do Vale de Santarém será feita por Fialho de Almeida que, sempre segundo António Arroio, veio assim "preencher uma lacuna deixada em aberto por Almeida Garrett"[6].

É claro que aquilo que a distância necessária à historicização de qualquer fenómeno literário veio mostrar foi que, apesar dos "defeitos" que lhe apontou António Arroio, a descrição canónica do Vale de Santarém se deve a Garrett e não a Fialho de Almeida. Ou, aproximando-nos mais claramente do tema que hoje nos ocupa, no século XXI e apesar da sofisticação técnica que a representação da paisagem sofreu nas últimas décadas do século XIX por influxo do realismo-naturalismo, a descrição que coloca a tónica na explicitação do foco perceptivo em detrimento de um real externo percepcionado é tão apta à criação de *topoi* do nosso imaginário tais como o Vale de Santarém ou a própria cidade de que este vale recebe o nome como a de um escritor realista. Em última análise, também não será a técnica descritiva utilizada que faz do passeio público um lugar tópico do imaginário lisboeta, mas, muito possivelmente, as narrativas queirosianas que lhe estão associadas. Ou, contrariamente àquilo em que os naturalistas acreditavam, a narração não se opõe à descrição como movimento de sinal oposto, antes a potencia.

Com uma confessada admiração por Almeida Garrett e a sua aproximação entre descrição e digressão procurarei, no ponto seguinte, issolar alguns dos problemas que uma abordagem da descrição da paisagem romântica suscita.

2. O triplo compromisso garretiano: subjectividade, ironia e comunicação.

Num ensaio datado de 1940 e intitulado "Em torno da expressão artística", José Régio faz uma afirmação que hoje muitos partilham: a de que o fim exclusivo da arte é fixar e comunicar.

> Não é o poeta, o músico, o bailarino, o pintor, o escultor, que descreve ou sugere, evoca ou simula quaisquer expressões humanas – dirigindo

[5] António Arroio, *op. cit.*, p. 7.

[6] *Ibidem*, p. 9.

> tal descrição ou evocação, tal sugestão ou simulação, de modo que parecendo-nos, às vezes, muito naturais e livres, são escolhidas e profundamente tendenciosas? E antes de mais, tendem ao que parece o próprio e exclusivo fim da arte: fixar e comunicar.[7]

Essa necessidade da arte implicaria um *modus operandi* do artista: "o próprio fim que se propõe o artista de fixar e comunicar lhe impõe uma escolha e um cálculo sobre a realidade imitada"[8]. Logo, mais que representação de uma qualquer realidade objectual, uma vez que qualquer forma de arte dispõe de limitados recursos para levar a cabo a representação, será preciso jogar com esses recursos, transfigurando intrinsecamente o real e criando sempre, por isso, um mundo. A arte seria imitação aparente e, por essência, fixação e comunicação de uma subjectividade: "Eis como, sendo imitação aparente, a expressão artística é transfiguração real; e como nela há intenção profunda e jogo: como se enraíza no nosso mundo e é, ao mesmo tempo, um mundo à parte, completo em si"[9].

A concepção artística de Régio constitui um modelo teórico e, como tal, não descreve directamente posturas estéticas periodológicas. Nesse sentido, tanto poderia servir de modelo a uma descrição realista como romântica. Porém, enquanto a realista insistiria numa represemtação tão "pura" quanto possível, levando o mais longe possível a "grande ilusão" da realidade, a romântica praticaria essa arte "impura" que consiste na intromissão explícita da subjectividade, na ruptura metalinguística perfeitamente aceite no pacto de leitura romântico, assente no distanciamento irónico e na cumplicidade de que decorre a possibilidade de leitura.

Atentemos na descrição que, no capítulo XXVIII, Garrett nos dá do Vale de Santarém, focalizada através do olhar do narrador-autor, que se encontra à janela:

> Saltei da cama, fui à janela, e dei com o mais belo, o mais grandioso, e ao mesmo tempo, mais ameno quadro em que ainda pus os meus olhos.
>
> No fundo de um largo vale aprazível e sereno, está o sossegado leito do Tejo, cuja areia ruiva e resplandecente apenas se cobre de água junto às margens, donde se debruçam verdes e frescos ainda os salgueiros que as ornam e defendem. Dalém do rio, com os pés no pingue nateiro daquelas terras aluviais, os ricos olivedos de Alpiarça e Almeirim; depois a vila de D. Manuel e a sua charneca e as suas

---

[7] José Régio, *Três ensaios sobre arte* (Porto: Brasília Editora, 2ª ed., 1980), pp. 27-28.

[8] *Ibidem*, p. 68.

[9] *Ibidem*, p. 69.

> vinhas. Daquém a imensa planície dita do Rossio, semeada de casas, de aldeias, de hortas, de grupos de árvores silvestres, de pomares. Mais para a raíz do monte em cujo cimo estou, o pitoresco bairro da Ribeira com as suas casas e as suas igrejas, tão graciosas vistas daqui, a sua cruz de santa Iria e as memórias romanescas do seu alfageme. Com os olhos vagando por este quadro imenso e formosíssimo, a imaginação tomava-se asas e fugia pelo vago infinito das regiões ideais. Recordações de todos os tempos, pensamentos de todo o género me afluíam ao espírito, e me tinham como num sonho em que as imagens mais discordantes e disparatadas se sucedem umas às outras.[10]

Acusa António Arroio: "Garrett diz-nos que o vale é belo, extenso e fértil, que nunca pôs os seus olhos em mais ameno quadro, mas só ele é que o vê, não no-lo pinta. Ao contrário dele, Fialho põe-nos o quadro diante dos olhos e fá-lo ver, todo vestido com as galas comovidas do seu estilo"[11].

Não sendo meu objectivo comparar as descrições de Garrett e Fialho de Almeida, sublinharia no entanto a metáfora com que António Arroio se refere à descrição de Fialho: de acordo com esta metáfora, descrever seria vestir o real com o estilo de um autor. Ora, em vez de se empenhar seriamente nesse exercício, Garrett o que faz é tratar de pôr a nu o contacto de uma subjectividade com uma paisagem, explorando as consequências de um fenómeno perceptivo, intencionalmente registado, sobre a alma romântica do narrador-autor. Esta descrição do Vale de Santarém está longe de ser um fim em si; o seu papel funcional em relação à diegese, que toma o vale como um dos cenários privilegiados, só indirectamente poderia ser tomado em conta, uma vez que se situa no nível narrativo da viagem; assim, aquilo que a justifica é explicitamente subjectivo: trata-se de representar, não uma paisagem, e sim o impacto de uma paisagem seleccionada por um sujeito perceptivo que se transforma em função daquilo que percepciona. A descrição desemboca, pois, numa transfiguração do sujeito que, da percepção, através de um mecanismo associativo, passa à imaginação e ao sonho. A descrição em causa não pretende ser imitação ou representação do real, mas apenas identificação do estímulo que provoca a exaltação poética, o sublime, o onírico, em suma, o indescritível. Mais que sugestões visuais pormenorizadas, aquilo que Garrett representa aqui é o efeito de uma percepção sublime sobre um sujeito que, só na medida em que elas actuam sobre paisagens interiores, se interessa pelas paisagens reais. Em suma, julgo

[10] Almeida Garrett, *op. cit.*, pp. 155-156.

[11] António Arroio, *op. cit.*, p. 15.

podermos dizer que o compromisso da descrição romântica com um real exterior a um sujeito de percepção é completamente inexistente. O papel da descrição deve ser identificado no interior do próprio pacto de leitura que, no caso de *Viagens na minha terra*, explicita a comunicação, a captação da ironia e a compreensão da subjectividade do narrador-autor como um desiderato inerente ao texto.

António Arroio não deixou a sua crítica pela metade, postulando "a grande fraqueza do livro considerado sob o aspecto descritivo da viagem" e apontando-lhe a causa: "Garrett não descreveu o vale, descreveu-se apenas a si"[12]. Podemos perguntar-nos se a não equivalência entre descrição e imitação do real se deve à irónica subjectividade que perpassa cada página das *Viagens* ou se, noutras obras românticas onde não encontramos um narrador tão presente e exigente como o narrador-autor garrettiano, o compromisso mimético da descrição é igualmente nulo.

3. Extensões à obra de Herculano e Alencar

Tomemos como obras de referência *Eurico o presbítero* e *O Guarani*, de Herculano e Alencar, respectivamente, isto é, dois romances históricos.

Depois de um capítulo inicial apresentado como um resumo do estado político e moral de Espanha, surge-nos, no início do segundo capítulo, a primeira descrição, toda ela baseada na figura retórica da personificação, uma vez que o foco perceptivo se encontra em Carteia, a cidade fenícia que "mira ao longe as correntes rápidas do estreito que divide a Europa da África"[13]. Essa descrição, como tantas outras de Herculano, desvela-nos um espaço cujas características se explicam à luz da oposição de dois tempos: um passado de esplendor e um presente onde mal se notam os vestígios desse esplendor. A passagem do tempo deixa marcas visíveis no espaço: "passaram por lá as revoluções, as conquistas, todas as vicissitudes da Ibéria durante doze séculos, e cada vicissitude deixou aí uma pegada de decadência"[14]. A carga temporal de que se reveste o espaço no romance histórico de Herculano torna a descrição, como é óbvio, eminentemente subjectiva. A mundividência do autor romântico plasma-se na leitura ideologicamente orientada do passado a que o narrador procede quando trata de

---

[12] António Arroio, *op. cit.*

[13] Alexandre Herculano, *Eurico o Presbítero* (Lisboa: Livraria Bertrand, 1979), p. 15.

[14] *Ibidem.*

descrever um espaço ou um objecto, multiplicando-se então os tópicos românticos.

Também a descrição das personagens obedece a tópicos que encontramos na grande pintura romântica, o mesmo acontecendo com os grandes quadros onde temos personagens em acção, como acontece nas cenas bélicas típicas quer da pintura histórica, quer do romance histórico. É assim que o presbítero Eurico aparece "como um anjo tutelar dos amargurados" e o misterioso cavaleiro negro como o Anjo do Extermínio. De Eurico, em vez do corpo, apenas o gesto e a fronte. De Hermengarda, o "anjo da esperança", o corpo de várias maneiras velado: a cabeça escondida pela coroa das virgens, o rosto corado pelo pudor, os membros e as formas cobertos por um manto. Estes corpos são surpreendidos à tarde, ao lusco-fusco que confunde as formas na indefinição das cores que se esbatem, à noite onde se somem ou se transfiguram. O que a luz destaca, tal como aquilo que do corpo se vê, é profundamente alegórico. Atentemos na confrangedora cena do martírio das monjas em *Eurico o presbítero*:

> Embebidas no seu drama cruel, nem as monjas, nem Cremilde volvem sequer os olhos para os quatro guerreiros, cujas armas reluzem ao fulgor das tochas. Hermentruda não está morta. Ergueu-se. Tem a cabeça descoberta, os louros cabelos esparzidos, o colo nu. Bem como o aspecto do formoso arcanjo de luz no dia em que, rebelde, a espada de fogo lhe estampou na fronte a condenação eterna, o seio e o rosto da monja, suavemente pálidos, estão sulcados por betas escuras, que serpenteiam por aquele gesto como as víboras estiradas ao sol sobre um busto grego tombado entre as ruínas de antigo templo pagão.[15]

Os cabelos esparzidos, a nudez do colo, a palidez e a patética mistura de coragem passiva com o facto de estar indefesa lembram a jovem da célebre tela de Delacroix, *A Grécia nas ruínas de Missolonghi*. Enquanto no quadro de Delacroix podemos observar as ruínas que sepultam um combatente grego, em primeiro plano enquanto a jovem parece oferecer o seio ao martírio que sobre ela se desenha como a ameaça turca simbolizada pelo mouro que, por detrás, levanta o pendão da vitória, no texto de Herculano a jovem ergue-se já ferida e o seu corpo é ele próprio semelhante a um busto grego tombado entre ruínas. Os tópicos românticos são semelhantes, o que me leva a avançar a hipótese de uma mesma representação alegórica do corpo feminino. Também numa outra obra igualmente canónica, *A Liberdade guiando o povo*, Delacroix nos dá uma imagem alegórica do corpo feminino, através da representação do seio nu: esse nu simboliza a transpa-

---

[15] Alexandre Herculano, *op. cit.*, p. 128.

rência e o carácter intemporal da liberdade, que contrasta com a historicidade das vestes burguesas e populares da turba.

Outros tópicos românticos presentes tanto na obra de Herculano como na grande pintura romântica são os céus de tempestade que sublinham através de um cromatismo tenebroso o aspecto cinético das cenas de batalhas. Refiro, uma vez mais, uma das pinturas mais antologizadas da história do romantismo: o *Oficial da Guarda imperial a Cavalo*, de Géricault. Aqui, os tons ocres e cinzentos do céu recortam o heroísmo do cavaleiro. Como não pensar nos céus de tempestade de Herculano, enquanto Eurico, o cavaleiro negro, investe poderosamente contra os inimigos? A combinação entre natureza enfurecida e guerra tem em *Eurico o presbítero* um dos mais notáveis desenvolvimentos, dando-nos um dos elementos a que aspirava a descrição romântica: o sublime. No capítulo VII, intitulado "A Visão", Eurico arrepia-se perante o espectáculo do mar completamente parado, antes de as nuvens que vinham, umas da Europa e outras de África, chocarem as respectivas cargas: "ao aproximarem-se, os dois exércitos de nuvens prolongaram-se em frente um do outro e toparam em cheio. Era uma verdadeira batalha"[16]. No capítulo X, "Traição", para descrever a batalha, o narrador recorre ao símile da tempestade: "são como dois bulcões enovelados, que, em vez de correrem pela atmosfera nas asas da procela, rolam na terra, que parece tremer e vergar debaixo do peso daquela tempestade de homens"[17].

Para além da utilização metafórica da natureza na descrição de cenas de batalhas, outra utilização metafórica que tem o seu correspondente na pintura é a animalidade. Herculano refere, por exemplo, o tigre e o leão para designar a agilidade dos árabes e a coragem dos godos, ambos igualados na bravura:

> Assim, os centros dos dois exércitos semelham o tigre e o leão no circo, abraçados, despedaçando-se, estorcendo-se enovelados, sem que seja possível prever o desfecho da luta, mas tão-somente que, ao adejar a vitória sobre um dos campos, terá descido sobre o outro o silêncio e o repouso do aniquilamento.[18]

Uma pintura paradigmática da representação metafórica do animal é o quadro do inglês George Stubbs, *Leão atacando um cavalo*. Na *História da Arte* de H. W. Janson escreve-se, a propósito deste quadro, que Stubbs,

---

[16] Alexandre Herculano, *op. cit.*, p. 59.

[17] *Ibidem*, pp. 97-98.

[18] *Ibidem*, p. 99.

> numa visita ao Norte de África vira um leão a matar um cavalo e essa experiência quase obsessiva foi o ponto de partida para uma nova espécie de pintura animalista, impregnada de sentimento romântico da grandiosidade e violência da Natureza. O Homem não aparece neste reino sanguinário "de dentes e garras". O artista identifica-se emocionalmente com o cavalo, cuja brancura contrasta de modo tão dramático – e simbólico – com as rochas sinistras do covil do leão. Nuvens de trovoada correndo no céu reforçam o clima da cena; o pobre cavalo, assustado também pela tempestade já próxima, parece duplamente indefeso ante as forças de destruição; naquele ambiente a sorte do animal causa-nos um misto de horror e fascinação.[19]

Em resumo, tanto na descrição romântica como na pintura, encontramos os mesmos tópicos que formam uma rede retórica cujo alcance simbólico tende para o sublime, o inefável, o inexprimível. Nada disto é compatível com uma representação mimética da paisagem ou do corpo, que se revestem de um carácter alegórico.

Poderíamos perguntar se numa literatura de um espaço geográfico diferente como é a brasileira terá a descrição da paisagem e do corpo um carácter diferente, tanto por influência do real externo como de um texto fundador como *A Carta de Pero Vaz de Caminha*, narrativa do encontro entre portugueses e índios glosada ao longo da história da literatura brasileira. A resposta, necessariamente breve, é a de que um autor tão aficcionado da descrição como Garrett o era da digressão, recorre aos mesmíssimos usos metafóricos do romantismo europeu. E, se no *Guarani* e em *Iracema* temos corpos nus, desenhados em posições de força ou plenos de beleza natural, esses corpos pertencem exclusivamente aos índios. Sabendo nós que o indianismo de Alencar é uma das suas mais acabadas idealizações, é evidente que continuamos no mesmo domínio imaginário. De resto, a pintura romântica brasileira, nomeadamente num dos seus quadros mais conhecidos, *A primeira missa*, de Vítor Meireles, plasma a mesma imagem: os cristãos estão vestidos e numa postura de adoração da cruz, enquanto os índios, em atitudes que vão do interesse à simples observação do ritual, sobressaem pelo estado de nudez e o modelado dos seus corpos perfeitos. Uma prova da idealização do índio e do seu pacífico entroasmento com os portugueses no momento do encontro e nos tempos mais remotos do passado colonial, que o romantismo brasileiro revisita para converter em mito fundador da nacionalidade encontra-se, segundo Maria Aparecida Ribeiro, num painel de Portinari, que cons-

---

[19] H. W. Janson, *História da Arte* (Lisboa: Fundação Calouste Gulbenkian, 4ª ed., 1989), pp. 583-584.

titui um desmentido dessa idealização através do apagamento do índio. Para a autora, esse silêncio dá voz ao índio, uma vez que "o leitor do quadro, no mínimo, perguntará por ele e pela paisagem tropical"[20].

Concluindo: se a descrição do Vale de Santarém é mais de Garrett que de Santarém, é com ela que ficamos. Ou, por outras palavras: não é à estética realista que se deve toda a reflexão teórica à volta da descrição, nem sequer as melhores páginas de paisagem. Como Helena Carvalhão Buescu bem sublinhou em *Incidências do Olhar: Percepção e Representação*[21], a descrição articula-se sempre com o acto perceptivo de um sujeito. Que esse sujeito opte por se representar como sujeito descritor e discorrer sobre os problemas que isso lhe acarreta ou por descrever em perfeita liberdade puras idealizações em vez de corpos e paisagens postula, afinal de contas, a pertença a um imaginário onde o compromisso referencial é muito ténue.

---

20 Maria Aparecida Ribeiro, "Primeira missa: do encontro cordial à violência carnavalesca" (*CIBERKIOSK*, 9, Julho 2000).

21 Helena Carvalhão Buescu, *Incidências do olhar: percepção e representação* (Lisboa: Editorial Caminho, 1990).

Los Paralelismos de la representación del paisaje romántico en literatura, música y pintura

Victoria Llort-Llopart
Universitat Pompeu Fabra e Université Paris IV

Con el Romanticismo, la representación del paisaje deviene un género prestigioso. La naturaleza llevada sobre el lienzo conduce a las relaciones del hombre con el universo y consigo mismo. Ya no se trata, como en el siglo XVIII, de discutir si el arte es superior a la naturaleza o viceversa, si debe imitarla o no, más bien se trata de analizar – a partir del arte – las diferentes escisiones del hombre y darles un impulso artístico.

Con esta recreación, los románticos que se sitúan frente a la naturaleza entrarán en la reflexión filosófica, el discurso literario o la composición musical. No es por casualidad que la visión del paisaje sumerja a los creadores del siglo XIX en los diferentes dominios del arte para su representación. Así pues, partiendo de la imagen del paisaje se llegará a menudo a una meditación, una novela o una obra umsical. Y es justamente aquí donde se pueden encontrar paralelismos subyacentes entre las diferentes maneras y los diversos medios de expresar ese paisaje. En el siglo XIX encontramos obras de diferentes géneros con una temática común: la representación del paisaje, que se libera del peso de la tradición según la cual debía estar al servicio de los temas académicos dictados por las autoridades y debía ser el mero escenario de temas heroicos, históricos, míticos o bíblicos, pasando a ser un género de prestigio, el tema del cuadro, se autonomiza y se convierte en el protagonista; la visión de la naturaleza basta para realizar la pintura, se trata del paisaje puro, sin otro tema que él mismo.

Por otra parte, la poesía de paisaje y su descripción en prosa conocen un gran éxito en Alemania e Inglaterra: Wordsworth, Coleridge,

Hölderlin, Goethe, Brentano, Chateaubriand, Senancour. Esta presemcia del paisaje tampoco está ausente de la música: en la *Sinfonía Pastoral* de Beethoven, en el *Estudio n.3 Paysage* y *Années de pélerinage* de Liszt, etcétera.

¿Cómo entender estos paralelismos de la representación del paisaje en las diferentes artes? ¿Cómo se generan? ¿Cuál es su significado? Una de las claves para encontrar respuesta a estas preguntas radica en el hecho fundamental de que el siglo XIX coloca a la música en la cima de las artes, por su abstracción, su ausencia de significado más allá de ella misma y su universalidad. Por ello, la pintura y la poesía han tomado a la música como modelo y quieren ser arte sin más referencia que ellas mismas. Ya no se trata de servir a un tema, de seguir la tradición, sino de encontrar nuevos lenguajes capaces de superar las "metáforas que se han vuelto gastadas y sin fuerza sensible"[1]. La representación del paisaje hace que la pintura ya no tenga tema, como la música, comunica pero sin referencias precisas a la historia o al mito y esto será justamente lo que también se exigirá a la poesía: que sea como la música y supere las restricciones que el lenguaje le impone, hay que ir más allá de la convención del sentido de las palabras para dejar al lector un margen de libertad tal y como el pintor y el músico se ven obligados a hacer. Otra de las claves la encontramos en el ideal romántico de la fusión de las artes: el apetito de totalidad exige, para ser saciado, que la obra sea recibida simultáneamente como música, poesía y forma pictórica: "La obra de arte total se dirige simultáneamente a todos los sentidos, a la sensibilidad, a la emotividad y a la inteligencia"[2]. La temática del paisaje aúna todas estas características en su representación y plantea en ella todas las cuestiones fundamentales de la estética del romanticismo: la relación de la obra con el significado apostando contra las restricciones del lenguaje y a favor del simbolismo más amplio, la reflexión sobre el tiempo y el espacio, la relación con el mundo, la concepción de la obra como fragmento, y la preocupación por la temporalidad, la memoria, la nostalgia y lo sublime.

---

1 Friedrich Nietzsche, *Sobre verdad y mentira en sentido extramoral* (Madrid: Tecnos, 1998), p. 25.

2 Marcel Brion, *L'Art romantique* (Paris: Hachette, 1963), p. 8.

Las búsquedas del romanticismo

Hegel ya había considerado a la música como el arte romántico por excelencia. Durante el siglo XIX la música se convierte en el modelo de todas las artes. F. Schlegel apreciaba muy especialmente la tendencia de la música a la filosofía:

> La música instrumental pura lleva en ella una cierta tendencia a la filosofía. No debe elaborar su texto ella misma? Y el tema no está desarrollado, confirmado, variado y contrastado como lo está el objeto de la meditación en una serie de ideas filosóficas?[3]

El vínculo entre la música y el pensamiento es envidiado por las demás artes, ya que la primera conduce al pensamiento abstracto y permite un razonamiento previo al lenguaje, a la expresión hablada. La relación del arte con el lenguaje es uno de los intereses del siglo XIX. La música tiene a su favor su falta de significación, el lenguaje literario y poético debe superar la concreción y el encotillamiento que le son propios, y la pintura debe ir más allá de sus vínculos con la literatura, abandonar los temas que tradicionalmente le ha proporcionado; precisamente el paisaje satisface todos estos requisitos, ya que como señalaba Constable, el paisaje tampoco significa nada.

Algunas de estas concepciones tienen su origen en la idea kantiana de lo sublime, tal y como se expone en la *Crítica del Juicio* (1790). ¿Cómo se entiende pues lo sublime, este motor del arte romántico? Kant nos propone varias definiciones en su obra. Sublime es:

> Lo que llamamos absolutamente grande.[4]

> Lo que, sólo porque se puede pensar, demuestra una facultad del espíritu que supera toda medida de los sentidos.[5]

> La naturaleza en aquellos de sus fenómenos cuya intuición lleva consigo la idea de su infinitud.[6]

La sublimidad se encuentra en el espíritu del que juzga, y no en el objeto de la naturaleza. El espíritu, en la contemplación, se eleva y se abandona a la imaginación, y "siente todo el poder de la imaginación, inadecuado, sin embargo, a sus ideas"[7].

---

[3] Friedrich Schlegel: *Athenaeum* (1799), fragmento 444 en *Kritische Schriften und Fragmente 2 [1798-1801]* (Padeborn: Ferdinand Schöningh, 1998), p. 155.

[4] Immanuel Kant, *Crítica del juicio* (Madrid: Espasa, 1999), p. 187.

[5] *Ibidem*, p. 191.

[6] *Ibidem*, p. 196.

[7] *Ibidem*, p. 198.

Esta cuestión plantea la relación entre naturaleza, contemplación, arte y vida. Para Schopenhauer, la obra de arte es "la reproducción libre de la Idea"[8], la intuición. El arte conduce a la contemplación, y la emoción estética que se produce ante la obra de arte es la misma que la provocada por la contemplación inmediata de la naturaleza y la vida, estableciendo pues un paralelismo entre el arte, y la naturaleza y la vida. Existe una semejanza profundamente oculta entre el arte de los sonidos y el mundo, ya que la música expresa la esencia íntima del mundo. "La naturaleza y la música son dos expresiones distintas de una misma cosa que es el lazo de unión entre ambas"[9]. Por otra parte, la música vincula de forma muy especial los diferentes tiempos de la experiencia humana: la percepción del presente está modificada por el pasado y unida a él, pero el presente está unido, a su vez, a las perspectivas de futuro, "la retrospección se mezcla con la anticipación, y la esperanza con la memoria"[10]. Exigir a la pintura y a la poesía que actúen como la música implica también una necesidad de sentir el tiempo y el espacio tal y como la música nos los ofrece; y este particular vínculo entre los tiempos lo encontramos también en la representación romántica del paisaje. Esta experiencia musical del tiempo, en una sinfonía, ciclo de melodías o pieza breve, es similar a la del contemplador del cuadro: ante sus ojos se despliega el pasado, vinculado al presente y al futuro, en diferentes lugares, gracias a su imaginación, guiada por la obra del artista.

Al representar al hombre en la naturaleza, se ratifica "la afinidad del hombre con el Espíritu del mundo"[11] y ese hombre intenta encontrar la relación íntima del sonido, el color y lo natural, es el caminante (*Wanderer*), al borde del precipicio, sabiendo que la roca sobre la que pisa no es estable, pero fascinado por el efecto estético del paisaje, "las leyes eternas a las que la naturaleza está sometida, inculcan el sentimiento de nuestra pequeñez y fragilidad"[12].

En no pocas ocasiones, en el imaginario romántico el paisaje se encuentra vinculado al viaje, a ese camino o recorrido de aprendizaje, de acumulación de vivencias, de contemplación estética, de adqui-

---

8 Arthur Schopenhauer, *El Mundo como voluntad y representación* (México: Editorial Porrúa, 1998), p. 159.

9 *Ibidem*, p. 208.

10 Samuel Taylor Coleridge, *The Friend* (1809).

11 Caspar David Friedrich e Carl Gustav Carus, *De la peinture de paysage dans l'Allemagne romantique* (Paris: Klincksieck, 2003), p. 59.

12 *Ibidem*, p. 63.

sición de conocimiento: "Del conocer procede el *saber*, la ciencia; del poder procede el *arte*"[13].

El paisaje pictórico

El motor de la pintura romántica es la búsqueda de lo sublime tal y como lo describe Kant.[14] Todas estas imágenes elevan la imaginación del artista, y encontramos su reflejo en la representación de tormentas y naufragios, donde las fuerzas de la naturaleza desatadas inculcan en el hombre su conciencia de impotencia y pequeñez, como en las representaciones de tormentas de Joseph Vernet de 1780, o de Turner: *Tormenta (Naufragio)* (1823). A partir de la representación pura del paisaje, tres elementos principales concentran el gusto de los románticos: las tormentas y sus consecuencias, las nubes y los abismos. Estos últimos y las panorámicas de cumbres de alta montaña sitúan al hombre en el límite de sus capacidades: *Valle de alta montaña* (1822) de C.G. Carus o *El Pasaje de San Gotardo* (1803-4) de Turner. Por lo que respecta a las nubes y la niebla, son el velo que impide ver, que obliga a imaginar, a elevar al pensamiento de que "un infinito ha vencido lo finito"[15]. C. D. Friedrich lo dice explícitamente: "Un paisaje desarrollado en la bruma aparece más vasto, más sublime, incita la imaginación (...). El ojo y la imaginación se sienten generalmente más atraídos por lo vaporoso y lejano que por lo que se ofrece próximo y claro a la mirada"[16]. Así pueden entenderse *Niebla* (1807), y *Bruma matinal en la montaña* (1808) de C. D. Friedrich, el *Estudio de nubes* (1821) de J. Ch. Dahl, o el cuadro del mismo título de 1822 de Constable.

En obras de Friedrich, como *Dos hombres contemplando la luna* (1819), o *Paseante sobre un mar de nubes* (1818), vemos al hombre en su enfrentamiento con la naturaleza, bien solo, en su insignificancia frente al absoluto y al infinito, o bien junto a alguien, que comparte esa experiencia de dramática soledad, separación, melancolía, de *Sehnsucht*.

La imagen paisajística no tiene función fotográfica, sino experiencial. Es decir, el paisaje es una imagen de la vida de la tierra (*Erdlebenbild*)[17] y evoca una experiencia de la vida de la tierra (*Erdlebener-*

---

[13] Caspar David Friedrich, *op. cit.*, p. 67.

[14] Immanuel Kant, *op. cit.* (Madrid: Espasa, 1999), p. 204.

[15] Caspar David Friedrich e Carl Gustav Carus, *op. cit.*, p. 75.

[16] Caspar David Friedrich, *Bekenntnisse* (Leipzig: K. K. Ederlein, 1924), p. 20.

[17] Caspar David Friedrich e Carl Gustav Carus, *op. cit.*, p. 109.

lebnis): al contemplar la obra de arte, el yo accede a una nueva esfera del exterior y la individualidad aparece como parte indisociable de un todo superior.

Puede decirse que el paisaje es el punto de partida de dos modos diferentes de relacionarse con el mundo: sea de un modo visual, de los sentidos, físico, *exterior*; o bien visionario, del espíritu, psíquico, *interior*. El paisaje es la imagen que llevará a quien se sitúe frente a él al plano interior o exterior, puesto que la clave de la pintura de paisaje radica en quien se enfrenta a él, se sitúa ante él, se relaciona con él, lo contempla. Se trata de la relación del hombre con el mundo y con sus percepciones de él y con sus creaciones o recreaciones imaginarias. La pintura romántica es una respuesta a cómo el hombre contempla el mundo:

> Todo ello nos introduce al verdadero significado de la *contemplación romántica* de la Naturaleza, la cual no es una visión directa de la realidad sino una *contemplación de la contemplación*. El artista romántico no se limita a la percepción sensitiva y consciente y, por el contrario, recurre, no como un elemento secundario sino como la fuerza principal, a la indagación de su propio subconsciente. Frente a la *mimesis* realista, la confrontación del romántico con su entorno se halla mediatizada por una confianza absoluta en la subjetividad y en las criaturas creadas por ésta. La exploración del Inconsciente y el desarrollo de la Imaginación son las armas románticas para destruir, ampliar y recrear el campo de lo real.[18]

El hombre se encuentra solo, en su recorrido como caminante (*Wanderer* o *promeneur*) acumula imágenes, puesto que viaja para adquirir conocimiento, y esa colección de imágenes que se lleva consigo es el motor de su imaginación, lo que le conduce al saber, a la *rêverie*, a la creación, como Beethoven, Rousseau, Nerval o Novalis. El *Fausto* de Carus se asemeja al *Cazador* de Friedrich en su soledad y su enfrentamiento con la naturaleza. Pero el *Fausto* de Carus está en las antípodas del *Wanderer* de Friedrich: Fausto está hundido en el abismo, en un paisaje de atardecer frío, sometido a la montaña, en sus meditaciones crepusculares solo puede ver el foso, los árboles muertos que ya han caído. Por el contrario, el *Wanderer* también se enfrenta a la nada, pero desde la cumbre, no ve nada: la niebla y las nubes se lo impiden, pero es capaz de recrear las etapas de su ascensión, en la cima imagina: "*Wie tief liegt unter mir die Welt*"[19]. El *caminante*

[18] Rafael Argullol, *La Atracción del abismo* (Barcelona: Destinolibro, 1994), p. 75.

[19] (¡Qué profundo yace el mundo a mis pies!) Friedrich Schiller, "*Der Metaphysiker*", *Poesía filosófica* (Madrid: Hiperión, 1991), p. 112.

puede ver interiormente, esa es la meta de su viaje y la respuesta a su dulce naufragio en la nada: ha logrado acceder a su subjetividad, al sentimiento de afinidad del hombre con el mundo, a la experiencia humana del tiempo y del espacio, y ese es, precisamente, el objetivo del cuadro:

> En el lienzo del pintor romántico la realidad queda moldeada y dominada por los flujos ordenadores que provienen de esta *mirada interior*. Una ruina, una montaña, un atardecer o un huracán debe evocar y, por tanto, reflejar plásticamente, no fenómenos orográficos o climatológicos, sino *estados de la subjetividad*.[20]

Esa subjetividad que surge en el estado de contemplación y ensoñación está también vinculada a la experiencia de la obra de arte como microcosmos y como fragmento: la obra de arte auténtica constituye un todo, un pequeño mundo (microcosmos) en sí; el reflejo, por el contrario, sólo aparece eternamente como un fragmento, una parte de la naturaleza infinita.[21]

La obra de arte debe ser un todo desarrollado y acabado, orgánico, que apele a todos los sentidos. Ph. O. Runge desarrolla su teoría de la analogía de los sonidos y los colores, de la *Gesamtkunstwerk*: la asociación de sentidos aumenta el efecto. Pintura de paisaje y música están unidos: la contemplación del cuadro con acompañamiento umsical, aumenta su efecto.[22]

El paisaje literario

Las constantes preocupaciones de la estética paisajística romántica aparecen también en la literatura, intentando encontrar otras formas y medios de expresión. A menudo se trata de meditaciones sobre la percepción del paisaje, como en la *Nouvelle Héloïse* de Rousseau, donde la descripción literaria es, al igual que la creación pictórica, una composición ideal:

> Trepaba lentamente y a pie caminos bastante rudos (...). Tan pronto inmensas rocas en ruinas colgaban sobre mi cabeza. Como tan pronto altas y ruidosas cascadas me inundaban con su espesa neblina. Como

[20] Rafael Argullol, *op. cit.*, p. 82.

[21] Caspar David Friedrich e Carl Gustav Carus, *op. cit.*, p. 69.

[22] *Ibidem*, pp. 164-165.

> tan pronto un torrente eterno abría a mis lados un abismo cuya profundidad no osaban sondear los ojos.[23]

O en este pasaje de las *Confesiones*, en el que se busca la afirmación de la individualidad a partir de la experiencia sensorial de la naturaleza:

> Me gusta caminar a mi aire, y pararme cuando me apetece. La vida ambulante es la que necesito. (...) Necesito torrentes, rocas, abetos, bosques negros, montañas, caminos escabrosos para ascender y descender, precipicios a mis lados que me den mucho miedo.[24]

Esta figura del caminante permite la unión del yo y la naturaleza, la fusión de lo interior y lo exterior, lo subjetivo e individual, y lo general y eterno. La experiencia de la naturaleza lleva al conocimiento del yo, de modo que a menudo la percepción del mundo exterior permite la comprensión de la individualidad. Otros ejemplos en los *Paseos* nos muestran como la experiencia natural lleva a la celebración del yo sensible: "El ocio de mis paseos diarios ha sido llenado a menudo con contemplaciones encantadoras cuyo recuerdo lamento haber perdido".[25] El contacto con lo natural basta para que Rousseau sienta con placer su existencia, sin tomarse la molestia de pensar.[26] De aquí el interés en trazar el recorrido de sus pensamientos:

> La ensoñación me distrae y me divierte, la reflexión me fatiga y me entristece; pensar siempre fue para mí una ocupación penosa y sin encanto. A veces mis ensoñaciones acaban con la meditación, pero más a menudo mis meditaciones acaban con la ensoñación.[27]

El paseo nos lleva a la peregrinación, representación frecuente en el arte romántico, supone un viaje de iniciación, la posibilidad de alcanzar la visión interior a partir de la visión exterior, gracias a la diferenciación entre ojos corporales y ojos espirituales de C.D. Friedrich.

En otros casos, la literatura se convierte en el reflejo de la pintura y sus búsquedas y propósitos, como en *La Vie d'un paysagiste* (1886) de Maupassant y *Franz Sternbalds Wanderungen* (1798) de Ludwig

---

[23] Jean-Jacques Rousseau, *La Nouvelle Héloïse*, Première partie, Lettre XXIII, *Œuvres complètes*, t. II (Paris: La Pléiade, 1990), p. 77.

[24] Jean-Jacques Rousseau, *Confessions* (1782), *Œuvres complètes*, t. I (Paris: La Pléiade, 1990), p. 172.

[25] Jean-Jacques Rousseau, Première Promenade, *Œuvres complètes* (Paris: Editions du Seuil, 1967), p. 503.

[26] Jean-Jacques Rousseau, Cinquième Promenade, *Œuvres complètes* (Paris: Editions du Seuil, 1967), p. 522.

[27] Jean-Jacques Rousseau, Septième Promenade, *Œuvres complètes* (Paris: Editions du Seuil, 1967), p. 528.

Tieck. En el caso de Maupassant, cuando el escritor se hace pintor, ensalza el papel de la visión exterior en la búsqueda visual de lo desapercibido:

> En ce moment, je vis, moi, dans la peinture à la façon des poissons dans l'eau. (...) Vrai, je ne vis plus que par les yeux (...) cherchant (...) tout ce que l'Éducation aveuglante et classique empêche de connaître et de pénétrer. Mes yeux ouverts, à la façon d'une bouche affamée, dévorent la terre et le ciel. Oui, j'ai la sensation nette et profonde de manger le monde avec mon regard.[28]

El protagonismo principal es para los ojos, para la sensorialidad, lo fundamental es la importancia del papel de la vista en la percepción del mundo, tener una vida *en* lo visual. De aquí la necesidad de impregnar la literatura y el discurso de imágenes, imágenes de la naturaleza, y de lo pictórico, que buscan esa obra ideal inalcanzable, que necesita perfilarse en la lucha de la idea con su realización:

> toute cette lutte infinie de l'homme avec la pensée, toute cette bataille superbe et effroyable de l'artiste avec son idée, avec le tableau entrevu et insaisissable, je les vois et je les livre, moi, chétif, impuissant, (...) et je passe des jours douloureux à regarder, sur une route blanche, l'ombre d'une borne en constatant que je ne puis la peindre.[29]

En la obra de Ludwig Tieck, Franz Sternbald es el héroe pintor, que vivía en la época de Durero, en el mundo de la Edad Media a punto de entrar en el Renacimiento, viajaba a pie, y cantaba en su recorrido.[30] Por ello, la obra representa la suma de las inquietudes románticas:

> El *Wandererreise* deviene un tema inagotable de la poesía, y (...) con la ayuda de los compositores de *Lieder*, (...) en estos "cantos de viajero", el alma alemana ha encontrado una de sus expresiones más bellas (...) ilustradas además, con la misma pasión, por los pintores.[31]

---

[28] Guy de Maupassant, *La Vie d'un Paysagiste*, *Œuvres Posthumes II*, (Paris: Louis Conard, 1902), p. 84.

[29] *Ibidem*, p. 88.

[30] Varios ejemplos de canciones de protagonistas en la novela: Ludwig Tieck, *Franz Sternbalds Wanderungen* en *Frühe Erzählungen und Romane* (München: Winkler Verlag, 1963), pp. 818-820, p. 821, pp. 831-832, p. 938, etc.

[31] Marcel Brion, *Peinture romantique* (Paris: Editions Albin Michel, 1967), p. 212.

El paisaje musical

> *La música constituye la manifestación directa de la naturaleza original del mundo, de la "voluntad".*[32]

La vinculación del paisaje y la música tiene lugar a través de la pintura, pero también de la literatura. En todos los casos, la imagen paisajística es el detonante que lleva a la expresión de la subjetividad, al sentimiento de soledad, melancolía, a la búsqueda de la unidad con lo Eterno; y todo ese camino es que el oyente debe recorrer.

En el ciclo de poemas *Winterreise, op. 89* de Franz Schubert, el *Wanderer* realiza su viaje iniciático, pero hacia la muerte. Se trata de una experiencia del tiempo típica del paisaje romántico: "no el encadenamiento de peripecias de una narración, sino una sucesión de imágenes, de reflexiones líricas que revelan las huellas del pasado y del futuro en el corazón del presente"[33]. La ausencia total de narración enriquece el ciclo en cuanto a lirismo y riqueza de imágenes. Por una parte, encontramos *lieder* con carácter de paseo campestre, con aire de marcha (números 1, 3, 7, 10, y 12). Por otra parte, encontramos las imágenes musicales del paisaje: la noche, la veleta, la nieve, el pueblo, el indicador, y también las imágenes propias del yo: la mirada atrás, la soledad o la esperanza y el valor en otros momentos del recorrido. La conjunción de poesía y música, texto y sonido permite ir más allá en lo que a la representación de la imagen paisajística (sea exterior o interior) se refiere:

> El acompañamiento lo ofrece todo a un tiempo: el sentimiento, el paisaje, el ambiente. Es un tipo de pintura que acentúa el sentimiento; y es expresión de un tipo de sentimiento mucho más penetrante y sensible a todos los latidos de la naturaleza. El piano se convierte en un instrumento universal.[34]

La música instrumental pura también intenta dar cuenta de experiencias paisajísticas, como la *Wanderer-Fantasie* de Schubert, en la que las diferentes figuraciones melódicas y rítmicas son el indicio del recorrido del *Wanderer*. Ante la subjetividad pura, la imaginación traza la ruta del *Wanderer*, en la representación de la "esencia" como sostenía Schopenhauer.

---

[32] Alfred Einstein, *La Música en la época romántica* (Madrid: Alianza Música, 1994), p. 44.

[33] Charles Rosen, *La Génération romantique* (Paris: Gallimard, 2002), p. 241.

[34] Alfred Einstein, *op. cit.*, p. 103.

Franz Liszt nos ofrece dos ejemplos de la representación musical del paisaje: *Paysaje*, su *Estudio de ejecución trascendental* n.º 3, pretende mostrar la imagen musical. No obstante, en esta pieza, el sentimiento poético que emana está íntimamente ligado a aspectos técnicos. Si el *Caminante sobre el mar de nubes* debe imaginar lo que yace a sus pies, el que escuche el estudio de Liszt apenas percibe las casi invencibles dificultades técnicas, lo que define al virtuoso. El virtuosismo es la afirmación del hombre del siglo XIX, es su intento de tender hacia el infinito y sobrepasarlo.

> El virtuoso canta mejor que los pájaros, habla más fuerte que las tormentas: lo hace todo él mismo; todas las batallas que gana las gana para gloria del hombre, y las gana solo. Y estos son los poderes del hombre que se afirman en las victorias del solista. Puesto que el virtuosismo es manifiestamente afirmativo, siendo todo vitalidad, todo movilidad; el movimiento que lo anima es el movimiento de la vida, la actividad triunfante del hombre libre. El virtuoso demuestra al hombre todo de lo que es capaz un hombre.[35]

Liszt compone sus *Années de pèlerinage* con intención de evocar su viajes por Italia y Suiza. Recuerdos de lecturas, impresiones literarias, imágenes de Venecia, Nápoles o Suiza: fuentes, lagos, tormentas, y *Vallée d'Obermann*: en este caso ya no se trata del paisaje visual, sino de crear una imagen a partir de la novela de Senancour con medios estrictamente musicales. Por eso, la edición original de la partitura contiene una extensa selección del libro. El compositor quiere dar el bosquejo psíquico de su trabajo, decirnos lo que él intentaba expresar, la idea fundamental de su obra. Se pretende nada menos que expresar la vida interior del hombre y el sentido oculto y misterioso del Universo.

Realizaciones del ideal romántico

El paisaje romántico se encuentra esencialmente concentrado en una imagen, en una representación mental, a menudo de algo que no existe o que ya no está al alcance del que se sitúa frente a él. Se trata de una imagen con múltiples significados. Invita a la reflexión y a la contemplación, a la ensoñación. También proporciona conocimiento, el viaje es ese camino en el que las imágenes se recorren, se exploran. Además, la imagen es el detonante del recuerdo. En todos estos aspectos encontramos la contraposición de dos ideas de percepción de

---

[35] Vladimir Jankelévitch, *Liszt et la rhapsodie, essai sur la virtuosité* (Paris: Plon, 1989), p. 13.

esa imagen: la visión sensorial ante el paisaje y la mirada interior a la que invita. Y las diferentes expresiones artísticas de esa *Erdlebenbild*, sean cuadros, novelas o música en sus diferentes formas están movidas por el poder de la imaginación y tienen en común el deseo de trazar un puente entre lo subjetivo y lo universal, lo sensorial y lo psíquico, lo humano y lo Eterno.

Louis-Sébastien Mercier: o corpo da cidade

Lourdes Câncio Martins
Universidade de Lisboa

Na hesitação do seu olhar, ainda "iluminado", mas já de certo modo também realista, Mercier abre espaço a uma visão romântica da cidade que descobre no percurso solitário das suas deambulações. Paris da actualidade quotidiana, "gigantesca capital"[1] e "única cidade"[2], é esse corpo atraente, no qual se fixa o seu olhar e a sua escrita: romanesca, jornalística e dramática, ou ainda de registo descritivo ambíguo, desdobrando as potencialidades de um polígrafo e a sua percepção do fenómeno urbano.

Sabemos como o imaginário identificou a cidade à mulher, como ela é, metafórica ou metonimicamente, assim personificada pela tradição retórica. Para Stephen Reckert, tratar-se-ia, "em parte, de uma derivação especializada do *topos* clássico do elogio da cidade, estudado por Curtius"[3], e que ele próprio considera na forma de a abordar como signo.[4] Signo esse que propõe ao olhar e à compreensão de Mercier as

---

1 Louis-Sébastien Mercier, *Tableau de Paris*, in *Paris le jour, Paris la nuit* (Paris: Éditions Robert Laffont, 1990), p. 25.

2 *Ibidem*, p. 353.

3 Stephen Reckert, "O signo da cidade", *O Imaginário da cidade* (Lisboa: Fundação Calouste Gulbenkian, 1989), p. 16.

4 Ver sobre esta questão Pierre Ansay e René Schoonbrodt, *Penser la ville. Choix de textes philosophiques* (Bruxelles: AAM Éditions, 1989): "La position théorique de certains auteurs situe, dans la foulée de la linguistique saussurienne, la ville comme un système de signes. Le mérite de cette position est d'historiciser l'argumentation et de relever que la ville est un lieu doté dans sa formulation antique et médiévale d'une totalité signifiante par elle-même" (p. 34). Ver também Françoise Choay, *L'Urbanisme, utopie et réalité* (Paris: Ed. du Seuil, 1965).

duas vertentes de um organismo vivo, espacial e temporalmente situado no presente, aberto a uma perspectiva moderna. Ou seja, a de uma visão do efémero, sensível ao urbano, sempre pronta a registar as múltiplas metamorfoses da sua consistência significante, cuja verdade, já em termos da *mimesis* realista, o autor incessantemente procurará no seu *Tableau de Paris* ("il a fallu que mon pinceau fût fidèle"[5]), onde, todavia, as imagens se encontram filtradas pela sua subjectividade, que as recorta, as contorna e, assim, lhes configura o sentido: assimilado a uma concepção moral ("Je me suis attaché au moral et à ses nuances fugitives", para que o bem, "fruit tardif des Lumières, succède au long déluge de tant d'erreurs"[6]), mas ainda à exaltação romântica da ideia patriótica ("Toute idée patriotique (je me plais à le croire) a un germe invisible, qu'on peut comparer au germe physique des plantes qui, longtemps foulées aux pieds, croissent avec le temps, se développent et s'élèvent"[7]).

Restif de la Bretonne, contemporâneo de Mercier, e como ele se mostrando seduzido pela capital na visão complementar do seu quadro nocturno, será dos primeiros a valorizar o seu patriotismo: "Mercier! Ô rare et sublime courage! Toi, dont les productions vertueuses ne respirent que le patriotisme et l'amour général de l'humanité, je t'admire, et ne me sens pas la force de t'imiter!"[8]

Se, contudo, reconhece nessas produções virtuosas "certaines choses vues trop en beau", justificá-las-á através da relação simbólica que se estabelece entre um filho e a mãe: "En général, quand il loue la capitale, c'est un fils qui flatte sa mère; et quand il la blâme, c'est un enfant gâté, qui boude, et qui bat sa nourrice"[9].

É, com efeito, um corpo maternal que se enforma no quadro das experiências contraditórias que Paris faz viver a este seu habitante. Como Baudelaire, Mercier projecta nas suas imagens a consciência dividida entre "spleen et idéal", o desgosto associado a um mal romântico, sentimento moderno da vida, como o vê Roger Caillois[10], e o desejo de um sonho poético para o enfrentar e o superar.

"Je t'aime, ô capitale infâme!", dirá, no final do *Slpeen de Paris,* o poeta que também desenha os contornos de outros "tableaux pari-

---

[5] Louis-Sébastien Mercier, *Tableau de Paris*, *op. cit.*, p. 28.

[6] *Ibidem*, pp. 25-26.

[7] *Ibidem*, p. 28.

[8] Restif de la Bretonne, *Les Nuits de Paris*, in *Paris le jour, Paris la nuit*, p. 1056.

[9] *Ibidem*.

[10] Roger Caillois, "Paris, mythe moderne", *Le Mythe et l'homme* (Paris: Ed. Gallimard, 1938).

siens", não sem se aproximar daquele que reconheceu, na sua *Arte Romântica*, como um dos autores que parece ultrapassar o seu século e, assim, poder dar uma lição para se regenerar a futura literatura, que é a do seu tempo.[11]

Refira-se, no entanto, que Mercier não funda o seu ideal na perspectiva das alturas de "l'azur", ou de um céu também oposto à terra na estrutura dicotómica que sustenta o modelo da cidade celeste, concebido por Santo Agostinho. Em Paris, ele encontrará a imagem da cidade decadente, mas também a da cidade ideal como "mito regulador da História", permitindo-lhe desenvolver um projecto estético-ideológico, de reflexão filosófica e política, já com um sentido romântico, a partir da fisionomia da nação, que metonimicamente a capital assume.

Daí que o seu observador privilegie a dimensão cognitiva do olhar, de forma a responder à mesma curiosidade que a Enciclopédia manifesta, conduzindo a uma investigação geral das ciências e das artes ("des arts libéraux et mécaniques"), ou seja, de todas as produções do homem, de todas as suas técnicas e profissões, bem como dos seus usos e costumes, mas através da qual se recusa o saber analítico de uma escrita sem a visão da cor, dos seus contrastes, dos seus efeitos claro-obscuro, sugerindo tonalidades românticas, ou, como observará o próprio autor, "la classicomanie qui n'a point d'yeux"[12], e se recorre também à inovação da reportagem, associada ao acaso dos encontros do "flâneur", no percurso infindável das suas deambulações.

Para Mercier, como diria Claude-Gilbert Dubois, "vivre la ville c'est parcourir un corps infus dans un paysage"[13]. Uma relação de um estreito contacto, cujo registo implicará assim, não só a actividade dos olhos, mas também a mobilidade do andar. O que parece de acordo com a afirmação do escritor: "J'ai tant couru pour faire le *Tableau de Paris*, que je puis dire l'avoir fait avec mes jambes".

Se, como se afigura para Deleuze, "la ville est le corrélat de la route, (si) elle n'existe qu'en fonction d'une circulation et de circuits"[14],

---

[11] Baudelaire, "Le hibou philosophe", *L'Art romantique*, *Oeuvres complètes* (Paris: Ed. Gallimard, Bibliothèque de la Pléiade, 1976), p. 984.

[12] Cf. Louis-Sébastien Mercier, *Le Nouveau Paris*, in *Paris le jour, Paris la nuit*, p. 943.

[13] Claude-Gilbert Dubois, "Villes-Femmes: quelques images fondatrices de l'imaginaire urbain", *O Imaginário da cidade* (Lisboa: Fundação Calouste Gulbenkian, 1989), p. 38.

[14] Gilles Deleuze et Félix Guattari, "L'Origine de la campagne", Pierre Ansay, René Schoonbrodt (org.), *Penser la ville. Choix de textes philosophiques*, *op. cit.*, p. 196.

dir-se-á que a escrita de Mercier que a percorre, se torna ela própria circulação, como um conjunto de "passagens", lembrando as de Walter Benjamin. Escrita, no entanto, aqui, atenta a outra realidade de Paris, capital do século XIX, e tornada passagem, como se viu, enquanto "relação da poesia com o inquérito sociológico, intercâmbio entre a citação de outrem e o próprio enunciado, "flânerie" entre os textos"[15]. Mas, para a construção do seu projecto filosófico, Benjamin recorrerá ao princípio utilizado por Mercier da montagem por acumulação de pequenos elementos, a fim de tentar descobrir, segundo refere, "na análise do pequeno momento singular o cristal do acontecimento total"[16]. Uma construção, todavia, inacabada, cuja forma é, porventura, equivalente à descontínua do *Tableau*, que parece acumular indefinidamente os seus capítulos, de 1781 a 1788, perfazendo nessa altura já mais de mil, na sua pretensão de obter também a totalidade de um quadro exaustivo de Paris, a partir da soma das suas pequenas, mas múltiplas e diversificadas perspectivas do quotidiano. Assim se aproximaria este *Tableau* da composição heteróclita e fragmentária que, no dizer de Helena Buescu, "a teorização romântica soubera instituir, como uma das formas da modernidade"[17]. Forma que não é alheia à da escrita jornalística, uma prática sempre mantida por Mercier e que viria marcar a estética da desordem do seu registo textual, liberto de constrangimentos temáticos e discursivos, sem obedecer à imposição de poéticas ou de géneros.

> La liberté de penser donnait souvent à nos expressions une tournure neuve et singulière (...). C'est là que j'ai commencé à me montrer hérétique en littérature, et que je disais avec franchise: j'ai voulu lire plusieurs de ces écrivains si vantés, ils m'ont déplu; là, je faisais l'aveu de mes paradoxes littéraires: on voulait me convertir, et le prêcheur était quelquefois converti lui-même (...). Conversons de littérature, mes amis; formons des conférences littéraires, et ne soyons jamais d'aucune académie.[18]

---

[15] Michel Delon, "Préface générale – Piétons de Paris", *Paris le jour, Paris la nuit*, p. XXII.

[16] Walter Benjamin, *Paris, capitale du XIX ème siècle – Le livre des passages*, traduit de l'allemand par Jean Lacoste (Paris: Les Editions du Cerf, 1989), p. 11.

[17] Helena Carvalhão Buescu (coord.), *Dicionário do Romantismo Literário Português* (Lisboa: Caminho, 1997), p. 344.

[18] Louis-Sébastien Mercier, "Palais-Royal", *Tableau de Paris* (Paris: Ed. du Mercure de France, 1994), p. 932.

"Jetez (...) au feu toutes poétiques, à commencer par celle-ci" [19], é o que Mercier também aconselha ao leitor da sua reflexão teórica sobre o teatro. Neste podemos reconhecer uma outra prática da sua preferência, que viria ultrapassar os limites da cena teatral, para encontrar o teatro das ruas de Paris, através da encenação do *Tableau*.

> J'aime Paris uniquement, parce que c'est là que se jouent toutes les passions et que leurs rapports multipliés enfantent plus de scènes originales. Chaque homme que je rencontre dans la rue me parle sans me dire mot. (...) Est-il un tableau plus mouvant et plus propre à satisfaire l'avide curiosité du philosophe? Tous ces êtres ambulants, à force d'être noyés dans la multitude, se déguisent moins là que partout ailleurs.[20]

Ao quadro do pintor, Mercier associa o do dramaturgo, como, aliás, indicará, através de uma referência a Greuze, onde se levanta a questão da representação no âmbito das diferentes artes: "Greuze et moi nous sommes deux grands peintres; du moins Greuze me reconnaissait comme tel (...). Il a mis le drame dans la peinture et moi la peinture dans le drame"[21]. Se a pintura, de ordem espacial, se confina à estabilidade da representação do imóvel, não poderá ser entendida por Mercier como "la soeur de la poésie", mas antes como "(sa) soeur idiote". Só confundindo a linguagem das artes, da literatura com a da pintura e do teatro, poderia associar as dimensões do espaço e do tempo, do legível e do visível na forma de representar não só as "nuances", do luxo aparente e da miséria profunda, mas ainda o dinamismo do corpo da capital tanto em grandes como em pequenos acontecimentos, num seu "tableau mouvant".

Assim, poderia também libertar o espaço da literatura, sobre a qual reflecte num ensaio[22], cujo título Mme de Staël mais tarde retomará, e onde apresenta o que se considerou o contraponto selvagem desta versão consensual do Romantismo; bem como libertar a língua que a suporta, adaptando-a às mudanças da época e, nesse sentido, recusando a retórica clássica, ou ainda renovar as palavras ou as suas acep-

---

19 Louis-Sébastien Mercier, *Du Théâtre ou Nouvel Essai sur l'art dramatique* (1773), referido por Michel Delon, "Introduction", in *Paris le jour, Paris la nuit*, p. 8.

20 *Ibidem*.

21 Citado por J. Delort, *Mes voyages aux environs de Paris* (Paris: Picard, Dubois, 1821), t. II, p. 250 (ref. por Martine Rougemont, "Le Dramaturge", Jean-Claude Bonnet (dir.), *Louis-Sébastien Mercier, un hérétique en littérature* (Paris: Mercure de France, 1995), p. 149).

22 *De la littérature et des littérateurs. Suivi d'un nouvel examen de la tragédie française*. (Yverdon, 8°, 1778), p. 158.

ções, de acordo com o que virá posteriormente defender no prefácio da sua *Néologie.*

Uma libertação da escrita que se liga ao desejo de libertar o corpo da nação, identificado com o povo parisiense. Não se trata aqui de uma entidade socialmente reconhecida, mas problematizada pela dispersão e diversidade das suas componentes ("plusieurs faces (...) tracé(es) (...) à mesure que mes yeux et mon entendement en ont rassemblé les parties"[23]), sempre ligadas ao seu meio, casas, ruas, um lugar que parece moldá-las, de acordo com as teorias de Lavater, deixando-se, assim, antever a fisionomia da cidade de Balzac e de Zola nesses significantes que se tornam signos do destino, ou resultado da degenerescência ou degradação.[24] Neles se detém o olhar do escritor e o pincel do artista, prestando-se uma atenção romântica aos problemas sociais, "à la couleur triste et dominante du peuple parisien"[25].

Como capital, Paris será esse centro, lugar da verdade de que fala Barthes, "lugar marcado (onde) se reúnem e se condensam os valores da civilização, a espiritualidade, o poder, o dinheiro, a mercadoria e a palavra"[26]. "Entrer dans ce centre", percorrê-lo atentamente, como o faz Mercier, será também, no seu caso, "rencontrer la vérité sociale", e com ela a hipocrisia da política e do clero, vícios e abusos, desigualdades e injustiças, tudo o que faz de Paris "un corps dévorant"[27] que inclui no *Tableau,* quadro-teatro, apresentando ao leitor-espectador uma outra *Comédie Humaine*, ou, como diria Victor Hugo, uma "comédie éternelle (qui) se joue(..) sur le pavé de Paris"[28]. "Paris est devenu le théâtre où tous les acteurs des différents gouvernements se sont rendus pour consommer l'œuvre de leur hypocrisie"[29].

No entanto, nem tudo se afigura disfórico neste corpo urbano que também traz para o quadro algumas formas de riso e regozijo, como essas ligadas à tradição popular dos teatros e das feiras, permitindo esboçar relações de prazer ou de sentimento e fazer aí emergir uma sensibilidade romântica.

---

23 Louis-Sébastien Mercier, *Tableau de Paris,* in *Paris le jour, Paris la nuit*, p. 25.

24 Ver sobre esta questão Anthony Vidler, "Mercier urbaniste: l'utopie du réel", Jean-Claude Bonnet (dir.), *Louis-Sébastien Mercier, un hérétique en littérature, op. cit.*, pp. 239-240.

25 Louis-Sébastien Mercier, *Tableau de Paris,* in *Paris le jour, Paris la nuit*, p. 28.

26 Roland Barthes, *L'Empire des signes* (Paris: Ed. Flammarion, 1984), p. 46.

27 Louis-Sébastien Mercier, *Tableau de Paris,* in *Paris le jour, Paris la nuit*, p. 351.

28 Victor Hugo, *Notre-Dame de Paris* (Paris: Librairie Arthème Fayard, 1948), p. 97.

29 Louis-Sébastien Mercier, *Tableau de Paris,* in *Paris le jour, Paris la nuit*, p. 374.

Com a deslocação para os Alpes, lugar do exílio, onde termina este seu texto, Mercier irá acentuar a visão crítica que apresenta de Paris, na qual, porém, inscreve a sombra melancólica das suas recordações, impedindo de apagar a crença no futuro, subjacente à sua "ideologia reformista". A Revolução, que vive no regresso, ter-lhe-ia aberto a possibilidade de confirmá-la, se não fosse a violência do Terror que instaurou, fazendo novamente questionar os princípios das Luzes, a liberdade, a igualdade e a fraternidade, e desvanecer o colorido do *Nouveau Paris*, no texto que continua o *Tableau*.

> Je ne marche plus dans Paris que sur ce qui me rappelle ce qui n'est plus. Bien m'a pris de faire mon *Tableau* en douze volumes. Car s'il n'était pas fait, le modèle est tellement effacé qu'il ressemble au portrait décoloré d'un aïeul mort à l'hôpital et relégué dans un galetas. Personne ne s'était avisé avant moi de faire le tableau d'une cité immense, et de peindre ses mœurs et ses usages dans le plus petit détail, mais quel changement![30]

Quando, no entanto, como observa Reckert, o real da História parece recusar à razão qualquer possibilidade de se afirmar, abre-se livremente o campo à utopia, em termos de sonho, mais do que dogma.

"Rêve s'il en fût jamais", a utopia de Mercier vai impor-lhe uma nova viagem, agora imaginária, não através do espaço da evocação platónica, repercutida por Thomas More, mas através do tempo, segundo o processo da ucronia que renova o paradigma utópico, ao conduzir o viajante, como diria Louis Marin, a "um lugar outro, mas também (a)o outro do lugar"[31], na sua referência a Paris de *L'An 2440*: cidade ideal, na sua imagem do futuro, como (re)nascimento, opondo o velho ao novo, a Paris que a crença no devir deu à luz, como sugere a citação de Leibniz, no lugar da epígrafe: "Le présent est gros de l'avenir".

Sonho, evasão, errância de um autor solitário, herói já romântico, que no texto assume a voz do profeta, um texto, todavia anterior ao do *Tableau*, só permitindo opor à "doce ilusão (do sonho) o dia inoportuno da verdade"[32].

---

[30] Louis-Sébastien Mercier, *Nouveau Paris*, in *Paris le jour, Paris la nuit*, p. 382.

[31] Louis Marin, *Utopiques: jeux d'espaces* (Paris: Ed. de Minuit, 1973), p. 29.

[32] Louis-Sébastien Mercier, *L'An deux mille quatre cent quarante, rêve s'il en fut jamais*, édition, introduction et notes par Raymond Trousson (Bordeaux: Ed. Ducros, 1971), p. 81.

Corpo, sedução e desejo na poesia de João de Deus

María Isabel Morán Cabanas
Universidad de Santiago de Compostela

Adscrito ao mundo das formas, não só como estilista mas como poeta (isto é como criador de vida), João de Deus inventa um mundo essencialmente erótico sobre um tipo constante de ginomórficos valores. Para o nosso poeta, a vida é espectacular e feminina, para ser vista pelo desejo e gozada pelo desejo.[1]

A carreira literária de João de Deus decorre num período de transição entre o ultra-romantismo já esgotado e a revolução de que Teófilo Braga e Antero de Quental – os seus amigos e admiradores – foram importantes agentes. Embora aclamado e considerado desde cedo pelos membros da designada «Questão Coimbrã» como um dos seus, João de Deus permaneceu sempre bem fiel à tradição romântica. Quanto à temática e a certas atitudes de espírito, a Mulher e as vivências amorosas descobrem-se como presenças dominantes e mesmo

1 Vitorino Nemésio, "O erotismo em João de Deus", conferência realizada na Faculdade de Letras da Universidade de Lisboa no dia 8 de Março de 1930 e publicada na revista *O Instituto*. Série 4, vol. 79, nº 3 (1930), pp. 331-363. Posteriormente aparecerá também recolhida na edição das obras completas deste criador e crítico literário como *Sob os Signos de Agora*, donde tiramos as nossas citações (s.l.: Imprensa Nacional-Casa da Moeda), pp. 59-81.

obsessivas ao longo da sua obra lírica – aspecto esse que os Dissidentes e os seus continuadores, movidos por uma marcada ânsia de renovação, chegaram deliberadamente a secundarizar, interessados antes de mais em dar às letras uma função de análise crítica e uma substância filosófica. Longe de posições intelectuais, alheio a labores de espírito e indiferente às preocupações de actualização cultural, João de Deus enfileira no entanto com os seus coetâneos na crença – porventura mais emocional que reflectida – no progresso da Humanidade e nos benefícios da ilustração; partilha, mas de um modo particular e imbuído de caridade cristã, certas preocupações de justiça social, não deixando assim de fazer coro nas diatribes contra a rotina e o convencionalismo burguês[2].

Ora, fica sempre à superfície dos problemas culturais, conhece quase só de ouvido alguns mentores como Michelet, Proudhon, Renan, etc., e até se autoqualifica – não sem certa dose de atitude autocomplacente – como ignorante e espontâneo quando declara a sua preferência pelas folhas das árvores às dos livros. O poeta fará constantemente profissão de nudez cultural, quer denunciando o desconhecimento de fontes especulativas, quer preceituando e confessando a simplicidade dos seus versos. Manifestações como "ser simples, ser natural, foi a constante preocupação que me acompanhou nas minhas douradas distracções líricas"[3] ou "fizeram de mim um poeta, mas eu não passo de um bardo, se os bardos eram cantores populares"[4] constituem boas amostras de uma operação expurgatória em que se faz um apelo à experiência sentimental contra o artifício a partir do uso do material mais comum da língua. E até no molde de uma (auto-)poética rimada quer revelar o seu afastamento do livresco e informativo: "Desses livros, que em lugar/ De nos dar consolação,/ Nos fazem cair no chão/ Um pranto mal empregado,/ E inda mais amargurado/ Nos deixam o coração!" ("A donzela e o musgo", p. 235)[5].

Pela frescura e intimidade com que exprime sentimentos perpétuos e imutáveis, pelo abandono com que se entrega à efusão lírica sem se preocupar de chapas e receitas (nem para se adaptar convencional-

---

2 Esther Lemos, "Deus, João de", *in* José Augusto Cardoso Bernardes e outros (dir.), *Biblos. Enciclopédia Verbo das Literaturas de Língua Portuguesa* (Lisboa/São Paulo: Verbo, 1995), p. 72.

3 Vitorino Nemésio, *op. cit.*, p. 168.

4 *Ibidem*, p. 145.

5 Para a transcrição de todos os textos de *Campo de Flores* que se registam ao longo deste trabalho seguimos sempre a edição coordenada sob as vistas do autor por Teófio Braga (Lello & Irmão: Porto, 1981), indicando em cada caso o título da composição e a(s) página(s) correspondente(s).

mente a elas, nem para evitá-las), pelo fácil movimento *cantabile* dos versos que compôs (o hábito de improvisar à viola e à guitarra variantes do cancioneiro popular e estudantil e de trabalhar os seus textos de cor e auditivamente deve ter contribuído para uma maior expressividade rítmica e, de facto, muitos deles foram musicados)[6], pelo tom da sua melancolia que se afasta de uma funérea tristeza ou de qualquer *locus horrendus*, João de Deus ocupa um lugar à parte na poesia produzida dentro das coordenadas cronológicas e espaciais em que se inserem a sua vida e obra. Com efeito, nos estudiosos ou historiadores da literatura parece sentir-se de maneira sistemática a necessidade de justificar ou esclarecer certos aspectos em relação a inclusão do autor em foco debaixo de uma ou de outras rubricas, tal como fez José Régio quando em 1925 publicou pela primeira vez o livro hoje conhecido como *Pequena História da Moderna Poesia Portuguesa* – ainda naquela altura vindo a lume sob o título original de *As Correntes e Individualidades na Moderna Poesia Portuguesa* e assinado com o seu nome civil, José Maria dos Reis Pereira:

> Como já ficou dito, o lugar da poesia de João de Deus dentro da sua época é tão-só o duma poesia soberanamente indiferente a ela: o que não menos seria óptima lição, dada a admiração consciente que até hoje tem envolvido a sua obra a quem julgue indispensável a sujeição dum artista às correntes do tempo. Entre o erotismo postiço, convencional, lamuriento, pequeninamente cenográfico dos ultra-românticos e as tendências filosóficas, cientistas, moralistas, sociológicas, da poesia nova, João de Deus deixou ficar o que era: uma alma simples, ardente e elevada. Meras questões de cronologia e camaradagem poderão tê-lo incluído no grupo dos Dissidentes. Por mera conveniência de sistematização o incluiremos também nele. Mas os modelos e tendências dominantes do seu tempo mal roçaram, ou nem isso, este grande poeta imortal e só.[7]

O próprio autor confessa que tinha pelo amor uma inclinação quase doentia, que era para ele uma espécie de ideia fixa, não se revelando tal sentimento apenas como pura abstracção e inserindo-se num discurso caracterizado por um conjunto restrito mas universal de imagens

---

6 Com efeito, quanto a tal componente melódica escreve Viana da Mota numa carta em que agradece a recepção de *Campo de Flores*, em 1893: "Já marquei muitas poesias em que a música parece estar saltando dos versos. Espero em breve poder apresentar-lhe algumas no invólucro modesto da minha música e estou certo que V. Exa. me desculpará de eu não poder resistir à tentação que os seus versos sugerem", João de Deus, *Poesia*. Selecção e apresentação de Ana Maria Almeida Martins (Lisboa: Presença, 1998), p. 11.

7 (Porto: Brasília Editora, 1976), p. 26.

que percorre às vezes enumerativamente[8]. Em várias ocasiões insistiu na sua simpatia pelos versos ditados por uma musa com corpo e alma femininos, capaz de despertar as maiores emoções:

> Não desfaço na dos altos conceitos, na poesia philosofica, na poesia scientifica, política e até industrial, mas se ella não existisse, eu não a inventava. Ainda se me cantam o tremoço, como Virgílio, gosto e entendo; mas se me cantam o pantheismo como às vezes V. Hugo e Anthero, também gosto, mas não entendo bem, não gosto muito. Do que eu gosto deveras é de ver *cantar um homem a mulher que admira.* A este respeito sou um verdadeiro jarreta; e a minha ideia é velha, advertindo ainda que os antigos cantaram tudo, mas eu de tudo só escolho a mulher.[9]

Na verdade, quando Vitorino Nemésio atenta com especial pormenorização no erotismo que envolve os textos do *Campo de Flores*[10], parece sentir-se, antes de mais, na obrigação de esclarecer a definição do amor como *essência* que se regista de maneira explícita nalguns dos seus poemas pois várias e variadas acepções no uso de tal termo ficam descobertas já numa primeira leitura dos versos. Assim, no texto intitulado "Ela", em que faz a sua aparição uma espécie de halo celeste e até misterioso que desperta de forma simultânea admiração e adoração, traça-se um quadro eminentemente sensitivo, equiparando--se *essência* a um atributo, a uma emanação ou exalação: "Que vezes a não admiro / A exhalar-se da rosa, / Como de boca formosa / Se exala mudo suspiro! / Então a sua existência / Não passa de pura essência" (p. 59). Outras vezes a *essência* apresenta-se como princípio básico na conexão dos seres e das coisas. É mesmo intra-existencial, como se declara na composição "Pressentimento": "Não há existência alguma/ Que não tenha amor; nenhuma; / Porque o amor é, em suma, / Essência de todo o ser: / Há sempre quem nos atraia. / Mil vezes que a onda caia, / Há uma rocha, uma praia / Aonde a onda vai ter!" (p. 164).

E quanto à lei que segue estritamente o amor no regimento do mundo, que se projecta em todas as formas da vida e preside o fim

---

8 Tal como indica António José Saraiva, "de tão simples recursos, ou não se faz nada, ou faz-se uma poesia que resiste como a do património oral das nações. E é isto o que acontece com João de Deus: se o julgarmos pelos seus melhores poemas, nenhum dos poetas seus contemporâneos tem uma fala mais moderna que ele. A sua poesia repele qualquer declamação pretensiosa", *História da Literatura Portuguesa* (Porto: Porto Editora, 1989), p. 978, o que se pode verificar em *Beijo, Folha Caída, Sede de Amor, Adoração, Sol Íntimo*, etc., para além das fábulas e sátiras também compostas pelo poeta algarvio.

9 Vitorino Nemésio, *op. cit.*, p. 72.

10 *Ibidem*, p. 62.

último de qualquer dos nossos esforços na introspecção das coisas, João de Deus acredita num instinto predeterminado e completamente iniludível que põe em contacto seres sexuados : "Deus cria a alma aos pares / Cada um dos seus olhares / É um casal que voou: / Às vezes cruzam nos ares / Essas pombinhas o voo... / Mas Deus criou-as aos pares!" (p. 77), afirmação sobre a qual se insiste em "Alma Perdida". A escolha preside à nidificação natural dos seres, mas a razão não intervém neste facto de coesão ou intervém apenas como elemento que entorpece ou perturba. Os versos de "Encanto" constituem, entre outros, um ilustrativo exemplo de tal percepção da experiência passional:

E penso nisto, cismo...
Mas é tão natural
Cair-se no abismo
De uma beleza tal!
(...)
Uma atracção mais forte
Que toda a reflexão
(É fado, é sina, é sorte)
Me arrasta o coração!
(p. 60)

E com mais uma digressão meta-erótica deparamos em "Amo-te", apesar da consciência que João de Deus possui respeito ao carácter inefável dessa febre que inflama e desvaira o homem:

Deixá-lo. Amor acaso
É racional? Não é.
O fogo em que me abraso
É como a luz da fe;

Que além de cega, apaga
O facho da razão.
Ama-se e não se indaga
Se se é amado ou não.

Amo-te, e o mais ignoro;
Mas os meus ternos ais
E as lágrimas que choro
Podem dizer o mais.
(p. 119)

O amor apresenta-se sempre como uma força da natureza e fonte de vida renovada em que o poeta se engolfa e objectiva. Por citar as palavras de Vitorino Nemésio[11], constitui mais ainda do que uma religião, uma vez que o vocábulo *re(-)ligio* implica etimologicamente uma relação entre termos, e que João de Deus se sente completamente difundido nessa unidade afectuosa. Nasce então a alegria de estar no mundo, uma vibração solidária com a mulher e com todo o universo, em uníssono: "Tinha o céu da minha alma as sete cores, / Valia-me este mundo um paraíso, / Destilava-me a alma um doce riso, / Debaixo de meus pés nasciam flores!", exclama o autor em tom eufórico num canto fervoroso à plenitude da paixão, "A vida" (p. 173). Mulher, Deus e Natureza formam decerto um trinómio indissolúvel e tornam-se ponto fulcral de um lirismo expresso num vocabulário relativamente pobre e através de um registo metafórico monótono à força do repetido – o que singularmente contrasta com a extrema variedade métrica e a abundância de esquemas estróficos que pratica. O ser feminino converte-se de maneira sistemática em objecto de sublime adoração e amiúde é retratado a partir das suas excelências morais (graça aérea, pureza, ingenuidade, timidez, candura, quanto há de frágil e delicado) e sob a contemplação de uma beleza canónica, sem deixar de apresentar-se amiúde no poeta como estímulo para a atracção carnal.

A aproximação da mulher amada constitui então uma obra de aliciamento ou sedução com exemplos tirados de todo o cosmos, da flora e da fauna: "Amo-te como / A haste o gomo / O lábio o pomo, / E o olho a flor", "Casto lírio" (p. 10). Como justificação do desejo, mesmo perguntará a esta se não vê como se beijam as pombas, se casam as nuvens, as heras se entrelaçam e a onda abraça a rocha inanimada, formando no discurso poético uma série de elementos colocada num *crescendo* regular que tem os seus limites nas cenas da selva, onde a vontade de possessão se manifesta livremente, sem ciciar e sem temores: "Amam leões e tigres, não há nada, / Anjo! que a amor se esconda", "Deixa!" (p. 80). Ora, também por vezes se sente a necessidade de insistir na presença da *cordialidade* que alivia nele qualquer impulso ferino:

Uivaria de amor a fera bruta
Que pela grenha te sentisse a mão;
E eu não sou fera, pomba! espera, escuta;
Eu tenho coração!

Não é mais preto o ébano que as tranças
Que adornam o teu colo sedutor!
Ai não me fujas, pomba! que me cansas!
Não fujas, meu amor!

---

[11] *Op. cit.*, pp. 63-64.

A mim nasceu-me o Sol, rompeu-me o dia
Da noite escura de olhos tais, mulher!
Não me apagues a luz que me alumia,
Senão quando eu morrer!

Eu não te peço a ti que as mãos de neve,
Os dedos afusados dessas mãos,
Me toquem essas minhas nem de leve...
Seriam rogos vãos!

Não te peço que os lábios nacarados
Me deixem esses dentes alvejar,
Trocando, num sorriso, os meus cuidados
Em êxtase sem par!

Mas uivando de amor a bruta fera
Que pela grenha te sentisse a mão...
Eu não sou fera, pomba! escuta, espera!
Eu tenho coração!
("Espera", p. 97)

Como podemos observar no texto acima transcrito, a reacção de João de Deus não é a própria de um apaixonado de mola volitiva, a de um amante que facilmente satisfaz anseios reprimidos. Esta energia gasta-se apenas na apologética de amor, que é o lirismo, tentando projectar no discurso rimado uma tensão que jamais se esgote e que mesmo incapacita o poeta para os actos franca e naturalmente possessivos: "Tenho, mulher, um único desejo / Que não faz mal dizer; quando te vejo / Dá-me vontade logo de agarrar-te / E ir depois esconder-te numa parte / (Na terra não, nos céus!) /Que ninguém mais soubesse senão Deus", "Olhar" (p. 135). Assim sendo, o desejo que se mostra ao longo dos poemas tão denso e poderoso enquanto pura representação ou encenação, dissolve simplesmente em cansaço, relaxe de forças ou arrependimento quando seria de esperar um arranque decisivo e acto consumado: "João de Deus morre do excesso de unguentos e de aromas que a sua musa fabrica. O seu acto de amor sofre de um excesso de representação e, como tudo se passa festivamente no imaginado, a realidade amorosa empobrece a ponto de reduzir às vezes os seus versos a um papel de excitantes sem vitalidade natural"[12]. A sensualidade e a veneração mística chegam a fundir-se num só estado, aparecem equiparados a beatitude e o transe dos corpos unidos e

[12] Vitorino Nemésio, *op. cit.*, p. 67.

até a imortalidade se torna semelhante a um colapso que vem surpreender o mundo quando os amantes se encontram no leito nupcial:

Oh que ditoso, alegre e satisfeito
Não viverá o homem que algum dia
Sentir pular-te o coração no peito,

E que em deliciosíssima agonia,
Vendo-te já os lhos desmaiando
Como desmaia o céu à luz do dia,

Nas asas da ventura atravessando
Os espaços de um extase inefável
Abraçado contigo for voando

Lá para onde tudo é belo e estável.
("Carta", p. 220)

Parece estar aqui o cerne da erótica em que se mergulha o poeta do *Campo de Flores* e o passo mais ilustrativo da sua verdadeira atitude perante o desiderável. Ao mesmo tempo que são vividas a alegria e a satisfação sexuais (essa *deliciosíssima agonia*) sente-se com extraordinária força a dita que emana da estabilidade universal. A luxúria perante um modelo único e perfeito de mulher que João de Deus multiplica até à saciedade e a espiritualidade do amor que se espelha bem nos vocábulos registados como denominador comum em muitos dos seus poemas (*céu, estrela, nuvem, sol, lua, aragem, ave, asa, pomba, pérola, flor, lírio, rosa, bonina, pétala...*) deixam de ser assim dois pólos opostos e mesmo se apresentam ligadas por um nexo de causalidade: a volúpia eleva-se, magnetizada pelo sentido da altitude. Ao prazer dos sentidos associa a alma os seus êxtases e, assim, do brasido estremecedor dos corpos, ergue-se a chama espiritualizadora que magnifica toda a vida interior – e isto repetido como um *leit-motiv* obsidiante, como uma verdade mais viva e mais importante que todas as outras.

Na assunção do princípio filosófico formulado por Leão Hebreu segundo o qual o amor supõe a conversão no amado, com a vontade de que este em nós também se converta, o autor algarvio silenciou a distinção entre a união carnal e a espiritual ou absoluta. Enquanto o primeiro explica o seu pensamento nos seguintes termos: "mas porque os corpos são diversos e cada um deles exige o seu lugar próprio e circunscrito, contra a conveniência que se deseja nesta união e penetração, após a cópula deles permanece o ardente desejo da completa união que não se pode completamente obter: e assim, perseguindo sempre o Espírito a inteira conversão na pessoa amada, deixa a sua própria pessoa, ficando sempre com maior afecto e pena, pela falta da união", o segundo acredita na suficiência daquele conjúgio sideral em que os olhos femininos desmaiam[13]. As veementes aspirações de uma ligação íntima e indissolúvel efectivamente se cumprem e os corpos não voltam já à duplicidade, o que nos traz à memória os versos em que José Anastácio da Cunha cantou também com particular vibração essa exaltação que santifica o amor e até o dispensa de obediência a liturgias porque na sua virtude se encontra, não apenas a fonte da felicidade, mas o poderoso estímulo da perfeição:

Não vês, inda de gôsto sufocados,
Um no outro nossos peitos esculpidos?
Não sentes nossos rostos tão chegados
E ainda mais os corações unidos!

Oh! Mais, mais do que unidos! Tu fizeste,
Doce encanto, que eu fôsse mais que teu,
Lembra, lembra-te quando me disseste:
Meu bem, eu não sou tu?... Tu não és eu?

Faz de duas vizinhas gotas de água
Uma só a invencível atracção:
Forma amor em celeste, ardente frágua
De nossos corações em coração.

Mesma vontade, mesmo pensamento,
Mesmos desejos, mesmo terno ardor.
Somos, enfim – Que glória! Que portento! –
Não dois amantes – mas um mesmo amor.[14]

---

13 Precisamente toda esta conceituação do amor e do desejo não pode deixar de remeter-nos para a obra de Luís de Camões, figura que tanto culto e admiração despertou em João de Deus e a quem, segundo as suas próprias confissões, gostaria de imitar: "qualquer deixava vasar un olho só pela glória de se parecer com ele", diz em tom humorístico. Quanto às fontes teóricas presentes na lírica do autor quinhentista – e de modo particular no famoso e polémico soneto "Transforma-se o amador na coisa amada" –, a partir de uma metodologia baseada no cotejo crítico dos textos, veja-se, entre outros, o trabalho de Maria Helena Ribeiro da Cunha, *A Dialéctica do Desejo em Camões* (Imprensa Nacional-Casa da Moeda: Lisboa, 1989).

14 Hernâni Cidade, *A Obra poética do Dr. José Anastásio da Cunha. Estudo sobre o Anglo-Germanismo nos Proto-Românticos Portugueses* (Coimbra: Imprensa da Universidade, 1930, p. 131). Para este tema veja-se também muito especialmente o trabalho de Jacinto do Prado Coelho, "O Amor em José Anastácio da Cunha: a volúpia inocente", *Problemática da História Literária* (Lisboa: Ática, 1969), pp. 127-131.

Na verdade, João de Deus desenha um mundo erótico PANFEMININO ou caracterizado por GINOMÓRFICOS valores, reincidindo sempre sobre uma imagem da mulher que mantém intacta na sua qualidade de *lírio* e *anjo* (ou inclusive de *anjo tutelar* ou *meigo arcanjo do Senhor*) e ao mesmo tempo se sente sensualmente apetecida: "Dir-se-ia uma vestal com o encargo do fogo sagrado, incapaz de quebrar o mandamento, mas comprazendo-se em engrossar o mundo dos apetites"[15]. Descobre-se portanto uma espécie de valorização do pudor através das múltiplas tentativas vividas contra ele, atrevendo-se iniciar o diálogo da composição "Pomba" com certas alusões à castidade e à candura que são seguidas de interrogações relativas às palpitações femininas sofridas em segredo:

– Casto lírio, branca pomba,
És tão linda em teu alvor!
Não há estrela mais bela
De tão mágico fulgor.
Cândida pomba, alvo lírio,
És tão linda, meu amor!

Dize, donzela, já sentes
Palpitar-te o coração?
Já os teus sonhos, donzela,
Tão sossegados não são?
Sabes já, pobre inocente,
Quanto custa uma paixão?
(p. 168)

A perpétua donzelia aparece como demasiada isenção, não podendo dispensar-se o conhecimento do amor pela Mulher, embora experimentado este apenas através de palavras, pensamentos ou sonhos. Toda a Natureza convida ao erotismo adquirindo com notável frequência formas femininas, pois o mundo externo tem apenas a realidade que nele projectar a imaginação da pessoa que o examina e o vê, espelhando-se com especial clareza na efemeridade das pétalas da rosa o dever ou conveniência de viver com intensidade os dias da paixão, tópico literário do *carpe diem* a que João de Deus recorre amiúde, mesmo admitindo a nódoa que a força instintiva pode causar: "Assim, pois, quando em meus sonhos / Mais risonhos / Sinto às vezes gozos mil, / Não me importa da verdade, / Que a fealdade / Rasgue o quadro meu gentil", "Amélia" (p. 166). Toda a beleza que se condensa na fisionomia da mulher não é um atributo oferecido pelo Criador e vindo do próprio Céu para permanecer oculto no mundo, mas para iluminá-

[15] Vitorino Nemésio, *op. cit.*, p. 69.

-lo e agradar os olhos que a vêem e ainda para se reflectir também nos outros sentidos, principalmente no olfactivo: no *Campo de Flores* a amada descobre-se com frequência como o cheiro de uma flor; os símiles aromáticos se repartem entre algumas partes do seu corpo (cabelo, boca, mãos...); e até o hálito dela perfuma para sempre o coração do poeta ou apresenta-se, junto com o próprio Deus, como bálsamo lenitivo.

Aliás, nessa amálgama de Deus, Natureza e Mulher, o primeiro revela-se não só através da figura feminina: "É na face das belas mulheres / que eu só vejo o bom Deus retratado", "No álbum de Nogueira Lima" (p. 131), mas quase recoberto com as suas formas e qualidades, situando-se num espaço em que domina a isotopia da ascensão e da luz e em que todos os seres evocados e invocados surgem associadas a uma representação em majestade[16]. As alusões ao Sol, à Lua e ao Céu – ou mais concretamente à *abóbada celeste* – registam-se a cada passo na colectânea, marcando a purificação do espírito do eu que canta e da mulher cantada, cujo nome se pronuncia "com toda a fé de um mártir em Jesus", "Sol do meu dia" (p. 116).

---

[16] Para a frequentação dos lugares altos ou celestes e o processo de divinização que toda altitude e toda ascensão inspiram, lembre-se especialmente o trabalho de Gilbert Durand, *As Estruturas antropológicas do imaginário* (Lisboa: Presença, 1989).

O Esplendor da cabeleira –
Baudelaire, Cesário Verde, Gomes Leal

Paula Morão
Universidade de Lisboa

1. Em alguma da melhor poesia do século XIX português, a tematização do corpo feminino passa pela leitura de Baudelaire, não apenas o de *Les Fleurs du Mal* mas também o dos poemas em prosa de *Le Spleen de Paris*. Juntamente com outras fontes, que não nos interessam nesta ocasião, em Baudelaire radicam o tédio, o dandismo e uma concepção do amor que representa as figuras femininas como objecto distante, se não mesmo separado, do amante masculino, mesmo quando a proximidade do corpo a corpo é evidente (como adiante teremos oportunidade de ver): o sujeito lírico entrega-se a elucubrações sobre o desejo e o corpo, mas aquela que lhe serve de motivo não fala, não é sujeito de discurso, ou então situa-se num mundo de referências alheio ao que importa ao poeta.

A mulher situa-se numa de duas polaridades: de acordo ainda com a imagem da mulher-anjo romântica, as figuras femininas representam a inocência e a pureza, ligadas no plano social e das mentalidades aos valores da família e da manutenção da ordem; noutro pólo perfila-se a senhora distante, inacessível e hierática, forjada à imagem das belezas frígidas do Norte da Europa, e largamente glosada pelo satanismo baudelairiano, por obras como *Les Diaboliques* de Barbey d'Aurevilly (1874) ou por artistas como Félicien Rops. Tanto no plano social como no delinear dos arquétipos em causa, entre esses dois pólos encontram-se personagens intermédias, que de certo modo participam de características dos dois grupos referidos – são as actrizes, as cantoras e as coristas, a caminho da sordidez dos teatros e dos lupanares. Entre a *femme fragile* e a *femme fatale*, estes arquétipos do feminino espelham o fosso cavado entre homens e mulheres pela educação e os valores de uma sociedade puritana, *doublée*, pelo menos para os homens da burguesia e da aristocracia, de uma existência nocturna, ligada a prazeres banidos da vida doméstica com as "castíssimas esposas que aninhem em mansões de vidro transparente" de que fala Cesário Verde[1].

Nestas breves notas, gostaria ainda de trazer à lembrança que a comcepção de beleza feminina na literatura e nas artes da segunda metade de oitocentos deve muito, por paradoxal que isso possa parecer à primeira vista, a figuras vindas da mitologia clássica, notáveis pelo exercício do poder (simbólico ou mesmo real) centrado no corpo como objecto de desejo e de perdição para os homens, como é o caso de Afrodite, ou o de outras figuras que a isso juntam a feitiçaria, como é o caso de Circe e de Medeia, a que podemos acrescentar ainda a Górgona Medusa, entre outras. Vale a pena ainda lembrar fontes bíblicas, como o episódio de Sansão e Dalila[2]: esta anula a força do inimigo do seu povo cortando-lhe de noite a cabeleira, símbolo de um vigor de origem sobrenatural; o fantasma da castração está também presente na degolação de João Baptista, depois da dança de Salomé a mando de Herodiades[3]. Anotarei ainda, de passagem, que a abundante iconografia em relação às personagens femininas mencionadas se centra na erotização do corpo, nomeadamente pelas variações em torno da cabeça e da cabeleira: os longos cabelos soltos representam a sensualidade, opondo-se aos penteados que dominam e prendem esse atributo feminino claramente associado ao desejo – que a *bienséance* não permite nem sugerir, quanto mais exibir.

2. A cabeleira tem um papel importante em dois poemas de Baudelaire: o texto primeiro publicado em 1857 com o título "La Chevelure" torna-se, em 1862, ao ser incluído no volume *Le Spleen de Paris*, "Un Hémisphère dans une Chevelure", sendo o primeiro título reservado ao poema de 1859 incluído em *Les Fleurs du Mal*. Consideremos os dois textos, ordenados pela sequência cronológica da sua primeira publicação[4].

---

1 Cito um verso de "O Sentimento dum Ocidental" (IV, estrofe 36). Uso a seguinte edição: *Obra completa de Cesário Verde*, estudo e organização de Joel Serrão, 6ª edição (Lisboa: Livros Horizonte, 1992). Todos os versos de Cesário citados neste texto se reportam a essa edição.

2 *Juízes*, 13 e 16. Uso a *Nova Bíblia dos Capuchinhos* (Lisboa/Fátima: Difusora Bíblica, 1998).

3 *Mateus*, 14, 1-12.

4 Cito os textos de Baudelaire pelas seguintes edições: *Le Spleen de Paris (Petits Poèmes en Prose)*, introduction, notes, bibliographie et chronologie par David Scott et Barbara Wright (Paris: Garnier-Flammarion, 1987); *Les Fleurs du Mal – Édition de 1861*, texte présenté, établi et annoté par Claude Pichois, Paris, Gallimard, 1996.

Na verdade, interessa-nos considerar o que Baudelaire acrescenta ao título "La Chevelure", inicialmente forjado em 1857: "Un Hémisphère dans une Chevelure" introduz a dimensão espacial, transfigurando a cabeça no globo terrestre, de que a cabeleira é a metade vista, sentida, cheirada, desvendada pelo sujeito que nela mergulha:

> Laisse-moi respirer longtemps, longtemps, l'odeur de tes cheveux, y plonger tout mon visage, comme un homme altéré dans l'eau d'une source, et les agiter avec ma main comme un mouchoir odorant, pour secouer des souvenirs dans l'air. (L. 1-3)

Repare-se na embriaguez produzida pelo olfacto e no abrandamento do tempo ("longtemps, longtemps"), próprio do onirismo; a partir dos efeitos sobre o corpo, instala-se um estado de falta expresso pela sede que a cabeleira, transformada em fonte, vai saciar, atraindo por sua vez a amplificação espacial: de fonte refrescante em que mergulha a face, a cabeleira passa a oceano (l.10) em que vogam os "souvenirs", sob o efeito sinestésico da visão, do "parfum" e da "musique"; o sujeito passa da materialidade do corpo para a evanescência aérea de "mon âme", propiciando a "invitation au voyage" entre a lembrança e o sonho (l.1-7). A paisagem onírica edificada a partir das sensações inscreve-se no exotismo orientalista, em voga na época: "Tes cheveux" configuram o paraíso como um continente distante, terra de "charmants climats", abundante em formas que suscitam a reacção sensorial – "fruits", "feuilles" e "peau humaine" (l. 9-10) sugerem a sensualidade dos corpos nus, cujo encontro é propiciado pelo "ciel immense où se prélasse l'éternelle chaleur". O alongar da temporalidade onírica é ainda sublinhado por outros elementos do texto (as "longues heures passées sur un divan" – l. 15-16), e propiciado pela insistência nas sensações visuais e olfactivas que se sobrepõem.:

> Dans l'ardent foyer de ta chevelure, je respire l'odeur du tabac mêlé à l'opium et au sucre; dans la nuit de ta chevelure, je vois resplendir l'infini de l'azur tropical; sur les rivages duvetés de ta chevelure je m'enivre des odeurs combinées du goudron, du musc et de l'huile de coco. (l. 20-23)

O fecho do poema faz-se sobre um elemento importante pelas suas consequências no plano imagético, embora tenha servido de motivo de troça a alguns comentadores que não entenderam esses "mangeurs de souvenirs"[5]. Com efeito, os dois períodos finais ("Laisse-moi mordre

---

[5] Escrevem David Scott e Barbara Wright, comentando o fecho do poema, que se trata de uma "traduction littérale d'une image poétique en prose très discutée par les commentateurs – soit à l'époque de Baudelaire (tel que Pierre Véron qui, dans *Le Journal Amusant* du 11 octobre 1862, se moque des 'mangeurs de souvenirs'),

longtemps tes tresses lourdes et noires. Quand je mordille tes cheveux élastiques et rebelles, il me semble que je mange des souvenirs.", l.24--25) representam uma claríssima intensificação do aproximar dos corpos: no início do poema, o pedido era tão-só "Laisse-moi respirer (...) l'odeur de tes cheveux", enquanto agora temos a muito concreta pulsão devoradora ("Laisse-moi mordre longtemps tes tresses lourdes et noires"); os cabelos "élastiques et rebelles" são dominados pela pressão distraída do "mordiller" – comendo, não o corpo, mas o que nele se inscreve de onírico. Tudo reverte, afinal, sobre o eu debruçado, em espelho, sobre o seu mundo interior: "Quand je mordille tes cheveux élastiques et rebelles, il me semble que je mange des souvenirs."

Mas, como se disse, Baudelaire retoma estes motivos num dos poemas de *Les Fleurs du Mal* – "La Chevelure"[6]. Desde logo podemos notar que a segunda pessoa a quem se dirige o poema em prosa (a interlocutora presente nas formas verbais e nos pronomes invectivando um tu) desaparece: não se refere já a cabeça de uma mulher – o interlocutor é agora directamente "cette chevelure" (v.4), objecto autónomo de desejo e operador do imaginário fantasmático em que o sujeito especularmente se projecta, mergulhando no abismo do prazer. Repare-se como na primeira quintilha se introduz de imediato a cabeleira, como que separada da cabeça daquela a que pertence, numa espécie de degolação simbólica que apagasse o rosto da personagem feminina:

O toison, moutonnant jusque sur l'encolure!
O boucles! O parfum chargé de nonchaloir!
Extase! Pour peupler ce soir l'alcôve obscure
Des souvenirs dormant dans cette chevelure,
Je la veux agiter dans l'air comme un mouchoir!

Assim, o poema começa imediatamente centrado sobre o eu, com os sentidos sob o efeito inebriante da "chevelulure" e a mente instalada no sonho e na rememoração, povoando o reino mágico "des souvenirs dormant sur cette chevelure" como um deus que cria o mundo. O paraíso começa a desenhar-se na amplidão dos continentes, não por acaso personificados em corpos femininos e sensuais ("la langoureuse Asie et la brûlante Afrique", v. 6), criando o universo exótico e selvagem de uma primeva "forêt aromatique" (v. 8).

Retomemos, nesta figuração do paraíso, as imagens iniciais – "O toison, moutonnant jusque sur l'encolure!/ O boucles" (vv. 1-2), para

soit de nos jours (voir S. Bernard (..) et B. Jonhson (...)" (*Le Spleen de Paris*, ed. ut., nota 28, p. 203).

[6] Primeira publicação: *La Revue Française*, 20 mai 1859.

sublinhar a presença da mitologia: como Jasão, perseguindo o velo de ouro numa prova necessária ao seu percurso de herói, o sujeito poético mergulha no universo subliminarmente perigoso da lenda que lhe prescreve uma viagem cheia de escolhos; seguindo também o mito de Jasão, a viagem empreendida decalca-se sobre o modelo da jornada dos Argonautas: o "éblouissant rêve/ De voiles, de rameurs, de flammes et de mâts" (vv. 14-15) conduz o sujeito-herói a um porto onde o esperam novas aventuras; na sequência de elementos vindos do poema em prosa, o eu empreende uma viagem para longes terras, levado pela "mer d'ébène" das "fortes tresses" (vv. 13-14). O elemento líquido espacializa a cabeleira, transfigurada em mar cheio de escolhos, tão embalador quanto perigoso para quem entrega "ma tête" e "mon esprit" (vv. 21 e 23) à busca dos "Infinis bercements du loisir embaumé" (v. 25) em que se confundem as sensações. Saliente-se que a materialidade da cabeleira é sugerida por dois processos complementares: as metáforas espaciais ("forêt aromatique" - v. 8, "mer" - v. 14, "ciel immense et rond" - v. 27) combinam-se com as sensações, progressivamente mais próximas do corpo do outro: ao ouvido, ao olfacto e à visão ("musique" e "parfum", "son" e "couleur"; vv. 9, 10, 17) vêm juntar-se o tacto (já sugerido na espessura opaca dos reflexos "moire" da "mer d'ébène"; vv. 14 e 18) e o gosto do "vin du souvenir" (v. final), literalmente bebendo o corpo do outro no paradisíaco cenário desse "oasis où je rêve" (vv. 34-35), a sós com o corpo desejado. E se a cabeleira ganha cor mais densa, passando do "ébène" (v. 14) às "ténèbres" que se mesclam com os "Cheveux bleus" (v. 26) assinalando a imensidão do "azur", é para expressar a diluição do eu, perdido na intensidade dos sentidos, do sonho e do infindável "souvenir".

A cabeleira aproxima-se cada vez mais da simbologia letal de um abismo em que o eu mergulha de livre vontade, mas por efeito das sensações exacerbadas. Mais do que na versão em prosa, no poema de *Les Fleurs du Mal* lê-se a dissolução do eu nesta confluência entre os sentidos e o reino mágico do "souvenir"; trata-se, como em muitos outros textos de Baudelaire, de pôr em cena um sujeito visionário, que se alimenta do onírico e se afasta de um qualquer objecto material do desejo. Mas devemos estar atentos à arquitectura do poema, mostrando bem que o delírio visionário na tematização do desejo não se compadece com qualquer deslize técnico do *artiste*: "La Chevelure" é um rigoroso tecido de quintilhas em verso alexandrino, com rima perfeita e acentuação canónica; a poética produz um *efeito* de simplicidade na construção de um discurso ordenado por associação – mas a impecável perfeição dos versos sustenta a arquitectura do dizer.

3. Diversos ensaístas têm apontado a fértil leitura de *Les Fleurs du Mal* pelos poetas portugueses de oitocentos[7], trazendo ao nosso século dezanove uma série de características do maior relevo: por um lado, trata-se do rigoroso exercício das técnicas de versificação e métrica, em especial com o uso do verso alexandrino; por outro lado, radica em poetas franceses, entre os quais Baudelaire, a voga de motivos como o tédio, o dandismo, a atracção pelo exotismo e o Oriente, o tratamento sinestésico das sensações agudizadas pelo uso das opiácias, do álcool e do tabaco, e – *last but not least* – a representação tipificada das figuras femininas.

A isto não escapou Cesário Verde, em especial nos textos datáveis dos anos setenta de oitocentos, quando está ainda à procura de uma voz própria. É o caso do poema que agora nos interessa: primeiro publicado em 1874 com o título "Flores Venenosas – I – Cabelos", aparece na edição Silva Pinto (1887) intitulado "Meridional – Cabelos"; Joel Serrão[8] respeita o título como saiu n'*A Tribuna*, por uma questão de rigor metodológico que, no caso vertente, tem a vantagem de mostrar desde o enunciado titular "Flores Venenosas" uma evidente relação com o livro de Baudelaire, provavelmente mediada pelas *Primaveras Românticas* de Antero de Quental[9].

---

[7] Cf. nomeadamente: Jacinto do Prado Coelho, "Cesário e Baudelaire", in *Problemática da História Literária* (Lisboa: Ática, 1961), pp. 187-192; David Mourão-Ferreira, "Cesário e a tradição poética", in *Hospital das Letras – Ensaios*, 2ª edição (Lisboa: Imprensa Nacional/Casa da Moeda, s/d), pp. 67-68; Álvaro Manuel Machado, *Les Romantismes au Portugal – Modèles Étrangers et Orientations Nationales* (Paris: Fondation Calouste Gulbenkian – Centre Culturel Portugais, 1986); José Carlos Seabra Pereira, "Cesário Verde", *História Crítica da Literatura Portuguesa – vol. VII – Do Fim-de-Século ao Modernismo* (Lisboa/São Paulo: Editorial Verbo, 1995), pp. 79-89.

[8] Utilizo a edição referenciada na nota 1.

[9] Aproveitemos para observar que Jacinto do Prado Coelho deixou já escritas algumas páginas essenciais para se entender a história da leitura de Baudelaire pelos autores portugueses de oitocentos: veja-se "Cesário e Baudelaire" (cf. referência completa na nota 7). O crítico salienta, nomeadamente, o relevante papel das *Prosas Bárbaras* de Eça de Queiroz e das *Primaveras Românticas* de Antero na leitura de *Les Fleurs du Mal* pelos poetas dos anos setenta de oitocentos. No livro do jovem Antero, releiam-se poemas como "A Carlos Baudelaire (autor das *Flores do Mal*)" ou "Versos escritos num exemplar das *Flores do Mal*", ambos datados de "186..." (cf. *Primaveras Românticas – Versos dos Vinte Anos (1861-1864)*, prefácio de Nuno Júdice [Lisboa: Ulmeiro, 1983]). O primeiro destes poemas, como Prado Coelho sugere, é um pequeno catálogo de motivos baudelairianos; o último verso da quadra de fecho ("Somos todos assim – um triste olhar que chora,/ (...)/ Um esqueleto frio e horrível – mas por fora/ *Irréprochablement* vestido à Benoiton") é fonte directa do dandismo e da *coquetterie* do verso 16 das "Flores Venenosas – I – Cabelos" de Cesário na versão publicada n'*A Tribuna*: "Ou como um

O poema do jovem Cesário está muito próximo do modelo baudelairiano, quer no uso do verso alexandrino e na cadência rítmica, quer no modo como é glosado o motivo da cabeleira, recorrendo às imagens dos campos semânticos que já detectámos em "La Chevelure". Temos, por exemplo, a água revolta ou parada ("Ó vagas de cabelo esparsas longamente,/ Que sois o vasto espelho onde eu me vou mirar,/ E tendes o cristal dum lago refulgente/ E a rude escuridão dum largo e negro mar", vv. 1-4), as sinestesias ("Mas ouço ao ver-te andar melódicos harpejos", v. 27), a sugestão de paisagens exóticas (vv. 29-32), a imagem da mulher branca, impassível e frígida ("Eu sei que não possuis balsâmicos desejos,/ Que és fria e não trilhaste a senda do prazer", vv. 25-26), a amplificação do corpo volvendo-se espaço de um oceano navegável (vv. 1, 9-10 e *passim)*, o alongamento e o abrandamento temporal próprios do onirismo visionário. Cesário desenvolve ainda o tópico do prazer febril, conducente a uma morte consentida: não só voluntariamente o eu se apresta a "mergulhar as mãos e os braços nus/ No báratro febril da vossa grande treva" (vv. 6-7), como insiste em "navegar" nesse oceano em busca de "harmonia" (v. 12), e se prepara para "naufragar no dorso dos cachopos/ Ocultos nesse abismo escuro, etéreo e bom" (vv. 13-14); o poema fecha precisamente sobre esta pulsão do sujeito para o abismo do prazer (estrofes 9 e 10, vv. 33 ss.), anulando a consciência e declarando-se vencido pela pulsão carnal:

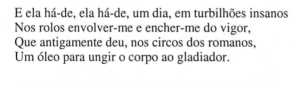

E ela há-de, ela há-de, um dia, em turbilhões insanos
Nos rolos envolver-me e encher-me do vigor,
Que antigamente deu, nos circos dos romanos,
Um óleo para ungir o corpo ao gladiador.

....
....

Ó mantos de veludo esplêndido e sombrio,
Na vossa vastidão eu vou talvez morrer!
Mas vinde-me aquecer que eu tenho muito frio,
E quero asfixiar-me em ondas de prazer.

Anotem-se ainda os mitos que configuram quer o sujeito quer aquela "Que [tem] o imenso dom de ter cabelos tais" (v.18). A abrir temos o mito de Narciso: as "vagas de cabelo esparsas longamente" são "o vasto espelho em que me vou mirar" (vv. 1-2). O carácter abissal desta superfície reflectora acaba por sofrer a interferência de uma

pé subtil calçado à Benoiton"; recorde-se que na edição Silva Pinto a lição deste verso era "Abismo que se espraia em rendas de Alençon".

outra figura mítica: como sabemos, Narciso está enamorado da sua própria imagem, não reconhecendo o outro, o fora de si. Ora no poema de Cesário cedo começamos a encontrar o desejo de fusão, expresso nas acções que implicam um *nós* (aliás em contradição com a imagem distante e fria que certos versos tentam inculcar à figura feminina): "ao plácido luar, ó vagas, marulhemos/ E enchamos de harmonia as amplas solidões" (vv. 11-12); a "harmonia", adiante retomada nos "melódicos harpejos,/ Que fazem mansamente amar e elanguescer"(vv. 26-27), insinua por momentos o vulto de Orfeu. Mas é o consentimento na morte pelas "ondas de prazer" (último verso) que nos reconduz ao poder hipnótico dessa figura situada entre Afrodite e Medusa, pelo efeito siderante da sua cabeça, imperando "altiva, imperturbável" e "fria" (vv. 19 e 26), sobre o exaltado desejo do eu.

4. O eco de "La Chevelure" de Baudelaire é evidente também no poema de Gomes Leal "Nevrose Nocturna", publicado na 2ª edição das *Claridades do Sul*[10], de 1901. Como no caso de Cesário, também aqui temos quadras em versos alexandrinos, estruturadas por rima cruzada e por um ritmo cadenciado pela anáfora: "Bela!" repete-se obsessivamente a abrir dois, três ou mesmo os quatro versos de cada quadra entre a primeira e a décima terceira, em que a anáfora se suspende, para ser retomada na quadra 17; esta termina com uma maiusculada "Dor" que suscita nova anáfora na quadra 18 e primeiro verso da 19, vindo o poema a desenvolver outra repetição ainda até ao final – desta vez trata-se do volitivo "Quero" (ou "Quero ver"). É relevante assinalar esta estrutura, não só porque ela modula o ritmo do poema, mas também porque nela se exprime um motivo de raiz baudelairiana: a *rêverie* do sujeito visionário que amplifica o epíteto "Bela!" por um princípio analógico de correspondências, combinando "a Forma, o Som, e a Cor"(v. 10) com os motivos da viagem marítima (vv. 1-2: "Bela! dizia eu, como um navio à vela,/ para um país polar,").

Há ainda no poema de Gomes Leal outros ecos da nevrose baudelairiana, como seja a frigidez estática e mortífera da figura feminina nos versos "Bela! dizia eu, como uma estátua e gélida como ela./ Bela!, dizia eu, como um sepulcro antigo." (vv. 3-4) ou "Bela! Como o silêncio algente e tumular" (v. 47; cf. vv. 13-14, 17 e 28). Repare-se também no motivo da *flor do mal*, associada ao vermelho do sangue, à

---

[10] Gomes Leal, *Claridades do Sul*, edição de José Carlos Seabra Pereira (Lisboa: Assírio & Alvim, 1998); "Nevrose Nocturna" é o último poema da "Terceira Parte – A Carteira dum Fantasista" (pp. 201-204). O editor avisa em nota que o poema "não figurava na 1ª edição", de 1875 (nota 46, p. 338), sendo portanto posterior a essa data.

sugestão do crime, ao exotismo das pedras preciosas e ao frio polar, numa série de motivos em que a leitura de Baudelaire se cruza com a lição de Théophile Gautier ou de Barbey d'Aurevilly:

Bela! como o sorrir vermelho dum rainúnculo.
Bela! como uma flor aquática do Mar.
Bela! como na treva o brilho dum carbúnculo,
Bela! dizia eu, como um azul polar. (Estrofe 9, vv. 33-36)

A figura feminina desenha-se, portanto, num quadro mitológico de matrizes cruzadas. Se nos detivermos agora na sensualidade animal que lhe dá corpo, encontraremos uma progressão de elementos conotando uma atmosfera negativa. Assim, do "jaguar"(v. 5), felino "ágil" e agressivo, passamos para a frieza lunar do "dorso luzente e excepcional dum peixe"(v. 8), sugerindo a atracção pelo abismo ligada às Nereides ou às Sereias, e depois para a traiçoeira e insinuante "serpente"(v. 32), próxima de Eva. A pulsão abissal é retomada pela voragem perversamente narcísica desse corpo nu que atrai "como um espelho esférico, polido" (v. 29), adiante confirmado pela evocação de Circe, a "Feiticeira/ da Tessália, evocando a ensanguentada lua" (vv. 41-42).

O cismar visionário vê-se interrompido nas estrofes 13 e 14, que têm uma função de recentrar o sujeito, deitado na penumbra da noite ao lado da "invencível mulher que me inflamava o peito" (v. 51) – e mesmo aqui o objecto da deriva é caracterizado como figura híbrida, mulher guerreira como as Amazonas ou como Vénus, deusa fatal indutora de um desejo sem fim e sem remédio, porque emana de "todas as potências/ celestes, infernais, terrestres e de horror!" (vv. 65-66). A pluralidade cumulativamente produzida pelas anáforas dá agora lugar a uma obsidiante arena interior (estrofes 15-16, vv. 57-64):

E, então, minha nevrose armou um largo cinto
de monstros colossais, fatídicos de ver!
(...)

Desfilava-me em torno um batalhão medonho
de monstros anormais, d'escamas reluzentes.
Tomavam Som e Cor as proporções do Sonho
– Olhavam-me animais d'olhos surpreendentes.

Repare-se no efeito siderante destes "monstros", "animais d'olhos surpreendentes" como a cabeleira de Medusa, que vem juntar-se às anteriores imagens mítico-simbólicas do feminino agressivo, capaz de paralisar e aniquilar o sonhador. Desperto, este vai edificar um sistema de defesa, alicerçado na racionalidade que o discurso constrói: a deriva das primeiras quatro estrofes era já de teor discursivo, insistindo no "dizia eu" que coloca o sujeito na posição daquele que cria. Agora, no entanto, esse domínio sobre o que é dito acentua-se pelo reiterado uso das conjunções: no verso 49, a adversativa serviu para introduzir a suspensão do delírio ("Mas, nisto, sobre o leito,"); no verso 68, "Mas" vai introduzir o domínio racional do eu sobre o prazer imaginado, sendo capaz de contrariar a imagem perfeita que se vinha edificando: falta-lhe, afinal, "um grande *quid*... a crispação da Dor!"(v. 68). Esta já lá estava, desde o verso 12, mas aí parecia ser apenas o contraponto do prazer de polaridade dupla (negativa e positiva) que vinha retratando a figura feminina; agora, porém, a "Dor" é essencial à consciência material e à permanência do corpo como expressão do humano:

Sim, a Dor sem a qual a argila humana passa,
sem um rasto deixar na vasta natureza:
– a Dor, gama final na música da graça:
– a Dor, último tom na escala da Beleza:

A Dor, foco onde vão reconcentrar-se as cores
do vivo sol do Amor despótico e cruel:
– o perfume subtil que completa as flores:
– a voluta ideal que beija o capitel. (Estrofes 17-18, vv. 69-76)

Devolvido ao papel dominador pela racionalidade, o eu panteísta procura, nas estrofes finais, humanizar a deusa que a seu lado dorme; agora, porém, "quero vê-la" reagir como corpo humano estimulado pela dor física e submetido "à força estranha do meu braço" (v. 78), afirmando-se como herói que domina e esmaga o monstro. O final, no entanto, desfaz pela ironia essa possibilidade; o sono anula o heróico combate e Morfeu sai vencedor, rendendo-se o sujeito ao mergulho no mar denso da cabeleira:

Quero sim! quero ver!... Mas nisto, rudemente,
prostrou-me o plúmbeo sono invicto, pesado,
e a cabeça caiu-me, ah! invencivelmente!...
no seu negro cabelo esplêndido e azulado. (Estrofe 23 e última, vv. 89-92)

5. Nestes poemas de Baudelaire, de Cesário Verde e de Gomes Leal, a cabeleira serve o propósito de pôr em cena a relação do sujeito masculino com imagens fantasmatizadas do feminino, anulando a mulher concreta para lhe atribuir o papel mítico-simbólico de objecto de desejo. Sintoma de uma mentalidade em crescimento nas últimas décadas de oitocentos, este motivo dá a ver, no caso dos dois poetas portugueses, como a aprendizagem se fez na época, entre nós, com os melhores. Ou, dito de outro modo: o motivo da cabeleira nestes textos manifesta, subliminarmente, o esplendor da poesia.

Serão os homens todos iguais? Indivíduos compósitos e cidadania em narrativas de Mary Shelley, Poe e Carvalhal

Alexandre Dias Pinto
Universidade de Lisboa

Nas obras das literaturas europeia e norte-americana produzidas durante o período romântico, encontramos indivíduos compósitos e vários tipos de máquinas antropomórficas que simulam comportamentos e emoções humanas. Designo-os por entidades compósitas na medida em que são formados por elementos heterogéneos, sendo que a sua identidade se funda no conceito de híbrido, pois nelas se articulam elementos de diferentes proveniências ou domínios: humano e mecânico; natural e artificial; orgânico e inorgânico. Neste vasto bestiário estão presentes autómatos antropomórficos, seres humanos gerados artificialmente, homens cujos membros são substituídos por próteses mecânicas, etc.

Tais figuras – que são uma celebração de duas categorias estéticas advogadas e glosadas pelo Romantismo, imaginação e fantasia (e penso nas definições avançadas por Coleridge) – são investidas de um forte valor polissémico e, não raro, em torno destas se organiza o núcleo temático da obra. Elas podem ser um veículo de denúncia da difícil relação entre o homem e a tecnologia numa época de progresso científico (o que acontece, por exemplo, em "Der Sandmann" de E. T. A. Hoffmann ou em *L'Eve Future* de L'Isle-Adam), podem problematizar a natureza e a identidade do ser humano, ou ainda servir para equacionar a condição social e o estatuto político do cidadão no início da Era Moderna. Embora as três vertentes coexistam nas narrativas aqui estudadas – em que toda a problemática gravita em torno de um indivíduo compósito –, centrar-me-ei neste último ponto. As obras em que ele é tratado e que aqui se analisam são: o romance *Frankenstein* de Mary Shelley[1], e os contos "The Man That Was Used Up"[2] de Edgar Allan Poe e "Os Canibais" de Álvaro do Carvalhal[3].

Nas três narrativas exploram-se, pois, questões ideológicas e, de forma mais ou menos directa, equaciona-se o problema da cidadania na época romântica. Ora, o estatuto social e político do indivíduo no tempo da redacção destes textos só pode ser compreendido à luz do pensamento e das transformações que estão na origem ou resultam das Revoluções Americana (1775-1783) e Francesa (1789). Ambos os acontecimentos foram fecundados por ideias de igualdade e de liberdade, que vieram a presidir à elaboração da Constituição dos Estados Unidos (1787) e à Declaração dos Direitos do Homem e do Cidadão (1789). Tanto no texto seminal norte-americano como no francês se reconhecia a necessidade de salvaguardar os direitos do cidadão perante o estado e na sua relação com os seus semelhantes bem como de promover a equidade entre os indivíduos. De forma mais lapidar e, por isso, mais assertiva, fica expresso na *Déclaration*: "Les hommes naissent et demeurent libres et égaux en droit"[4]. Em ambos os casos se formula tacitamente um contrato social entre o indivíduo e o estado, comprometendo-se o último a regular as relações entre os seus membros. Ora, a incoerência entre o espírito da lei e a sua aplicação emerge quando, nos Estados Unidos pós-revolucionários, se ignora o princípio da equidade e, por exemplo, se estabelece uma hierarquia racial em que aos africanos e aos índios não é concedido o direito de voto; ou quando, em França, a mulher tem na lei o estatuto de cidadã mas não lhe é dado espaço para participar na ágora política e cívica da República.

No entanto, é certo que as transformações e as ideias sociais e políticas que estes acontecimentos e estes textos lançaram fizeram semtir os seus efeitos por toda a Europa. Assim, a problemática da liberdade, da igualdade e dos direitos do indivíduo tornou-se também candente nos vários países do velho mundo, interessando-nos aqui os casos

1 Mary Shelley, *Frankenstein*, (Harmondsworth: Penguin Books, 1994 [1818/1831]).

2 Edgar Allan Poe, "The Man That Was Used Up", *Poetry and Tales* (New York: The Library of America, 1984 [1839]), pp. 307-316.

3 Álvaro do Carvalhal, "Os Canibais", *Contos* (Lisboa: Relógio d'Água, 1990 [1868]), pp. 207-253.

4 "Déclaration des Droits de L'Homme et du Citoyen de 1789", *Legisnet*, http://www.legisnet.com/france/constitutions/declaration_de_1789.html, 2002, p. 1 (data de acesso à página: 8 de Março de 2003).

britânico e português. Na Grã-Bretanha esperou-se a revolução, que nunca chegou. Mas a espera foi animada por apelos à liberdade e à igualdade, que tiveram por arautos autores como Thomas Paine, Mary Wollstonecraft ou William Godwin. Os pensadores progressistas intervieram num duro debate com os conservadores, que condenavam os acontecimentos e as ideias revolucionárias francesas, sendo Edmund Burke, autor de *Reflections on the Revolution in France* (1790), a individualidade que mais se destaca. Por seu lado, Portugal não terá tido uma produção tão prolífera de textos sobre os acontecimentos, mas os ideais e os ventos de mudança trouxeram o liberalismo político em 1820, dando início a um período de lutas políticas e militares internas (1820-1834) e a transformações na paisagem social e política do país.

Tal significa que as obras escritas no período romântico – que acompanhou os acontecimentos que inauguraram a Era Moderna – foram directa ou indirectamente condicionadas pela reflexão sobre formas de governação e de organização social, que era fecunda nesta época, e pelo tipo de alterações que se operaram na sociedade. A cidadania é então um ponto central na agenda política e cívica, emergindo nas narrativas que analisamos neste ensaio e em muitas outras da literatura romântica.

Será importante dilucidar – ainda que brevemente – a acepção em que uso este conceito, aproveitando para enunciar o problema à luz do campo de estudos denominado "Teoria da Cidadania". Aceita-se hoje que a ideia moderna de cidadania foi fixada em letra de lei, como vimos, após as Revoluções Americana e Francesa. A partir destes acontecimentos, que forjaram legalmente os direitos inalienáveis do indivíduo, os estados de direito foram *progressivamente* encontrando formas de regulação mais justas das suas relações com os seus cidadãos e das relações entre estes em termos de uma aplicação social dos princípios da igualdade e da liberdade.

Se quisermos definir o conceito de cidadania – noção que, neste breve estudo, não pode ser abordada em toda a sua extensão – podemos começar pela formulação encapsulada de um dos mais importantes teóricos desta área no século XX: T. H. Marshall. Afirma este que ela é o estatuto de plena pertença de um indivíduo a uma comunidade[5]. Marshall distingue duas dimensões da cidadania: a componente social e a componente política, definindo a última como o direito de participar no exercício do poder político como membro de um corpo investido de autoridade política ou elegendo os seus representantes. Já

[5] T. H. Marshall, *Citizenship and Social Class* (Cambridge: Cambridge University Press, 1950), p. 15.

a componente social se prende, segundo Marshall, essencialmente com as relações entre cidadãos ou com as formas de relação destes com o estado. Nestas operam forças de estratificação, de normalização, mas também de integração, de marginalização ou de exclusão dos indivíduos.

Em termos ideais, segundo Jose Harris, a cidadania seria o exercício de direitos e deveres sociais pautados pela manifestação de uma identidade cooperativa, do altruísmo individual, de imperativos éticos e da participação activa dos cidadãos ("corporate identity, individual altruism, ethical imperatives and active citizen-participation"[6]). Tal implicaria que todos fossem virtuosos e cumpridores. Ora, na vivência cívica interactiva dos cidadãos, as relações entre estes estabelecem-se em estado de tensão e em conflito. Assim, se na acepção que recebeu na Era Moderna o conceito de cidadania contém em si o sentimento de pertença a uma comunidade, funcionando esta como uma força integradora, certo é também que, para ele ser exercido no seu sentido pleno, tem de permitir aos indivíduos a expressão da sua identidade, da sua diferença e da sua individualidade no seu seio. Nesta afirmação da subjectividade do cidadão e na rede de interesses e de motivações que se estabelece, o exercício da cidadania torna-se a manifestação de formas de poder – da "microfísica do poder" de que nos fala Michel Foucault[7] – na grande malha das relações sociais que se manifestam numa comunidade. Deste modo, explica-nos David Landrum[8] que a cidadania é uma luta entre forças e vontades que se opõem. As relações entre os elementos de uma comunidade é pautada por um feixe de condicionantes que envolvem categorias como classe, género, religião, etnia e poder económico.

Tendo em conta o que acaba de ser dito, torna-se produtivo e operatório ler as narrativas aqui estudadas à luz de alguns dos tópicos centrais debatidos pela Teoria da Cidadania. Assim, a questão da cidadania é equacionada no romance *Frankenstein*, de Mary Shelley, publicado inicialmente em 1818, em torno da criatura a quem o protagonista da narrativa dá vida. Do modo como o problema se coloca,

6 J. Harris, "Political Thought and the Welfare State 1870-1940: An Intellectual Framework for British Social Policy", *Past and Present*, 135, 1992, p. 137.

7 Michel Foucault, *Surveiller et Punir: Naissance de la Prison* (Paris: Éditions Gallimard, 1975), pp. 32-35.

8 David Landrum, "The Historical Development of the Theory and Practice of Citizenship and Citizenship Education: Classical Ideals to Contemporary Issues", *Citizenship, Young People and Participation: Making Connections?*, www.mmu.ac.uk/ca-/edu/research/citizen/pp30-54.doc, 2000, pp. 30-54 (data de acesso à página: 19 de Fevereiro de 2003).

importa tentar compreender as razões por que tanto Victor Frankenstein como os restantes homens hostilizam e votam ao ostracismo este ser antropomórfico, que inicialmente revela a intenção de se integrar no meio comunitário.

Entre os capítulos 10 e 16 ouvimos pela boca do "monstro" – e recorro aqui ao termo usado por Frankenstein – um relato da segregação violenta, da forte hostilidade, que tinha sofrido quando se aproximara dos outros homens. Anteriormente, logo após o acto da criação, tínhamos ficado a saber que o próprio cientista se repugnara ao vê-lo e se arrependera de o ter criado. Ora, tanto num caso como no outro, a repulsa que a criatura desperta nos outros, e que está na origem da rejeição, funda-se na sua aparência física. Trata-se de um ser compósito – abjecto, disforme – que não pode ser classificado no bestiário das criaturas (ditas) naturais. Ainda assim, o que mais espanto e medo inspira àqueles que o vêem é a sua natureza híbrida de cariz antropomórfica. Esta é a característica que assombra o ser humano comum, o qual, por um lado, se vê invadido pelo medo do desconhecido e, por outro, sente a sua condição humana questionada e parodiada por esta criatura. O "monstro" assume-se como um espelho distorcido da condição humana: é aquilo em que os homens temem tornar-se, a materialização dos seus medos mais assombrosos. Conforme nos explica José Gil: "O monstro não é senão a 'desfiguração' última do mesmo no outro"[9].

A ideia de que a rejeição da personagem se dá com base na sua aparência é confirmada pelo facto de Frankenstein a abandonar quando vê o ser hediondo que concebera e de avaliar o insucesso da sua experiência com base no aspecto físico. Por outro lado, podemos comprovar que a segregação entre os homens não se faz tendo em conta o carácter da criatura, porquanto é um cego, De Lacey, a única personagem a aceitá-lo e a nutrir por ele um sentimento afectivo. A função do cego no romance é, em grande medida, a de denunciar enfaticamente que o ostracismo a que é votado o "monstro" está assente, a um primeiro nível, no preconceito. Os restantes reagem violentamente ao vê-lo (simplesmente ao vê-lo) também porque julgam o seu carácter moral e as suas intenções pela sua compleição. Daí que David Punter aponte a injustiça como o tema central desta obra[10].

No entanto, a partir da narrativa autobiográfica comovida e sentida que a criatura relata a Frankenstein, em que expressa também o senti-

---

[9] José Gil, *Monstros* (Lisboa: Quetzal, 1994), p. 16.

[10] David Punter, *The Literature of Terror. The Gothic Tradition*, vol. I (London: Longman, 1996), pp. 106-112.

mento empático que nutre pelos homens e pelo admirável mundo novo em que se encontra, ficamos a saber que nela não havia inicialmente instintos destrutivos e violentos. De alguma maneira, a figura corresponde à ideia de Bom Selvagem avançada por Rousseau, o ser naturalmente bom e puro no qual a sociedade, com a sua dissolução moral, vai despertar os sentimentos violentos e a crueldade.

Se estas são as causas que levam os seres humanos a negar o estatuto de cidadania ao "monstro" que os assombra, tentemos compreender os fundamentos em que se baseia esse acto de exclusão social. Aquele que mais enfaticamente está decidido a segregar a criatura e a privá-la dos seus direitos é o próprio Frankenstein, que começa por querer negar-lhe o direito à vida. Contudo, não podemos ignorar que, à luz das garantias inalienáveis dos indivíduo, qualquer ser de origem humana tem direito à vida e a exercer a sua cidadania. Por esse motivo, estes direitos não são hoje negados a um indivíduo que foi concebido pelo método de inseminação artificial; nem seriam negados a um indivíduo gerado a partir de outro pelo método da clonagem. Então, de forma análoga, não pode ser com base na extrema deformidade física e no método "artificial" envolvido na sua criação que se priva a criatura do seu estatuto de cidadão.

Frankenstein horroriza-se com o ser que cria porque o teme. É possível entrever a razão deste medo no momento em que o cientista se recusa a gerar uma companheira para o seu adversário, apesar de este assumir o compromisso de não voltar a entrar em contacto com os homens. O cientista recusa esta proposta não apenas para punir o "monstro" pelos seus actos destrutivos, mas sobretudo porque não quer ser responsável pela proliferação desta nova "raça" à face da terra. Estamos, de novo, na presença do medo do Outro, sendo uma das formas mais basilares desta rejeição o receio de que esse Outro nos venha a privar do poder ou da hegemonia que a nossa raça, a nossa classe ou o nosso grupo possui. Victor Frankenstein toma consciência de que tinha criado um indivíduo com poderes sobre-humanos. E, à medida que se vai apercebendo de que não é só a força deste que é enorme, mas também que a sua inteligência é superior à dos homens, a sua determinação em o destruir parece redobrar. Neste contexto, reconhecemos a validade do argumento de David Landrum que chama a atenção para o facto de a cidadania se exercer em estado de tensão e de luta pelo domínio, que aqui tem como protagonistas o cientista e o ser que ele gerou.

O tema dos direitos do cidadão e da tensão que se gera entre o respeito por estes e as forças dinâmicas de uma sociedade volta a ser configurado em torno da figura do indivíduo híbrido no conto "The

Man That Was Used Up", de Edgar Allan Poe, inicialmente publicado em 1839. É relevante que o texto tenha sido escrito alguns anos após a Revolução Norte-Americana e a redacção da Constituição do país. Isto porque tanto o tempo da escrita como o da acção da narrativa se referem a um momento em que o idealismo das propostas sociais já arrefeceu nos Estados Unidos, sendo uma boa altura para fazer um balanço entre o projecto social e político que se idealizou e a sua concretização no quotidiano da comunidade, sobretudo no que diz respeito à liberdade, à igualdade e aos direitos do indivíduo.

No entanto, diferentemente do que acontece no romance de Mary Shelley, neste caso o problema do exercício da cidadania equaciona-se não apenas na relação do indivíduo com os seus semelhantes mas também na relação deste com o estado. O interesse do conto de Poe centra-se na figura do General A. B. C. Smith, um alto oficial do exército americano que foi severamente mutilado numa batalha com os índios. Em termos de identidade, trata-se de um indivíduo compósito – meio humano, meio mecânico – porque grande parte do seu corpo foi reconstituído por sofisticadas próteses, que a tecnologia concebeu. As próteses que A. B. C. Smith usa reabilitam-no enquanto ser humano, capacitando-o para uma vida em sociedade e permitindo a sua aparente integração na comunidade. No entanto, essa integração não chega a ser *plena*, visto que sobre si paira o estigma de se tratar de uma criatura grotesca, e todos aqueles com quem o narrador fala se referem ao General de forma trocista, ridicularizando tacitamente a sua condição.

Como tinha acontecido em *Frankenstein*, equaciona-se, por um lado, neste conto o problema do modo como o progresso científico e tecnológico convive e se articula com o homem no mundo moderno. Embora a tecnologia o ajude a ultrapassar as suas deficiências físicas, a conjugação entre esta e o homem faz dele um ser grotesco aos olhos dos outros. Uso aqui o conceito de grotesco na acepção de Wolfgang Kaiser, que caracteriza entidades heterogéneas que resultam da articulação de elementos de dois reinos ou domínios, neste caso, humano e mecânico, orgânico e inorgânico, que existem em estado de tensão, despertando naqueles que os contemplam um misto de horror e de ridículo[11]. Nessa medida, Smith é uma personagem grotesca.

Por outro lado, "The Man That Was Used Up" convida-nos a uma leitura do motivo do indivíduo compósito numa dimensão ideológica, vendo os princípios sociais e políticos que regem a sua relação com os outros. Em termos de exercício da cidadania, o direito à dignidade e

---

[11] Wolfgang Kayser, *The Grotesque in Art and Literature* (Bloomington: Indiana University Press, 1963).

ao bom nome são-lhe negados pela sociedade. A situação torna-se ainda mais injusta quando temos em conta que a condição física de A. B. C. Smith resulta dos incidentes que o envolveram quando ele servia a sua pátria. Em lugar de ser visto como um herói, como se tornou um ser fisicamente grotesco, é alvo da chacota dos seus compatriotas. Apesar de não sofrer um processo de marginalização, Smith perde a posição social proeminente em resultado de uma campanha militar que tinha como fim, e cito a introdução da Constituição Americana, "promover o Bem Comum" ("to promote the general Welfare")[12].

No título do conto, insinua-se que o General Smith foi "usado"; e eu acrescento que foi usado pelo estado, no sentido em que este dele se serviu, porque a campanha militar em que o oficial tomou parte lhe causou um dano físico irreparável. A personagem foi decepada nos confrontos com os índios, lutando por uma nação que subordina os direitos dos seus cidadãos a causas assumidas como tendo interesse comunitário. Desta forma, denuncia-se no conto o valor irrisório que o indivíduo tem para o estado, face aos desígnios de um país, neste caso, os Estados Unidos da América. A prioridade das "grandes" causas conseguidas através do sacrifício do ser humano singular é aqui subtilmente condenada ao mesmo tempo que é lançada uma sombra de dúvida sobre o optimismo e os valores de justiça e igualdade veiculados pelo discurso oficial norte-americano. Num dos capítulos da importante obra de Alexis de Tocqueville, *Democracy in America*, o autor reflecte sobre a guerra movida por um país democrático (pensando nos Estados Unidos) e apresenta um dos problemas da democracia que ajuda a explicar a situação que analisei: "[...] when men are all alike, they are all weak, and the supreme power of the state is naturally much stronger in democratic nations than elsewhere"[13].

A incoerência da situação que encontramos neste conto torna-se mais gritante quando temos em conta que na Constituição do país e nos ideais propalados se apregoa o valor da vida, da integridade e da vontade do indivíduo. Poe expõe a apropriação indevida dos ideais das Revoluções Americana e Francesa feita pelo regime. Por outras palavras, vemos tematizado em "The Man That Was Used Up" o valor, defendido pelo Romantismo, do indivíduo e do cidadão, perante o poder do estado que se guia por noções de autoritarismo, desígnio colectivo ou maioria. Não devemos também esquecer que a depreciação do valor do indivíduo é também feita por toda a sociedade pela qual

---

[12] "The Constitution of the United States", *Encyclopaedia Britannica 2002*, CD-Rom (Chicago: Britannica.com, 2002), p. 1.

[13] Alexis de Tocqueville, *Democracy in America* (Ware: Wordsworth Editions, 1998 [1835-1840]), p. 334.

ele (o General) combateu, mas que agora zomba da sua condição física. Smith é a prova acabada da falência do discurso oficial norte-americano da época.

Por seu lado, no conto "Os Canibais" de Álvaro do Carvalhal, publicado na sua versão final em 1868, o protagonista é também uma personagem compósita, em torno de quem se aglutinam significados temáticos e ideológicos da narrativa, ainda que com matizes semânticos diferentes dos casos anteriores. Como o General A. B. C. Smith, o visconde de Aveleda é um indivíduo fisicamente diminuído: um corpo sem membros em que os braços e as pernas são substituídos por próteses mecânicas. Passo a citar a descrição que dele é feita:

> [Aveleda] fez um movimento. Ressoaram estalos como molas. Horror! Sobre a poltrona caiu um corpo mutilado, disforme, monstruoso. Perna, braços, os próprios dentes do visconde [...] tombaram sobre os felpudos tapetes da Turquia e perderam-se nas dobras do seu *robe de chambre*, que naturalmente se lhe desprendeu dos ombros.
> O infeliz era um fenómeno, um aborto estupendo [...].[14]

As próteses que o visconde usa reabilitam-no, aparentemente, enquanto ser humano, capacitando-o para uma vida em sociedade e permitindo a sua integração entre os seus. No entanto, como no conto de Poe, a validade do progresso é posta em causa, na medida em que a personagem não consegue aceitar a sua condição do ponto de vista pessoal e social. Aveleda é incapaz de viver com a sua malformação física porque sabe que esta o impede de encontrar o amor e a aceitação dos outros.

Por outro lado, o conto "Os Canibais" convida-nos a uma outra leitura do motivo do homem mecânico envolvendo questões ideológicas que se prendem com o contexto histórico da acção da narrativa: o Portugal oitocentista que emerge das Lutas Liberais (1820-1834). Informa-nos o narrador, em tom irónico, que os acontecimentos se passam "em país civilizado e liberal"[15]. Apercebemo-nos, deste modo, de que o resultado dessa contenda ainda não foi completamente assimilado por toda a população nacional e que a tensão entre as classes ainda se mantém. Neste novo contexto (liberal), a nobreza perdeu a hegemonia que detinha e os valores que esta defendia desmoronaram--se. Assim, nesta linha de leitura, a figura "amputada" e híbrida do Visconde de Aveleda representa, de forma metafórica, a condição da aristocracia no mundo liberal. Esta classe encontra-se agora privada de parte do poder e de vários dos privilégios que detivera. Porque deixou

[14] Álvaro do Carvalhal, *op. cit.*, 240.

[15] *Ibidem*, p. 242.

de significar o que antes representara, a sua condição tornou-se artificial e o seu papel na sociedade indefinido. A crise de identidade de Aveleda espelha a crise da nobreza no Portugal moderno. Tendo em conta as alusões explícitas à época em que acção decorre, podemos ver na figura do visconde a questionação do espaço social que a aristocracia virá a ocupar no Portugal que emerge da implantação do Liberalismo. A natureza híbrida da personagem ilustra o estado de decrepitude desta classe social, que no novo contexto sociopolítico vai perdendo os privilégios e regalias de que desfrutava no Antigo Regime, tornando-se um anacronismo em tempos de (suposta) igualdade e progresso social.

Por outro lado, na dinâmica tensa e imperceptível das relações sociais, desperta, no estado liberal, a ambição de uma outra classe, a burguesia, para assaltar o lugar hegemónico (social e político) que a nobreza ameaça perder – e perderá definitivamente após 1910. Os membros da classe burguesa que se destacam em "Os Canibais" são Urbano Solar e os seus filhos. Solar anseia que, com o casamento da filha, Margarida, com o visconde de Aveleda, a família ascenda na escala social. Segundo ele crê, tal é possível porque no Portugal liberal e com pretensões democráticas há factores de diferenciação dos cidadãos como o dinheiro ou os títulos académicos (um dos filhos é bacharel). Estes são dois dos valores que vão tomar parte na reorganização do tecido social e político do estado após a Revolução.

Daí que o acto de canibalismo inadvertido do final do conto esteja investido de uma carga simbólica. Recordo desde já que a antropofagia foi um motivo literário e artístico usado com diferentes acepções semânticas para interpretar os acontecimentos da Revolução Francesa, como nos explica John Marlow[16]: tanto ilustrou a exploração dos oprimidos que veio a terminar com a Revolução, como a voragem da multidão a punir e a querer destruir, após 1789, a aristocracia, a Igreja, a monarquia e as demais instituições do Antigo Regime. É nesta segunda linha de leitura que se enquadra o acto canibalesco do conto de Carvalhal. Explicam-nos os antropólogos que os canibais pretendiam, ao devorar outros homens, assimilar as qualidades que estes possuíam. Assim, também neste acto de antropofagia, em que Solar e os filhos se banqueteiam com o visconde, podemos ver a burguesia ambiciosa a querer absorver os traços e os privilégios de classe que antes tinham levado a nobreza a alcançar um lugar hegemónico na sociedade.

Assim, as narrativas estudadas apresentam três reflexões sobre o estatuto e a prática de cidadania no início da Era Moderna. As três

---

[16] James Marlow, "English Cannibalism: Dickens after 1859", *Studies in English Literature*, (vol. 23, 4, 1983) pp. 647-666.

convergem na disparidade entre os princípios sociais e políticos avançados pelos movimentos democráticos e liberais e a vivência cívica que se seguiu e que desvirtuou o espírito desses ideais. Tratando-se da discriminação do Outro e do diferente, que é sentido como ameaça (*Frankenstein*), da questão da dignidade pública e das relações do indivíduo com o estado ("The Man That Was Used Up"), ou da tensão entre classes e da luta pela hegemonia na sociedade ("Os Canibais"), reencontramos a ideia anteriormente avançada de que a prática da cidadania é feita em tensão com os outros e resulta no exercício ou na privação de um poder. A condicionar estas relações intervêm diferentes tipos de processos sociais: a segregação, no primeiro caso; a depreciação, no segundo; e a hierarquização, no terceiro. A determinar a operacionalização desses processos intervêm categorias como identidade, classe e estatuto social do indivíduo, fazendo-nos ver que, se todos os homens são iguais, uns procuram ser sempre mais iguais que os outros.

Corpo e paisagem nos contos de Álvaro do Carvalhal

Maria da Natividade Pires
Escola Superior de Educação de Castelo Branco

Nesta comunicação analisam-se seis contos de Álvaro do Carvalhal, ilustrando através deles como a ambiguidade romântica entre divinal e demoníaco se manifesta nas metamorfoses da paisagem e nas metamorfoses que o corpo sofre pelas paixões incendiárias da alma e dos sentidos.

Corpo e alma transfiguram-se e fundem-se com a paisagem. O fantástico, o sobrenatural, o mistério são dimensões constantes dos corpos e das paisagens destas narrativas. Os espaços que desempenham papéis importantes não são apenas os da Natureza, mas também os espaços interiores, cuja ambiência é sempre inebriante e cuja decoração inclui frequentemente um objecto cheio de simbologias – o espelho – o qual reflecte não só o corpo mas a alma da personagem, o seu duplo.

Como refere Maria do Nascimento Oliveira[1], o facto de as narrativas serem várias vezes feitas na primeira pessoa confere aos acontecimentos um "sabor de autobiografia" que cria no leitor um clima de confiança.

Dos seis contos de Álvaro do Carvalhal, cinco têm mulheres em lugar de protagonismo, cujos nomes ganham forte simbologia se neles repararmos em conjunto: Petra, Petronilha, Florentina, Margarida e Rosaura. Qualquer delas tem um corpo escultural, qualquer delas desencadeia paixões violentas, mas os seus nomes ilustram a dupla faceta da mulher – a frieza da pedra (implícita nos dois primeiros nomes) e

---

[1] Maria do Nascimento Oliveira, *O Fantástico nos contos de Álvaro do Carvalhal* (Lisboa: Imprensa Nacional – Casa da Moeda, 1992), p. 43.

o resplandecer da natureza (implícito nos outros, derivados de flor – Florentina; de uma flor em particular, a rosa – Rosaura; e o último, correspondente, logo por si, a uma determinada flor, a margarida).

O único conto onde a mulher não tem lugar de relevo, "A febre do jogo", apresenta, por seu lado, dois nomes masculinos que funcionam também como uma antítese: Mariano, cujo nome deriva de Maria, mas que não mantém a pureza de raiz cristã implícita neste nome e que se deixa corromper, e o nome Lúcio, que se pode associar a Lúcifer, mas que corresponde a uma personagem que vai, afinal, ser a salvação de Mariano. Uma série de ambiguidades se estabelecem, portanto, de imediato, relacionadas com os nomes das personagens e os seus comportamentos.

Os corpos das personagens perdem as suas posturas descontraídas mercê das paixões que os assolam e é sobretudo através dos cabelos, das mãos e do rosto, pelos olhos e pela cor da pele, que se manifestam as metamorfoses.

No fascínio doentio pelo jogo, Mariano arrepia os cabelos, que ficam empastados, o que provoca alguma repulsa. As suas atitudes correspondem ao descontrolo mental. Depois do crime que comete, e ao tomar consciência da monstruosidade do que fez, a personagem transforma-se de humano em fera e de novo em homem, pelas reacções que se sucedem. A personagem tem dificuldade em reconhecer-se a si própria e essa estranheza é centrada em certos elementos do corpo – os lábios, os cabelos, os olhos:

> O coral desbotara em meus lábios ao bafo carbonizador das vulcânicas paixões de algumas horas; meus cabelos loiros, como animados de vida própria, eriçavam-se em serpentes; a doçura de meus olhos submergia-se nas inchadas pálpebras; e as louçainhas parisienses dos meus vestidos enxovalhavam-se no lodo das encruzilhadas.[2]

Ora, a divisão interior do sujeito está aqui patente até ao extremo:

> Onde estava a gentil feição da minha mocidade?
> Eu! Onde estava eu?!
> Via-me como em visão de lanterna mágica dividido em dois seres distintos (...). Estes dois seres confundiam-se, combinavam-se e separavam-se para tornar a confundir-se como numa dança louca de feiticeiras. Era uma visão aflitiva, que se repetia numa espécie de tresloucamento mórbido.[3]

---

[2] Álvaro do Carvalhal, *Contos* (Lisboa: Relógio d'Água Editores, 1990), p. 27.

[3] *Ibidem.*

Relativamente aos espaços, do espaço interior da sala de jogo passa-se para um outro espaço interior, o quarto. Aí, é o espelho que revela a dimensão maléfica dos pensamentos da personagem, já que, quando Mariano se olha no espelho, tolda-se com a sua imagem "a límpida superfície do cristal". Essa imagem revela a vista turva, a fonte vincada, a tez de térrea amarelidão, os lábios franzidos.

À turbulência interior do sujeito corresponde, no exterior da casa, a tempestade que se avoluma. Então, um outro espaço se afirma – a montanha. Estímulos visuais e sonoros aumentam a densidade psicológica da situação, "o fogo dos raios alumia o caminho", sufoca o estrépito dos seus passos. Quando Mariano chega à montanha, paisagem e corpo são as duas referências fundamentais, sentidas de forma tipicamente romântica:

> Achava-me completamente só, em face duma natureza agreste, debaixo dum céu iroso, e com a alma cheia de projectos de sangue. Horrorizado de me ver ali, tão perto do crime, tive medo de mim próprio, chegando a imaginar que o meu corpo, este corpo que eu palpava, e que eu sentia, era propriedade de outro dono.[4]

A blasfémia da alma é tão forte que o sujeito imagina a paisagem a vergar-se aos impulsos do seu espírito, "Que se convertesse cada folha silvestre em reservatório de chuvas para se rasgar na minha pasassagem", etc. Os próprios elementos da Natureza parecem desesperadamente atraídos para os abismos e em sentidos antitéticos, as árvores, por exemplo, "erguem para as nuvens os braços estéreis, ou se inclinam para as gargantas fundas, onde se despenham mugidoras torrentes"[5]. Uma frase do narrador concentra a fusão satânica de corpo – alma – natureza: "Eu era a alma da sombria paisagem."

Depois do crime, volta-se de novo ao espaço do quarto do narrador, onde as paixões vis se adensam. À vista do dinheiro que o amigo Lúcio, que julgara ter assassinado, lhe mostra, conta: "Minhas pupilas irradiavam flamas e minhas mãos recurvaram-se em garras de águia"[6] – o corpo humano torna-se animalesco.

Todos os espaços que se seguem serão espaços fechados, onde as tensões se concentram – de novo a sala de jogo, depois um templo, depois um caixão. De novo um quarto, quando Mariano desperta de uma longa inconsciência, ficando o leitor na dúvida sobre se tudo terá sido um sonho.

---

4 Álvaro do Carvalhal, *op. cit.*, p. 21.

5 *Ibidem*, p. 23.

6 *Ibidem*, p. 32.

No conto "J. Moreno", os quartos serão os espaços mais significativos. O corpo feminino é erotizado pela forma de vestir – a perna fina abre carnais apetites, mas também o traje é elemento importante, por isso a hipálage é significativa, quando se refere a "diabólica mantilha, volitante e inquieta"[7]. Pequenos apontamentos marcam o erotismo mas também o artificialismo. No quarto de Petra, a mulher por quem Moreno se apaixona, é descrita uma enorme profusão de elementos – fitas, rendas, colares, luvas. De notar que há colares *partidos* e flores *artificiais* na mesa do toucador – indícios de brechas na frescura e juventude da imagem feminina até aí descrita.

Na 1ª parte desta história, a paisagem não é relevante. No entanto, quando J. Moreno, depois de ter quase esquecido Petra, regressa à casa do pai que morrera e depois de descobrir que também ele está perto da morte, com um aneurisma, a natureza impõe-se:

> Está um frio cortante. A Lua, toldada de um véu aquoso, arrasta-se mansamente nas alturas por entre crassas nuvens. Da rama dos ulmeiros penduram-se grossas gotas da chuva que miúda caíra durante o dia. E, nas cavernas dos penhascos cerros, sibila, de longe em longe, vento gemedor.[8]

A exploração do ambiente decadente é tão intencional que nunca fora dito antes que a casa estivesse abandonada, mas nessa altura até os vidros da janela estão quebrados. Este ambiente decadente está, assim, intrinsecamente relacionado com a decadência do corpo da personagem. Mas esse corpo doente estabelece ambiguamente uma relação de oposição com a paisagem exterior, onde a relva é aveludada e fresca, onde há trepadeiras silvestres e madressilvas, onde a calhandra alegra a paisagem com o seu canto. De notar, no entanto, que as trepadeiras e as madressilvas "se enfeixavam nas fendas dos muros arruinados"[9]. Também aqui, é no momento do pacto com Satã que a personagem vê reflectir-se no espelho a transtornada fisionomia.

Numa atitude de egoísmo atroz, regressa para junto de Petra e será de novo no quarto desta que se dá o final dramático – na noite de noivado, Petra descobre "sobre o seu rosto um rosto gélido e o brando peito, nadando em amor, unido ao peito nu dum inteiriçado cadáver"[10].

Também em "Honra Antiga", Petronilha, no seu quarto, debruçada sobre um móvel antigo se mira num grande espelho. Do lado de fora

---

7 *Ibidem*, p. 55.

8 Álvaro do Carvalhal, *op. cit.*, p. 80.

9 *Ibidem*, p. 82.

10 *Ibidem*, p. 90.

estão a floresta e a chuva. A presença do espelho parece ser sempre um mau augúrio. Será nesse espaço fechado que se desenrolará o drama do assassínio dos dois amantes pelo pai da própria Petronilha – Petra e Petronilha, duas mulheres petrificadas pelo seu amor.

O conto "A Vestal!" inicia-se com a descrição de uma paisagem verdejante e florida, paisagem essa que apenas servirá para acentuar a decadência moral. As duas primeiras personagens apresentadas opõem-se fisicamente: L. Gundar é um esbelto e vigoroso rapaz, Fausto é "pálido, de olhos encovados e luzentes, como os de um profeta, maceradas e angulosas faces"[11].

A principal personagem feminina desta história chama-se Florentina e é caracterizada pelas tranças loiras, cútis de jaspe e pelo alvor das vestes. Ora, um elemento dissonante surge através de outro corpo, inesperadamente descrito de forma pormenorizada – não um corpo humano, mas um corpo animal, o do cão Níger. A compleição física, o pêlo, os dentes, os olhos são descritos com a mesma intensidade das personagens masculinas e femininas e através do mesmo tipo de características.

O narrador desta história é Gundar e o seu interlocutor, Fausto, tem estranhas metamorfoses à medida que o ouve falar sobre as inocências de Florentina. Nas suas pupilas há sanguentos clarões, e as antíteses acentuam-se – a sua mão é gélida e o hálito escaldante; quanto ao seu corpo, toma a inércia e dureza do mármore e o seu riso gela o sangue. Aliás, sempre que uma personagem ri, nos contos de Álvaro de Carvalhal, trata-se de um riso satânico, marca de demência, de um crime ou indício de acontecimentos terríveis. Fausto conta, então, as suas experiências com as mulheres, que são também o indício de que a sonhada felicidade de Gundar tem maus auspícios.

Na noite em que Gundar casa com Florentina, os noivos passeiam num enquadramento paisagístico sintomático, não em aprazíveis jardins, mas junto de côncavos rochedos que formam uma gruta. O espaço exterior muda repentinamente para o interior do quarto ao aparecimento do vulto de Níger e aí, "A dama enrosca-se no esposo com exaltação felina e, raivosa de amor, crava-lhe na face os dentes vorazes"[12].

O tempo de espera para o desenlace final decorre num espaço ainda mais exíguo: um esconderijo feito, por Gundar, na porta do quarto, de onde a paisagem que se avista se reduz ao próprio quarto, particularmente ao leito de Florentina. A tensão emocional concentra-

[11] Álvaro do Carvalhal, *op. cit.*, p. 125.

[12] *Ibidem*, p. 160.

-se, assim como a perspectiva do olhar se reduz, terminando num mar de sangue, formado pelos corpos dos dois amantes da mulher, o cão e o homem.

O quarto é também o primeiro espaço onde encontramos as personagens em "O punhal de Rosaura". Os corpos dos amantes são caracterizados através do elemento fétiche do cabelo. Os soltos cabelos de azeviche de Rosaura definem a sua beleza e os lustrosos cabelos de Everardo, o amante, são o símbolo da sua paixão, ao receberem o hálito puro da mulher apaixonada. Rosaura será uma rosa amachucada e, amargurada pela traição, enterra o punhal no próprio peito.

Do espaço do quarto passa-se então para Veneza, local de refúgio para o amante, depois de enterrar o corpo, secretamente, num subterrâneo. Em Veneza, o seu corpo manifestará o martírio interior que vive, através da transformação dos cabelos e do rosto:

> Cabelos crespos, castanhos, opulentos, converteram-se nas cãs que vedes. Faces morenas, lisas, de seda, quiseram competir com o amarrotado pergaminho das faces desse velho que, mais venturoso do que eu, ressona aí no chão lodoso, coberto dos andrajos da pobreza.[13]

O espaço de Veneza é propício para se situarem novos episódios na noite de Carnaval e, obviamente, num baile de máscaras. Na sequência desta festa, o narrador sai com um mulher mascarada de dominó escarlate, que o conduz, numa gôndola, até uma casa em ruínas. "A casa parecia tão velha como o mundo". Uma sala é iluminada pelo fogo e de novo há estímulos sensoriais que se avolumam:

> E junto dele [do fogão], elegantemente postas numa mesa, estavam iguarias de aspecto e odor não menos esquisitos que apetitosos. O cristal da Boémia casava-se às mil maravilhas com a porcelana de Sèvres. E os tríplices reflexos das velas cor-de-rosa, que ardiam no meio, cintilavam em púrpura, em oiro, em corais e rubis nos vasos perfumados de málaga, de malvasia, de porto, de vários preciosos vinhos.[14]

Everardo bebe, inadvertidamente, uma bebida envenenada e o seu corpo fica paralisado. Percebendo o que aconteceu e que a máscara esconde o fantasma de Rosaura, o terror manifesta-se numa risada, que tem resposta numa outra risada mais selvagem e feroz por parte da dama escarlate. Assim, os mortos ressurgem para se vingarem dos vivos. A partir dessa experiência, Everardo afunda-se no jogo, no vinho e nas mulheres, "(...) dessas que têm na fisionomia a seráfica

---

[13] Álvaro do Carvalhal, *op. cit.*, p. 187.

[14] *Ibidem*, p. 194.

candura das virgens cristãs e no corpo a corrupção mais aviltante e asquerosa."[15].

De acordo com os cânones românticos, os culpados não têm nunca morte imediata porque o remorso é o pior castigo e assim expiam a culpa. Por isso, o irmão de Rosaura, tendo oportunidade de vingar a morte da irmã, deixa-o, no entanto, viver uma vida envenenada que transparece na transformação do seu corpo antes da vingança final – as faces sulcadas de rugas, o rosto coroado de cãs. Só depois morrerá, com o punhal de Rosaura atravessado na garganta, pela mão de Lorenzo del Giocondo, que irá ao seu encontro na cidade Córdova.

Pela mesma razão, ainda que não explícita, Gundar não matara Florentina, obrigando-a, sim, a ver morto o cão, alvo das sua animalesca atracção sexual, e obrigando-a a vê-lo suicidar-se com um tiro na cabeça. Pressupõe-se que Florentina terá, a partir daí, uma vida assolada de fantasmas.

Ora, os bailes, como espaço de festa, são, afinal, não só em "O punhal de Rosaura", mas também em "Os Canibais", a máscara do terrífico que irá dominar a vida das personagens. A descrição da sala de baile com que se inicia o conto "Os Canibais" demonstra uma profusão de elementos que contribuem para a confusão dos sentidos e dos sentimentos: são flores odorantes em gigantescos jarrões de esmaltada porcelana, espelhos, painéis, tectos dourados, músicas voluptuosas, colunatas em mármore, voluptuosas otomanas. Não é irrelevante que todo o brilho da sala seja referido como o brilho de centenares de *sóis artificiais*.

De novo há uma mulher com nome de flor, Margarida, uma mulher fatal, mas que será atingida por uma inimaginável maldição. O homem que é alvo da sua paixão impõe-se pela sua postura, compleição física, rosto magnético de nobres feições. No entanto, assim como em "A febre do jogo", é numa situação de um leve roçar de corpos que se percebe que esse corpo parece ter a inércia do granito, como acontece com o toque na mão do banqueiro (que será o fantasma do pai assassinado), no outro conto referido. Quando a voz do visconde se ergue no meio do salão, dizendo uma poesia:

> Era vistoso o quadro. O jorrar luminoso dos candelabros, reflectido nos espelhos; nos painéis heráldicos; nas cabeças toucadas de rosas emurchecidas; na carnadura rosada dos seios desvelados, ofegantes de cansaço; o rosto nobre do visconde inundado de luz; os grupos, as

---

[15] Álvaro do Carvalhal, *op. cit.*, p. 198.

> posições; tudo isto apresentava um aspecto muito ao paladar do desejo.[16]

O encontro a sós entre o visconde e Margarida dar-se-á no jardim da casa, já no alvor da madrugada. Também este é um jardim cheio de grutas e sombras. O mistério da figura do visconde é acentuado pelo facto de ter sempre as mãos escondidas nas luvas. Ora, o corpo humano não é, muitas vezes, mais do que uma aparência e assim, na noite de noivado, o corpo do visconde desfaz-se:

> Ressoaram estalos como de molas. Horror! Sobre a poltrona caiu um corpo mutilado, disforme, monstruoso. Pernas, braços, os próprios dentes do visconde, brancos como formosos fios de pérolas, tombaram sobre os felpudos tapetes da Turquia e perderam-se nas dobras de seu *robe de chambre*, que naturalmente se lhe desprendeu dos ombros.[17]

O que restou do corpo rolou pelo pavimento até se atirar para o meio das brasas da lareira e Margarida, tresloucada, atira-se pela janela. Por oposição a estes momentos de terror, de manhã, o pai de Margarida, de seu nome *Sr. Solar*, junta-se a seus filhos, ou melhor, segundo o narrador, *incorpora-se a seus filhos*. É um indício da antropofagia que se segue quando ele e os filhos comem a carne assada que restava do corpo do visconde – na verdade não sabem que o fazem e quando descobrem a atrocidade da situação pensam em suicidar-se. Mas, o mais inesperado ainda é o passo final – o filho magistrado lembra que eles são os herdeiros do milionário visconde e, então:

> Calaram-se. Nesse curto espaço de silêncio observou o magnânimo doutor que as fraternas e paternas feições iam resplandecendo pouco e pouco, como se um sol esperançoso acabasse de rasgar tempestuosas nuvens.
> – Glória a Deus! – clamam ambos. – Estamos salvos!
> Bendito sejas tu, que nos salvaste!
> E encanzinaram-se no magistrado, como molossos esfaimados num couro rijo de pernil de Lamego.[18]

O canibalismo surge, assim, associado ao mundo do sobrenatural e Maria do Nascimento Oliveira relaciona-o com o desejo ancestral da

---

[16] Álvaro do Carvalhal, *op. cit.*, p. 240.

[17] *Ibidem*, p. 240.

[18] *Ibidem*, p. 253.

absorção do "outro" pelo "eu" e que é, no fundo, a colisão entre o social e o individual"[19].

Esta autora comenta ainda a propósito da ambiguidade que se instala em todos estes universos diegéticos:

> O constante fascínio pelo mistério implanta-se nas fendas do real, nos estados de crise que levam progressivamente à loucura e na solidão doentia que conduz a personagem a isolar-se num mundo só seu, assombrado, e que lhe abre hipóteses de encontro com o extranatural. (...) E mesmo quando é demonstrado, no final da própria narrativa ou do excerto fantástico, que as intervenções, que se julgavam ser do domínio do sobrenatural, eram afinal figuras de uma mente torturada, a explicação racional pode não destruir por completo a credibilidade dos acontecimentos insólitos evocados na obra.[20]

Maria do Nascimento Oliveira considera também que "Nunca, entre nós, autor algum foi mais longe na descrição das paixões perversas, na pintura exagerada da sensualidade, no atentado à "moral" do comum dos leitores (...)"[21].

Estes contos, escritos em 1866 e 1867, estendem já as suas características românticas a um ultra-romantismo misturado com cepticismo e satanismo e o conto "Os Canibais" é um dos melhores exemplos disso. No entanto, "a prevalência de uma certa desmesura emocional, ao longo do séc. XIX, não foi um exclusivo do Ultra-Romantismo. Assim, torna-se até um tanto artificial a distinção entre Romantismo e Ultra-Romantismo"[22]. Aliás, as intertextualidades com textos de Garrett, Camões, Shakespeare, Edgar Allan Poe, Hoffmann, que não temos tempo de aqui analisar, são fundamentais para o quadro estético-literário em que o autor se situa, revelando que neles bebe inspiração, mas também ironizando sobre os excessos a que a Literatura da época se deu.

---

[19] Maria do Nascimento Oliveira, *op. cit.*, p. 83.

[20] Maria do Nascimento Oliveira, *op. cit.*, pp. 14-15.

[21] *Ibidem.*

[22] Carlos Reis e Maria da Natividade Pires, *História Crítica da Literatura Portuguesa – Romantismo* (Lisboa: Editorial Verbo, 1993, vol. V), p. 245.

Percursos românticos pela paisagem vitoriana: alguns exemplos

Maria João Pires
Universidade do Porto

Um dos mais notáveis traços na afeição romântica pela natureza não residirá tanto na admiração pelas suas maravilhas, mas sim na descoberta da espiritualidade no seio das intimações naturais, o que transcende largamente uma disposição pitoresca ou mesmo sublime de pedras, relva ou árvores. Seja na natureza exultante de Wordsworth, em *Ode: Intimations of Immortality*, ou na sombria paisagem de Coleridge, em *Dejection: an Ode,* desnaturalizando a natureza, diminuindo o seu carácter ornamental e decorativo, os românticos revivificaram-na – ou seja, a ênfase naquilo que poderíamos designar de "assinatura da natureza" constituiu uma crescente fonte de poder imaginativo e sentido emocional. Importante, pois, é o facto de esta atitude se ter tornado um padrão de resposta que, embora alterado, tantas vezes questionado se mantém vital e determinante ao longo de todo o período vitoriano. Se tomarmos o conceito desenvolvido por Michel Foucault[1], *episteme*, enquanto padrão de pensamento em constante mutação, diremos que o epistema romântico composto de referências e imagens naturais, persiste ao longo do século XIX e, pontualmente, do XX.

Em *The Enchafed Flood: or the Romantic Iconography of the Sea*[2], Auden considera alguns símbolos caracteristicamente românticos:

---

1 Michel Foucault, *The Order of Things: An Archaeology of the Human Sciences* (New York: Vintage Books, 1973).

2 W.H. Auden, *The Enchafed Flood: or the Romantic Iconography of the Sea*, (New York: Random House, 1950).

oferece uma paisagem na qual o mar e o deserto são representativos da demanda espiritual rumo à realização plena. O desejo deve atravessar o caos e o deserto para atingir a frutificação. Auden considera, pois, que a demanda romântica se configura na paisagem, se assimila e compromete com o caos do mar e o vazio do deserto. Trata-se de algo também afirmado por Blake em *The Marriage of Heaven and Hell*, através do conceito de 'energia': "Energy is the only life, and is from the Body / and Reason is the bound or outward circumference of Energy.... Energy is Eternal Delight"[3].

A Energia é força criadora, poder e génio, vive na natureza e dela parte para imbuir a mente poética:

> The Giants who formed this world into its sensual existence and now seem to live in its chains, are in truth, the causes of its life and the sources of all activity, but the chains are, the cunning of weak and tame minds, which have power to resist energy, according to the proverb, the weak in courage is strong in cunning.[4]

A viagem romântica segue, contudo, diferentes caminhos: a leitura de alguns padrões imagéticos da água leva ao reconhecimento de limites, mas também conduz à reflexão individual, à introspecção e consciencialização de uma identidade posteriormente dividida.

A imagem da paisagem montanhosa e das quedas de água é comum por entre os românticos: *To the River Otter* e *Reflections on Having left a Place of Retirement* de Coleridge são disso exemplo. Também na admiração do cenário que rodeia Tintern Abbey, Wordsworth rejubila, interiorizando uma natureza capaz de nele despertar *joy:* "Sounding cataract / Haunted me like a passion [...] a presence that disturbs me with the joy / Of elevated thoughts"[5]. Mesmo que não seja de forma permanente, o poeta consegue imbuir-se na natureza e colher os seus frutos. Northrop Frye classifica esta atitude de "redemption myth" dizendo que o seu objectivo seria: "to revive the numinous power of nature and replace a sense of separation from nature with a sense of identity with it"[6].

Este pode não ser o Oásis de Auden, mas é certamente o destino isolado da demanda romântica. Trata-se de um domínio interior, lugar

---

[3] William Blake, *Complete Writings*, ed. Geoffrey Keynes (Oxford: Oxford University Press, 1984), p. 149, plate 4.

[4] *Ibidem*, p. 155, plates 15-17.

[5] William Wordsworth, *Poetical Works*, ed. Ernst de Selincourt (London: Oxford University Press, 1988), p. 116.

[6] Northrop Frye, *A Study of English Romanticism* (New York: Random House, 1968), pp. 16-18.

sagrado criado pelo poeta, e não apenas descoberto, tal como Wordsworth afirma em "Prospectus" a *The Recluse:*

> Paradise, and groves
> Elysian, fortunate Fields – like those of old
> Sought in the Atlantic Main – why should they be
> A history only of departed things,
> Of a mere fiction of what never was?
>
> For the discerning intellect of Man,
> When wedded to this goodly universe
> In live and holy passion, shall find these
> A simple produce of the common day.[7]

Wordsworth mostra de que forma a Mente e o mundo exterior se encaixam e cooperam para criar a beleza que o poeta descobre no mundo natural. No *Prelude*, Wordsworth apresenta um longo passo no qual descreve a água e concretiza assim uma imagem de crescimento e experiência: o jovem anda à deriva num barco, dirigindo o seu olhar para o alto, enquanto o jovem adulto que se situa por entre grutas, árvores, florestas e montanhas será o adulto que observa, do alto, o vale de Wye porque tomou posse da paisagem e de todos os sentidos experienciais que ela foi trazendo ao longo da vida.

Para Wordsworth, a água sustenta o eu no percurso global da sua demanda. O mundo natural não é apenas um conjunto de substâncias orgânicas e inorgânicas a serem analisadas e manipuladas pelo intelecto – nos seus poemas se revela o que poderíamos designar de "prazer microcósmico" de partilha absoluta com a natureza. Em *Ode: Intimations of Immortality*, a natureza acolhe a alma humana no momento em que ela traça o percurso da imortalidade para a vida terrena. A Terra é a Natureza-Mãe, protectora, que tem como missão integrar o homem e fazê-lo esquecer a sua origem ("that imperial palace whence he came"). No entanto, um outro estádio é exigido, um estádio no qual a mente descobre o espírito que transcende a natureza material. Este momento ocorre, não propriamente através do prazer na natureza física, como em *Nutting*, mas sim na percepção de que todas essas manifestações físicas da natureza passam. Então, o poeta está grato, não pelos prazeres naturais, mas sim por "obstinate questionings / Of sense and outward things / Fallings from us, vanishings". Esta sensação conduz indubitavelmente à consciencialização de mais amplas verdades sobre a vida e a experiência e, apesar de a alma

---

[7] William Wordsworth, *op. cit.*, p. 590.

encontrar o seu domínio, será sempre necessário que o curso da água a conduza até lá:

Hence in a season of calm weather
 Though inland far we be,
Our souls have sight of that immortal sea
 Which brought us hither,
 Can in a moment travel thither,
And see the Children sport upon the shore,
And hear the mighty waters rolling evermore.[8]

O sujeito adulto ouve o movimento do grande oceano perante o qual, tanto ele como o mundo natural, são fenómenos transitórios. A princípio, estes versos parecem prefigurar a viagem de Tennyson da eternidade rumo ao tempo ("From the great deep to the great deep") mas, como se verá, a relação da natureza com o tempo tem implicações diferentes nos poetas vitorianos.

Para já, parece claro que um ponto alto na montanha, quer seja em Tintern Abbey, Snowdon ou os Alpes, é vantajoso para a afirmação da imaginação romântica. *Alastor* de Shelley descreve também o movimento da mente poética através da experiência – aliás a imagem do espírito que nasce e se desenvolve ao ritmo da água é recorrente em Shelley. Em *Alastor*, contudo, o espírito poético é conduzido por um caminho ideal que não tem qualquer raiz no mundo material. A corrente que leva o poeta neste poema pode ser encarada como a própria corrente existencial ou a vida individual do poeta. Em ambos os casos, conduz a símbolos de interiorização – trata-se decididamente de uma corrente simbólica onde o poeta 'ascende' a uma montanha para depois passar para um lago perigosamente calmo, uma floresta, uma fonte e finalmente um local caracterizado por um precipício, uma corrente que conduz a uma caverna onde o poeta morre.

Como o próprio Shelley afirma, a corrente é a imagem da sua própria vida – "loud and hollow gulphs". Tudo no poema é simbólico, não sugerindo uma paisagem real. E, mesmo quando o poeta morre, homens e animais sobrevivem-lhe e a terra ergue a sua voz ("mighty Earth / From sea and mountain, city and wilderness"). O mar misterioso é também a corrente que leva o poeta até ao precipício montanhoso da auto-descoberta e desespero. No entanto, para Wordsworth como para Shelley, o poeta tem de descer da altitude em que se encontra e tornar a sua arte extensiva a todos (ser o profeta ou "a man speaking to men"). Ou seja, a corrente de *Ode: Intimations of Immortality* ou de *Alastor* não é mera imagem da vida, é parte inte-

[8] William Wordsworth, *op. cit.*

grante dela e da própria natureza. A força criadora representada pelas imagens da água como que se move através do poeta, transportando-o também.

A imagem da corrente e a da altitude montanhosa estão juntas em *Mont Blanc* – aí o poeta, voz e sujeito do poema, dá conta da interligação entre a mente poética e o poder da natureza:

> The everlasting universe of things
> Flows through the mind, and rolls its rapid waves,
> Now dark – now glittering – now reflecting gloom –
> Now lending splendour, where from secret springs
> The source of human thought its tribute brings
> Of waters, – with a sound but half its own.[9]

Enquanto o poeta de *Alastor* via a corrente como uma imagem da sua alma, o sujeito de *Mont Blanc* está consciente da necessidade de participar activamente na direcção da sua própria vida. Em *Prometheus Unbound*, Shelley descreve a vontade humana da seguinte forma: "a tempest winged ship, whose helm / Love rules, through waves which dare not overwhelm, / Forcing Life's wildest shores to own its sovereign sway"[10]. No mesmo poema, Asia descreve a sua alma como "an enchanted Boat", flutuando na música do Espírito e da canção de Hour.

Para os poetas românticos, as imagens do mar e das montanhas são geralmente positivas, de forte componente espiritual, significando, quando puras, o triunfo potencial sobre a experiência, mas podendo indiciar, por vezes, perigo. O Ancient Mariner, por exemplo, tem de viver do seu erro – ele é um mar estagnado e não se conduz, a ele próprio, a um destino espiritual. Ele nunca ascende à montanha que lhe daria visão. Manfred pode subir à sua montanha e aí encontrar um verdadeiro espírito mas o seu excesso de si não lhe traz a paz, apenas e somente um desejo de controlar a morte. Ou seja, ele está em guerra com a sua própria natureza e com o mundo natural que a insulta.

Os poetas românticos veneram abertamente o mundo natural, mas o prazer encontrado na natureza resultava, como Wordsworth descrevia em *Tintern Abbey*, da apreciação espiritual do mundo natural feita através de um processo de completa inter-relação e empatia, a descoberta de que as fronteiras do eu e as da natureza são ilusórias. Tentaremos agora demonstrar que, apesar de esta atitude permanecer nos poetas vitorianos, apresenta algumas mudanças significativas.

---

9 Percy Bysshe Shelley, *The Complete Poetical Works of Percy Bysshe Shelley*, ed. Thomas Hutchinson (London: Oxford University Press, 1989), p. 532.

10 *Ibidem*, p. 263.

Um passo de *Prometheus Unbound* ilustra o modo como Shelley via o poder da energia oceânica na natureza. Panthea e Ione conhecem a música do mundo ("the deep music of the rolling world") e Panthea descreve dois riachos ("two runnels of a rivulet") que traçam o mesmo caminho ("a path of melody") e se separam transformando a sua desunião numa ilha ("their dear disunion to an isle / Of lovely grief, a wood of sweet sad thoughts"). Há apenas um rio mas divide-se temporariamente, formando através desta desunião ("dear disunion") uma ilha. Os riachos unem-se no oceano poderoso que move toda a natureza. Dito de outra forma, a alienação aparente dos seres humanos no mundo da natureza material é uma ilusão. Shelley conhecia as dores da existência humana – simplesmente ele e outros românticos sentiam e conheciam o poder da natureza.

A imagem que Carlyle dá da existência humana é completamente diferente da de Shelley. Embora havendo um pressuposto comum, o tom e o ponto de vista alteram-se:

> We, the whole species of mankind, and our whole existence and history are but a floating speck in the illimitable ocean of the All; yet in that ocean; indissoluble portion thereof; partaking of its infinite tendencies: borne this way and that by its deep-swelling tides, and grand ocean currents; – of which what faintest chance is there that we should ever exhaust the significance, ascertain the goings and comings.[11]

De forma idêntica, em *Sartor Resartus*, Carlyle escreve:

> Such a minnow is man; his Creek this Planet Earth; his Ocean the immesurable All; his Monsoons and periodic currents the mysterious course of Providence through Aeons of Aeons.[12]

Resulta claro que, para Carlyle, o homem é ainda uma parte da natureza, é conduzido pela sua força vital, e, no entanto, não é capaz de a controlar, nem mesmo de traçar a sua viagem através dela. Confinado ao mecanismo da sua consciência o homem espera que o grande curso da Providência o traga à margem desejada. A solução de Carlyle parece recordar a dos seus contemporâneos românticos – no entanto, ele deposita a sua esperança num processo desconhecido, invisível, preenchido por símbolos:

> The principle of life may then withdraw into its inner sanctuaries, its abysses of mystery and miracle; withdraw deeper than into that

---

[11] Thomas Carlyle, *The Works of Thomas Carlyle* (London: Chapman and Hall, 1986), pp. 25-6.

[12] *Ibidem*, p. 205.

> domain of the Unconscious, by nature infinite and inexhaustible; and creatively work there. From that mystic region, and from that alone, all wonders, all Poesies, and Religions, and Social systems have proceeded: the like wonders, and greater and higher, lie slumbering there; and, brooded on by the spirit of the waters, will evolve themselves, and rise like exhalations from the Deep.[13]

A corrente visionária já não envolve o espírito – não há progresso, demanda, nem confronto com o momento de revelação, mas um esquecimento submerso, cíclico ("exhalation from the Deep"). Trata-se de um estado mental de esvaziamento, também conhecido dos românticos, ao qual Carlyle chama de "Unconscious". Se recordarmos o júbilo wordsworthiano perante a natureza, verificamos que, em Carlyle, esse estado de ascensão espiritual provocado pela contemplação da natureza está ausente.

O ponto de vista de Carlyle leva-nos a uma visão amplamente característica dos poetas vitorianos. A corrente romântica sugere poder e movimento positivo, mas também evoca uma superabundância espiritual através do sentido dos limites. Relacionadas com o espírito humano ou com a imaginação, as imagens de água são positivas e construtivas. Se exceptuarmos casos como o de Shelley em *Alastor*, a imagem romântica de água e corrente é geralmente positiva e enérgica. Com os vitorianos, esta mesma imagem perde força e energia, deixa de ser libertadora do homem para passar a limitar e controlar a natureza. Em muitos casos identifica-se com a própria morte. Assim, por exemplo, a canção de Merlin sobre Arthur em *Idylls of the King* de Tennyson encerra com um verso que ilustra bem o pensamento vitoriano acerca do mar enquanto símbolo: "From the great deep to the great deep he goes"[14]. Arthur surge magicamente das ondas do oceano e, próximo da morte, renasce no mar calmo de Avillon, simbolizando toda a humanidade. Em *Crossing the Bar* Tennyson reconhece que o mar nos envolve, como se o ser humano fosse "a floating speck", para utilizar uma expressão de Carlyle e como se se tratasse de uma visão da eternidade. Quando Merlin, representativo do poder da imaginação humana, perde fé e cai numa depressão melancólica, encontra um pequeno barco e navega. Mas, contrariamente ao poeta de *Alastor,* que morre na sua caverna, a viagem de Merlin por água dirige-se a uma outra margem, onde ele se encanta por Vivien e fica encarcerado numa árvore, lembrando o pinheiro e a caverna do sujeito poético shelleyano. Aparentemente destrutiva, a viagem ro-

---

[13] Thomas Carlyle, *op. cit.*, p. 40.

[14] Alfred Tennyson, *The Poems of Tennyson*, ed. Christopher Ricks (London, Longman, 1987), p. 560.

mântica transmite uma mensagem final de ascensão. Pelo contrário, o impulso vitoriano dirige-se invariavelmente para baixo.

Exemplo característico desta atitude é sem dúvida *The Lady of Shalott*. Encontramos a Lady simbolicamente numa torre, produto do artifício humano, logo, fora do enquadramento natural. Ela está envolvida na sua arte e afastada do mundo que está para além da torre. A sua demanda do mundo natural ultrapassa-a, ela viaja no barco para Camelot e perde a sua arte. O mesmo padrão repete-se com Elaine que, sabendo que não pode ter Lancelot, abandona a torre onde ela sonhou com a sua arte e parte para Camelot "in a barge [...] clothed in black"[15]. De significado profundo para Tennyson foi o barco que transportou para o túmulo o corpo de seu amigo, Arthur Henry Hallam. Este constitui um padrão absolutamente inverso ao romântico que percepciona o espírito, a vida e a visão. Em *In Memoriam*, Hallam viaja já morto por mar e, em *Crossing the Bar*, Tennyson vê-o tomar o barco rumo à eternidade. A metáfora de Wordsworth da terra como mãe e da natureza, como lar, inverte-se em Tennyson para quem, tanto uma como a outra, são do domínio da morte. Para Tennyson em *Lucretius* ou Arnold em *Empedocles on Etna*, o mundo natural não é um reduto de presenças espirituais, mas sim um reservatório de factos e matéria. O espírito apenas poderá encontrar conforto e companhia para além da natureza. Como afirma Woodring: "Romantics had rashly delved for power; Victorians would settle for truth"[16]

Apesar de haver uma partilha na devoção pela natureza, há claramente uma diferença de percepção: assim, por exemplo, o mar é uma região de morte para Tennyson, aparecendo como o último estádio de uma viagem espiritual descendente. O casal de *Despair*, tendo perdido a fé e o conforto religioso, decide suicidar-se por afogamento. A mulher morre, mas o marido salva-se. Contudo, continuando a ver o mundo como um local repelente, ele afirma ao padre que o salvou: "Hence! She is gone! Can I stay?". Fica claro, pois, que a figura masculina tentará novamente reunir-se com a mulher na morte.

Note-se, no entanto, que Tennyson nem sempre insiste neste movimento descendente para a morte. Em *Armageddon*, mais tarde revisto e publicado como *Timbuctoo,* o sujeito sobe uma montanha onde um anjo, mais tarde Fable, se lhe dirige. Esta é ainda a ascensão romântica ao promontório da visão poética:

---

15 Alfred Tennyson, *op. cit.*, p. 453.

16 Carl Woodering, *Nature into Art: Cultural Transformations in Nineteenth-Century Britain* (Cambridge, Mass: Harvard University Press, 1989), p. 117.

I felt my soul grow godlike, and my spirit
With supernatural excitation bound
Within me, and my mental eye grew large
With such a vast circumference of thought,
That, in my vanity, I seemed to stand
Upon the outward verge and bound alone
O God's omniscience[17].

Esta visão transforma-se em algo mais ameaçador e mais escuro à medida que o poema prossegue. Na versão já revista designada *Timbuctoo*, o sujeito olha, do cimo da montanha, os mares estreitos, pensando nos míticos domínios do passado, como Atlântida ou o Eldorado. Olhando para Timbuctoo, questiona-se sobre o seu carácter mítico e subitamente aparece Fable e intensifica a sua visão. No final do poema, Fable reconhece que Discovery, normalmente identificada com a Ciência, invadirá o seu mundo de mistério. O desaparecimento de Fable está representado como se de um rio se tratasse:

whose translucent wave,
Forth issuing from the darkness, windeth through
The argent streets o' the city' [...] 'it passeth by
And gulphs himself in sands, as not enduring
To carry through the world those waves, which bore
The reflex of my City in their depths.

A visão romântica de esperança ressurge mais tarde na obra de Tennyson, em *The Ancient Sage,* sob a forma de uma paisagem de criação e fé religiosa. Trata-se fundamentalmente de uma visão religiosa e espiritual e não de um poder que mova o homem para a criação. O poema movimenta-se para a morte, culmina com o final da vida de "sage". Apesar de aparentemente haver uma semelhança com o motivo wordsworthiano do promontório e da água, em Tennyson, só através de um grande esforço, de uma purgação moral e de uma submissão à morte é que o padrão da ascensão espiritual surge.

Também a poesia de Matthew Arnold apresenta algumas recorrências simbólicas da montanha. Isolado do mundo moderno, "wandering between two worlds, one dead / the other powerless to be born", Arnold não apresenta razões para júbilo: dos românticos guarda as lágrimas do mar do tempo ("this sea of time whereon we sail" [...] "Still the same ocean round us raves / But we stand mute, and watch the waves")[18]. A água e o promontório juntam-se, não em energia e

[17] Alfred Tennyson, *op. cit.*, p. 81.

[18] Matthew Arnold, *The Poetical Works of Matthew Arnold*, ed. C.B. Tinker and H.F. Lowry (Oxford: Oxford University Press, 1950), p. 290.

criação, mas em futilidade e desespero. As imagens fazem recordar os românticos – contudo referem as suas falsas aspirações e o modo como contribuíram para tornar o mar amargo ("salt estranging sea") com as suas lágrimas salgadas.

Empedocles sobe o Etna, não para obter uma visão de criação poética – ele sobe ("a sea of cloud" [...] "To moat this isle of ashes from the world") convertendo ironicamente uma montanha visionária numa ilha de solidão. Aí, Empedocles pondera a sua alienação do mundo e a sua incapacidade de encontrar uma fonte de esperança: "miserably bandied to and fro / Like a sea-wave, betwixt the world". Ao contrário da visão romântica, a solução de Empedocles é a dissolução, saltando para dentro do Etna e resumindo assim a sua identificação elementar com a natureza. Frequentemente na poesia de Arnold, a condição humana surge caracterizada pela sua incapacidade e limitação. Esta ideia aparece representada nas imagens da água – Arnold vê os seres humanos confinados em ilhas de um oceano alienado. Não há demanda. *The New Sirens*, por exemplo, descreve preciasmente o estado de ausência espiritual, de descrença e falta de demanda poética. A água e o promontório são imagens de uma força alienante para Arnold. O viajante ou marinheiro romântico assume-se aqui ciente da sua condição humana e do progresso que tem de realizar, individualmente, através do tempo.

From the dragon-wardered fountains
Where the springs of knowledge are,
From the watchers on the mountains,
And the bright and morning star;
We are exiles, we are falling,
We have lost them at your call –
O ye false ones, at your calling
Seeking ceiled chambers and a palace-hall![19]

Renovador, crente e transcendente, o espírito romântico reflecte um período de incertezas e de novas possibilidades: as reformas e as revoluções políticas prometiam oportunidades para a humanidade. A revolução estética assumia-se assim também por toda a Europa como um espírito potenciador de criatividade. À medida que o explorava, o poeta romântico acreditava na sua própria capacidade de transcender o limite e de se redefinir no outro e no ilimite. Perceber o mundo era trazê-lo para si, buscar no circundante tudo o que o poder iluminador da imaginação fosse capaz de captar. Pelo contrário, e apesar de todo este espírito criador se reflectir na poesia vitoriana, o espírito cien-

[19] Matthew Arnold, *op. cit.*, p. 36.

tífico e as novas teorias acerca da existência vinham apelar à razão, impor limites, criar dúvidas. Em busca de novos símbolos e de uma nova fé, Carlyle sabe que o mistério que envolve a demanda da humanidade pode ser transitório. Tennyson desenha a figura humana pelo seu sentido geológico – há que lentamente acumular virtudes, considerar o progresso social, trabalhar para a obtenção de uma condição humana mais renovada. Em Arnold, esta perspectiva desaparece e, com ela, a energia criadora. Ou seja, de uma forma geral, os vitorianos combinam o sentido romântico de potencial e energia com a limitação, a consciência, o esforço e a dúvida. Os românticos concentram-se nas fontes e na transmissão de poder – em altas montanhas e águas poderosas. Os vitorianos olham para o fim do poder, correntes lentamente movidas pelo vento para o mar.

Uma complexa teia de imagética de água e promontórios desenha-se pela poesia oitocentista – em certos casos meramente ornamental, noutros construindo imagens distintas das que aqui foram indicadas. Podemos afirmar, no entanto, que, de uma forma geral, estes constituem os padrões de pensamento e representação que enformam poetas dos dois períodos trazendo a imagem da diversidade que caracteriza a poesia inglesa do século XIX.

The Romantic Hero: An Abject Hero

Sílvia Quinteiro
ESGHT – Universidade do Algarve

I

This paper is part of a work in which I am analysing the romantic hero from several perspectives[1]. For today's presentation, I have chosen to focus on the possibility of considering the romantic hero an abject hero. I will start by defining this hero as a monster and will then proceed approaching the concepts of monster and abject through an analysis that will include a reading on the heroes in *Quatrevingt-treize* (Victor Hugo, 1874), *Melmoth the Wanderer* (Charles Maturin, 1820), *Peter Schlemihls wundersame Geschichte* (Adelbert von Chamisso, 1813), *Frankenstein; or, the Modern Prometheus* (Mary Shelley, 1818), *Le Comte de Monte-Cristo* (Alexandre Dumas, Père, 1845), and *Faust I* (Goethe, 1808).

II

Lilian Furst[2] refers to the romantic hero as a figure who is not conceived with the intention of representing an ideal being and stresses the ambiguity that makes it difficult to draw the line that distinguishes the figure of the hero from that of the anti-hero[3]. In fact, the romantic

---

1 Its characterization and construction; its relationship towards space (landscapes and interiors); and its relationship with the Other and with himself.

2 Lilian Furst, "The Romantic Hero, or is he an Anti-Hero?", *in The Contours of European Romanticism* (London and Basingstoke: The Macmillan Press, Ltd, 1979), pp. 52-53.

3 Also Helena Buescu, in a reference to the romantic fictional individual, states that he is situated between the hero and the anti-hero: "Hommes, machines et maladies: La conscience romanesque de l'homme au romantisme", *in* Hendrik van Gorp and Ulla Musarra-Schroeder (eds.), *Studies in Comparative Literature 29 – Genres as*

heroes reflect the paradoxical values assumed by the Romantic movement and consequently they both reflect some of the noblest moral values, such as the defence of the ideals of liberty, equality and fraternity. At the same time, they also present aspects that challenge the moral or excel in defying God, in an individualism that makes them act cruelly upon those who surround them and rebel against the values of society, which will eventually lead them to their outcasting.

Assuming a set of characteristics, both psychological and physical, which define them as different from the rest of the human beings, the romantic heroes are easily identified with the exceptional figure of the so-called monster. In fact, they are characters that we could define simply as excessive, since they are morally excessive. According to Aguiar e Silva[4], the romantic heroes are "haughty and dominating, relevant either in good or in evil" – but they are also physically excessive, because body and soul are indivisible and so moral excessiveness corresponds to the exceptional features of their monstrous bodies.

This exception allowed to the monster, whether by excess or fault, awakes curiosity and attracts the public eye. David Punter, in *Gothic Pathologies*[5], analyses the relation between the Law and the monster's body in a way I think also valid to the study of the relation between the Law and the monster's mind. The author states that the Law is a means of creating a pattern for the body, and that it rejects the exceptional body. Therefore, before the Law there are no monsters, since they would put the Law at stake. Nevertheless, according to Punter, it is this threat to the Law that attracts us to the monster, because it undoes the discourse of the Law, even if not permanently, and suggests that we don't have to live imprisoned, that we can save ourselves, even if that salvation implies our death. The author considers that there is a dialectic relationship between reader and monster that makes the latter attractive[6]. José Gil[7] points out the frequently established relation between the word monster and *monstrare* ("to show") and to the fact that this association is not due to the act of showing repeatedly but, on the contrary, because it is only done in exceptional situations. In fact, being rare, monsters are seldom seen, and this is a reason why they are a target to the curious eye

---

Repositories of Cultural Memory (Amsterdam & Atlanta, GA: Rodopi, 2000), p. 555.

4 V. M. Aguiar e Silva, *A Estrutura do romance*, sep. de *Teoria da Literatura* (Coimbra: Livraria Almedina, 1974), p. 20.

5 David Punter, *Gothic Pathologies. The Text, The Body and The Law* (London: Macmillan Press Ltd, 1998), pp. 43-62.

6 *Ibidem*, p. 46.

7 José Gil, *Monstros* (Lisboa: Quetzal, 1994), p. 77.

and a source of fascination to those who are part of the so-called normality. The monster is therefore the one who shows his difference and who, by revealing an "overabundance of reality" and an "excess of presence", becomes suitable for representation[8]. It is as individuals who show this excess of presence that I consider Peter Schlemihl, Frankenstein/ the creature, Dantès, Melmoth, Faust and Cimourdain as monsters. We cannot, however, ignore the fact that we are facing "monsters" that are very different from each other, belonging to sub--categories of that wider category.

The monstrous figure always has its origin in an act of transgression. As it is said by José Gil[9], the monster is the visible proof of the mother's culpability or, if we understand "mother" as the being that gives him life, it is the visible proof of the culpability of his creator, because the monster's creation is not restricted to natural conception and birth[10], nor is this the most common situation as far as romantic monsters are concerned. Their origin is the consequence of an act that is symbolically counter-nature and counter-culture[11]. The monster can result from the hideous act of a man that assumes the father's role[12], as in the case of Frankenstein; from the terrible acts of a group or society, as in the cases of Cimourdain and Dantès; or yet from the weakness of the character himself that gives his soul to a satanic entity aiming at obtaining certain benefits, as in the cases of Faust, Peter Schlemihl and Melmoth.

Because of their transgressive origin and nature, monsters are irreproducible figures and the impossibility of repeating or reproducing themselves definitely makes them asocial individuals and outcasts[13].

III

The whole set of exceptional and uncommon features that characterizes these singular heroes is the cause of fascination and abjection. In fact, it is the sum of these characteristics that makes the romantic

---

8 *Ibidem.*, pp. 78-81.

9 *Ibidem.*, p. 94.

10 Sílvia Quinteiro, "Monstros: criação ou mo(n)stração?", *Dos Algarves, Revista da Escola Superior de Gestão, Hotelaria e Turismo*, 6, 2000, pp. 28-29.

11 José Gil, *op. cit.*, pp. 94-95.

12 See also Maria Aline Ferreira, "Reprodução, Abjecção e Desejo em *Frankenstein*", *Anglo-Saxónica, Revista do Centro de Estudos Anglísticos da Universidade de Lisboa*, Série II, 2 e 3, 1996, pp. 92-97.

13 David Punter, *op. cit.*, p. 46.

hero emerge at the same time as an object of attraction and an object of repulse. Therefore we are then before a kind of hero that fits Julia Kristeva's[14] definition of the abject, which is, a hero that is attractive because he is repulsive, and the more repulse he causes, the more attractive he becomes. Being excessive and exceptional, the monstrous hero is the unclean and improper element that society attempts to eliminate. Society – that I here refer to as the clean and proper self/element – rejects, expels and excludes the inadequate, the dirty, the corporeal disorder and the anti-social[15]. Both subject and society, endeavour to achieve a stainless identity, a perfect identity, which places the undesirable aspects out of sight. This is a process of removal that fits Kristeva's concept of abjection, casting aside with the primordial multiplicity that prevents the emergence of a coherent (individual or social) identity, and throwing the self under an external authority "that works to socialize the emergent self within a system that denies the multiplicity (…)"[16]. However, by trying to discard what is abject in itself/himself, society and subject are creating a provisional and therefore unstable identity. In effect, refusing something that is part of the self and trying to permanently remove something that can be repressed and concealed, but never eradicated, causes an interior fragmentation and a fragile identity that are to be found both in the monstrous heroes and in the society they *belong to*.

In the cases of the heroes in question, repulse has to do with moral issues – with the rejection or acceptance of the heroes's behaviours in *Quatrevingt-treize*, *Faust I*, and *Le Comte de Monte-Cristo* –, and with physical issues coupled with moral issues – as in *Melmoth the Wanderer*, *Peter Schlemihls wundersame Geschichte* and *Frankenstein; or, the Modern Prometheus*. In these last three cases, physical rarity/deformation emerges as a sign of moral transgression. So, we can see that Melmoth's extraordinary powers, like Schlemihl's (as well as the fact that Schlemihl has no shadow), are evidences of their pacts with the devil which, in the case of Edmond Dantès, are implicit. In *Frankenstein; or, the Modern Prometheus*, however, and even though the underlying principle is the same and physical deformation

14 *Pouvoirs de l'horreur: Essai sur l'abjection* (Paris: Éditions du Seuil, 1980), pp. 9--39.

15 Elizabeth Gross, "The Body of Signification", in John Fletcher and Andrew Benjamin (eds.), *Abjection, Melancholia and Love: the work of Julia Kristeva* (London and New York: Routledge, 1990), p. 86.

16 Jerrold Hogle, "*Frankenstein* as neo-gothic: from the ghost of the counterfeit to the monster of abjection", in Tilottama Rajan and Julia M. Wright (eds.), *Romanticism, history, and the possibilities of genre* (Cambridge: Cambridge University Press, 1998), p. 204.

exposes a moral deformation, the approach is more elaborate: Victor shows his moral distortion by projecting it in his creation's deformed body. According to Jerrold Hogle[17], Frankenstein's creature (as in other creature/Creator relations) is the private place to which Victor resorts when he wants to liberate himself from his own moral distortion The monstrous creature exhibits in his body the multiplicity that Victor tries to veil. In fact, in the process of collecting human remains to create a new life that he intents coherent, the creator decomposes himself becoming a fragment – "Sometimes I grew alarmed at the wreck I perceived I had become"[18] – and revealing an abject part of him that is finally exposed in its totality the moment he looks at his creation for the first time and sees a reflection of his own soul:

> His yellow skin scarcely covered the work of muscles and arteries beneath; his hair was of lustrous black, and flowing; his teeth of pearly whiteness; but these luxuriances only formed a more horrid contrast with his watery eyes, that seemed almost of the same colour as the dun-white sockets in which they were set, his shrivelled complexion and straight black lips.[19]

The process of creating is, after all, a process of showing: the exhibition of what exists but should not be shown, the *uncanny*[20]. Meaningfully, the creature's skin is not represented as a layer that makes the body look uniform but as a transparency through which the multiplicity of the creature's interior should not, yet can, be observed. Everything is shamelessly revealed, the most intimate (physical and psychological) aspects. The creature exhibits all its horror and even what might be considered as a synonym of perfection, like the *"teeth of pearly whiteness"* and the black lustrous hair, ends up being a means to emphasize the horror of incoherence: the white teeth contrast with the black lips, the black hair falls over a non-Asian yellow skin and *"dun-white" "watery eyes"*. The tremendous multiplicity and total disconnection of the elements that compose this figure are thus evident, and so is the absolute failure of Victor's attempt to represent a perfect being. Therefore, we realize that the creature is not the synonym of throwing off the abject element, but a disclosure of everything that Victor rejects, his abject/monstrous self, what in him cannot be reduced to a coherent unity inside a system. The creature's monstros-

[17] *Ibidem*, p. 195.

[18] Mary Shelley, *Frankenstein; or, The Modern Prometheus* (London: Penguin Books, 1992 [1818]), p. 55.

[19] *Ibidem*, p. 56.

[20] Sigmund Freud, "The Uncanny", in Julie Rivkin and Michael Ryan (eds.), *Literary Theory: an Anthology* (Oxford: Basil Blackwell, 1998 [1919]), p. 166.

ity exists in the sense that this figure embodies and distances everything that in Victor and in the creature itself is *abjected* by the Western culture[21].

The monstrous heroes are hence elements whose difference and extraordinary marks make them unspeakable, unclassifiable, inassimilable alterities that fit the symptom of the abject described by Julia Kristeva:

> Le *symptôme*: un Langage, déclarant forfait, structure dans le corps un étranger inassimilable, monstre (...).[22]

Society is not only incapable of absorbing these heroes but also incapable of eliminating them and, according to Kristeva, it is the recognition of the impossibility of excluding the threatening and anti--social elements that produce the sensation and the attitude this author defines as abjection[23]. The set of malformations that characterizes these heroes makes them simultaneously appealing and repulsive, owners of a fascination that Kristeva claims to be an attribute of the abject. The romantic heroes, being abject subjects use this feature on their victims, making them submissive and voluntary[24]. In fact, this appeal is a constant feature of the romantic heroes. They are figures that cannot be observed with indifference, they are enchanting and revolting, source of extreme hatred and affection, or maybe of a mixture of both. These unexplainably linked characteristics are translated in the expression villain-hero that is generally used to designate the romantic hero: because if on one hand they produce a feeling of abhorrence due to their criminal acts, on the other hand they inevitably fascinate everybody around them, and even the reader, leading us to believe that they are victims in their fictional world[25]. Independently from the Other's will or reason, the attraction towards the abject hero (which is also an attraction towards the abyss) is unavoidable.

It is then important to make a distinction between two situations in which the abject arises: when the hero recognizes his own abject side and tries to suppress it, and when the hero is himself the abject element of a society that struggles to eradicate him. That is the case in *Peter Schlemihls wundersame Geschichte*, where Mina, although ter-

---

[21] Jerrold Hogle, *op. cit.*, p. 186.

[22] Julia Kristeva, *op. cit.*, p. 19.

[23] Elizabeth Gross, *op. cit.*, p. 87.

[24] Julia Kristeva, *op. cit.*, pp. 16-17.

[25] Marylin Butler, *Romantics, Rebels and Reactionaries. English Literature and its Background 1760-1830* (Oxford, New York: Oxford University Press), p. 161.

rified since the first time she saw Schlemihl[26], could not avoid a love that would end by (un)willingly leading her to disgrace. In *Peter Schlemihls wundersame Geschichte*, like in *Faust I*, for example, the abject doesn't exist simply linked to the hero's figure but also to his relation towards other abject elements – in Schlemihl's case, his relation towards gold and towards the devil. In a passage referring the way he related to his wealth, Schlemihl expresses himself in terms of attraction/repulse, as if he was talking about sex – gold is here something that he desires and possesses in a sexual way (with lust), and that he afterwards rejects:

> So verging der Tag, der Abend; ich schloß meine Tür nicht auf, die Nacht fand mich liegend auf dem Golde, und darauf übermannte mich der Schlaf. (...) Ich stieß von mir mit Unwillen und Überdruß dieses Gold, an dem ich kurz vorher mein törichtes Herz gesättigt (...).[27]

This is a relation that reflects Schlemihl's relation with himself (his interior fragmentation) and the way he faces not only the disturbing and unclean gold but also the one from whom he has received it. In fact, abjection defines his experience when he observes the man in gray/the devil. Schlemihl can't prevent himself from looking at a figure that he cannot tolerate:

> (S)o ward mir doch seine blasse Erscheinung, von der ich kein Auge abwenden konnte, so schauerlich, daß ich sie nicht Länger ertragen konnte.[28]

But in *Peter Schlemihls wundersame Geschichte* the connection between gold and abjection goes beyond the protagonist's feelings. As a matter of fact, there is another face of this object, similar to the one in *Le Comte de Monte-Cristo*: here money is the hero's most attractive asset. It is wealth that enchants the ones around the hero to a point that their faculties become partially suspended; but, in great measure, it is also money that makes them pretend not to notice neiher the hero's physical and/or psychological strangeness and difference nor even his transgressive behaviour and lies. Indeed, it is gold that transforms an individual that without it would simply be repulsive into an attractive one to whom everybody willingly submits. Wealth fascinates and buys, and just like any other abject element it allows exposure – in these cases it is an evidence of the hypocrisy and forged morality that preside over society's construction of the clean and proper self.

---

[26] Adelbert Chamisso, *Peter Schlemihls wundersame Geschichte* (Frankfurt und Leipzig: Insel Verlag, 1980[1813]), p. 27.

[27] *Ibidem*, pp. 25-26.

[28] *Ibidem*, p. 21.

This fascination, which we can relate to Edmund Burke's definition of "astonishment"[29], results from the subject's exceptionality and from his exposure – the exposure of a deformed uniqueness. In fact, Burke's definition of the sublime experience is very similar to what the individual experiments when facing the abject: the frozen faculties and the suspension of the self. What makes these heroes seductive and fearsome is hence this irregular singularity (the suspicion that something obscure has marked their past and still accompanies them) together with a short disclosure that is just enough to arise curiosity and interest and to avoid the possibility of turning one's back on it. In Cimourdain's case, the hero's attraction results from allying the obscurity of his past to a present severe and unsounded personality. Nevertheless, Cimourdain's attraction isn't caused simply by his secrecy and deviance from the current social values but also, and essentially, by all the mystery surrounding his absolute strictness and unusual sense of justice. Indeed, what really fascinates us about Cimourdain is to observe how far he can take his extreme and conflicting passions for justice and for Gauvain. In fact, these two passions are elements that the hero would have to expel or repress in order to achieve a coherent identity, and the inability of doing so leads Cimourdain to an unavoidable death.

Like Cimourdain, Melmoth is also a figure that provokes the curiosity of those who observe him as if he was a dangerous, fearsome, but absolutely irresistible abyss. The mystery involving Melmoth (like the one that involves Cimourdain and Edmond Dantès) makes all the attentions centre on him, even though he is a terrifying figure, or maybe for that reason. The same society that tries to suppress the hero cannot avoid being fascinated by him.

To conclude, I would like to stress the idea that the monstrous hero is more than a figuration of physical and moral disorder or inadequacy of the Self. In fact, this irregular figure is also a representation of society's inability of building an identity that is permanently coherent. He is therefore an abject hero, one that *abjects* part of himself and who is partially *abjected* by the society he belongs to.

---

[29] "The passion produced by the great and sublime in *nature*, when those causes operate most powerfully, is Astonishment; and astonishment is that state of soul, in which all its motions are suspended, with some degree of horror. In this case the mind is so entirely filled with its object, that it cannot entertain any other (...)." (Edmund Burke, *A Philosophical Enquiry into the Origin of our Ideas of the Sublime and the Beautiful* (London: Basil Blackwell, 1990 [1757]), p. 57).

Geografia do mundo: heranças românticas na poesia de Sophia de Mello Breyner Andresen

Margarida Gil dos Reis
Universidade de Lisboa

> "A beleza é verdade, a verdade é beleza."
> Apenas isto é tudo o que sabes e precisas de saber na terra.
>
> Keats

Quando se fala da poesia de Sophia de Mello Breyner vê-se, num primeiro plano, o mar muito azul e, em seguida, uma espécie de respiração primordial que nos ensina a viver a poesia e a seguir o poeta, num deslumbramento constante, face a tudo o que nos rodeia. Fiel aos românticos ingleses, em especial a Byron, bem como aos românticos alemães como Hölderlin e Rilke, Sophia depositou a sua inteira confiança no poder de nomear. "Mar", "branco", "casa" são palavras que reforçam a sua ligação às coisas e que nos revelam, a nós leitores, a essência do fenómeno poético. "Eu era de facto tão nova que nem sabia que os poemas eram escritos por pessoas, mas julgava que eram consubstanciais ao universo, que eram a respiração das coisas, o nome deste mundo dito por ele próprio"[1].

São as coordenadas do mundo que orientam a poesia de Sophia porque a poesia será sempre uma perseguição do real, uma busca atenta dessa relação justa com o mar, com a pedra ou com a casa. Percepcionar, representar e, melhor ainda, nomear o mundo, são etapas de um acto de exploração geográfica, a partir do qual se encon-

---

[1] Sophia de Mello Breyner Andresen, "Arte PoéticaV", *Ilhas*, *Obra Poética III* (Lisboa: Caminho, 1999), p. 249.

tram os elementos necessários para viver em função de uma geografia que se quer interior. Pretendemos, então, com este trabalho, explorar, a partir das concepções de representação e paisagem românticas, a relação entre o sujeito e o mundo, bem como a representação de um Eu-poeta na poesia de Sophia.

A poética romântica, que gira em torno de conceitos como a imaginação, a expressão e a retórica, mostra-nos uma poesia vista como "uma promulgação harmoniosa para sempre estabelecida de um mundo perfeitamente ordenado e que em si reflecte os eternos modelos originais das coisas."[2] Este princípio utópico de harmonia e de desejo de absoluto foi perseguido pela sombra do trágico destino do homem romântico. Porque quer o vínculo à terra, quer a consciência finita do homem geram melancolia. E se a temática do poeta é fruto das experiências que tem do mundo, nesse catálogo de impressões dos vários fenómenos, o poeta é também levado a experimentar «o espantoso sofrimento do mundo». Deste modo, reconhecemos que esse sentido interior das coisas, presente numa sensibilidade dita romântica, se orienta em função de duas grandes coordenadas: a contemplação deslumbrada do mundo e a procura de harmonia. Viver no mundo a partir deste código ético é viver também em função de uma geografia dita interior, na medida em que interiorizar o mundo pressupõe assimilar o real, mas também subordiná-lo ao sujeito. Byron diz: "É para criar e, ao criarmos, viver / uma existência mais intensa, que às nossas visões entregamos uma forma."[3] porque "Tudo se concentra numa vida intensa / onde nem uma falha, uma brisa, um reflexo se perdem."[4]. É, justamente, a noção de sujeito, em torno do qual se move toda a questão da representação, que nos interessa problematizar face ao pensamento romântico. Quais são os contornos de um sujeito que se funde nesse contacto com o mundo e, muitas vezes, é tomado por imagens e simulacros do real? O que é então a poesia? Qual a função do poeta no mundo?

Se considerarmos que estas são as grandes questões subjacentes à poética romântica, torna-se-nos mais fácil equacionar os problemas. De um lado, os homens enquanto mundo. Do outro, a palavra poética, mediadora do mundo e do poeta aos outros homens que ainda não se sentem mundo. Assim, para além de forma de representação mimética, a poesia é repertório de temas do mundo, veículo de aproximação ao

---

2 *Poética Romântica Inglesa*, org., trad. e notas de Alcinda Pinheiro de Sousa e João Ferreira Duarte (Lisboa: Apaginastantas, 1985), p. 13.

3 *Poesia Romântica Inglesa – Byron, Shelley, Keats*, pref. e trad. Fernando Guimarães (Lisboa: Relógio D'Água, 1992), p. 22.

4 *Ibidem*, p. 23.

belo, fonte de conhecimento universal que, a partir do outro, equaciona acções da natureza humana. Na poesia de Sophia, o mundo ganha textura quando se fala do "branco das espumas", da "brisa do jardim" ou do "ritmo das paisagens" porque, citando Byron, só o poeta pode dizer: "sou uma alga / arrancada das rochas que voga sobre a escuma do Oceano / para onde a arrastam as ondas e a respiração da tempestade."[5] Também Sophia dirá, em «Mulheres à Beira-Mar»[6]: "O extremo dos seus dedos toca o cimo de / delícia e vertigem onde o ar acaba e começa. / E aos seus ombros cola-se uma alga, feliz de ser tão verde." Mais do que expressão de uma subjectividade, a poesia, ou antes, o acto de «poematizar», segundo Heidegger[7] é não só invenção de um mundo de imagens e testemunho sobre o mundo mas, acima de tudo, é fundação através da palavra, na medida em que a linguagem é uma mediadora entre o eu e o outro e o eu e o mundo.

"Sempre a poesia foi para mim uma perseguição do real. Um poema foi sempre o círculo traçado à roda duma coisa, um círculo onde o pássaro do real fica preso."[8] Fundar a partir da poesia implica que um poema seja muito mais do que um simples ornamento para ser um suporte da própria História, pois fala-se sobre o mundo mas, sobretudo, sobre a essência do homem, fala-se sobre o poeta no mundo mas, acima de tudo, do lugar que o poeta conquista entre os deuses e os homens. Deste modo, o processo criativo, tal como é visto pelos românticos, organiza-se em torno da expressão e da imaginação. De um lado importa exteriorizar tudo o que o homem tem na alma, desde emoções a obsessões. Do outro, importa construir e reconstruir o mundo a partir dos dados de um real maleável que o sujeito percepciona.

Quando se escreve, o mundo fica suspenso. Porque se fala também do próprio mundo, mundo esse que é, no acto de escrita, um mundo de palavras, de emoções, mundo da experiência de quem escreve e se diz, como Byron, "possuidores e sendo possuídos por tudo o que existe / no interior desse calmo círculo de felicidade."[9]. Se, por um lado, o mundo é transfigurado e reorganizado em função do olhar de quem escreve, por outro, escrever sobre o mundo é um modo de atenção diferente na medida em que, no processo de escrita, o poeta não é colocado no mundo, mas sim sobre o mundo. Ao Romantismo, defensor da projec-

---

5 *Poesia Romântica Inglesa*, *op. cit.*, p. 21.

6 Sophia de Mello Breyner Andresen, "Coral", *Obra Poética I* (Lisboa: Caminho, 1999), p. 169.

7 Cf. Martin Heidegger, *Approche de Hölderlin* (Paris: Gallimard, 1988).

8 Sophia de Mello Breyner Andresen, *Obra Poética III*, *op. cit*, p. 95.

9 *Poesia Romântica Inglesa*, *op. cit.*, p. 42.

ção subjectivista do real no poema, interessava-lhe, sobretudo, validar esse novo espaço do real pela linguagem, possibilitando-lhe a transferência do sentimento em sentido e do sujeito em mundo.

A poesia de Sophia recupera esta consubstancialidade entre a palavra e a coisa e a poesia e o real. Fundamentalmente, acredita-se que existe um laço sagrado entre a poesia e o mundo. "A Poesia é a própria existência das coisas em si, como realidade inteira, independente daquele que a conhece"[10]. Sendo impossível ao poeta fundir-se com o mar e com o vento, a poesia, para além de celebrar a aliança do sujeito com as coisas, religa o poeta a essa harmonia do mundo de forma a descobrir o divino. Como em Hölderlin, é essa procura de um sentido divino no mundo que permitirá a experiência do transcendente. A presença das coisas remete para um reino de plenitude onde há uma plena abertura ao divino e uma recusa da vertente mais mundana do mundo. À semelhança de uma matriz romântica, para Sophia a poesia é revelação e uma missão quase sacral. Porque a poesia é o canto de religação do homem às coisas, porque a dimensão em que o real se nos revela determina não só os contornos do mundo mas, sobretudo, o sentido da nossa existência.

E se, na esteira de Hölderlin, é a partir de uma entrega total às coisas que reside uma das formas de salvação, a Poesia ganhou ainda muito mais com o Romantismo. Aprende-se que o sujeito e a obra de arte são indissociáveis, aprende-se a ganhar um distanciamento crítico relativamente à própria obra de arte, aprende-se que a literatura é um espaço de problematização e de consciência de si. E é a partir da instrospecção do eu sobre si próprio, dessa capacidade representacional típicas de uma modernidade que reconhecemos a génese da sua problematização no Romantismo. Com Shelley aprendemos que o mundo partilha o sofrimento do sujeito, com Keats aprendemos a privilegiar o estético e a experiência da beleza, com Hölderlin e Rilke interiorizamos essa fidelidade a um quase compromisso com a vocação poética.

Resta-nos, assim, num segundo momento, tentar responder à questão inicialmente formulada: "Qual a função do poeta no mundo?" De que forma é que a partir do acto de re-presentar o mundo, o poeta se reconhece enquanto sujeito? Para os românticos, o poeta era aquele cuja sensibilidade era mais viva do que nos outros homens. Detentor de um poder criativo, como se de um talento mecânico e inato se tratasse, para o poeta a percepção e representação do mundo devem ser resultado de um processo espontâneo, fruto da inspiração. Na «Defesa da Poesia», Shelley dirá mesmo que o poeta não só "contempla inten-

---

[10] Sophia de Mello Breyner Andresen, "Poesia e Realidade", *Colóquio – Revista de Artes e Letras*, 8, Abril de 1993, p. 54.

asmente o presente tal como é e descobre as leis segundo as quais as coisas presentes deviam ser ordenadas, mas também contempla o futuro no presente e os seus pensamentos são os germens da flor e do fruto do tempo que há-de vir."[11]. Esta mistura de elementos da natureza humana com o que é apreendido no mundo, como se de cores numa única paleta se tratassem, faz da poesia um ofício elevado, 'sopro' de inspiração, 'ditado' das musas, como se as mãos, tal como numa pintura, fossem modeladas por uma natureza que nos transcende, divina. E o poeta está apenas ao serviço desta faculdade poética através da qual suspende o que há de belo no mundo. Também para Sophia a obra de arte "faz parte do real e é destino, realização, salvação e vida"[12]. Esta é a função redentora da poesia, que exalta a beleza que há nas coisas e afasta o homem da corrupção do mundo. Porque mais do que revelar o mundo, a poesia incute no sujeito a missão de habitantes do mundo, fazendo-o sentir parte integrante do Real.

Se, por um lado, uma das funções do poeta é proporcionar um determinado prazer estético ao leitor, na medida em que a arte é mediadora entre o humano e o natural, ao actuar sobre a realidade o poeta tem também em vista determinados objectivos morais a cumprir. É a poesia que ensina a olhar para o mundo, que ensina a sentir e a participar da beleza das coisas porque, como dirá Keats, "a beleza em cada ser é uma alegria eterna"[13]. O poeta é o mediador e detentor de um saber sagrado, quase como se ele próprio fosse o simples meio através do qual essa imaginação divina se desse a conhecer. O poder visionário de encontrar poesia no mais simples e pequeno objecto faz com que o poeta conheça a verdade transcendental que encontra no interior das coisas. Sob a raiz da noção heideggeriana do poeta como pastor do absoluto, também em Sophia a poesia abre caminho para uma salvação. Porque vivemos num tempo dividido em que não se respeita, como diz Heidegger, a "coisidade" das coisas. Assim, a função do poeta é a de estar atento ao mundo, a esses sinais do divino, para em seguida o dizer.

Este respirar interior das coisas que encontramos na poesia de Sophia é sintomático da ênfase que é dada ao processo interior individual. Se, por um lado, nesse encontro com o mundo, há uma projecção do sujeito na realidade, mais importante ainda será a comunhão entre sujeito e objecto. É a partir deste dualismo (sujeito / objecto) que a

---

11 *Poética Romântica Inglesa, op. cit.*, p. 129.

12 Sophia de Mello Breyner Andresen, "Posfácio", «Livro Sexto», *Obra Poética II* (Lisboa, Caminho: 1999), p. 75.

13 *Poesia Romântica Inglesa, op. cit.*, p. 67.

poesia se edifica, a partir destes elementos aparentemente antitéticos, mas que se fundem, como se essa dialéctica fosse organizada segundo o modelo da tese, antítese, síntese, visando uma fusão entre experiência e representação.

São estas, a nosso ver, as heranças românticas fundamentais na poesia de Sophia que nos permitem falar de uma indissociabilidade entre o sujeito e o mundo, entre o poético e o sagrado. Nesta poesia podemos ainda ver o projecto de fusão do estético com o ético, porque relacionar-se poeticamente com o mundo é estar religiosamente nesse mesmo mundo. Nesta perspectiva, equacionar conceitos como percepção e representação a partir de um código romântico é perceber o próprio funcionamento da obra de arte. Perceber que, não podendo unir-se em absoluto ao real, o poeta constrói-se no poema e dele faz espaço de celebração da eterna aliança entre o Homem e o mundo. Desse acto de exploração geográfica, exterior e interior, que é a poesia de Sophia, finalizamos o nosso texto sem hesitar em transcrever palavras da autora:

> A beleza da ânfora de barro pálido é tão evidente, tão certa que não pode ser descrita. Mas eu sei que a palavra beleza não é nada, sei que a beleza não existe em si mas é apenas o rosto, a forma, o sinal de uma verdade da qual ela não pode ser separada. Não falo de uma beleza estética mas sim de uma beleza poética.
> Olho para a ânfora: quando a encher de água ela me dará de beber. Mas já agora ela me dá de beber. Paz e alegria, deslumbramento de estar no mundo, religação.
> [...] O reino agora é só aquele que cada um por si mesmo encontra e conquista, a aliança que cada um tece.
> Este é o reino que buscamos nas praias de mar verde, no azul suspenso da noite, na pureza da cal, na pequena pedra polida, no perfume do oregão. Semelhante ao corpo de Orfeu dilacerado pelas fúrias este reino está dividido. Nós procuramos reuni-lo, procuramos a sua unidade, vamos de coisa em coisa.
> É por isso que eu levo a ânfora de barro pálido e ela é para mim preciosa. Ponho-a sobre o muro em frente do mar. Ela é ali a nova imagem da minha aliança com as coisas. Aliança ameaçada. Reino que com paixão encontro, reúno, edifico. Reino vulnerável. Companheiro mortal da eternidade.[14]

---

[14] Sophia de Mello Breyner Andresen, "Arte Poética I", *Obra Poética III*, pp. 93-94.

Corpo e paisagem de Hölderlin no texto de Maria Gabriela Llansol

Cristiana Vasconcelos Rodrigues
Universidade Aberta

Comecemos por citar Gotthilf Heinrich Schubert, autor da obra *Die Symbolik des Traumes* (escrita em 1814), sobre a linguagem do sonho, num tempo em que este era visto como manifestação da vida anímica e não parte de uma patologia:

> No sonho (...) a alma parece falar uma língua muito diferente da normal. Certos objectos da natureza ou certas qualidades das coisas significam agora subitamente pessoas, e por outro lado pessoas apresentam-se-nos como qualidades ou acções. No momento em que a alma fala esta língua as suas ideias seguem uma lei da associação diferente da habitual (...). Naquela língua, por meio de algumas imagens hieroglíficas estranhamente articuladas, que imaginamos em rápida sucessão, contiguidade ou simultaneidade, conseguimos exprimir em poucos momentos o que, na linguagem das palavras, não faríamos em várias horas. (...) a alma procura falar esta sua linguagem própria logo que, no sono ou no delírio, se liberta da prisão habitual, embora só consiga isso mais ou menos do mesmo modo que um bom caminhante o conseguiria se tentasse executar os futuros movimentos ainda como feto no ventre materno. Porque, diga-se de passagem: ainda que conseguíssemos trazer já agora à luz do dia aqueles *disjecta membra* de uma vida primordial e futura, mais não conseguiríamos, naquela linguagem dos espíritos, do que um balbuceio ou quando muito uma fala de ventríloquo.[1]

---

[1] In João Barrento (sel., trad., introd.), *Literatura Alemã. Textos e Contextos (1700--1900)*, vol. I (Lisboa: Editorial Presença, 1989), pp. 271-272.

O excerto que acabo de ler fala de uma linguagem cuja descrição parece próxima do que poderíamos dizer do texto de Maria Gabriela Llansol – uma linguagem de «imagens hieroglíficas», de «estranhas articulações», «rápidas sucessões» de permuta entre qualidades, pessoas e objectos, de «contiguidade» ou «simultaneidade» de elementos dispersos que parecem morar no espaço «primordial» ou «futuro». E, contudo, não é no sonho, ou no seu registo discursivo, esboçado pelos românticos e definido pela psicanálise, que o Texto llansoliano mora. Antes pelo contrário, a escrita de Llansol, cultivando um corpo estranho, repudia liminarmente a sua confusão com a recuperação de moldes discursivos apriorísticos, literários ou não. A sua filiação romântica e modernista não está, com isso, em causa, simplesmente localiza-se de outro modo.

A obra de Maria Gabriela Llansol que hoje proponho trabalhar, *Hölder, de Hölderlin*, conduz-nos a revisitar uma personagem da história literária determinante no percurso de muitos poetas do século XX: Friedrich Hölderlin, enigma entre os homens, órfão dos deuses, abandonado/entregue à loucura durante metade da sua vida. Homem que experimentou a lei do acaso e da arbitrariedade no que realizou enquanto poeta, filho de sua mãe, pedagogo, amante, e amigo. No contexto da sua tradução para português (mas não só aí[2]), encontramos testemunhos do traço de estranheza e singularidade da sua lírica, que exige do leitor uma atenção redobrada. Paulo Quintela inclui Hölderlin entre os «poetas que à sua própria língua põem especiais exigências, poetas cuja expressão é já em si uma luta com o próprio instrumento dela»[3], e João Barrento fala de um «andamento rítmico estranho» (ao nível da sintaxe e da métrica) que, juntamente com um léxico (...) situado na esfera religiosa, heróica, mitológica e da interioridade, com a força criativa dos compostos alemães (...), dá o carácter solene, simultaneamente envolvente e distante, do poema de Hölderlin (...)»[4]. Esta marca única isola Hölderlin na história literária, cuja periodologia

---

2 Entre tantos outros, nomeie-se o contributo importantíssimo de George Steiner no lugar significativo que dá a Friedrich Hölderlin, como poeta e como tradutor, na transição para a modernidade literária. George Steiner, «Silence and the Poet», *Language and Silence* (London: Faber and Faber, 1985), pp. 55-74; *idem*, «The Hermeneutic Motion», *After Babel. Aspects of Language and Trasnlation* (Oxford: Oxford University Press, 1992), pp. 312-435; Ramin Jahanbegloo, George Steiner, «Hölderlin e a Linguagem», *Quatro Entrevistas com G. Steiner*, trad. Miguel Serras Pereira (Lisboa: Fenda, 2000), pp. 156-163.

3 Hölderlin, *Poemas*, pref., sel. e trad. de Paulo Quintela (2ª edição, Lisboa: Relógio d'Água, 1991 [1959]), p. 30.

4 João Barrento, *O Poço de Babel. Para uma poética da tradução literária* (Lisboa: Relógio d'Água, 2002), p. 169.

não consegue acolher o poeta no seu «cardápio» de gerações e movimentos.

O encontro de Llansol com Hölderlin (pela mão de Llansol) não é comparável à experiência de recepção de um autor passado. O texto de Maria Gabriela Llansol vai ao encontro de Hölderlin no lugar onde este sempre terá estado, em vida e depois dela. É o lugar do *poema*, lugar de errância do ser, onde mora o perigoso exercício da linguagem no limite do insondável, porque «primordial», ou porque «futuro»: «E a existência esgota-se na teia das infindas rasuras do inacabado poema. [...] Não é Hölderlin, é um livro que se fecha» (palavras de João Barrento, numa breve e intensa homenagem ao poeta[5]).

Fora que estamos do espaço e do tempo, de (quase) nada nos serve o que sabemos de Hölderlin para ler este texto – embora «ajude», como diz Eduardo Prado Coelho[6] – pois o que resta da sua leitura é a interrogação sobre quem foi, quem é realmente Hölderlin. Llansol realiza a erosão de todo o aparato de conhecimentos, desordena com uma voracidade impiedosa os planos analíticos (vida e obra, vida e arte, antigo e moderno, forma e conteúdo, temática e estilística...), e convida-nos a inventar uma forma de *estar com o texto* – que está com Hölderlin –, mais do que um método para o analisar. Não queremos, no entanto, redescobrir aqui, a partir de Llansol, a personagem Hölderlin. Na relação *sem objectivo* (quase uma contrariação extrema de todo o intuito analítico) que estabelecemos com este texto, tentaremos apontar para o espaço comum de Hölderlin e Llansol feito da loucura de Hölderlin, celebrada como multiplicação do eu / do corpo em Llansol, e da natureza em que se projecta o mundo de Hölderlin, celebrada em Llansol através do diálogo e da metamorfose de corpo e paisagem.

O texto começa por nos situar na paisagem e no corpo que participam no acontecimento a que assistimos ao longo do mesmo – Hölderlin e o seu «*poema-poente*» (p. 29[7]): «Hölderlin (*quaercus*, do nome de carvalho) sentiu uma grande ausência: a sua cabeça ia abandoná-lo, e ele levantou-se ainda para ir no seu enlaço com os braços; tudo principiava pelo som – o som de fazer o último poema» (p. 25).

Um conjunto de elementos diversos e formas estranhas desenham o quadro onde «tudo se irá passar» (p. 29): um pinhal à beira-mar, um abrigo, e três homens que aí chegam. A paisagem é bravia, quase sel-

---

5 João Barrento, "P² – A herança de Hölderlin", *Uma Seta no coração do dia. Crónicas* (Lisboa: Cotovia, 1998), p. 15.

6 "Maria Gabriela Llansol: o homem desmultiplicado", *O Cálculo das Sombras* (Porto: Asa, 1997), pp. 249-250.

7 Maria Gabriela Llansol, *Hölder, de Hölderlin* (Sintra: Colares Editora, 1993). As páginas citadas são da reedição pela Relógio d'Água, em 2000.

vagem, feita de «vento», de «mar», de «chuva», de «erosão», de «bosque», de «estrelas», de «cheiros», de «pinheiros» (p. 25). O hibridismo das formas é evidente: o abrigo é feito de construção de ramos mortos e de árvore, uma «árvore de vida» (p. 25) com telhado, portas, e janelas; os homens chegam com as árvores que os nomeiam, mais ainda do que os seus próprios nomes: «Hölderlin com *quaercus*, Joshua com *pinus lusitanus*, Giordano com a sua nogueira» (p. 25). Estes três corpos híbridos, de homens-árvore, relacionam-se no texto como membros de um só corpo múltiplo, o corpo de Hölderlin desdobrado (ou «desmultiplicado», p. 33) em Joshua e em Giordano Bruno. Mais adiante no texto lemos um pensamento do narrador sobre estas três figuras: «(...) progrediam muito e completavam-se __________ um dia brincaram a ser árvore, e ficaram árvores» (p. 32). À medida que o texto caminha, que Hölderlin enlouquece, este desdobramento torna-se mais evidente – Hölderlin transfere-se, ou apaga-se, numa última forma com «pensamento claro» (p. 34), para os olhos de Joshua e os dizeres de Giordano:

> [...] se, com o futuro, eu assim me hei-de tornar, oriento-me pelos olhos de Joshua que afirmam para mim, e seguindo agora os dizeres de Giordano acerca do *infinito, do universo e dos mundos*, que «a mão
> já não está no braço,
> os olhos no rosto,
> o pé na perna,
> a cabeça no busto».
> Embora viajante, Joshua sempre me há-de alojar no quarto com a janela e, se partir, deixará no ar uma ponta do seu corpo para que eu a agarre; por que hei-de ter medo? (p. 34[8]).

Estas formas voláteis (porque continuamente se movimentam e se transformam) fazem do texto de Llansol, e do seu encontro com Hölderlin, algo de vivo e completo, apesar da aparência fragmentária e inacabada que assume.

Além da paisagem e do corpo, há um terceiro elemento, a casa que acolhe Hölderlin, que é, além do mais, a instância narradora do texto. A casa é o ponto primeiro e último do poema, o lugar de constituição do texto (por ser, também, o seu narrador), e portanto a figura híbrida menos volátil nesta cadeia imensa de metamorfoses: «Deram-me o nome de *Casa de Quaercus*, e Hölderlin foi meu» (p. 32). O narrador-

8 Este passo remete-nos para o início do poema *Patmos*, onde se fala da proximidade do divino, que é também a do perigo e da salvação: "Nah ist / Und schwer zu fassen der Gott. / Wo aber Gefahr ist, wächst / Das Rettende auch." [Perto está, / E difícil de prender, o deus. / Mas onde há perigo, cresce / Também o que salva.] (Hölderlin, *op. cit.*, p. 406).

-casa vai ganhando forma pela descrição de outros elementos do espaço em volta, sempre relacionados com Hölderlin e a articulação do (último) poema, acompanhando as «fases» (p. 29) da sua loucura. O passo onde se apresenta casa e narrador reflecte o poema holderliniano, na construção sintáctica que marca o seu verso:

> __________ Hölderlin sentou-se silencioso à minha frente que sou casa – não disse nada – mas eu conhecia quais eram os seus verdadeiros pensamentos pela inconstância do seu olhar; olhar
> que me era dirigido, longa e baixa,
> que terminava nas paredes, e principiava nas janelas.
> (...) ele morava em mim
> rectangular com triângulos arquitectónicos sobre as janelas, e janelas de vidros multicores
> de onde se perdia de vista o meu próprio interior sombrio. (pp. 25-26)
>
> (...) Olhou para mim que avaliou, ao longe, incapaz de renovação, e sem luzes; avançou para as minhas janelas com uma hesitação que se ia multiplicando; procurou-me a porta, e não encontrou nenhum sentido.
> «Será que o Cristo apagou os deuses, e dividiu em miríades de luzes dispersas o meu espírito?».
> Alguém - que sou eu –, estava a meio da porta e o recebeu com um abraço universalmente verdadeiro. (p. 27).

A construção paratáctica das acções neutraliza em nós a capacidade de avaliar quem faz ou pensa o quê e sobre que realidade: assistimos, neste passo, à contemplação da casa por Hölderlin, ou da casa sobre si mesma, pelo olhar de Hölderlin. O texto reproduz este gesto em outros passos, indiciando uma permuta de papéis entre as figuras que se encontram no texto, sejam elas objectos, pessoas, animais, ou plantas. E não só esta permuta abre espaço para o jogo perigoso da linguagem, como também esvazia de si própria a figura que nele participa, para lhe dar uma identidade plural, concretizada na relação com o outro, descentrada de si, perdendo-se de si. Esta forma de agir como figura no texto, recorrente na obra de Maria Gabriela Llansol, leva-nos a reequacionar, neste texto em particular, a loucura de Hölderlin. O desdobramento do seu corpo, a sua multiplicação em formas outras, inacabadas, aponta para a figuração de um Eu fora de si, sem subjectividade nem psicologia, afastando-se o texto llansoliano do culto romântico da subjectividade, e localizando-se na heteronímia modernista de que também é herdeiro. É no contexto da multiplicação modernista que o fragmento se equaciona na escrita de Llansol. Em *Onde Vais, Drama-Poesia?*, deixa-se claro o que se pretende para a poesia e a linguagem:

Se vim para acompanhar a voz,
irei procurá-la em qualquer lugar que fale,
montanha, campo raso,
praça de cidade,
prega do céu __ *conhecer o Drama-Poesia desta arte*. Sentir como bate, num latido, na minha mão fechada. (...) – Como me pede que não oiça, nem veja, mas me deixe absorver, me deixe evoluir para pobre e me torne, a seu lado, uma espécie de poema sem-eu.

Em silêncio e cega,
deixo que me dispa da claridade penetrante,
da claridade nova,
da claridade sem falha,
da claridade densa,
da claridade pensada,
me torne um fragmento completo e sem resto
para que passem a clorofila e a sombra da árvore.[9]

Fragmento «completo e sem resto», «poema sem-eu», duas expressões que situam o texto llansoliano no equacionar do ser, fora da genialidade e subjectividade românticas – e Hölderlin é definitivamente uma figura de encontro na geografia llansoliana, na vivência da loucura que o esvazia de si e o conduz a Scardanelli –, além de o localizar no plano de uma escrita fragmentária, mas não incompleta nem aforística, apontando, enquanto tal, para a real medida do humano, uma vez mais realizada em Hölderlin: «Era a forma de afirmar, perguntando, que os deuses da Grécia morreram. "Sim, morreram", comprovou Hölderlin, sabendo o que lera. "E eu, suspirou, como viver sem essa diferença entre os deuses e os homens?"» (p. 27)

O fragmento llansoliano apresenta-se resultado de um depuramento da língua, que não pretende chegar ao absoluto, que procura tão somente realizar o que Eduardo Prado Coelho chama de «princípio de indeterminação», que «[varre], como um foco de metafísica selvagem, todo o espaço em que se gera a diferença entre os homens e os deuses – deixando que as palavras aconteçam "como flores"». E continua: «o que o texto de Llansol nos dá [...] é, não propriamente a dimensão literária da loucura, mas a dimensão enlouquecida da literatura»[10].

É Myriam que nos revela, em fases diferentes da «mortificação mental» (p. 33) do poeta, a mutação do homem em árvore, que corresponde à perda de si, da razão, em Hölderlin, em expressões como:

[9] Maria Gabriela Llansol, *Onde Vais, Drama-Poesia?* (Lisboa: Relógio d'Água, 2000), p. 13.

[10] Eduardo Prado Coelho, *op. cit.*, p. 250.

«Como a tua cabeça configura uma árvore» (p. 27) – «É uma árvore demente, crescendo à beira da falésia» (p. 28) – «perder-se no outro perdido é a experiência que está a ter» (p. 35). Num dos muitos passos que nos descrevem o enlouquecer de Hölderlin, a casa testemunha esta transferência do homem para a paisagem, onde tudo é silêncio:

> Havia igualmente um poço. Pinhas no chão. E, depois, eu própria, com um silhar, e uma parede sem aberturas. Um polígono irregular. Uma porta. De tábuas; e o som longínquo de uma angústia que se não pode representar, e se aproxima. (p. 31)
>
> Tinha a cabeça branca à frente, e escura atrás; assim expressava a substituição parcial da razão pela loucura; embarcara *neste seu olhar sobre paisagem*, que está contendo a maior parte do silêncio; do outro lado, ousando ir plantar-se, solidário, entre pinheiros, o seu carvalho esperava-o. (p. 33)

A inevitabilidade da loucura constitui o eixo de angústia que se converte em canto poético – neste plano absolutamente dilacerante gera-se o poema, o último. O que vemos «dramatizado» no texto de Llansol é esta fronteira ténue entre a perda de si no outro, que estimula o canto, e a perda também do outro, que o silencia em definitivo, a ponto de não conseguir articular mais nada senão um «murmúrio encantatório de palavras» (p. 36). Estamos perante um texto que leva a linguagem ao seu limite, ao lado de fora de si mesma[11]: «(...) e os seus poemas tinham revestido a superfície externa do seu crâneo» (p. 33).

Pelas formas híbridas que cultiva, pela contaminação que faz, no texto, entre homem e natureza, o encontro de Llansol e Hölderlin aproxima-se da paisagem romântica. A natureza no texto llansoliano tem a força dos carvalhos cantada por Hölderlin em *Die Eichbäume*, uma força criadora que se procura recuperar apesar da destruição: Joshua, «machão» (p. 29) derruba as árvores. Por outro lado, a paisagem à volta da casa transforma-se para acolher a loucura de Hölderlin – a casa-«superfície de poema» (p. 35) perde o jardim triangular e, com ele, perde o céu, o prado, ficando somente o abismo –, assim como a narrativa do seu nascimento é feita de «*quaercus*», de «seiva», de «hastes», de «copas», de «água» (p. 31). A poesia de Hölderlin, feita do deambular reflexivo e aberto à diversidade infinda dos elementos, que se cruzam, à meia-luz, no poema, encontra aqui um par. No texto de Maria Gabriela Llansol desenha-se a paisagem de figuras que o acompanha: o lugar da origem (Myriam), o deus por vir (Joshua), a infinitude (Giordano), mas também a lama infértil, que

---

[11] Cf. Lúcia Castello Branco, "Escrever a loucura", *Os Absolutamente Sós. Llansol. A Letra, Lacan* (Belo Horizonte: Autêntica, 2000), pp. 57-65.

nada gera, mas que tudo perserva na sua absoluta fragmentação. Em *O Senhor de Herbais*, recentemente publicado, somos confrontados com a ideia de que o sujo, o lixo, a lama, e o bolor guardam, eventualmente, «o desconhecido que nos acompanha»[12]. Para terminar, cito a figura Llansol em diálogo com Eusébia, na mesma obra, a propósito de Hölderlin (p. 51):

> Nessa altura, segui o poeta na sua loucura. Precisava de ouvir o rumor da lama.
> A lama brama?
> Sim, Eusébia, é o seu bolor. Como o poeta, escreve sem nada limpar. O único risco é a loucura, uma forma de cérebro que, aos poucos, se desfaz e se amiba. Mas são esplenderosas as imagens dessa fragmentação.
> Fez como ele?
> Não Eusébia, fiz com ele, para não acabar como ele.

---

[12] Maria Gabriela Llansol, *O Senhor de Herbais* (Lisboa: Relógio d'Água, 2002), p. 54.

A Paisagem como corpo: o olhar romântico em Garrett, Júlio Dinis e Eça

Maria das Graças Moreira de Sá
Universidade de Lisboa

Tendo como horizonte o universo romântico, tomo aqui a própria *paisagem como corpo* em três registos distintos mas correlatos: 1) *paisagem como corpo*, porque um espaço só se define, enquanto em si, pelo conteúdo que lhe dá sentido, pelo(s) corpo(s) que contém, o que transforma os elementos da paisagem no corpo do espaço definido enquanto tal; 2) *paisagem como corpo*, porque esta, inserida no corpo do texto, torna-se corpo também, corpo textual tão mais importante quanto a sua presença é, muitas vezes, axial (e não marginal) na narrativa em que se insere, determinante, pois, no devir da história; 3) *paisagem como corpo*, por fim, porque, humanizada, integra em si o corpo de quem a vê: é, simultaneamente, o reflexo anímico de quem a contempla e agente de transfiguração interior do sujeito do olhar.

Estes três registos estão presentes, de diferentes formas, mas com pontos de contacto significativos, em três paisagens campestres de três obras do nosso romantismo em que me deterei: a do Vale de Santarém, que se abre ao olhar do narrador, em *Viagens na Minha Terra*, de Almeida Garrett; a entrevista do alto do monte, na casa de Alvapenha, de uma aldeia sertaneja do Minho, por Henrique de Souselas, em *A Morgadinha dos Canaviais*, de Júlio Dinis; e a da serra, vislumbrada por Jacinto a caminho de Tormes, em *A Cidade e as Serras*, de Eça de Queirós.

Estas três paisagens são, todas elas, axiais nas respectivas narrativas, eixos determinantes do acontecer no texto. Assim, em *Viagens na Minha Terra*, a inexistência da descrição da paisagem amena do

Vale de Santarém, por parte do narrador, impediria a visão da janela de uma escondida habitação antiga, janela a propósito da qual se torna possível introduzir uma novela, a da *menina dos rouxinóis*, no corpo da obra, novela que ocupa, como sabemos, largo espaço na economia narrativa e que amplia o sentido da índole diversa das "viagens" para que o texto nos remete. Da mesma forma, em *A Morgadinha dos Canaviais*, é a descoberta, por Henrique de Souselas, da paisagem radiosa, em parte reflexo já de uma transmutação interior, avistada da janela da casa de Alvapenha, no dia seguinte ao da sua tortuosa viagem, que permite, como num acto mágico, a conversão deste, homem da cidade, à vida campestre, com a consequente permanência no local. Sem esta conversão não existiriam nem o desenrolar da intriga (os casos amorosos – Henrique/Cristina e Morgadinha/Augusto – e os interesse políticos em jogo), nem a mensagem de progresso e evolução da vida do campo que subjaz na transformação e modernização da casa de Alvapenha, levada a cabo por Henrique, segundo a campanha de fomento agrícola preconizada pela Regeneração. Não menos decisiva, em *A Cidade e as Serras*, e um pouco à imagem do acontecido a Henrique de Souselas, é a contemplação da paisagem serrana por Jacinto, já perto da quinta de Tormes, que muda o rumo dos acontecimentos na narrativa: sem a transformação interior que ela opera num Jacinto entediado e entorpecido pela Civilização, cuja expressão mais frequente é "Que maçada!" e que agora, maravilhado, repete, não sem surpresa, "Que beleza!", não seria possível a sintonia com o novo espaço envolvente e a sua integração na vida simples do interior de Portugal.

Eixos das respectivas narrativas, as três paisagens campestres agora em análise surgem, todas elas, na sequência de viagens empreendidas por diferentes motivos, o que as transforma, logo de início, em espaços a serem descobertos ou à espera de serem decifrados. Para esta situação contribui o facto de os sujeitos do olhar viajarem a cavalo (ou mulas...), o que remete para a *inacessibilidade* dos lugares a que se dirigem (Santarém, casa da Alvapenha, quinta de Tormes), *inacessibilidade* que, por sua vez, implica o *privilégio de quem olha*: as personagens – ou narrador – sentem-se *testemunhas únicas* da beleza que os seus olhos abarcam. A nota dominante é a identificação do sujeito em contemplação com a paisagem, em uníssono com o seu estado interior, que se realiza, como veremos, de modos vários, mas em que a oposição comum parece ser a da desordem/harmonia. A viagem a cavalo, sempre colectiva, geralmente a dois (a existência de uma testemunha é crucial para o desenvolvimento da história), permite ainda acentuar a *mobilidade do olhar*, podendo a paisagem assumir perspectivas várias, conforme a localização de quem olha, ou, pelo contrário, fixar-se num ponto determinado, como num quadro. Para além disso, as três paisagens situam-se no término dos respectivos percursos, o que lhes confere, por metonímia, o valor do lugar que representam. O espaço fechado (casa, quinta...) a que as personagens se dirigem pode ser uma continuação da paisagem – do estado anímico que ela suscitou –, ou, ao inverso, a paisagem pode surgir em continuidade com o espaço interior. Neste processo de simbiose, as "janelas" – reais ou fictícias – desempenham um papel fundamental: é através delas que o sujeito do olhar tem acesso à paisagem – nela se reflecte e nela se avigora para mudar o percurso à história.

Em *Viagens na Minha Terra*, a "janela" para a descrição do Vale de Santarém, onde o narrador acaba por chegar numa viagem a cavalo com um grupo de amigos, é aberta, graficamente, pelo início de um capítulo (capítulo X), processo não inocente já que, nas últimas linhas do anterior, o mesmo narrador, bem ao gosto do nacionalismo romântico, se referira ao Vale como a "pátria dos rouxinóis e das madressilvas" e espaço sem equivalente no estrangeiro. A valorização é feita, pois, antes mesmo de se iniciar a descrição da paisagem. Esta começa por se definir, sobretudo, por um estado de equilíbrio e de harmonia que parece envolver todo o ambiente circundante: plantas, ar, situação. Palavras e expressões como "ameno", "harmonia suavíssima e perfeita", "simetria de cores, sons, disposição" sugerem-nos, mais do que aspectos figurativos da paisagem, a atmosfera que nela se respira, um estado de alma de amor e de benevolência, próprio dum cenário profundamente humano, sem nada de "grandioso" nem de "sublime", onde os ramos são "amigos" e as plantas "penduram" suas "grinaldas e festões", "vestem" e "alcatifam" o chão.

A paisagem, assim descrita, humanizada, por um lado, e agente de humanização, por outro, prepara o espírito do narrador – e o do leitor – para a visão da janela a que já me referi, descoberta pelo olhar daquele que, movendo-se, se fixa, então, visualizando-a do lado esquerdo, por entre um maciço de verdura. Da casa diz-se apenas que mal se vê: o olhar centra-se na janela, descrita como larga e baixa, meio aberta, ou seja, a permitir um fácil acesso, a expressar quase um convite para que a transgridam. Integrando-se na paisagem, a janela participa da harmonia edénica presente naquela e é ponto de pasasgem, neste caso simbólico, entre exterior/interior: é através dela que o narrador entra, imaginariamente, na casa, ou, por outras palavras, na história de Joaninha, a *menina dos rouxinóis*, a novela que ocupa, como se disse, parte significativa da obra. Essa "entrada" processa-se, primeiro, por uma breve impressão, em que o narrador julga vislumbrar um vulto feminino à janela, impressão predeterminada pelo estado de candura da paisagem, e, depois, pela voz de um dos seus companheiros de viagem, que tem precisamente como função contar-lhe a história da Joaninha, que é também a história do Vale.

A janela funciona, assim, como continuação da paisagem e permite não só a integração da novela no texto, como o desvendar da história do Vale através de Joaninha que, em parte, o simboliza. A inocência dos seus olhos verdes prefigura a do Vale e dela emana uma perfeição, uma harmonia, uma espiritualidade que não se afastam da atmosfera nele respirada. Nem a descrição deste que surge aquando da guerra civil de que foi palco, espelho do estado interior do sujeito do olhar – lugar "triste" e "lúgubre", de céu "nublado" e "negro", cheio de "ervas maninhas", "feio", "torpe" onde tudo era "ruína", "desolação" e "morte" –, nem aí, dizia, se desfaz a identificação de Joaninha com o Vale. Ela continua não só a simbolizá-lo no que ele é, na sua essência – como única nota harmoniosa no meio da guerra sangrenta, significativamente saudada pelos soldados de ambas as bandeiras –, como surge plenamente identificada com ele num quadro em que, na incerteza e indecisão de contornos nítidos, corpo e paisagem se fundem:

> Sobre uma espécie de banco rústico de verdura, tapeçado de gramas e de macela brava, Joaninha, meio recostada, meio deitada, dormia profundamente.
>
> A luz baça do crepúsculo, coada ainda pelos ramos das árvores, iluminava tibiamente as expressivas feições da donzela; e as formas graciosas de seu corpo se desenhavam mole e voluptuosamente no fundo vaporoso e vago das exalações da terra, com uma incerteza e indecisão de contornos que redobrava o encanto do quadro, e permitia à imaginação exaltada percorrer toda a escala de harmonia das graças femininas.[1]

Se, nas *Viagens*, a janela avistada no Vale se integra na paisagem e é ponto de passagem do exterior para o interior, diferente é a situação que se nos depara em *A Morgadinha dos Canaviais*. Logo no início do romance, a primeira descrição que encontramos da paisagem do alto do monte que dá acesso à casa de Alvapenha segue o esquema romântico da identificação entre o sujeito do olhar e a natureza contemplada. Assim, para Henrique de Souselas (acompanhado de um almocreve), que vem de Lisboa doente, com inumeráveis maleitas psicológicas atribuídas à sua vida citadina, de corpo abatido sobre o cavalo, transido de frio e quebrado de desalento, o olhar melancólico

---

[1] Almeida Garrett, *Viagens na minha terra* (Mem-Martins: Europa-América, s.d.), p. 92.

que o manifesto mau humor e a impaciência interrompem de quando em vez, a paisagem não podia senão apresentar-se como tão "solitária", "melancólica" e "sinistra" quanto ele. A dificuldade de um caminho acidentado, de trilhos tortuosos e incómodos, com subidas e descidas para ele inexplicáveis, os obstáculos inesperados com que tem que deparar-se, os ruídos apercebidos como desagradáveis das únicas notas humanas presentes (o ladrar dos cães, o grunhir dos suínos, o chorar de crianças, os ralhos da mãe), todos estes elementos contribuem para a criação de uma ideia de caos ou de desordem que a aplicação do vocábulo "inarmónico" consubstancia.

O início da transfiguração interior de Henrique opera-se, então, já num espaço fechado, na casa de Alvapenha (espécie de mediatizadora), onde se respira uma atmosfera de inocência e de simplicidade e onde impera uma harmonia, de cunho humano, imposta pelo modo como as duas celibatárias da casa, a tia Doroteia e a sua empregada, conviviam há décadas. A "inalterável harmonia" – é essa a expressão do texto – vem, então, da casa, para se projectar, depois, na paisagem circundante. A pouco e pouco, nesse espaço interior, Henrique sente-se invadido por uma agradável sensação e, depois de saborear uma "gorda galinha de canja", de dormir, pela primeira vez, desde há meses, a sono solto, entre a frescura dos linhos caseiros e o aconchego dos cobertores felpudos, acorda com uma nova disposição. O milagre que nele se opera tem um reflexo idêntico na paisagem. Logo de manhã, abre de rompante a janela e a paisagem que vislumbra converte-o, de facto, à vida simples do campo. Ao contrário de em *Viagens na Minha Terra*, a janela é desta vez ponto de passagem entre interior/exterior, funcionando a paisagem como continuação da harmonia vivida na habitação. A janela tem, aliás, um valor duplo: é janela, no sentido literal do termo, por onde o sujeito do olhar contempla a paisagem, e é-o também em sentido metafórico, porque permite abrir a descrição no tecido textual.

A tónica desta é colocada na harmonia – por oposição à desordem do dia anterior – dos elementos que compõem o quadro e na animização do vale, identificável com a vivificação interior de Henrique: cores, aromas e cantos desprendem-se de uma paisagem que se classifica como "risonha", fruto de um "milagre" a que se tem o privilégio de assistir. A orientação perceptiva faz-se, primeiro, de cima para baixo, depois em profundidade: no alto, os acidentes do terreno, amaldiçoados na véspera, agora vistos como pitorescos; o vale a seus pés, ameno, como na descrição das *Viagens*; além, um belo bosque de carvalhos a contrastar com os pomares vizinhos; aqui e ali, o sinal humano das casas campestres que, ao invés de "sinistras", como se lhe tinham afigurado no dia da viagem, passam a ser apercebidas como "graciosas"; mais longe, a igreja, enfim, "tudo o que tenta os paiasgistas, tudo o que exalta os poetas, tudo quando suspende os passos ao viajante; e, encobrindo todo o quadro, um tenuíssimo sendal de vapores azulados, dando-lhe a aparência de uma das mimosas composições a pastel da mão de Pillement."[2]

Se é o início da transmutação interior de Henrique que permite a modificação do modo de olhar a paisagem, esta não deixa de operar na personagem uma mais completa transfiguração. É pela visão do quadro entrevisto da janela que Henrique se disponibiliza a sair, para se "entranhar" – como se diz no texto – nos bosques e na vida da aldeia, o que permitirá, como referi, o desenvolvimento de toda a intriga.

Por sua vez, em *A Cidade e as Serras*, não se torna necessária a mediatização de uma casa para que a paisagem, reflexo sempre do olhar que a avista, se transforme de modo radical[3]. Tal como Henrique Souselas, também Jacinto, em viagem a cavalo com Zé Fernandes para a sua quinta em Tormes, traz consigo, ainda, sobrecarregando-lhe os ombros, os males da Civilização. Não admira, pois, que a caminhada se revele penosa, sinal da, mais uma vez, desordem interior e da *inacessibilidade* do lugar – como a aplicação do verbo "trepar" e a alusão a um caminho não alisado nem desbravado desde o século XIV denunciam –, e, sobretudo, se revele perigosa, como a referência à travessia de uma "trémula" ponte de pau parece também indiciar. Mas é o sublinhar destes perigos que têm de ser transpostos que torna Jacinto, verdadeiro iniciado, digno de alcançar a visão celestial que se revela repentinamente ao seu olhar. É, pois, a transição de uma paisagem para outra que abre, desta vez, a "janela" à descrição que então se inicia.

O traço que mais se salienta nesta exposição da incomparável beleza da serra é, sem dúvida, a animização da paisagem – traço indiscutível de harmonia – que assim parece entrar em contacto mais íntimo com o protagonista, rejuvenescendo-o, tornando-o mais permeável à descoberta de si mesmo e à inteligibilidade das suas relações com os outros e preparando-o para um novo sentido para a Vida que virá a encontrar na sua quinta de Tormes. A predisposição do protagonista para o espectáculo visual que o espera adivinha-se pelo seu olhar "subitamente aguçado", que permite a sua identificação com a paisagem. Existe nela uma fogosidade e abundância, um excesso de vida que abarca o homem, e se há referência explícita ao

---

2 Júlio Dinis, *A Morgadinha dos Canaviais* (Lisboa: Ulisseia, s.d.), p. 72.

3 Eça de Queirós, *A Cidade e as Serras* (Lisboa: Livros do Brasil, s.d.). O excerto agora em análise ocupa as páginas 135-136.

Criador como Divino Artista, de que as serras, identificadas com Portugal, são o símbolo, a verdade é que esta ideia de sacralização se conjuga com a da humanização da paisagem, que acaba por se revelar, como referi, o seu elemento predominante. Por isso, "grandeza" e "graça" são os substantivos escolhidos para globalmente a descrever.

A mobilidade do olhar sobre a serra é, neste caso, facilitada pela movimentação a cavalo. À medida que Jacinto (sempre com Zé Fernandes) se desloca no terreno, vão-se abrindo novas perspectivas numa paisagem que se personifica, em crescendo, com o emprego de verbos, adjectivos e imagens que a antropomorfizam: largas ramarias "estendiam" o seu toldo "amável"; brancas rochas "alastravam a sólida nudez do seu ventre" e outras, "vestidas" de líquen, "avançavam", etc. A nota humana é, também aqui, intensificada pela presença esparsa de casebres, no cimo das rochas, que – repare-se na imagem evocativa do rosto humano – espreitavam "pelos postigos negros, sob as desgrenhadas farripas de verdura", e nem a água, que surge agora por toda a parte, escapa a esta tonalidade: são os "espertos regatos" ou os "regatinhos", cujo diminutivo enche a paisagem de ternura, que "fogem", "saltam", "vibram"...

O processo de transformação interior de Jacinto, assinalado na sua exclamação extasiada – "Que beleza!" –, permite um contacto ainda mais próximo com a paisagem: frescos ramos "roçavam-lhe" os ombros com "familiaridade e carinho" e os vidros de uma casa velha (de uma janela?) refulgiram "hospitaleiramente" à sua passagem. Hospitalidade, familiaridade, carinho – eis o que Jacinto irá encontrar na sua casa de Tormes. A paisagem funciona, então, neste caso, como um prenúncio da quinta, permitindo a movimentação do seu sentido essencial do exterior para o interior, no qual, simbolicamente, se continua. Refira-se, entretanto, que esta "janela" paisagística, aberta quase à chegada da quinta de Tormes, é fechada por um processo idêntico ao da sua abertura: a transição para um outro tipo de paisagem – desta vez, a de um cenário definido pela sua "fidalga gravidade", espelho da outra face do solar da família dos Jacintos. Mas é a transfiguração interior do Príncipe da Grã-Ventura, elaborada a partir da contemplação de uma paisagem humanizada, que permitirá a sua integração na vida simples do novo espaço e o consequente desenvolvimento do acontecer no texto.

Temos, assim, três paisagens campestres em três obras significativas do nosso romantismo, com pontos de contacto significativos, a evidenciarem uma idêntica postura perante uma *paisagem concebida como corpo*. O carácter fundamentalmente visualista da sua percepção, de que decorre uma complexa elaboração não só dos elementos naturais que a compõem como da estruturação do próprio sujeito do olhar; a forma, como, através dela, se elaboram determinados valores – nos três presentes casos não muito longe da tese que opõe cidade/campo, com a correlativa exaltação dos valores rurais, tidos como mais humanos e harmónicos; e, sobretudo, o modo como a paisagem *pode* funcionar, no corpo do texto, como eixo determinante da intriga alertam-nos para a importância e complexidade da descrição da paisagem no romantismo português[4], a exigir do leitor, hoje mais do que nunca, uma análise cuidada e uma redobrada atenção.

[4] Cf., a este respeito, Helena Carvalhão Buescu, "Natureza e Paisagem (e a Literatura Romântica)", *Dicionário do Romantismo Literário Português*, coord. de Helena Carvalhão Buescu (Lisboa: Caminho, 1997), pp. 367-371. Cf., também da mesma autora, "Três perguntas, várias respostas: formas de paisagem na ficção romântica", *Românica*: 10, Lisboa, Edições Colibri, 2001, pp. 101-110.

Bolor, *Molloy* e *A Maçã no escuro*: novos românticos?

Fátima Fernandes da Silva
Universidade de Lisboa

> [o] Romantismo (...) foi (...) o movimento em que se operou a grande revolução nas relações do autor com a própria obra – que de passiva se tornou activa, dominadora, devoradora, toda poderosa nas suas exigências totalitárias
>
> David Mourão-Ferreira[1]

À pergunta colocada pelo título desta comunicação – "***Bolor***, ***Molloy* e *A Maçã no escuro*: novos românticos?**" – poderia apetecer uma resposta simples e directa: *não*. No entanto, se ainda não saíram é porque acreditam, como eu, que vale a pena seguir a pista desta interrogação.

Sabemos, contudo, que a hipótese inicial, se baseada no entendimento da palavra *romântico* em termos estritamente periodológicos, faria todo o sentido. De facto, como chamar românticos a três textos escritos em pleno século XX? *Bolor*, de Augusto Abelaira, foi publicado em 1968; *Molloy*, de Samuel Beckett, em 1951; *A Maçã no escuro*, de Clarice Lispector, em 1961. Como dizer destes textos – não só do século XX, mas também profundamente modernos – que são românticos? O paradoxo resolve-se – como veremos e como sempre – em si mesmo: é nos aspectos em que mais assumem a sua modernidade que estes textos inesperadamente mais remetem para a estética

[1] "Do auto-apagamento de Pessoa a certas tácticas de publicação", *Nos passos de Pessoa* (Lisboa: Presença, 1988), pp. 75-95.

romântica. Não se trata, porém, da simples repetição de um modelo, mas antes de uma rescrita que não só o retoma como o reinventa.

Corpos em degradação

Os três textos em análise são percorridos por corpos em degradação; no entanto, este aspecto não ocorre em todos eles do mesmo modo: se em *Bolor* é sobretudo metafórico, em *A Maçã no escuro* é claramente físico e em *Molloy* aproxima-se do horrível.

De facto, no texto de Beckett são constantes as referências ao corpo que vai perdendo qualidades, que aos poucos vai morrendo, ausentando-se do sujeito. É justamente pelo facto de o processo se repetir em ambas as partes que tanto se destaca, tornando-se um dos fios condutores da narrativa. As muletas são um elemento determinante na construção desta ponte, uma vez que a degradação de Moran vai tendo lugar e só no fim da segunda parte é que este apoio é necessário: "J'ai des béquilles maintenant. Ça ira plus vite. Ce sera le bon temps. J'apprendrai."[2]. Ao descrever-se, ele dará conta da distância entre si e a sua imagem, que a si mesmo desperta medo: "il y a quelque chose d'effrayant dans ma façon de courir"[3].

Em *Bolor*, a ausência da dimensão corporal manifesta-se pelo quase total silêncio que afecta toda e qualquer referência ao aspecto físico das personagens. Com efeito, a informação sobre este assunto é escassa e dispersa, espelhando a falta de atenção de cada um para com o outro. Esta ausência da dimensão corpórea priva o sujeito de uma estrutura básica de sustentação, contribuindo para a sua diluição num *continuum* de palavras que (con)fundem os vários sujeitos num só. Penso, pois, que não é obra do acaso a escassez de descrição física (bem como, aliás, de descrição espacial) que caracteriza não só *Bolor* como também os restantes textos em estudo. Pelo contrário, ela sinaliza a indefinição que os percorre e contamina a todos os níveis narrativos.

Apesar da referida ausência de elementos descritivos do corpo das personagens, destaca-se neles o facto de estarem envelhecidos, o que remete para a degradação e para a ruína. Com efeito, por pouco que se saiba do aspecto físico das personagens, é-se sempre confrontado com a degradação que as atinge. Martim "estava pelos seus quarenta"[4], mas

---

[2] Samuel Beckett, *Molloy* (Paris: Les Éditions de Minuit; "Double", n.º 7, 1988 [1951]), p. 238.

[3] *Ibidem*, p. 196.

[4] Clarice Lispector, *A Maçã no escuro* (Rio de Janeiro: Rocco, 1998 [1961]), p. 60.

já "Estava envelhecido como se tudo o que lhe pudesse ser dado já viesse tarde demais"[5]. Sobre Vitória, que "há muito passara dos cinqüenta"[6], o narrador comenta:

> No sábado, Vitória voltou empoeirada e envelhecida, com o caminhão vazio. Lutara tanto, e perplexamente conseguira, envelhecidamente conseguira;[7]

ela própria se descreve como "uma mulher envelhecida"[8]. Por outro lado, a pele do rosto da mãe de Molloy é descrita como "petite poire grisâtre et ratatinée"[9]; o seu odor também é relacionado, pelo filho, com a idade e simultaneamente com a sua suposta "antiguidade", sendo que a deslocação contextual de um objecto – cuja mais-valia advém do tempo que por ele passou – para uma pessoa – desvalorizada por ter sido atingida pela passagem desse mesmo tempo – introduz afinal uma distância irónica: "Parfum d'antiquité"[10]; Molloy constitui, por seu turno, um caso exemplar de degradação, e afirma ser tão velho quanto a mãe, e Moran teme que já seja tarde para começar uma vida diferente. Em *Bolor,* o envelhecimento atinge Humberto e Maria dos Remédios, na medida em que a sua relação de "há quase vinte anos"[11], já é só aparente: "– Já não nos vemos. É isso? Já não damos um pelo outro."[12]. Ela mesma lembrará a Leonor que o envelhecimento não é tanto físico – ou seja, não é tanto o produto da soma dos anos – como psicológico. Uma vez mais, estamos perante o sujeito moderno, cindido, que manifesta a ansiedade (e a impossibilidade!) de regressar a um tempo idílico, projecto de quem tem, tão somente, saudades do futuro.

Ora aquilo que me parece de sublinhar é a surpreendente pertinência da aproximação entre este sujeito – *moderno* – e o outro – o *romântico*. Ouçamos Aguiar e Silva:

> Na busca ansiosa, desesperada e melancólica do absoluto, o *eu* romântico soçobra frequentemente na morte, na aniquilação física e espiritual, no silêncio e na sombra da noite.[13]

---

5 Clarice Lispector, *op. cit.*, p. 58.

6 *Ibidem*, p. 60.

7 *Ibidem*, p. 200.

8 *Ibidem*, p. 255.

9 Samuel Beckett, *op. cit.*, p. 24.

10 *Ibidem*, p. 24.

11 Augusto Abelaira, *Bolor* (Lisboa: O Jornal, 1986 [1968]), p. 119.

12 *Ibidem*, p. 131.

13 Vítor Manuel de Aguiar e Silva, "Romantismo", Helena Carvalhão Buescu (org.), *Dicionário do Romantismo* (Lisboa: Editorial Caminho, 1997), p. 491.

Aparentemente separados por uma distância (não só) temporal intransponível, os sujeitos em causa estão afinal bem mais próximos do que aquilo que se poderia supor: tal como tentei evidenciar, a degradação física que atinge os sujeitos do *corpus* é marca e/ou anúncio de uma degradação maior, da total aniquilação, é afinal crónica de uma morte anunciada.

Sabemos que os heróis românticos exprimiam com frequência a sua revolta contra a mediania burguesa, mediante atitudes de cariz revolucionária; pense-se, por exemplo, em *Amor de Perdição*, de Camilo Castelo Branco. O *acto* de Martim, porquanto atitude de revolta contra a força do quotidiano aniquilador da individualidade do *eu*, é, pois, eminentemente romântico. Tal como os românticos, Martim prefere o exílio a continuar a interpretar um papel que não é o seu, repetindo palavras que outros inventaram e que não o dizem, que nada dizem. No entanto, a tradicional torre de marfim, símbolo da ascensão, é aqui substituída pelo curral, parte baixa da casa e refúgio de Martim. A torre e o curral encontram-se, porém, na medida em que é neste espaço inferior, em íntimo contacto com os animais, que Martim se encontra com a sua verdade, ou seja, que se eleva.

Paisagens especulares

Se os *eus* do *corpus* são todos, se bem que de modos diversos, sujeitos em regressão, importa sublinhar o facto de os espaços por eles atravessados constituírem uma categoria da narrativa igualmente a tender para a anulação, ou seja, um reflexo das próprias personagens.

À primeira vista, poder-se-ia confundir este processo com o gesto tipicamente romântico de desdobrar nas paisagens os "estados de alma", para usar um termo de sabor oitocentista. Eles não se confundem, porém: os traços que habitualmente caracterizavam a paisagem romântica são aqui substituídos pela tendência para a singularização dos espaços, para a *con-fusão* dos vários espaços numa amálgama uniforme. As paisagens românticas tornaram-se transparentes, quase deixámos de dar por elas, e já só reparamos na sua ausência.

De facto, assiste-se ao nítido apagar das referências espaciais; além disso, vezes há em que o sujeito sente que o espaço se transforma, o que faz com que ele se sinta ainda mais perdido, porquanto impossibilitado de guardar qualquer referência. Vejamos, pois: Humberto e Maria dos Remédios surgem quase sempre em casa, na mesma sala, no mesmo sofá, junto do eterno rádio (elemento que promete a evasão da rotina, mas que acaba por ser, ele próprio, rotineiro). Por vezes, vão ao restaurante, mas este reduz-se a uma variante da casa, cuja única vantagem é "legalizar" a ausência de diálogo: de facto, num espaço público, muitos são os subterfúgios para não olhar os olhos da pessoa com quem estamos – rodeados de personagens e de acções que podemos adivinhar ou imaginar, tudo à nossa volta se transforma num grande palco iluminado que nos deixa, a nós, na sombra. Ora é efectivamente esse o espaço que o casal busca, visto ser propício à acumulação de palavras sobre tudo e afinal sobre nada de importante, nada que a eles se pudesse referir, nada que os obrigasse a entrar verdadeiramente em diálogo; nessa medida, este é o espaço ideal – onde a repetição do nulo é nítido, se bem que aparente, paliativo para uma incomunicabilidade sem remédio.

Há alguns passos em que Humberto está no café com os amigos, mas têm pouco peso dentro da economia da narrativa, ainda que Humberto afirme que ela não é expressão fiel da realidade (mas o que é real, neste caso?). Trata-se, portanto, da redução do mundo a um espaço preferencialmente fechado.

Igualmente circunscrito e também indefinido é o *sítio*, aonde Martim chega exausto e onde viverá a evolução no sentido da descoberta das suas possibilidades e limitações. Repare-se que este lugar não é nomeado, sabendo-se apenas que fica num espaço tão vago quanto "Vila Baixa"[14]. Tal como Carlos Mendes de Sousa assinala, o carácter desértico deste espaço faz dele uma abstracção[15].

A chegada de Martim à propriedade aproxima-se ao *topos* da descrição retomado por Balzac em *Le Lys dans la vallée* ou por Garrett, na primeira descrição da janela de Joaninha em *Viagens na minha terra*. Em *A Maçã no escuro* a personagem também está num lugar alto, e o objecto da sua atenção encontra-se em baixo: com efeito, tanto num texto como no outro se segue o olhar de alguém que chega, que no meio da vegetação dá conta de um ponto onde fixa o olhar e do qual se vai em seguida aproximando, criando um efeito de *travelling*.

Apesar das referidas semelhanças, o modelo da descrição romântica é de imediato desconstruído. Por um lado, mediante a discrepância entre os objectos do desejo: com efeito, nos textos de Balzac e de Garrett avista-se uma mulher, mas aqui um simples copo de água – diferença que remete Martim para o nível da sobrevivência. Por outro lado, a desconstrução do modelo é operada mediante a contradição. Se nas referidas obras o ser que finalmente se avista corresponde e ainda suplanta aquilo que o sujeito que descreve tinha imaginado, o mesmo

---

14 Clarice Lispector, *op. cit.*, p. 56.

15 Carlos Mendes de Sousa, *Clarice Lispector: Figuras da escrita* (Braga: Universidade do Minho/Centro de Estudos Humanísticos; "Poliedro", nº 3, 2000), p. 25.

não se passa com Martim: a casa depressa se transforma num "casarão (...) maior do que pensara"[16], levando Martim a perder a alegria sentida instantes atrás.

Apesar da semelhança a princípio sentida, o *sítio* é um lugar fortemente marcado pelo calor e pela seca, que contamina os seus habitantes, bem como pelo desequilíbrio e pela falta de planeamento, dos quais Martim gosta: será certamente por se tratar de um lugar de algum modo marcado pelo caos, ou seja, onde ainda é possível organizar um cosmos. Também o "pays de Molloy"[17] é um espaço caótico: não tem fronteiras, não tem limites definidos, nem seria possível traçar o seu mapa, até porque o sujeito o percepciona como sendo alvo de uma osmose entre ambos os lados de cada fronteira. O facto de não conhecer o formato deste espaço impede Molloy de o identificar e de lhe conferir existência.

Com efeito, do ponto de vista do sujeito permanentemente a percorrer um espaço que se lhe afigura labiríntico, a sua região é justamente o oposto daquilo que se pode esperar de uma região que consideremos *nossa*: onde todos os recantos são familiares, onde cada caminho abre para outros caminhos igualmente possíveis, onde poderíamos andar de olhos fechados. Este texto constrói-se como contraponto dessa imagem, visto que, ao contrário do que sucede no modelo canónico, o sujeito caminha às cegas, por percursos que não (re)conhece, acreditando manter-se sempre dentro dos limites – efectivamente, desconhecidos – da sua região, mas não tendo acerca de nada qualquer certeza.

Para Jean-Jacques Mayoux, o discurso de Molloy não é neutro: "ces formules répétées, «ma ville, ma région» (...) marquent un arrêt, tôt venu, de l'ouverture sur le monde"[18]; esta situação redunda no confinar da personagem ao seu pequeno universo interior, destruindo a possibilidade de comunicação com o mundo e de troca de experiências – e esta é, como vimos, uma situação semelhante à do casal do texto de Abelaira.

O espaço onde Molloy se movimenta é limitado, e o facto de os seus movimentos serem circulares redunda ainda numa ausência de progressão, ou seja, embora não pare – se bem que com dificuldade crescente, a personagem inventa sempre novas formas de locomoção e só no início do livro (fim da acção) está parada –, também não

16 Clarice Lispector, *op. cit.*, p. 54.

17 Samuel Beckett, *op. cit.*, p. 180.

18 Jean-Jacques Mayoux, "«Molloy»: un événement littéraire. Une oeuvre", Samuel Beckett, *op. cit.*, p. 247.

progride no espaço, permanecendo sempre aprisionada dentro de um perímetro limitado, se bem que indefinido – a sua região. Ainda que o espaço onde Molloy se move seja marcado pela indefinição, poder-se-á afirmar tratar-se de uma cidade (ou de um espaço com características citadinas); na verdade, Molloy tem determinados comportamentos que quase diria caricaturizarem os de todos os habitantes de uma grande cidade: embora caminhe bastante, parece sempre confinado, como se estivesse afinal num labirinto que o impedisse de progredir de forma controlada, que o dominasse.

A referência à região enquanto ilha remete desde logo quer para o confinamento – próprio do espaço insular –, quer para a circularidade: a sua região, espaço que o aprisiona, teria, paradoxalmente, a forma das rodas da sua bicicleta, com a qual desejaria libertar-se. Nesta situação, coloca-se de novo a questão da fronteira, embora aqui com limites bem rígidos – onde a terra se acaba e o mar começa. É igualmente da ordem do paradoxo o facto de a diferença ao nível do funcionamento das fronteiras redundar, afinal, em completa *in*diferença e no aprisionamento do sujeito: quando o *eu* percepciona ambos os lados da fronteira como um só, produto de uma fusão, não consegue aceder à linha de fronteira, pelo que, obviamente, não a pode ultrapassar e é obrigado a continuar confinado; quando o *eu* compara a sua região a uma ilha, percepcionando com muita nitidez a linha de fronteira, sofre a mesma impossibilidade: se a ilha está rodeada de um meio de deslocação – a água –, ela é também (essencialmente?) uma forma de aprisionamento.

A indefinição é, pois, a característica unificadora destes espaços. Um aspecto a destacar nesta relação ambígua do sujeito com o espaço é o facto de este se ir alterando, e por isso impedir o sujeito de se orientar e de o dominar: por um lado, o espaço de *Molloy* é labiríntico, o que dificulta que o sujeito se oriente; por outro lado altera-se com o tempo, ou seja, a categoria do espaço deixa de poder ser considerada individualmente e tida como referência, o que provoca no sujeito a perda das suas referências – e portanto da dimensão de si mesmo.

Na verdade, as metamorfoses espaciais não podem ser consideradas como afectando apenas esta categoria; uma vez mais se prova que as categorias em estudo não são estanques e que, por isso, interagem entre si. Efectivamente, nesta narrativa onde o espaço se metamorfoseia a cada instante – não se trata, obviamente, de um espaço "real", mas sim do espaço *percepcionado do ponto de vista do sujeito* –, também o sujeito da narração vai sofrendo importantes transformações não só a nível físico, mas também psicológico; a sua metamorfose é tão profunda que compromete o reconhecimento. A constante transformação acaba, pois, por inviabilizar uma imagem estável do sujeito, que por isso mesmo entra em dissolução, podendo, assim, ser enquadrado dentro da modernidade.

É justamente o carácter arbitrário do mundo que deixa o sujeito incapaz de o dominar, de se apropriar dele, ou seja, de encontrar o seu próprio lugar nesse espaço de coordenadas insondáveis:

> j'avais l'habitude de voir le soleil se lever au sud et de ne plus savoir où j'allais, tellement tout tournait avec inconséquence et arbitraire, ni ce que je quittais, ni ce qui m'accompagnait.[19]

As descrições espaciais neste texto jogam no processo inverso ao da literatura de viagens, que descreve, no exotismo, a diferença. Aqui, pelo contrário, todos os espaços são iguais – o que parece adivinhar os *não-lugares* do mundo actual, caracterizados justamente pela anulação da diferença[20] –, ou seja, no limite, não há *lugares*, há um e sempre o mesmo lugar:

> n'allez pas croire que ma région s'arrêtât au littoral, ce serait une grave erreur. Car elle était cette mer aussi, ses récifs et ses îles lointaines, et ses abîmes cachés.[21]

No mundo de Molloy, é bastante evidente o modo como a acuumlação de diferenças redunda em *in*diferença: o facto de o espaço conter uma grande variedade de realidades todas diferentes inviabiliza a sua identificação por isolamento face às realidades diferentes. Assim, a sua região poderia ser qualquer região, e essa falta de especificidade enfraquece-a, dissolve-a num todo:

> je crus voir, se profilant faiblement à l'horizon, les tours et clochers d'une ville, dont naturellement rien ne me laissait supposer qu'elle fût la mienne, jusqu'à plus ample informé. La plaine, il est vrai, me paraissait familière, mais dans ma région toutes les plaines se ressemblaient, en connaître une, c'était les connaître toutes.[22]

Nos três textos do *corpus*, o espaço é, como vimos, uma categoria da narrativa que se está a esboroar, em regressão como os próprios corpos estão em degradação, a caminho da morte. Assim, embora de forma oblíqua, as paisagens destas narrativas estão para os corpos que as atravessam assim como as paisagens românticas estavam para os

---

[19] Samuel Beckett, *op. cit.*, p. 58.

[20] Marc Augé, "Des lieux aux non-lieux", *Non-lieux: Introduction à une anthropologie de la surmodernité* (Paris: Seuil, 1992), pp. 97-144.

[21] Samuel Beckett, *op. cit.*, p. 92.

[22] Samuel Beckett, *op. cit.*, pp. 122-3.

eus que as habitavam. Com efeito, as paisagens românticas compunham o cenário propício ao desenrolar dos acontecimentos narrados, tão intimamente ligadas aos modos de sentir das personagens que estas pareciam não poder existir num espaço diferente. Nos textos do *corpus*, pelo contrário, os espaços tendem para a indiferenciação e, por isso, para a anulação. Ora é justamente este gesto que promove a aproximação entre os espaços e os *eus* que os habitam, uns e outros ruínas que presentificam uma ausência. Ou seja, se no romantismo se falava da composição de elementos espaciais, enquanto nestes textos da modernidade se pode falar da tendência para a sua dissolução, penso ter conseguido demonstrar que, no que aos textos do *corpus* diz respeito, a paisagem reflecte o corpo que a atravessa, num gesto a um tempo radical e radicalmente romântico.

Tal como suspeitávamos, parece haver uma resposta afirmativa para a pergunta colocada no início desta comunicação: "Novos românticos?". Sim, *novos românticos* na medida em que também eles não "cabem" nos modelos literários tradicionais do seu tempo. De facto, a linguagem que Martim e todos afinal procuram é eminentemente romântica, porquanto se quer capaz de dizer o homem novo.

Esta escrita, que escreve sobretudo a sua própria impossibilidade, não pode deixar de dizer o sujeito que por trás dela se desenha – também ele cindido, em dissolução. O jogo que estes escritos encenam vai, porém, mais longe, numa dinâmica interactiva: de facto, se o sujeito age sobre a escrita, também é por ela transformado. Mais do que a declaração de um fim, a escrita do limite é já um recomeço, escrevendo o *não escrever*, rescrevendo o seu fim. Assim, se a escrita reflecte a mão que escreve, o sujeito que escreve o *não escrever* e que simultaneamente escreve a hipótese e o projecto de uma escrita nova não é mais o sujeito que era antes de entrar nesta espiral de morte e vida. Como Eça já sabia, *no fundo, sempre fomos românticos*.

Anamorfoses do corpo no texto fantástico do romantismo alemão

José Nobre da Silveira
Universidade de Lisboa

Para a Professora Rita Iriarte

Provavelmente, mais do que em relação à maioria dos outros géneros literários, as questões do enquadramento periodológico são de consideração obrigatória, quando pretendemos tratar textos entendidos como fantásticos, devido à especificidade dos elementos que os compõem, ou, de um modo mais directo, devido à natureza muito diversificada que o confronto entre a representação da realidade e a representação da sua transgressão pode tomar. Trata-se, no fundo, de um problema relacionado com a *funcionalidade* muito determinada destes textos, em termos sociais, culturais e literários e com a relação, também muito particular, entre um impulso (uma vontade, uma incógnita, prementes) e a sua expressão, geradora de tipologias temáticas ou simples motivos, estatutos de narrador ou de leitor, jogos de realidade e ideias de literatura, numa perspectiva provavelmente mais intensa e mais marcada do que no caso de outros tipos de ficção. Digamos então que, muito para além de uma mera encenação do medo, a construção do fantástico terá, sobretudo, a ver com um quadro de dúvidas e dos desejos que as geram, numa zona sempre obscura da ideia e que, desde o século XVIII, vem tomando corpo de forma variável, alimentando-se da literatura e do seu estatuto, mas, simultaneamente, gerando as possibilidades dessa mesma literatura.

Comecemos, porém, num outro lugar. Todos sabemos a importância que, nos anos 70, o estudo de Todorov teve para o avanço da investigação sobre o fantástico e o enorme volume de comentários e de textos a que deu origem. No âmbito de uma História ou de uma Sociologia da Crítica, seria provavelmente interessante questionar a razão desse interesse por um tipo particular de ficção, passado quase um século sobre o seu apogeu, que, de modo bastante consensual, todos situam na época vitoriana, sobretudo quando se nota que, de formas mais ou menos explícitas, a atenção que a teoria contemporânea dedica ao fantástico se prende com as implicações que uma tipologia desse género ficcional pode ter para uma reflexão sobre a natureza do literário. De uma forma directa não serão estas as questões que aqui nos irão ocupar, mas, de algum modo, integrarão esta reflexão e poderão ser uma sua sequência possível. Basta, porém, para já, que pensemos que o impulso da investigação de Todorov, centrado, fundamentalmente, na tentativa de criação de um modelo sistémico, para lá das suas alterações históricas (um quadro de géneros e de sub-géneros relacionados, a permanência obrigatória da hesitação do leitor perante o acontecimento inexplicável, um perfil de herói argumentativo), deu, curiosamente, origem à necessidade de um olhar mais histórico sobre um tipo de texto efectivamente muito variável desde o seu início e que pudesse dar conta de alguma razão para essa variabilidade, ligada sempre "às teorias sobre os conhecimentos e as crenças de uma época", como afirma Irène Bessière[1]. Os estudos que se seguem ao trabalho de Todorov, com linhas de orientação bastante diferentes, foram integrando, numa perspectiva crítica de componente teórica mais abrangente, a consideração de uma questão incontornável e que podemos formular do seguinte modo: o quadro de relações entre os elementos para o funcionamento do fantástico é muito variável, se considerarmos textos de diferentes épocas, entre o século XVIII e a contemporaneidade, o que, para além de dificultar uma caracterização genérica global, como seria o objectivo de Todorov, parece estar em sintonia directa com a alteração dos modelos de valores e de crenças e, por isso, do modo como estes podem ser representados no texto, numa linha de desenvolvimento em que o elemento incognoscível assume cada vez mais o carácter simbólico de um exercício de estilo, isto é, literário, ligado à transformação da ideia que os homens têm do conhecimento de si e do mundo e às aporias que a representação desse processo envolve, nomeadamente na literatura.

Poderemos, desse modo, detectar na escrita do fantástico a presença de um jogo que simultaneamente oculta e ostenta a perda de um universo de valores seguros, a par de uma progressiva conquista de um poder de simbolização, da inquietação e da dúvida.

---

[1] Irène Bessière, *Le Récit fantastique* (Paris: Larousse, 1974).

Se partirmos do princípio de que o fantástico só é possível no interior de uma visão do mundo estruturada pelo poder da razão, que estabelece uma outra hierarquia de crenças e de possibilidade para a sua nomeação, é fácil entender como a presença da realidade, do mundo do herói e do leitor, é um elemento fundamental, contra o qual se desenha um acontecimento estranho, de uma ordem que o real não reconhece e que pode apresentar formas de nomeação muito diversificadas. Esse equilíbrio entre ordem e desordem, entre o mundo como experiência e lei e o mundo como vontade e inquietação, é então o campo de construção de uma resposta, o próprio texto do fantástico, lugar implícito de uma espécie de lição, sobre a construção do sujeito e do real, sobre o desejo do corpo ou do espírito, que gradualmente se afasta de uma forma alegórica (a lição moral fechada), para se apresentar como símbolo, ou seja, como linguagem que modela o mundo e que assume esse mundo cada vez mais como possibilidade e construção. Em textos como *O Diabo Enamorado* de Cazotte (1772) ou *Manuscrito Encontrado em Saragoça* de Potocki (1805), narrativas de aparições diabólicas, associadas à mulher e ao desejo e enquadradas numa cultura que é ainda a do século XVIII, esta divisão é ainda o quadro de um jogo moral. Servindo-se do sobrenatural como espaço que começa a perder o poder estruturante da ordem natural das coisas, a sair do horizonte de expectativa do leitor, como realidade e que, por isso se pode transformar em tema, numa ordem estética, esses diabos em que as figuras femininas se metamorfoseiam são, contudo e ainda, uma natureza sob controle, uma imagem que surge para tornar possível a representação erótica de um corpo e do seu desejo, mas que rapidamente regressa ao lugar que o sonho ou a ilusão de uma vigília insegura resolvem. Aqui a ordem de um mundo exterior, que dará sentido à unidade do sujeito e que é o seu espelho, triunfa sempre sobre qualquer desejo transgressor, inscrevendo a moral como imagem do mundo e caminho do homem, mas o texto e a literatura, isto é, a possibilidade de criar uma ordem que saia fora de um contexto da natureza e da sua verdade, começam já a nascer quando consciencializamos que jogar com o corpo do diabo é abrir um rasgão no sentido unitário do mundo, é começar a separar a vida da sua invenção, dando conta de que a razão e a linguagem ordenada não bastam para constituir o sentido. O que aqui começa a surgir tem a ver com a afirmação de uma natureza interior que já não cabe no mundo, mas que não encontrou ainda a sua expressão e que inicia a aprendizagem do poder da fantasia no lugar da linguagem.

Claro que todo este exercício se processa ainda no campo de uma dualidade, de duas metades que no Romantismo se irão confundir, à procura de uma nova unidade, mas que aqui, na sua exposição, são já a cisão irremediável do dia e da noite: de um lado, um herói perfilado num universo de valores ordenados, que lhe permite ser sobretudo uma voz correctora, uma imagem do mundo tranquila e reconhecível, do outro o que irrompe do lado do desconhecido, mas com toda a violência de uma realidade, ainda sem nome, e que, por isso, se serve das imagens que uma cultura, em vias de transformação, criou para explicar a vida e a morte: demónios, mortos que regressam num terreno incerto, a insegurança dos corpos que grotescamente se transfiguram. Porém, este jogo, ou melhor, esta procura de legitimação do poder inventor da linguagem que progressivamente se irá afastar das imagens feitas para se entregar à força da insinuação que as palavras podem ter quando se soltam do mundo manifesta-se em Potocki de uma forma muito curiosa. Não sendo a aventura que o herói nos conta mais do que o vislumbre de uma transgressão, a que chegamos por imagens relativamente codificadas (duas mulheres que poderão ser dois demónios, relativamente enquadradas em traços facilmente reconhecíveis, apesar de toda a ambiguidade da representação), outras personagens, que o narrador encontrará ao longo da sua viagem, contarão uma história em tudo semelhante à sua, com graus de percepção e de ambiguização variáveis, como se a narrativa fosse uma sala de espelhos multiplicadores de uma nova imagem que quer nascer e por isso se repete em busca de uma forma. Essa forma será a expressão de uma natureza alargada do eu e do mundo, quando esta se tornar presente como nova consciência plenamente nomeável, naquilo que irá ser um longo processo de trevas e de palavras, que só poderá passar por uma descoberta do poder do símbolo e pela invenção da literatura que o Romantismo vai trazer.

Essa invenção será, como sabemos, a expressão da tentativa de um encontro. O demoníaco de que falava Goethe, esse lado do mundo que nem a razão nem a inteligência explicam e contra o qual construiu uma obra, esconde agora a visão cósmica e de síntese que os românticos procuram, na abolição de fronteiras entre tudo o que se opõe: o interior e o exterior, o real e o irreal, a vigília e o sonho, a ciência e a magia. Só a linguagem como domínio simbólico, como um absoluto e um infinito, a que chamam poesia, ou seja, a literatura, pode integrar esse encontro, ao serviço de uma intuição idealista, nas zonas obscuras da experiência imaginada, para além dos limites que a ordem atribui a essa mesma linguagem. Nessa zona do ainda não dito, que ultrapassa radicalmente o jogo de duplicidades de Cazotte ou de Potocki, porque agora se trata de uma ordem de sentido totalizadora, o fantástico, isto é, o trabalho com o inominável, é a condição de sorbvivência do poeta, porque é a condição exclusiva que a linguagem lhe oferece e é a única via para esse caminho interior, repleto de mistério, de que fala Novalis, onde a verdade não se encara como comum, universal ou extrovertida, mas antes como pessoal, subjectiva e introvertida.

Na entrega à natureza permanentemente significativa da palavra, o homem romântico, que afirma como valor supremo a imagem da sua originalidade, pode enquadrar o destino do seu mundo interior, o único que lhe importa, porque será exclusivamente a partir dele que, numa nova síntese, uma nova ordem exterior se poderá refazer, transformando o carácter declarativo da palavra numa questão colocada ao poder dessa mesma palavra, através de uma união que assim se desdobra entre impulso e suspensão reflexiva. Este paradoxo radical constituirá a imagem perfeita, não só de um novo modelo de conhecimento, em que a verdade, na coincidência de tudo o que se opõe, se pode encontrar para lá de uma ordem do real, mas, essencialmente, de um novo modelo de escrita como experiência, que agora se inaugura e que irá absorver toda a busca de conhecimento, acima de quaisquer outras tipologias discursivas, nessa ideia central da poesia como união de expressões diversas. É preciso viver a divisão, os limites e o misterioso, porque tudo é real, mesmo na aparência do seu carácter inexplicável e, como sabemos, esse real mais intenso é da ordem interior do sujeito, que se descobre sozinho, com a linguagem como espelho, para fundar a sua própria moral, na afirmação do sentido íntimo frente ao sentido comum. O fantástico e a linguagem que o sustenta já não têm agora a ver com o confronto com imagens exteriores ao eu, esse mundo das aparições estranhas do século XVIII, mas com o encontro do homem consigo próprio, na unidade indestrutível entre o sensível e o espiritual, no seu devir, como aliás também é próprio da natureza em criação infinita, e, por isso, as imagens passam a constituir-se como puras metáforas do desconhecido, como a forma de tocar a realidade profunda do espírito, quando se instaura o princípio da analogia como modelo supremo de conhecimento e de revelação, que o poder da literatura, até aqui excluído das grandes ordens discursivas, permite. De tal modo a dimensão simbólica se impõe como o absoluto da expressão daquilo que não tem expressão, que nos atributos do símbolo poderemos encontrar a natureza do fantástico, como voz do sonho de totalização entre os mundos do eu e da realidade.

É Mery Jordan[2] que o sugere em *A narrativa fantástica – evolução do género e a sua relação com as concepções da linguagem*. Diz-nos a esse propósito que, tal como o símbolo, o fantástico é intransitivo,

---

[2] Cf. Mery Erdal Jordan, *La Narrativa fantástica* (Madrid: Iberoamericana, 1998).

pela ausência de um referente exterior, e motivado ao transformar o significado em significante, do mesmo modo que se constitui como síntese de contrários (a vida e a morte, o natural e o sobrenatural), no domínio de uma indizibilidade criadora do mundo, de uma produtividade de sentido potencial e infinito. Essa natureza comum do símbolo e da ideia que alimenta o fantástico é, no fundo, a manifestação de uma síntese a realizar entre a percepção e o desejo de uma linguagem transcendental e a imanência que também é própria da linguagem pela sua natureza imanente.

Como experiência de criação, essa relação entre a descoberta e a afirmação da natureza simbólica da linguagem e a constituição de uma modalidade genérica, como o fantástico passa a ser, sob uma forma que já não se alimenta da encenação da dualidade, mas que, pelo contrário, aspira a uma formação totalizante, desenvolveu, como anteriormente se afirmou, um modelo de imagem aberto ao princípio de uma metaforização generalizada, confluência e explosão de sentidos, suspensão de toda a multiplicidade do que se intui contraditoriamente. Em termos mais precisos, tudo isto deu origem às inúmeras narrativas românticas do olhar e da sua divisão, da projecção de um eu ilusionado no mundo, um eu que tem dificuldade em diferenciar a vigília do sonho, o dia da noite, que olha o mundo do interior de quartos e se apaixona por sombras, projecções de si próprio, mas que ao adquirirem autonomia, isto é, ao transformarem-se no que deixa de ser olhado para nos olhar, são, pela força do distanciamento irónico e da energia que divide, a expressão não apenas do desejo ou da inquietação, mas, sobretudo um lugar de reordenamento de lugares, de um reconhecimento, onde não é nunca menor a parcela de encantamento narcísico.

Se tomarmos como exemplo as novelas de Tieck, reunidas em *Phantasus*, muito depois da sua escrita, nomeadamente "Der Blonde Eckbert", encontramos aí uma espécie de repositório bastante organizado do que poderá ser um imaginário romântico. O conto indetermina o espaço e o tempo, afasta-se do mundo real do leitor para se inscrever em categorias simbólicas, em que duas temporalidades procuram ajustar-se: um tempo e um espaço mágicos que não se cumpriram pela traição da personagem feminina e a necessidade de redimir uma culpa incerta e imprecisa, através da construção de uma narrativa, de um relato de vida, em que a palavra se deseja como criação de intimidade, entre Eckbert e um amigo, numa segunda dimensão de espaço e de tempo, onde a alma deverá sobrepor-se ao coração, como repetidamente se afirma no texto. A estratégia da palavra que se quer salvadora, que leva ao contar de um segredo misterioso, perde-se quando a projecção da culpa no outro e no mundo em geral se torna a estrutura dominante, criando imagens fantasmagóricas, numa realidade onde nenhuma união é possível. A lição pode, se quisermos, ser simples: o mundo do *Märchen*, esse território de suspensão dos conflitos do desejo, uma vez atraiçoado, dá origem à fractura da alma, cria, no tempo exterior linear, a divisão ou a repetição das imagens e dos corpos, irrealiza-os e confunde-os, como é próprio do caos, a que só pode seguir-se a morte. Esses corpos inseguros habitam o território transfigurado onde a natureza do ser não consegue ter forma própria, onde tudo pode ser ilusão do olhar que procura exorcizar a culpa imprecisa, ou, então, o real avanço de uma ordem cósmica exterior à alma, sem possibilidade de reordenação, porque o seu poder não se pode vencer pela palavra, está além dela. De uma forma ainda mais intensa, em "Liebeszauber", num cenário mais real, mais próximo de um tempo e de um espaço que o leitor pode reconhecer, o olhar fabrica e projecta o terror interior, mas de tal modo contamina o mundo que este se desdobra em encenações e máscaras, em figuras grotescas, pela impossibilidade de fixação do rosto e, por isso, mais uma vez será um terreno de indeterminação, de excesso e de morte.

Esta contaminação de níveis de realidade, entre o interior e o exterior, é, portanto, em Tieck, o domínio e a expressão da angústia de uma divisão, onde o olhar se confunde com o sentimento, onde é sempre uma inevitável porta de saída para o mundo, mas apenas para o inundar de inquietação e de dor.

A forma que Hoffmann dará à sensação interior de um sujeito dividido, alguns anos mais tarde, será muito diferente, tomando contornos que o podem aproximar mais da experiência distanciada com que, a partir do Romantismo, a literatura vai encenar a ideia de irrealidade. Se pensarmos em textos como "Der Sandmann", "Rat Krespel", "Die Automaten" ou "Das Öde Haus", uma pequena antologia da perversão hoffmaniana, de leitura breve, podemos confirmar que a dor começou o seu processo de afastamento e de transfiguração, que, de alguma forma, o poeta começou a aprender outras formas de ordenação da alma. Na realidade quotidiana de uma Alemanha burguesa, onde as revoluções nunca acontecem ou acontecem mal, as personagens só podem ser a caricatura de si próprias, quando todo o gesto já só se inscreve num domínio tão bizarro, pelo excesso sem contraponto, que só poderemos encontrar uma imagem, a da loucura, como um lugar fechado, mas que magnificamente encomtra uma linguagem para passar ao futuro. Claro que o universo de Hoffmann, de que aqui falo, é ainda um universo de desejo e de paixão, mas os objectos estão tão distantes como está o próprio sujeito em relação a si próprio: são olhos de máquinas que nos olham e gelam ou uma mão que acena do interior de uma casa deserta, fragmentos de um mundo que já está perdido, mas que pode sobreviver pelo riso, o que resta ao homem da sabedoria e da intensidade românticas.

Aproximamo-nos, deste modo, da expressão que tudo isto tomará na contemporaneidade. Do mundo como irrealidade, que esconde algures a hipótese de uma verdade, a que teremos de aprender a chegar de outro modo e que os românticos criaram, passámos hoje para o sentimento generalizado pela literatura, de que esse mundo (qualquer mundo) é incerto e indecifrável, o produto de uma construção fictícia, uma pura virtualidade, que nenhum sentido nem nenhuma ordem regem. Construímos explicações fechadas no interior de uma lógica sem correspondência externa e sabemos que o estranho não vem do exterior, de uma ordem transcendente, mas antes de dentro de nós próprios. A ideia de que o homem contemporâneo é um ser fantástico, no sentido em que aqui temos utilizado o termo, nasce primeiramente com Kafka, para nos ensinar que inserir a desordem no interior da ordem só pode servir para postular a própria desordem, a estranheza total do mundo, onde tão fugaz é a suposta realidade como o seu contrário, o que só pode levar à impossibilidade da questionação, às imagens que silenciosamente se instalam, sem poder de argumentação, mas apenas com a força de uma evidência. E se, ainda na esteira do Romantismo, sabemos que a desordem nasce da ordem, a questão do fantástico literário no nosso tempo já não será uma questão de anamorfose dos corpos, da projecção do sujeito sobre o mundo, de um olhar a partir da janela de um quarto, como em Tieck ou Hoffmann, mas antes uma mera questão de sintaxe e, por isso, de linguagem. São os nexos argumentativos que se perdem, porque também se perderam os nexos entre os elementos do real e qualquer forma de correspondência entre nós e o mundo.

Para além de Kafka talvez tenha sido Borges quem melhor ajustou o sentimento de irrealidade, próprio do nosso tempo, à literatura. Falou de tudo isso através de uma imagem, o labirinto, onde o sonho das coincidências é apenas um sonho e um laborioso encontro de palavras soltas, perdidas na voz de poetas distantes no tempo e que talvez transportem a vaga memória de um paraíso, quando a palavra fazia parte do ser integrante das coisas. Como sabemos, trata-se de um universo de fragmentos, que aspira à unidade, mas a representação dessa ordem é apenas e completamente simbólica, para lá de qualquer possibilidade de concretização, como anteriormente os românticos desejáram. Justamente, a propósito deste princípio de serenidade, disse Borges, num colóquio sobre literatura fantástica, realizado em Sevilha em 1984 o seguinte:

> o labirinto estimula a nossa inteligência, faz-nos pensar no mistério e não na solução. (...) Procurar a solução e saber que não a encontraremos é algo belo. Talvez os enigmas sejam mais importantes do que as soluções; e o enigma podemos contar com ele plenamente, já que não sabemos nada ou somos tão pouco[3].

Esta consciência da solidão irremediável, com uma exclusiva entrega às palavras e à literatura, tem aqui o carácter de um destino iniciado muito tempo antes e que, confrontando-nos agora com uma imagem vazia, a de um mundo real definitivamente perdido, só nos permite viver sublinhando permanentemente essa ausência e aprendendo a transfigurá-la noutra coisa, a natureza exposta da linguagem. As diferenças são apenas a marca de um percurso, mas a tarefa continua a desenvolver-se no mesmo lugar, do lado do símbolo, como os românticos nos ensinaram.

---

[3] Jorge Luis Borges, *et al.*, *Literatura fantástica* (Madrid: Siruela, 1985).

Metamorfoses do corpo no fantástico e no grotesco românticos

Maria João Simões
Universidade de Coimbra

> E uma velha, com mais traça de bruxa que de taberneira, ergueu, da baixa lareira onde estava acocorada, a mal-azada cabeça (...) rosnando vinha a bruxa, arrastando-se nos decrépitos tamancos (...) e chegando aonde estavam os três, estacou de repente. (...) Com os *olhos que pareciam já feitos para o ver da vista exterior*, se pôs a contemplá-los numa atitude de indefinível expressão. *Disseras de um cadáver* que reconhece um vivo... de um esqueleto em cuja caveira se iluminasse de repente o vazio das órbitas descarnadas para vos olhar e saudar. Os três homens estavam fascinados (...).[1]

Como se exerce este fascínio[2]? Que interesse terá o autor em o dizer e em descrever o seu efeito nas personagens? Eis o tipo de perguntas que pode dar início a algumas reflexões sobre a utilização do fantástico e do grotesco como via de acesso à representação da expressão corporal e do mundo das sensações.

N'*O Arco de Sant'Ana*[3], Almeida Garrett delineia esta figura de bruxa, que afinal o não é, sobretudo para adensar o mistério do nasci-

---

[1] Almeida Garrett, *O Arco de Sant'Ana* (Porto: Lello & Irmãos, s.d.).

[2] A palavra reaparece quando a pretensa bruxa termina a sua dança e reitera-se assim o efeito exercido pelo comportamento estigmatizado da personagem: "Os três pasmavam e não diziam palavra, ainda fascinados do estranho olhar, do mais estranho cantar, e das arrastadas evoluções da dança da bruxa", *Ibidem*, p. 92.

[3] Retomando um projecto de 1833, Almeida Garrett escreve o primeiro volume do romance entre 1841 e 1844, mas só virá a elaborar o segundo volume entre 49 e 50. O primeiro volume é publicado em 1845, ano em que se inicia a paixão do autor pela Viscondessa da Luz, pois, segundo L. Silveira, "em 1849, já o romance durava há algum tempo, [Garrett,] num momento de crise, dizendo querer preparar-se para a solidão, foi viver para casa de Alexandre Herculano, à Ajuda. Nos

mento de Vasco, o protagonista do romance. Parcas, vagas e misteriosas alusões aguçam a curiosidade do leitor que não sai defraudado na sua expectativa, pois o autor lhe preparou uma personagem diferente pela sua estranheza. Esta figura assemelha-se a um cadáver-vivo – comparação que, pela sua impossibilidade real em termos corpóreos, pela sua incongruência cai na alçada do fantástico. É que o monstruoso, mais que uma contravenção da ordem, chega mesmo a impedir que possa surgir a ideia de ordem – o que é próprio do fantástico[4]. Sublinhe-se também essa presença da ausência pressuposta na imagem do cadáver-vivo ou do esqueleto animado. De acordo com a inovadora abordagem do fantástico empreendida por Alain Chareyre-Méjan[5], esta situação evidencia o problema da "irrepresentabilidade aterradora do 'existir morto'", que se gera no domínio do sentir. Para este autor, o elemento assustador do fantástico deve-se à "pura indeterminação"[6] do existente proposto aos sentidos, o que, em seu entender, acentua terrivelmente a independência do real, da coisa, relativamente ao espírito[7], num mundo onde "os mortos se levantam como as coisas se revoltam, assinalando a impossibilidade de produzir a existência numa especulação das causas "[8].

Concorde-se ou não com esta abordagem que relaciona o fantástico com uma excessividade do real, o que é certo é que a estranheza é um elemento fundamental com que, pelos sentidos, se surpreende o sujeito antes mesmo de ele poder pensar, ou racionalizar a diferença, desencadeando o receio e o medo[9]. Este sentimento de estranheza surge

---

passeios a que forçava o amigo e que tanto incomodavam o historiador, porque lhe interrompiam o trabalho, sempre 'por acaso' encontravam a viscondessa. Garrett deixava então Herculano a passear sozinho", Luís Espinha da Silveira, "Um homem de paradoxos" (*Expresso. Cartaz*, 13 de Fevereiro de 1999).

4 Cf. Alain Chareyre-Méjan, *Le Réel et le Fantastique* (Paris: L'Harmattan, 1998), p. 34. É notória a forma como Garrett implica o leitor nesta visão, pois utiliza o performativo na segunda pessoa – "disseras" – que institui a atitude afirmativa do sujeito-leitor, veicula a sua própria opinião e pressupõe a sua reacção.

5 *Ibidem*, p. 14.

6 *Ibidem*, p. 17.

7 *Ibidem*, p. 190.

8 *Ibidem*, p. 188.

9 Segundo A. Chareyre-Méjan, "je n'ai pas peur «de» mais je suis saisi par la peur 'devant'. La peur ne représente pas l'état d'esprit de quelqu'un qui voit les choses d'une certaine façon. Elle est au contraire ce saisissement devant ce qui arrive quand on ne voit plus le monde d'aucune manière particulière." (*Ibidem*, p. 16). Neste sentido, é difícil aceitar o acantonamento que T. Todorov reserva ao "estranho" – uma das suas subdivisões genológicas – que, segundo este teórico, "realiza uma única condição do fantástico: a descrição de certas reacções, em particular do

quando as outras personagens e, juntamente com elas, o leitor se confrontam com esta bruxa. A sua estranheza advém da capacidade de mudança na aparência das formas corporais evidenciada pela personagem. Por um lado, ela passa rapidamente de uma imobilidade letárgica para uma exuberante movência de bailarina grotesca que, "com saltos trôpegos, como de dança de entrevados", "bailava em cadência com o seu arrepiado cantar"[10]. Por outro lado, ela transforma-se e o seu corpo de velha torta torna-se corpo de mulher nova e direita:

> (...) ergueu-se em pé, direita, alta e forte, como se o *asqueroso* sapo que ainda agora se arrastava *disforme* pelo torpe lodo daquele chão, subitamente se transformasse num dos génios maus da miraculosa lâmpada de Aladino.[11]

Através desta mobilidade verifica-se aqui essa resistência à categorização de que fala Chareyre-Méjan, quando afirma: "Le fantastique présente, au fond, la résistence de l'existence à la categorie. Il exhibe l'insignifiance catégoriale comme indice essentiel de la talité du réel"[12].

Observa-se, nesta passagem do romance de Garrett, ainda que de forma ténue, a possibilidade da metamorfose, uma componente quase sempre imprescindível do fantástico que utiliza a incerteza e a mistura de natural e irreal. E não é por acaso que a transformação se opera a partir do disforme e do feio (conforme se sublinhou). Na verdade, o grotesco surge como um assíduo coadjuvante do fantástico.

Chegados a este momento, torna-se indispensável esclarecer que não se encara aqui o fantástico como espartilhado na estreiteza de um género. Na perspectiva escolhida, o fantástico é entendido como uma Qualidade ou predicado estético e alcança uma dimensão modal mais abstracta, permitindo uma abordagem mais incisiva da sua labilidade e coabitabilidade com outras categorias estéticas[13].

---

medo; relaciona-se somente com os sentimentos das personagens e não com um acontecimento material que desafie a razão (o maravilhoso pelo contrário, caracteriza-se pela única existência de factos sobrenaturais, sem implicar a reacção que eles provoquem nas personagens)" – Tzvetan Todorov (1970), *Introdução à Literatura Fantástica* (Lisboa: Moraes, 1979), p. 96.

[10] Almeida Garrett, *op. cit.*, p. 91.

[11] *Ibidem*. Itálico aduzido.

[12] Alain Chareyre-Méjan, *op. cit.*, p. 108.

[13] A designação de "categorias" é mais utilizada no domínio da estética, como acontece com Étienne Souriau e Robert Blanché. Por sua vez, G. Genette prefere a designação de "predicados" estéticos (de origem kantiana, no dizer deste autor), conforme já foi evidenciado em estudo anterior (Cf. Maria João Simões, "Os 'modos' de Fradique: componemas dominantes n'*A Correspondência de Fradique Men-*

Nesta perspectiva, de acordo com L. Armitt,

> agora podemos olhar para o fantástico como uma forma de escrever que abre espaços subversivos dentro da fantasia em vez de a levar para um gueto que a empacotasse dentro de géneros. Neste processo mantém propriedades subversivas importantes sem capitular a uma classificação.[14]

Ressalta, então, o interesse de observar a maneira como o fantástico põe em causa a delimitação de fronteiras genológicas, axiológicas e outras. Contrariamente às "definições de género que tendem a encerrar os textos [dentro de fronteiras], o fantástico abre os textos a uma ambivalência que conspira contra as fórmulas". Torna-se pois extremamente difícil estabelecer uma lista definitiva e imutável dos elementos que o engendram[15]. Na verdade, estes textos indefinidamente abertos e não-contidos dentro de fronteiras "colocam uma perigosa ameaça às noções de conformidade e fixidez"; assim sendo o fantástico torna-se "uma apelativa forma para a exploração da marginalidade socio-política e da ex-centricidade". Para esta autora, o interesse da teorização de Todorov reside na apreensão desta transgressão tal como Michel Foucault a define: "Trangressão é uma acção que envolve o limite (...)"[16]. De facto, T. Todorov não deixa de referir esta potencialidade transgressora ao falar "da ruptura dos limites entre matéria e espírito"[17].

Também o grotesco[18] explora a discrepância e a ambiguidade de certos aspectos, relativamente àquilo que é considerado como normal no pensamento do senso comum, e joga com os tabus sociais. Como esclarece G. G. Harpham, o grotesco simultaneamente invoca e repudia as nossas convenções de inserção categorial, num jogo baseado no antagonismo:

---

des", in *Congresso de Estudos Queirosianos. IV Encontro Internacional de Queirosianos. Actas*, vol. II, [Coimbra: Almedina/ILLP, 2002], pp. 760-762).

[14] Lucie Armitt, *Theorizing the Fantastic* (London/New York: Arnold, 1996), p. 3.

[15] Não deixará de ser útil, e muitas vezes até pedagógico, tentar elencar os ingredientes do fantástico como realiza Ana M. Ramos, mas convirá alertar para o facto de os textos os ultrapassarem facilmente – como também anota esta autora; Ana Margarida Ramos, "A (des)construção do fantástico em "Os Canibais" de Álvaro do Carvalhal" (*Revista de Letras da Universidade de Aveiro*, 2000), p. 8.

[16] Apud Lucie Armitt, *op. cit.*, p. 33.

[17] Tzvetan Todorov, *op. cit.*, p. 103.

[18] Sobre a origem o sentido da palavra "grotesco" assim como sobre a evolução e extensão sofrido pelo termo, confonte-se os dois primeiros capítulos da obra de Elisheva Rosen, *Sur le Grotesque. L'Ancien et le Nouveau dans la Réflexion Esthétique* (Vincennes: PUF, 1992).

> Most Grotesques are marked by such an affinity/antagonism, by the co-presence of the normative, fully formed, "high" or ideal, and the abnormal, unformed, degenerate, "low" or material.[19]

O grotesco mantém a tensão da dualidade não resolvida: consiste na própria "guerra civil" de atracção e repulsa[20]. Por isso, o grotesco não tem forma precisa ou fixa:

> No definition of the grotesque can depend solely upon formal properties, for elements of understanding and perception, and the factors of prejudice, assumptions, and expectations play such a crucial role in creating the sense of the grotesque. It is our interpretation of the form that matters, the degree to which we perceive the principle of unity that binds together the antagonistic parts. The perception of the grotesque is never a fixed or stable thing, but always a process, a progression.[21]

O entrosamento do fantástico e do grotesco é possível, na medida em que ambos jogam com os limites racionalmente traçados e os juízos comummente aceites que rejeitam a diferença.

Mas, no romance de Garrett, estes predicados não ganham uma dimensão tal que se constituam como componemas[22] dominantes – e por isso mesmo também não há o perigo de serem identificados como géneros. Estes predicados não só estão ao serviço do dramático e por vezes do melodramático explorados por este romance numa hibridez modal ou categorial semelhante à das *Viagens* (onde o trágico se conjuga com o dramático), como também concorrem para erigir o edifício genológico por que opta o autor: o romance histórico. Não raro este género se serve do elemento exótico medieval, com a sua forma de pensar condicionada não só pelas crenças religiosas mais elevadas, mas também pelas crendices coalescentes, devedoras do mundo fantástico demoníaco.

Não surpreende, pois, que o desenho fisionómico do corpo e do rosto desta pretensa bruxa vá desembocar, afinal, no retrato assaz normal de uma das três mulheres que aparecem no episódio que representa o clímax dramático do romance. Aí é recuperada a normalidade da personagem cujos traços fisionómicos servem apenas para o acentuar de diferenças entre fisionomias que tanto apraz ao autor[23]. Na ver-

---

19 Geoffrey G. Harpham, *On the Grotesque. Strategies of Contradiction in Art and Literature* (Princeton: Princeton University Press, 1982), p. 9.

20 *Ibidem*, p. 9.

21 *Ibidem*, p. 14.

22 Sobre esta noção, confronte-se Maria João Simões, *op. cit.*.

23 O retrato de Gertrudes surge no cap. XXIII.

dade, quando finalmente El-Rei, o Justiceiro, está castigando o mau Bispo do Porto, Garrett faz entrar apoteoticamente as três umlheres no templo, salientando que representam "três distintos tipos das raças portuguesas": "romano-celta" uma, descendente do "puro sangue da raça germânica" outra, e do "puro, puríssimo sangue da Arábia é a terceira, que (..) respira o queimor ardente do deserto, e nas sós formas do corpo, no seu jeito, seu ar, revela todo o Oriente"[24]. É uma estratégia recorrente em Garrett: a de configurar diferentes fisionomias femininas em jeito contrastivo bem romântico. Assim acontece com as três irmãs inglesas das *Viagens*, relativamente às quais a diferença de Joaninha só se pode impor e opor logicamente pelo verde "naturante"; idêntico parece ser o procedimento do (embrionário) desenho das três primas de Ansur, contrastante com o retrato da sua velha mãe Raula, misto de santa e de bruxa, no conto "As Três Cidras do Amor"[25]. Consciente deste jogo contrastivo, o autor d'*O Arco de Sant'Ana* chega falar explicitamente em comparação[26] e em antítese[27], embora

---

24 O retrato das três mulheres traçado pelo romancista concede especial atenção aos olhos, mas não esquece o corpo, o porte e a sensualidade específica de cada uma: "Romano-celta a mais baixa, a mais viva. Sua fisionomia fortemente acusada salta de energia; em seus olhos negros sorri a luz da alegria ou resplandece o fogo do entusiasmo; as suas formas ágeis, flexíveis, rápidas de movimentos são o sonho do homem de espírito, é a Vénus mística, é a Psiqué do amor ideal que se reflecte da alma nos sentidos, que os sublima, que os põe em extase e lhes dá na Terra o gozar dos Céus. § Mais suave e mais doce a outra, a mais alta e menos direita, mais débil, mais feminina toda, denuncia o puro sangue da raça germânica que não se misturara com os outros, ou por singular capricho da natureza se estremou ao formar desse ente no seio materno. § Mas puro, puríssimo sangue da Arábia é a terceira, que, através de um véu que lhe cobre o rosto, respira o queimor ardente do deserto, e nas sós formas de seu corpo, no seu jeito, seu ar, revela todo o Oriente" (Garrett, *op. cit.*, p. 246).

25 Bela, Justa e Boa são os nomes das três filhas de Raula e de um rei mouro (este seria o segredo motor do conto). Os seus nomes sugerem alegoricamente um retrato psicológico. Augusto da Costa Dias aponta os anos 1839-1843 como data provável de escrita deste texto – Augusto da Costa Dias, "Prefácios e Notas", Almeida Garrett, *Narrativas e Lendas*, (Lisboa: Editorial Estampa Dias, 1979), p. 142. As possíveis ligações entre este manuscrito e o d'*O Arco de Sant'Ana* serão ponderadas na preparação da edição crítica deste romance a realizar por Maria Helena Santana.

26 Garrett afirma que "não houve tempo de as comparar", mas só o diz depois de lhes ter traçado o retrato-tipo minucioso acima transcrito.

27 A referência à antítese surge quando, num jogo (dir-se-ia) cinematográfico, o autor direcciona e afunila a focagem sobre as duas mulheres mais jovens afirmando: "Era o dia e a noite, era o Sol e a Lua, era a rosa e o jasmim, eram quantos nomes há que dizem formusura, e que emparelhados faziam melhor antítese (...) tão gentis ambas, tão diversas e tão amigas." (Garrett, *op. cit.*, p. 250).

sugira que esse é um inevitável efeito sentido por quem rodeia as personagens em questão. Através desta estratégia que joga com a diferença, o autor evidencia a relutância do senso comum em aceitar o diferente, que leva a comportamentos preconceituosos e racistas – não é por acaso que bruxa/judia, ou Guiomar/Ester se encontram reunidas na mesma personagem desconsiderada, rejeitada e violentada.

Pelo meio do romance fica, de facto, o relato da cena não de sedução mas de violação da bela judia pelo pérfido e ingrato cavaleiro, estranha e convenientemente não consciencializada senão *a posteriori*, pois a vítima, exausta da vigília, está a dormir. Como o mundo do sono atenua o sentido da violência, desrealizando a experiência corporal, este subterfúgio viabiliza a breve descrição do acto sexual (não isento de erotismo) bem ousada para a época. A atitude do cavaleiro é atribuída (muito convenientemente, também) a forças demoníacas[28], forças do mal que dominam o cavaleiro e que depois irão comandar o seu mau comportamento como Bispo – servindo, portanto, o fantástico como estratégica via de acesso ao mundo das sensações, ao mundo do corpo e ao domínio do erótico. Mas, apesar destas camuflagens atenuantes, é notório que o despertar do desejo no cavaleiro se deve à embriaguez dos sentidos, excitados por uma beleza diferente que o prende pela exuberância exótica da sua aparência, realçada pela leveza voluptuosa das vestes, como o autor salienta:

> E ela era bela, de uma beleza toda judaica, toda árabe. A figura alta e esbelta, as formas severas, sem moleza nenhuma nos contornos, o rosto oval, a tez morena, os olhos negros, faiscantes, a testa breve, mas perfeitamente desenhada, os sobrolhos um tanto juntos, o cabelo preto, fino – fino de uma fartura e formusura surpreendente.[29]

Poucas mensagens sobre o convívio entre diferentes raças e diferentes culturas terão sido comunicadas, entre nós, de forma tão subtilmente entrosada com a trama diegética como a que se observa neste romance, mostrando o fascínio do autor por estes problemas[30]. Garrett não castiga só os desmandos da oligarquia clerical – evidencia também a injustiça do preconceito relativamente ao estranho e ao diferente em termos sociais, culturais e rácicos, muito embora fique ainda

---

[28] A intervenção demoníaca é sugerida através de uma expressão do capítulo XX: "Deu-me o demónio em má hora a um homem" (*Ibidem*, p. 103).

[29] *Ibidem*, p. 171.

[30] Já nas *Viagens*, Garrett tematizara o choque cultural sofrido por Carlos; mas seriam as suas narrativas inacabadas que levariam mais longe o confronto cultural de raças diferentes. Repare-se que já em "As Três Cidras do Amor", paralelamente ao ódio pelos mouros surge também a hipótese de uma cristã se enamorar de um mouro – o que seria impensável no universo herculaniano.

prisioneiro do pensamento da sua época, ao propor ao leitor, no fim, a conversão da bruxa judia. Ora esta concessão feita no desenlace significa também que o autor abdica do predomínio do fantástico, integrando-o apenas como estratégia coadjuvante.

Se recuarmos alguns anos, encontramos diferentes opções e estratégias na narrativa de Herculano no que diz respeito à utilização do fantástico e do grotesco, nomeadamente n'"A Dama Pé de Cabra", de 1838[31].

Esta narrativa funciona como um claro exemplo de como os predicados estéticos, através de um processo de opacificação e objectivação dos elementos constituintes, se cristalizam em géneros. Muitas vezes, os textos literários trabalham essa cristalização categorial que, em certa medida, é uma forma radical desse processo de objectivação que Genette diagnostica na predicação estética em geral e na predicação artística em particular e que implica a transferência do (de qualidades apreendidas pelo) sujeito para (qualidades no) o objecto[32].

Os elementos geradores da impressão fantástica são convocados nesta narrativa de Herculano, funcionando cumulativamente por reiteração e por imbricação com o sobrenatural demoníaco. A manifestação diabólica, o ónagro falante, voador, inteligente, as canções encantatórias, as metamorfoses, as vozes, as visões e os poderes sobrenaturais mostram o predomínio da fenomenologia meta-empírica de carácter negativo nesta narrativa, à qual se opõe a fenomenologia meta-empírica de sinal positivo menos explorada explicitamente, mas sempre implícita[33]. A presença do demónio faz-se notar sob variados indícios e signos e é através deles que mais se desvela o corpo feminino atingido pela deformação – primeiros os pés, depois o rosto e por fim as mãos:

> Só quando, à noite, no seu castelo, pôde considerar miudamente as formas nuas da airosa dama, notou que tinha os pés forcados como os de cabra. (...)
> O barão olhou para ela: viu-a com os olhos brilhantes, as faces negras, a boca torcida e os cabelos eriçados. (...)

---

31 Alexandre Herculano, *Lendas e narrativas* (Lisboa: Ulisseia, 1988), p. 18.

32 As qualidades, ou como Genette prefere dizer, os predicados, constituem "eficazes operadores de objectivação" (*L'Oeuvre d'art. La relation esthétique*, vol. II, Paris: Ed. Seuil, 1997), uma vez que o seu aparente carácter descritivo encobre a relação apreciativa do sujeito. Mas, mais do que uma simples transferência, este processo ganha, por assim dizer, opacidade através da *representação* ou da *presentificação*.

33 Desde o início, a união de D. Diogo com a dama é selada sob a promessa de repudiar o sinal da cruz.

E a mão da dama era preta e luzidia, como o pêlo da podenga, e as unhas tinham-se-lhe estendido bem meio palmo e recurvado em garras.[34]

A descrição da metamorfose do corpo sob a égide do poder demoníaco parece ser a rara fórmula através da qual Herculano se permite mostrar o corpo feminino. Na verdade, a descrição do corpo feminino (ou, sequer, do rosto) é praticamente inexistente, por exemplo, no romance *Eurico, o Presbítero*[35]. Até no encontro dos amantes em Covadonga o autor só refere abstractamente a sua beleza angelical, permitindo aos amantes apenas um febricitante contacto das mãos e, quando muito, a mais ousada aproximação corporal depende de "um movimento delirante" através do qual Eurico "apert[a] contra os lábios [que queimavam] a mão da donzela"[36]. Na mais arrojada descrição feminina deste romance, o corpo apresenta-se já sulcado pela morte, sendo sintomático que esta descrição surja no episódio do Mosteiro, onde domina o horrífico e o macabro:

Hermentruda não está morta. Ergueu-se. Tem a cabeça descoberta, os louros cabelos esparzidos, o colo nu. Bem como o aspecto do formoso arcanjo de luz no dia em que, rebelde, a espada de fogo lhe estampou na fronte a condenação eterna, o seio e o rosto da monja, suavemente pálidos, estão sulcados por betas escuras, que serpenteiam por aquele gesto como as víboras estiradas ao sol sobre um busto grego tombado entre ruínas de antigo templo pagão.[37]

O universo ficcional de Herculano evidencia o favorecimento que o autor concede à contenção e sublimação do erótico, ao qual se acede apenas de modo equívoco pelos estados delirantes[38]. Alegoria da vertigem dos sentidos é afinal a visão da voragem infernal que os olhos curiosos de D. Inigo espreitam a medo quando o ónagro enviado pela Dama Pé de Cabra esbarra com a cruz, dado que antecipa a sua perdição. A caça poderá ter aqui um duplo sentido, pois D. Inigo é "caçado" pelas forças maléficas, já que se deixa seduzir pelos poderes derrogadores dos limites temporais e espaciais que as forças do mal

---

[34] Alexandre Herculano, *op. cit.*, p. 219.

[35] Mesmo a Hermengarda apetecida pelo amir aparece envolta num "raro cendal que a cobria até aos pés", pelo que as suas "formas mal se podiam adivinhar" (*Ibidem*, p. 136). N'*O Bobo*, o "anjo inocente" que é Dulce até no último encontro com Egas se apresenta com um véu.

[36] *Ibidem*, p. 186.

[37] *Ibidem*, p. 116.

[38] Pense-se nos delírios de Hermengarda (caps. XVII, XVIII) ou de Dulce de *O Bobo* (cap. VIII).

mostraram e que ele experimenta, durante a busca e o resgate de seu pai. Este final sugere a continuação da vulnerabilidade masculina ao encanto ou feitiço feminino – sempre diabólico. Assim sendo, a permissividade dos sentidos e das relações apenas é admitida porque considerada no domínio do fantástico.

Bem diferente da contenção herculaniana se mostra a ficção de Álvaro do Carvalhal relativamente a estes aspectos. As suas estratégias são a desmesura, o exagero, a caricatura e mesmo a paródia[39]. Para descrever as suas personagens femininas, o contista alonga-se em pormenores, faz inúmeras comparações (eruditas, barrocas, clássicas e românticas), emprega uma linguagem profusa, visando realçar com estes elementos a sua sensualidade excessiva, mórbida, exótica ou estranha:

> Rosaura apaga (...) as lágrimas teimosas e atira ao longo das espáduas os cabelos soltos de azeviche, fitando-me de rosto afogueado por um misto de contrários sentimentos.
> Descansava o corpo mórbido nos coxins (...) e o estofo macio e flácido do seu amplo roupão não furtava a meus olhos nenhuma das airosas curvas, nenhum dos peregrinos contornos dum talhe que logo recordava a voluptuária negligência da ideal formusura grega
> Rosuara tinha (...) quanto há de mais doce e pudico na virgem, temperado indiscritivelmente com um tanto de libidinosa soltura de pecadora (...). Crescera sob o influxo do ardente sol da América (...) que se inflitra no sangue como lepra invisível. (...) Amava-me com um amor doido insaciável e ferino (...). Às vezes (...) via-a correr para mim, ágil e elástica como uma pantera. Mas de súbito (...) semelhando a rola mansa (..) caía-me quebrada aos pés, como uma escrava.[40]

Como inocentes pecadoras ou pecadoras inocentes emergem as seduzidas ou sedutoras mulheres destes contos, oscilando entre os clichés românticos da mulher angelical e da mulher fatal, ou revelando uma escondida sob as vestes da outra, tal como acontece em "A Vestal!". Neste conto, o céptico e desmi(s)tificador Fausto constantemente

---

[39] A paródia é indispensável para a interpretação de "Os Canibais", como acentua M. N. Oliveira: "encaramos como coerente a tese de Maria João Gomes ao admitir ser a forma do barroco vocabular em Álvaro do Carvalhal acima de tudo uma "técnica paródica". Possuído de uma vontade inequívoca de zombar do artificialismo de um género que mantém em vida um universo pouco plausível, o autor acrescenta-lhe uma linguagem excessiva e antiquada com intuitos parodísticos". Maria do Nascimento Oliveira, *O Fantástico nos Contos de Álvaro do Carvalhal* (Lisboa: Biblioteca Breve, 1992), p. 81. À utilização reiterada da expressão "Vai alta a Lua" de Soares de Passos, no conto "J. Moreno", subjaz também um visível jogo paródico.

[40] Álvaro do Carvalhal, *Contos* [1868], Lisboa: Relógio d'Água, 1990, pp. 177-8.

previne L. Guntar, o protagonista, sobre a capacidade dissimuladora da mulher e sobre a sua voracidade mortífera[41], da qual ele é, aliás, o exemplo traumático. De facto, a título de exemplo dissuasor, Fausto conta a violação que sofrera e o modo como uma noiva provinciana "angélica, tímida e pudorosa" se pode transformar numa devoradora de adolescentes, impondo-lhe a sua nudez, o seu desejo imperativo. A narração seria algo escabrosa para a época, mas alguma veste cobre ainda o corpo da mulher "quase nua". Já o mesmo não se passa na cena que o protagonista, já casado, irá presenciar, quando, movido pelo ciúme, espreita sua mulher e descobre a sua predilecção contranatural. O intuito chocante é conseguido através do grotesco do erotismo animalesco, verificando-se como, segundo G. Harpham, o grotesco se instala nos "intervalos" categoriais[42], na anomalia categorial, onde também radicam os tabus[43].

Claramente dissonante[44] em relação às convenções da época, estes comportamentos quase se tornam irreais, aproximando-se do fantástico pouco a pouco pelo mistério, pelo frenesim alucinado, pela humanização quase impossível ou pela lubricidade mágica[45].

Às vezes, o mistério e o acontecimento fantástico, quando o leitor já está a ponto de aceitar o implausível, acabam por se desvanecer e por se poderem explicar com razoabilidade através daquilo que perdura na memória. É o que acontece no conto "O Punhal de Rosaura",

---

41 Abundam neste conto a identificação da mulher com a víbora e com abismos ou sorvedouros: "– Eu não verbero a amante, esmago a víbora" (*Ibidem*, p. 137). Outro exemplo: "Conheces a mulher? (...) Sondaste o abismo de mistérios e incoerências, que o Inferno disfarçou nas seduções da mulher? (...) Amodorrado entre uns braços de alabastro, o homem esquece o que sejam cívicas virtudes, desflora a castidade da inteligência, efemina-se e deprava-se, como... como a mulher." (*Ibidem*).

42 Geoffrey Harpham, *op. cit.*, p. 17.

43 *Ibidem*, p. 4.

44 Segundo E. Rosen, com os românticos o grotesco ganha uma dimensão criativa inovadora e com ele surge "un nouvel état de l'art, des savoirs et du monde, marqué du sceau de la dissonance et de l'hétérogeneité" – Elisheva Rosen, *Sur le Grotesque. L'Ancien et le Nouveau dans la Réflexion Esthétique* (Vincennes: PUV, 1992), p. 48.

45 Vários exemplos deste processo podem ser apontados: a violadora parece "febril" e com uma "fascinação" estranha; noutro episódio, Fausto confessa ter sido dominado pelo "fluido diabólico (...) que faz do homem mais são um sátiro concupiscente" (Álvaro do Carvlhal, *op. cit.*, p. 148); na cena nupcial, Guntar entra em "delírio" e Florentina "enrosca-se no esposo com exaltação felina e, raivosa de amor, crava-lhe na face os dentes vorazes" (*Ibidem*, p. 160); na cena final, Guntar "julga-se ludíbrio das maravilhas dum conto", e Florentina, imóvel, está "marmorizada" para aparecer no fim qual "espectro da loucura" (p. 173).

onde a misteriosa sombra e o possível fantasma se reduz afinal a um ser que apenas ostenta uma parecença capaz de excitar memória da mulher morta, fazendo jus à ideia de que:

> Le fantôme est l'écho dans la mémoire de l'arrêt sur image qui accompagne la mort d'un être cher. (...)
> En définitive, le grand thème fantastique est l'illusion du déjà vu. Mais justement. Il n'y a pas d'illusion. Seulement du déjà vu. L'illusion porterait sur le contenu. En fait, cela même que l'on a bien déjà vu c'est le fait que l'on a vu alors était réel. L'illusion porte sur l'impression de réel.[46]

Ao invés da lenda da "Dama Pé de Cabra", outras vezes os contos de Álvaro do Carvalhal propõem inicialmente situações plausíveis e verosímeis. Sem pretender catapultar logo o leitor para o jogo ficcional indispensável ao fantástico – que implica o acreditar, por parte do leitor, em fenómenos e circunstâncias derrogadoras dos limites do possível (como acontece no texto de Herculano) – os contos de Álvaro do Carvalhal vão construindo um conjunto de tensões e mistérios[47] onde o invulgar permeia com o terrífico e o insólito com o escondido. Através das alusões, dos indícios reiterados (cujo verdadeiro alcance o leitor só pode ter *a posteriori*), se vai preparando o leitor para a sugestão do irreal ou do impossível, segundo a lição de Hoffmann e de Poe que o contista refere explicitamente em "Os Canibais"[48].

Assim a sugestão do fantástico e o grotesco vêm lentamente insuando o estranho e o diferente e, assim, vão ganhando uma dimensão subversiva da ordem natural e instituindo uma ruptura da norma. Ora as convenções sociais e morais comandam a permissibilidade do que se desvela ou não relativamente ao corpo (e à alma!). Quanto a este aspecto, a ficção de Álvaro do Carvalhal é notoriamente derrogadora do convencional, explorando bem mais que Garrett a função subver-

---

[46] Alain Chareyre-Méjan, *op. cit.*, pp. 82 e 83. Para Chareyre-Méjan, "L'objet du souvenir est le même que celui auquel nous confronte le sentiment du fantastique. Quel est-il? Un fantôme. Entendez par là toutefois non pas un esprit mais la rémanence du réel en tant qu'aucune idée ne peut en abolir la réalité quand il a eu lieu. L'image du passé délivre son spectre. Bien sûr, "percevoir signifie immobiliser"! Et c'est pourquoi nous ne percevons que des fantômes" – *Ibidem*, p. 79.

[47] Exemplo deste clima de mistério e tensão não isento de comicidade e intenção paródica pode ser colhido no conto "J. Moreno", quando o protagonista acordando do seu sonho agitado por um estremeção julga ver o fantasma de seu pai e afinal, não era senão... o cozinheiro." – Álvaro do Carvalhal, *op. cit.*, p. 81.

[48] Cf. Carvalhal, *op. cit.*, p. 241. Também em Hoffmann abundam os estados delirantes ou semi-inconscientes que permitem o ludíbrio d'"A Mulher da Máscara". Também Poe parte muitas vezes simplesmente de uma percepção do "estranho" que se adensa progressivamente, como no célebre conto "Ligeia".

siva do fantástico e do grotesco, que Herculano contorna; daí, a subversão da moralidade ironicamente questionada nesta ficção:

> [M]il outros ilustres colegas que me precederam costumavam consagrar os últimos trechos (...) à dedução da moralidade (...). Por mim, inimigo figadal de relhas tradições, fiz protesto de não os imitar (...). Por forma alguma convinha ao meu intento reservar para o remate a fria moralidade, segundo usança de meus defuntos confrades (...). Mas para que ma não censurem por leigo na missão, que escolhi, aí a dou (a moralidade) em duas palavras suculentas, conceituosas e profundas como se me empertigasse sobre a sagrada trípode da sibila.[49]

A prometida moralidade revela-se ser o inverso dela. Com efeito, nestes contos, a paródia, na ambígua dualidade que lhe é característica[50], domina a voz narrativa constantemente desmistificadora que, desta forma, vai para além da distância aberta pela ironia romântica, ganhando uma maior complexidade que não evita nem colmata certas incongruências deste contraditório e paradoxal escritor que cometeu a extrema e perigosa ousadia de metamorfosear a mulher em pedra:

> Todo o pensamento da poesia era tirado da metamorfose da desventurada ninfa. (...)
> Ela a ver e a sentir que as formas delicadas lhe vão ganhando pouco a pouco as curvas broncas dum rochedo (...).[51]

---

[49] *Ibidem*, p. 237.

[50] Sobre a questão da dualidade paródica é incontornável a obra de L. Hutcheon, conforme se salientou em estudo anterior (Cf. Maria João Simões, *op. cit.*), pp. 760-762.

[51] Álvaro do Carvalhal, *op. cit.*, p. 218.

Subjectivação da paisagem/ emblematismo filosófico da natureza (uma leitura de poemas romântico-intimistas)

Angélica Soares
Universidade Federal do Rio de Janeiro

Numa trajectória que vem desde Vico, com o seu conceito de poesia espontânea ou primitiva, a tematização da natureza encena-se romanticamente, não só através da valorização da realidade nacional, atitude já defendida pré-romanticamente por Herder e o "Sturm und Drang", na defesa da cor local, como também pela lírica subjectivação da paisagem. E, como presença obrigatória no Romantismo, concordamos com Abrams que a percepção da natureza ultrapassa, então, a ideia de ser ela um organismo possuidor de vida própria, a qual lhe permitia a prática de actos tão conscientes como aqueles executados pelo homem. A esse respeito, faz o citado crítico referências enriquecedoras:

> A simples postulação de um universo animado não era novidade: o Deus omnipresente de Isaac Newton, que constituía a duração e o espaço e sustentava com sua presença as leis do movimento e a gravitação, a alma do mundo dos antigos estóicos e platónicos, não raramente se encontram a morar juntos, amigavelmente, na poesia da natureza do século XVIII.[1]

O que viria, portanto, identificar a concepção romântica da natureza, na sua diferença, era que, ao princípio de transcendência do Eu, da

---

[1] M. H. Abrams, *El Espejo y la lámpara: teoría romántica y tradición crítica acerca del hecho literario*, trad. Gregorio Araóz (Buenos Aires: Ed. Nova, 1962), p. 100. Trad. da autora.

filosofia de Fichte, pelo qual o Eu puro não seria apenas algo que permitiria conhecer a realidade, mas um princípio metafísico que conduziria a uma compreensão interna da dinâmica do processo de realidade, do eu individual e do mundo, veio juntar-se o relacionamento preconizado por Schelling entre a individualidade própria do homem e a individualidade orgânica da natureza, que podemos detectar na seguinte passagem:

> O que nós pretendemos não é que a natureza coincida, como que por azar, com as leis de nosso espírito (por intermédio de um terceiro princípio), mas que ela própria exprima, necessária e primitivamente, as leis de nosso espírito e que não somente as exprima, mas as realize e que não seja nem possa ser chamada natureza senão fazendo um e outro.
> A Natureza deve ser o Espírito visível, e o Espírito a Natureza invisível. É nessa identidade absoluta do Espírito *em nós* e da natureza *fora* de nós, que se deve encontrar a solução do problema da possibilidade de uma natureza exterior a nós.[2]

Com base nessa proposição idealista, desejaram os românticos pôr fim à divisão entre o animado e o inanimado, entre sujeito e objecto e até mesmo entre os objectos. E isto estava bastante coerente com o fascínio da unidade, que nutriu não só a filosofia de Schelling, mas todo o Romantismo.

Gerd Bornheim, analisando o pensamento de Schelling, conclui:

> Há, portanto, uma base ideal na natureza, um princípio de actividade, de vida, que lhe é imanente. Nessa idealidade, o homem e a natureza como que se tocam, pois trata-se de um fundo comum a ambos, razão pela qual pode o homem chegar a entender o mundo sensível e construir ciência.[3]

Antecipando Schelling, Rousseau já previra, na interiorização da paisagem, a possibilidade de o homem alargar a sua própria humanidade. E os românticos, parece-nos, nunca abandonaram as lições do *promeneur solitaire*.

Possuidora de vida: portadora de linguagem. E ao poeta competia, com seu génio original, não somente ouvir a linguagem da Natureza, mas identificar-se nela, vivendo-a em diferentes manifestações e *produzindo* poeticamente essa *vivência*. O que fizeram, de forma superlativa, Wordsworth, Coleridge, Keats, Blake, Shelley. Neste último:

---

[2] F. W. von Schelling, *Essais*, trad. Jankélévitch (Paris: Aubier, 1946), pp. 86-7. Trad. da autora.

[3] Gerd Bornheim, "Filosofia do romantismo", J. Guinsburg et alii (orgs.), *O Romantismo* (São Paulo: Perspectiva, 1978), p. 100.

> The everlasting universe of things
> Flows through the mind, and rolls its rapid waves,
> Now dark – now glittering – now reflecting gloom –
> Now lending splendour, where from secret springs
> The source of human thought its tribute brings
> Of waters, – with a sound but half its own.
> Such as a feeble brook, will oft assume
> In the wild woods, among the mountains, lone,
> When waterfalls around it leap forever,
> Where woods and winds contend, and a vast river
> Over its rocks ceaselessly bursts and raves.[4]

Inserindo-se o homem na Natureza, o poema vai além de uma recriação plástica e musical da paisagem, acenando com o transcendentalismo schellingiano, segundo o qual a natureza exprimiria e realizaria as leis do espírito humano. Pelo vigor das metáforas, ultrapassa-se a realidade visível e põe-se fim ao dualismo de percepção, que distinguiria homem e natureza. Assim, constrói-se, liricamente, a referida "identidade absoluta".

Tornando-se, dessa forma, intérprete e veículo das manifestações de vida captadas nas formas naturais, o poeta situaria nelas, não raramente, o lugar de encontro consigo próprio. E assim elas se fizeram fonte e modelo para a experiência poetizada.

Paul van Thieghen pormenorizou essa tendência, ao relatar:

> Sua poderosa imaginação, de acordo com algumas analogias exteriores, vê num astro, numa nuvem, nas ondas, numa árvore, numa flor, numa rocha, seres que sentem e pensam, com os quais o homem entra em comunicação, os quais amam, sofrem, sonham como ele e com ele, os quais lhe falam e frequentemente o aconselham.[5]

---

[4] P. B. Shelley, *The Complete Poetical Works of Percy Bysshe Shelley*, Thomas Hutchinson (ed.) (London: Oxford University Press, 1960), p. 532. Apresenta-se aqui a tradução de Carmen Gago Alvarez:

O permanente universo das coisas
Flui através da mente, e rola suas céleres ondas,
Ora escuras – ora brilhantes – agora melancólicas –
Esplendorosas, fazendo surgir de fontes secretas
O âmago do pensamento humano, que depõe seu tributo
Às águas – com um som que não lhe é particular.
Como se fosse um débil riacho enfraquecido
Nas cerradas matas, na solidão das montanhas,
Quando as cachoeiras o cercam para sempre
Onde matas e ventos lutam, e um vasto rio
Sobre suas rochas rebenta e estronda sem cessar.

[5] Paul van Tieghen, *Le Romantisme dans la littérature européenne* (Paris: Albin Michel, 1948), p. 260.

Quem sabe, o emblematismo se fizesse menos pelas "analogias exteriores", como justificou Tieghen, que pelo desejo de captação poética da potencialidade encoberta da Natureza, que o poeta buscava *desvelar* ao colocá-la em tensão com o sentimento humano? Vejamos em Garrett:

Nunca me há–de esquecer aquele dia!
Nem os olhos, as falas, e a sincera
Admiração da bela dama inglesa
        Por tudo quanto via;
O fruto, a flor, o aroma, o solo que os gera,
E esta vivaz, veemente natureza,
        Toda de fogo e luz,
Que ama incessante, que de amar não cansa,
        E contínua produz
Nos frutos o prazer, na flor a esp'rança.[6]

Desvendam-se aí, por um princípio de correspondência, o ritmo e a pulsação de vida que latejam por trás do meramente perceptível e indubitavelmente admirável na paisagem. Pela participação livre da magia e da subjectividade, o poeta faz-nos transitar da exterioridade para a interioridade, de modo que, pelos efeitos de projecção, já não é mais possível traçar contornos. Assim, ele responde romanticamente à linguagem da Natureza e deixa que a Natureza se faça linguagem, no percurso simbólico da experiência amorosa: da "esp'rança" para o "prazer", da "flor" para o "fruto" e do acto contemplativo para a colheita. Ou ainda do "virgíneo pudor" do botão, para o desabrochar da flor, como se configura em "A Délia":

Cuidas tu que a rosa chora,
Que é tamanha a sua dor,
Quando, já passada a aurora,
O sol, ardente de amor,
Com seus beijos a devora?
– Feche virgíneo pudor
O que inda é botão agora
E amanhã há – de ser flor;
Mas ela é rosa nesta hora,
Rosa no amor e na cor.

– Para amanhã o prazer
Deixe o que amanhã viver
Hoje, Délia é nossa a vida;

---

6 Almeida Garrett, "Folhas caídas", *Obras de Almeida Garrett* (Porto: Lello e Irmão, 1966), v. 2, p. 238.

Amanhã... o que há de ser?
A hora de amor perdida
Quem sabe se há-de volver?
Não desperdices, querida,
A duvidar e a sofrer
O que é mal gasto da vida
Quando o não gasta o prazer.[7]

Delegando-se o poder de decifrar o que se vela nas marcas impressas pela dinâmica produtiva da Natureza, Garrett faz delas, constantemente, motivo de suas imagens. Nos versos acima, o idealizado relacionamento amoroso, ardente e violento, do sol com a rosa, sustenta toda uma retórica de persuasão da positividade da entrega, que não deve ser desperdiçada na espera do amanhã. Nessa versão garrettiana do *carpe diem* horaciano, o jogo temporal entre a realidade presente e a incerteza futura reforça a impropriedade da transferência do gozo. E, com a certeza de que só o prazer justifica a vida, se completa a cena, montada dramaticamente, tal qual um monólogo dialogado, no qual o silêncio da resposta resguarda romanticamente a cumplicidade feminina.

A imagem da mudança de cor na rosa, decorrente da realização do desejo, em "A Délia" apenas sugerida, amplia-se noutros poemas, como em "Rosa pálida":

Rosa pálida, em meu seio
Vem querida, sem receio
Esconder a aflita cor
Ai! a minha pobre rosa!
Cuida que é menos formosa
Porque desbotou de amor.[8]

Esse carácter emblemático, próprio da visão romântica da Natureza, atinge nas *Folhas caídas*, de Garrett, tal vigor que o amor à Natureza é a própria natureza do amor.

O sentimento da Natureza reflectir-se-ia também no poema intimista-romântico, pela valorização do ambiente em seu estado primitivo, ainda não transformado pelos efeitos técnicos da civilização: herança de Rousseau.

No poema "Estes sítios", também de Garrett, podemos recolher um dos momentos de elaboração poética da clara distinção entre cidade e campo, decorrente sobretudo da revolução industrial. Esta distinção

---

[7] Almeida Garrett, *op. cit.*, p. 225.

[8] *Ibidem*, p. 185.

conduziria a uma supervalorização do segundo, em detrimento da primeira:

Olha bem estes sítios queridos
Vê-os bem neste olhar derradeiro...
Ai! o negro dos montes erguidos,
Ai! o verde do triste pinheiro!
Que saudade que deles teremos...
Que saudade! ai, amor, que saudade!
Pois não sentes, neste ar que bebemos,
No acre cheiro da agreste ramagem,
Estar-se alma a tragar liberdade
E a crescer de inocência e vigor!
Oh! aqui, aqui só se engrinalda
Da pureza da rosa selvagem,
E contente aqui só vive Amor.
O ar queimado das salas lhe escalda
De suas asas o níveo candor,
E na frente arrugada lhe cresta
A inocência infantil do pudor.
E oh! deixar tais delícias como esta!
E trocar este céu de ventura
Pelo inferno da escrava cidade!
Vender alma e razão à impostura,
Ir saudar a mentira em sua corte,
Ajoelhar em seu trono à vaidade,
Ter de rir nas angústias da morte,
Chamar vida ao terror da verdade...
Ai! não, não... nossa vida acabou,
Nossa vida aqui toda ficou.
Diz-lhe adeus neste olhar derradeiro,
Diz à sombra dos montes erguidos,
Di-lo ao verde do triste pinheiro,
Di-lo a todos os sítios queridos
Desta ruda, feroz soledade,
Paraíso onde livres vivemos...
Oh! saudades que dele teremos,
Que saudade! ai, amor, que saudade![9]

Estruturando-se como paisagem ideal, o campo aparece como lugar de encontro e realização plena do homem, ameaçados pelo "inferno da escrava cidade". E, ao cantar-se o momento da despedida, compõe-se um quadro de sentimentos que, na constatação do fim, se iluminam como *pré-sentimentos*. Desta forma, vivem-se no presente, o futuro e

[9] Almeida Garrett, *op. cit.*, pp. 198-9.

o passado (veja o jogo temporal dos três tempos, marcados gramaticalmente no poema). Assim, conduzido pela dinâmica temporal unitária, o poema indica, na forma das antíteses (campo: "liberdade", "inocência", "vigor", "pureza", "contente", "céu de ventura", "vida", "paraíso x cidade": "inferno", "escrava", "impostura", "mentira", "vaidade", "angústia", "morte"), o sentido de duplicidade do homem romântico, repartido pelo avanço tecnológico da época, entre o fascínio "cientificizante" da cidade, que ele busca repelir, e a atracção natural do campo, que lhe parece cada vez mais distante. A cidade seduzia e amedrontava, mas era para ela que, infalivelmente, ele teria que caminhar.

O poema de Garrett remete-nos, portanto, não apenas para o lamento nostálgico da perda do convívio amoroso totalizador, mas para a consciência histórica de um momento derradeiro, de necessária superação, adiada sobretudo na opção romântica pelo isolamento e pela solidão. Em uníssono com esse estado de ânimo, a paisagem recobria-se de véus, nuvens e sombras, tornando-se nocturna. Ocorre-nos, dentro dessa postura de tematização do velamento, o poema de Espronceda "À noite". Detenhamo-nos em algumas passagens:

Salve, ó tú, noche serena,
Que el mundo velas augusta,
Y los pesares de un triste
Con tu oscuridad indulzas.

El arroyuelo á los lejos
Más acallado murmura
Y entre las ramas el aura
Eco armonioso susurra.

Se cubre el monte de sombras
Que las praderas anublan,
Y las estrellas apenas
Con trémula luz alumbran.

Melancólico rüído
Del mar las olas murmuran,
Y fatuos, rápidos fuegos
Entre sus aguas fluctúan.

El majestüoso río
Sus claras ondas enluta
Y los colores del campo
Se ven en sombra confusa.
....

Allá en la elevada torre
Lánguida lámpara alumbra,
Y en derredor negras sombras,
Agitándose, circulan.
....
Silencio, plácida calma
A algún murmullo se juntan
Tal vez, haciendo más grata
La paz de la noche oscura,

¡Oh! salve, amiga del triste,
Con blando bálsamo endulza
Los pesares de mi pecho,
Que en ti consuelo buscan.[10]

"Velas", "escuridão", "trevas", "enluta", "sombras", "escura" alicerçam não só a semântica esproncediana, mas grande parte da escrita romântico-intimista. São, entre outras, imagens de ocultação que nos remetem, existencialmente, para o facto de que, se a realidade não se esgota na aparência clara e desnuda, por que não auscultar o velamento e cultuá-la preferivelmente entre sombras? Essa parece-nos ter sido uma das modalidades de assunção do ofertar-se e retrair-se do Real experimentada pelo Romantismo; o que vinha satisfazer ao repúdio do ambiente circundante. Ao velar, o poeta singularizava a percepção da realidade, afastando aqueles aspectos que lhe eram familiares e que ele rejeitava. Ao velar, ele podia, enfim, viver poeticamente

[10] Espronceda, *Obras poéticas.* (Madrid: Espasa-Calpe, 1962), v.1., pp. 59-62. Apresenta-se aqui a tradução de Helena Ferreira:

Salve, ó tu, noite serena
Que augusta o mundo velas
e os pesares de um triste
Com tuas sombras emelas.

O regato bem de longe
Mais sossegado murmura
E entre os ramos a aura
Eco harmonioso sussurra
....
Cobre-se o monte de trevas
Que as pradarias sombreiam
e as estrelas a custo,
Com trêmula luz clareiam.

Melancólico ruído
Do mar as ondas murmuram
e fátuos, rápidos fogos
Entre suas águas flutuam.

O majestoso rio
Suas claras ondas enluta
E assim as cores do campo
Vêem-se em sombra confusa.

Ali na elevada torre
Lânguida lâmpada clareia
e em volta negras sombras
Agitando-se rodeiam.
....
Silêncio, plácida calma.
A algum murmúrio se juntam
Talvez, fazendo mais grata
A paz dessa noite escura.

Oh! Salve, amiga do triste,
Com doce bálsamo abranda
Os pesares de meu peito
Que em ti consolo demandam.

a solidariedade e o "consolo" da paisagem exterior que se "enluta", fiel à sua lutuosa paisagem interior. Isto porque, à arte romântica tornou-se meta essencial operacionalizar aquela comunicação directa entre o espírito humano e o espírito da natureza, núcleo da filosofia schellingiana.

Recriando-se como *re-ferente* (o que afasta a redutibilidade ao *di-ferente*), o ser humano reconhece-se Natureza, também nas ressonâncias veladas da *Lira dos vinte anos*, de Álvares de Azevedo, da qual relacionamos dois momentos:

Donzela sombria, na brisa não sentes
A dor que um suspiro em meus lábios tremeu?
E a noite, que inspira no seio dos entes
    Os sonhos ardentes,
    Não diz-te que a voz
    Que fala-te a sós
    sou eu?

Acorda! não durmas da cisma no véu!
Amemos, vivamos, que amor é sonhar!
Um beijo, donzela! Não ouves? no céu
    A brisa gemeu...
As vagas murmuram...
As folhas sussurram
    Amar![11]

Nos versos acima, num primeiro movimento, a visão lírica da amada leva a confundi-la com a paisagem. As sombras da noite, guiadas pela dinâmica do sonho, transformam-se em "donzela sombria". Num segundo movimento, o próprio "eu" funde-se com a paisagem e através dela dá-nos a conhecer os seus estados de alma: misto de dor e prazer. Animizando a "brisa", as "vagas" e as "folhas", as reacções amorosas do amante permanecem recônditas. E isto parece-nos bastante conforme com uma poética que se clarifica pelo velado.

Forma romântica de *des-cobrir*, ocultando, é também a opção poética azevediana pela paisagem nocturna, onde os sonhos são mais sonhos. O poeta chega a imaginar o acontecimento diurno à luz da lua.

A natureza, mesmo no seu acontecer matinal, cobre-se de sombras para participar do enlevo amoroso e assim se configurar a natural integração entre os sentimentos humanos e os diferentes modos de projecção da Natureza, na paisagem:

---

[11] Álvares de Azevedo, *Lira dos vinte anos, Obras completas*. 8, Homero Pires (org.), (São Paulo: Cia. Ed. Nacional, 1942), t. 1, p. 16.

Meu amor foi a verde laranjeira
Cheia de sombra à noite abrindo as flores
Melhor que ao meio-dia;
A várzea longa – a lua forasteira
Que pálida como eu, sonhando amores,
De névoa se cobria.[12]

***

A partir dessa pequena amostragem da poesia do Romantismo, poderíamos propor que, construindo um sujeito poético como intérprete e veículo das manifestações de vida captadas na paisagem, o poeta romântico recriou, epocalmente, o desejo humano de apreensão da potencialidade oculta da Natureza. Dos poemas, emerge a vivência da Natureza enquanto *physis*, da sua fisicalidade no modo mais radical de se manifestar: como "primeira e fundamentalmente poética".[13] Para esse sentido produtivo, naturante, convergem tanto a palavra do poeta quanto a do filósofo. Pois, na medida em que operaram uma *reflexão* sobre o que na Natureza se oferece e se nega ao aparecimento, no seu constante "devir em direcção à consciência"[14], na medida em que souberam perscrutar também o latente, o não visível, tomaram-na como objecto poético: tema e impulso para o pensar e o poetar.

[12] Álvares de Azevedo, *op. cit.*, pp. 107-8.

[13] Mikel Dufrenne, *O Poético* (Porto Alegre: Globo, 1969), p. 220.

[14] *Ibidem*, p. 222.

Execução Gráfica

Colibri – Artes Gráficas
Faculdade de Letras
Alameda da Universidade
1600-214 LISBOA
Telef. / Fax 21 796 40 38
Internet: www.edi-colibri.pt
e-mail: colibri@edi-colibri.pt